Android 4

Android 4

Lauren Darcey
Shane Conder

PROGRAMACIÓN

TÍTULO DE LA OBRA ORIGINAL:
Android Wireless Application Development. Volume 1: Android Essentials

RESPONSABLE EDITORIAL:
Eugenio Tuya Feijoó, @nenedelcerro

TRADUCTOR:
Manuel Cegarra Polo

DISEÑO DE CUBIERTA:
Cecilia Poza Melero

Juan Ignacio Luca de Tena, 15. 28027 Madrid
Depósito legal: M-18858-2012
ISBN: 978-84-415-3194-9
Printed in Spain

Este libro está dedicado a Chickpea.

Agradecimientos

Este libro no habría podido ser escrito sin la orientación y el apoyo de muchas personas, incluyendo el equipo editorial, colaboradores, amigos y familia. Nos gustaría dar las gracias a la comunidad de desarrolladores de Android, a Google y a la *Open Handset Alliance* por su visión y experiencia. En el transcurso de este proyecto, el equipo editorial siempre ha mostrado una combinación perfecta de seriedad y estímulo. Queremos dar las gracias en particular a Trina MacDonald, Olivia Basegio, Songlin Qiu y al estupendo equipo de revisores técnicos: Doug Jones, Mike Wallace y Mark Gjoel (así como a Dan Galpin, Tony Hillerson, Ronan Schwarz y Charles Stearns, que revisaron las ediciones anteriores). También nos gustaría dar las gracias a Ray Rischpater por su incansable apoyo y consejo en la redacción técnica. También debemos elogiar a Amy Badger por su estupenda ilustración de la cascada, y dar las gracias a Hans Bodlaender por permitirnos utilizar las ingeniosas fuentes tipo ajedrez que creó en sus ratos libres.

Sobre los autores

Lauren Darcey es responsable técnica y gerente de una pequeña empresa de software especializada en tecnologías móviles, incluyendo Android, iOS, Blackberry, Palm Pre, BREW y J2ME, y en servicios de consultoría. Con más de veinte años de experiencia en desarrollo de software profesional, Lauren es una reconocida autoridad en la arquitectura de aplicaciones y en el desarrollo de aplicaciones móviles a nivel comercial. Lauren es licenciada en Ciencias de la Computación por la Universidad de California, Santa Cruz.

Su tiempo libre lo dedica a viajar por el mundo con su marido, que es un fanático de las últimas tecnologías, y a fotografiar la naturaleza. Su trabajo ha sido publicado en libros y revistas de todo el mundo. En Sudáfrica buceó junto a tiburones blancos de cuatro metros y se quedó atrapada dentro de una manada de enloquecidos hipopótamos y un elefante macho muy enfadado. Fue atacada por monos en Japón, se quedó bloqueada en un barranco con dos leones hambrientos en Kenia, casi muere de sed en Egipto, escapó por poco de un golpe de estado en Tailandia, encontró su camino a través de los Alpes suizos en carreras GPS, también consiguió encontrar el camino de salida a través de la cervecerías de Alemania, durmió en ruinosos castillos de Europa y su lengua se quedó pegada a un iceberg en Islandia (mientras era observada con desconfianza por un grupo de renos).

Shane Conder tiene una gran experiencia en desarrollo, sobre todo en sistemas embebidos y móviles, adquirida a lo largo de más de diez años. Ha diseñado y desarrollado muchas aplicaciones comerciales para Android, iOS, BREW, Blackberry, J2ME, Palm y Windows Mobile, algunas de ellas instaladas en millones de móviles por todo el mundo. Shane ha escrito mucho sobre la industria de la tecnología móvil y ha evaluado plataformas de desarrollo móvil en sus blogs técnicos, ámbito en el que es muy conocido. Shane es licenciado en Ciencias de la Computación por la Universidad de California.

Él mismo reconoce que es un amante de las novedades tecnológicas, por lo que siempre tiene el último smartphone, tableta o dispositivo móvil. Con frecuencia se le puede encontrar trasteando con las últimas tecnologías, como los servicios de la nube o las plataformas móviles, o con otras tecnologías vanguardistas que estimulan la parte creativa de su cerebro. También le encanta viajar por el mundo con su esposa, que como él, es una fanática de los adelantos tecnológicos, aunque le haga bucear con tiburones blancos de cuatro metros y ser casi devorado por un león en Kenia. Reconoce que siempre lleva dos móviles en su mochila (aunque no haya cobertura), y que rápidamente sacó su teléfono Android mientras se reía entre dientes, para hacer una foto a Laurie cuando se le quedó pegada la lengua a aquel iceberg de Islandia, y que se ha dado cuenta que debería escribir su propia biografía.

Índice de contenidos

Introducción

Promovido por *Open Handset Alliance* y Google, Android es una popular plataforma móvil de código abierto que ha entrado en el mundo de la tecnología inalámbrica como un tornado. El presente libro constituye una guía completa para los equipos de desarrollo en las tareas de diseño, desarrollo, prueba, depuración y distribución de aplicaciones profesionales de Android. Los desarrolladores de aplicaciones móviles experimentados podrán encontrar consejos y trucos para optimizar el proceso de desarrollo y aprovechar las características específicas de Android. Para los novatos en las tecnologías móviles, estos libros proporcionan todo lo que necesitan para tener una transición suave desde el desarrollo de software tradicional al desarrollo móvil, y específicamente para su plataforma más prometedora: Android.

Quién debería leer este libro

Este libro incluye consejos para desarrollar con éxito aplicaciones móviles basadas en nuestros años de experiencia en este negocio, y cubre todo lo que necesita saber para realizar un buen proyecto Android desde la etapa conceptual hasta su finalización. Se explican las diferencias entre el desarrollo de aplicaciones móviles y de software tradicional, incluyendo trucos que le ahorrarán mucho tiempo. Independientemente del tamaño de su proyecto, este es su libro. El público para el que ha sido escrito es diverso:

- **Desarrolladores de software que quieren aprender a desarrollar aplicaciones Android.** La mayor parte de este libro está dirigida a desarrolladores de software con experiencia en Java, sin que necesariamente deban tener experiencia en el desarrollo móvil. Los desarrolladores más avezados de aplicaciones móviles pueden aprender a sacar más partido a Android y entender en qué se diferencia de otras tecnologías de desarrollo móvil existentes actualmente en el mercado.

- **Personal de control de calidad encargado de evaluar aplicaciones Android.** Tanto si se trata de técnicas de evaluación de caja negra o de caja blanca, los ingenieros de control de calidad encontrarán este libro muy útil. Se dedican varios capítulos al control de calidad de aplicaciones móviles, incluyendo aspectos como el desarrollo de planes de prueba y de sistemas de control de errores, la gestión de terminales y la evaluación a fondo de aplicaciones utilizando todas las herramientas disponibles en Android.
- **Directores de proyecto que gestionan equipos de desarrollo Android.** Pueden utilizar este libro para ayudarles a planear, gestionar y ejecutar proyectos Android en todas las etapas del proceso. Se incluye el control de riesgos y cómo hacer que los proyectos Android se desarrollen sin complicaciones.
- **Otros usuarios.** Este libro es útil no solo para el desarrollador de software, sino también para la empresa que está buscando aplicaciones potenciales en el mercado vertical, el empresario que está pensando en una buena aplicación móvil o un usuario que quiere entretenerse con su nuevo teléfono móvil. Los negocios que quieran evaluar Android para sus necesidades específicas (incluyendo un análisis de viabilidad) también podrán encontrar muy útil la información aquí contenida. Cualquiera que tenga un terminal Android y una buena idea para una aplicación móvil puede utilizar la información de este libro simplemente por diversión o para obtener algún beneficio.

Preguntas clave que tienen respuesta en este libro

Este libro responde a las siguientes preguntas:

1. ¿Qué es Android? ¿En qué se diferencian las versiones SDK?
2. ¿En qué se diferencia Android de otras tecnologías móviles, y cómo pueden los desarrolladores aprovechar dichas diferencias?
3. ¿Cómo utilizan los desarrolladores el entorno de desarrollo Eclipse con Java para crear y depurar aplicaciones Android en el emulador y en terminales?
4. ¿Cómo están estructuradas las aplicaciones Android?
5. ¿Cómo se diseñan interfaces de usuario para móviles robustas, concretamente para Android?
6. ¿Cuáles son las características de Android SDK y cómo las utilizan los desarrolladores?

7. ¿En qué se diferencia el proceso de desarrollo de aplicaciones móviles del tradicional desarrollo para escritorio?
8. ¿Cuáles son las estrategias de desarrollo que funcionan mejor para Android?
9. ¿Qué es lo que los gestores, desarrolladores y probadores de software necesitan buscar cuando planean, desarrollan y prueban una aplicación móvil?
10. ¿Cómo se crean aplicaciones móviles robustas que se puedan publicar?
11. ¿Cómo se empaquetan aplicaciones móviles listas para ser usadas?
12. ¿Cómo ganan dinero los equipos de aplicaciones móviles con Android?
13. Y por último, ¿cuáles son las novedades introducidas en esta edición del libro?

Organización del libro

La primera edición de este libro la escribimos antes de que se lanzara Android SDK. Ahora, tres años y catorce versiones de Android SDK después, hay tanto de lo que hablar que vamos a divididir el contenido en dos volúmenes en esta edición, la tercera.

Este libro está enfocado en los fundamentos de Android, incluyendo la configuración del entorno de desarrollo, el estudio del ciclo de vida de una aplicación, el diseño de la interfaz de usuario, el desarrollo según el tipo de dispositivo y el proceso de creación de software móvil, desde su diseño y desarrollo hasta la evaluación y publicación de aplicaciones a nivel comercial.

Hemos dividido este libro en seis partes. Las cuatro primeras son interesantes sobre todo para los desarrolladores. La quinta parte proporciona información muy útil para directores de proyectos y personal de control de calidad y también para desarrolladores. La sexta parte incluye varios apéndices muy útiles para ayudarle a empezar con las herramientas más importantes de Android.

A continuación se presenta una visión general de las diferentes partes del libro:

- **Parte I. Visión general de la plataforma Android:** En esta parte se introduce Android, explicando en qué se diferencia de otras plataformas móviles. Se familiarizará con Android SDK, instalará las herramientas de desarrollo y escribirá y ejecutará su primera aplicación Android, en el emulador y en un terminal.
- **Parte II. Conceptos básicos de aplicaciones Android:** En esta parte se introducen los conceptos básicos de diseño necesarios para escribir aplicaciones Android. Aprenderá cómo están organizadas las aplicaciones y a incluir recursos en sus proyectos, como cadenas, gráficos y componentes de la interfaz de usuario.
- **Parte III. Fundamentos de diseño de interfaces de usuario Android:** En esta parte se profundiza en el diseño de la interfaz de usuario Android. Aprenderá sobre el elemento fundamental de la interfaz: *View*. También estudiará los controles y distribuciones más comunes de la interfaz de usuario en Android SDK.

- **Parte IV. Fundamentos de diseño de aplicaciones en Android:** En esta parte se estudian las características utilizadas en la mayoría de aplicaciones Android, incluyendo el almacenamiento de datos permanentes de la aplicación y el trabajo con archivos, directorios y proveedores de contenidos. También aprenderá a diseñar aplicaciones que se ejecutarán sin ningún problema en diferentes dispositivos Android.
- **Parte V. Publicar y distribuir aplicaciones Android:** En esta parte se cubre todo el proceso del desarrollo de software móvil, de principio a fin, incluyendo consejos y trucos para directores de proyecto, desarrolladores de software y personal de control de calidad.
- **Parte VI. Apéndices:** En esta parte se incluyen dos útiles guías de inicio rápido de las herramientas de desarrollo Android, el emulador y DDMS (*Dalkiv Debug Monitor Server*, Servidor monitor de depuración Dalkiv), así como un apéndice con consejos y trucos de Eclipse.

Sobre este libro

Cuando empezamos a escribir la primera edición de este libro no existían dispositivos Android en el mercado. Al poco de empezar a escribirlo apareció uno, solo disponible en EE. UU. Hoy en día existen cientos de dispositivos con Android en todo el mundo, smartphones, tabletas, lectores de libros electrónicos y algunos más especializados como Google TV. La plataforma Android ha experimentado muchos cambios desde que la primera edición de este libro se publicara. Android SDK incluye muchas características nuevas, y las herramientas de desarrollo han sufrido varias actualizaciones necesarias. Android, como tecnología, está asentada sólidamente en el mercado móvil.

Hemos aprovechado esta nueva edición para realizar una revisión profunda del contenido del libro. Pero no se preocupe, todavía sigue siendo el libro que encantó a los lectores de las dos ediciones anteriores. Ahora es más largo, mejor y más completo. Además de añadir mucho contenido nuevo, hemos vuelto a probar y a actualizar el contenido existente (el texto y el código de ejemplo) para que se pueda utilizar con la última versión disponible de Android SDK, siendo a la vez compatible con las versiones anteriores. La comunidad de desarrollo Android es muy diversa, y nuestra intención es dar soporte a todos los desarrolladores, independientemente de los dispositivos para los que estén trabajando. Esto incluye a desarrolladores que necesiten utilizar casi todas las plataformas, por lo que se siguen manteniendo algunas áreas clave de versiones anteriores de SDK, ya que con frecuencia son la opción más razonable a efectos de compatibilidad.

A continuación se exponen algunos aspectos clave de las novedades y mejoras en esta edición:

- Soporte de las mejores y más recientes herramientas y utilidades de Android.
- Actualización de todos los capítulos, con frecuencia con secciones completamente nuevas.

- Nuevos capítulos, que cubren las nuevas características de SDK o que amplían el contenido de ediciones anteriores.
- Código de ejemplo y aplicaciones actualizadas, convenientemente organizadas por capítulos.
- Aspectos como los archivos *manifest*, proveedores de contenidos, diseño de *apps* y pruebas tienen ahora capítulos dedicados.
- Temas muy actuales, como la compatibilidad de aplicaciones, el diseño para diferentes dispositivos y el trabajo con componentes de interfaz de usuario relativamente nuevas, como fragmentos.
- Más consejos y trucos desde nuestra experiencia en el mundo real para ayudarle a diseñar, desarrollar y probar aplicaciones para diferentes dispositivos, incluyendo un nuevo capítulo dedicado a la resolución de problemas de compatibilidad.

Como puede ver, se cubren muchas de las características más novedosas y atractivas que Android puede ofrecer. No hemos realizado una revisión ligera, si no que hemos tocado todos los capítulos actualizando su contenido, y también hemos añadido algunos nuevos. Por último, hemos ampliado algunos aspectos, añadido aclaraciones y sí, incluso unas cuantas correcciones de errores encontrados por nuestros fantásticos (y meticulosos) lectores. ¡Gracias!

Entornos de desarrollo utilizados en este libro

El código Android de este libro se ha escrito utilizando los siguientes entornos de desarrollo:

- Windows 7 y Mac OS X 10.7.x.
- Eclipse Java IDE versión 3.7 (Indigo) y versión 3.6 (Helios).
- Eclipse JDT plugin y WTP (Web Tools Platform, Plataforma de herramientas Web).
- Kit de desarrollo Java SE (JDK) 6 actualización 26.
- Android SDK versión 2.3.4, API nivel 10 (Gingerbread MR 1); Android SDK Versión 3.2, API nivel 13 (Honeycomb MR 2); Android SDK versión 4.0, API nivel 14 (Ice Cream Sandwich).
  1. ADT plugin para Eclipse 15.0.0.
  2. Herramientas SDK revisión 15.
- Dispositivos Android: Samsung Nexus S, HTC Evo 4G, Motorola Droid 3, Samsung Galaxy Tab 10.1, Motorola Xoom, Motorola Atrix 4G y Sony Ericsson Xperia Play.

La plataforma Android continua creciendo con fuerza en el mercado, frente a las plataformas móviles de la competencia, como Apple iOS y BlackBerry. A un ritmo escalofriante, nuevos y atractivos tipos de dispositivos alcanzan las manos de los consumidores, apareciendo continuamente nuevas versiones de la plataforma Android. Los desarrolladores ya no pueden ignorar Android si quieren llegar a los usuarios de smartphones (o teléfonos inteligentes) de hoy y del futuro.

La última actualización mayor de la plataforma Android, Android 4.0, con frecuencia llamada por su nombre en clave *Ice Cream Sandwich*, o simplemente ICS, fusiona la edición enfocada a smartphones Android 2.3.x (Gingerbread) con la edición enfocada a tabletas Android 3.0 (Honeycomb) en una única SDK para todos los dispositivos inteligentes, sean teléfonos, tabletas, televisiones o *toasters*. En este libro se trabaja con las versiones más recientes de SDK y de sus herramientas, pero no solo se centra en éstas, sino que también tiene en cuenta las versiones anteriores de la plataforma. Pretende ser una referencia completa para ayudar a los desarrolladores a trabajar con todos los dispositivos más populares que se pueden encontrar en el mercado actualmente. En el momento de escribir este libro, solo una pequeña parte (menos del 5 por 100) de dispositivos estaban ejecutando Android 3.0 o 4.0. Por supuesto, algunos dispositivos se actualizarán, y los usuarios irán comprando nuevos con ICS instalado, pero por ahora, los desarrolladores necesitan rellenar este hueco y dar soporte a diversas versiones de Android, para poder llegar a la mayoría de usuarios del sector.

¿Qué implicaciones tiene para este libro? Esto significa que se cubren las API anteriores, a la vez que se estudian algunas de las nuevas, solo disponibles en las últimas versiones de Android SDK. Se presentan estrategias para englobar a todos (o a al menos a la mayoría) de los usuarios en lo que se refiere a compatibilidad. Las capturas de pantalla pueden resultar diferentes según la versión de Android SDK de que se trate, ya que cada revisión mayor ha incluido un cambio en el aspecto global de la plataforma. Dicho esto, asumimos que va a descargar las últimas herramientas de Android, por lo que las capturas de pantalla y los pasos a seguir que podrá ver son las correspondientes a las últimas versiones disponibles en el momento de escribir el libro, y no las de herramientas de versiones anteriores. Estos son los límites que marcamos cuando decidimos qué incluir o excluir en este libro.

Dónde encontrar más información

Existe una dinámica y útil comunidad de desarrolladores de Android en la Web. A continuación se presenta un listado de sitios Web muy útiles para desarrolladores de Android y para los adeptos a la industria de los dispositivos inalámbricos:

- **Sitio Web de desarrolladores de Android:** Referencia de desarrolladores y de Android SDK: `http://developer.android.com` o `http://d.android.com`.
- **Stack Overflow:** Sitio Web de Android con buena información técnica (clasificada por etiquetas) y un foro oficial de soporte para desarrolladores: `htp://stackoverflow.com/questions/tagged/android`.

- **Open Handset Alliance:** Fabricantes, operadores y desarrolladores de Android: `http://www.openhandsetalliance.com`.
- **Google play:** Compre y venda aplicaciones Android: `https://play.google.com/store`.
- **Mobiletuts+:** Tutoriales de desarrollo móvil, incluido Android: `http://mobile.tutsplus.com/category/tutorials/android`.
- **Anddev.org:** Foro de desarrolladores de Android: `http://www.anddev.org`.
- **Aplicaciones del equipo Android de Google:** Aplicaciones Android de código abierto: `http://apps-for-android.googlecode.com`.
- **Sitio Web del proyecto de herramientas Android:** Aquí puede encontrar comentarios sobre actualizaciones y cambios: `https://sites.google.com/a/android.com/tools/recent`.
- **FierceDeveloper:** Boletín de noticias semanal para desarrolladores de tecnologías inalámbricas: `http://www.fiercedeveloper.com`.
- **Red de desarrolladores de tecnologías inalámbricas:** Noticias diarias de la industria de las tecnologías inalámbricas: `http://www.wirelessdevnet.com`.
- **Foro de desarrolladores XDA Android:** Desde desarrollo general hasta ROM: `http://forum.xda-developers.com/forumdisplay.php?f=564`.
- **Developer.com:** Sitio orientado a desarrolladores con artículos sobre tecnologías móviles: `http://www.developer.com`.

Convenciones

Para ayudarle a sacar el mayor partido al texto y saber dónde se encuentra en cada momento, a lo largo del libro utilizamos distintas convenciones:

- Las combinaciones de teclas se muestran en negrita, como por ejemplo **Control-A**. Los botones de las distintas aplicaciones también aparecen así.
- Los nombres de archivo, URL y código incluido en texto se muestran en un tipo de letra `monoespacial`.
- Los menús, submenús, opciones, cuadros de diálogo y demás elementos de la interfaz de las aplicaciones se muestran en un tipo de letra Arial.

Nota

En estos cuadros se incluye información importante directamente relacionada con el texto adjunto. Los trucos, sugerencias y comentarios afines relacionados con el tema analizado se reproducen en este formato.

Código fuente

Para desarrollar los ejemplos, puede optar por introducir manualmente el código o utilizar los archivos de código fuente que acompañan al libro. En el sitio Web de Anaya Multimedia: `http://www.anayamultimedia.es/`, diríjase a la sección Soporte técnico>Complementos, donde encontrará una sección dedicada a este libro introduciendo el código 2318115.

Además, puede encontrar más material en la página Web del libro original en `http://androidbook.blogspot.com`.

Contactar con los autores

Agradecemos sus comentarios y preguntas. Le invitamos a que visite nuestro blog en:

- `http://androidbook.blogspot.com`.

También nos puede enviar un correo electrónico a:

- `androidwirelessdev+awad3ev1@gmail.com`.

Entre en nuestro círculo de Google+ en:

- Lauren Darcey: `http://goo.gl/P3RGo`.
- Shane Conder: `http://goo.gl/BpVJh`.

Parte I.

Visión general de la plataforma Android

1
Introducción a Android

La comunidad de desarrollo móvil se encuentra en un punto de inflexión. Los usuarios demandan más opciones, más posibilidades para personalizar sus dispositivos y más funcionalidad. Los operadores quieren proporcionar contenido de valor añadido a sus clientes de una forma sencilla y a la vez lucrativa. Los desarrolladores quieren tener libertad para desarrollar sin demasiados obstáculos las potentes aplicaciones móviles que los usuarios demandan. Por último, los fabricantes de terminales quieren una plataforma estable, segura y asequible que potencie sus dispositivos.

Android ha surgido como una plataforma revolucionaria en la comunidad de desarrollo móvil. Android, una plataforma innovadora y abierta, está bien situada para cubrir las crecientes necesidades del mercado de la tecnología móvil según amplía sus clientes más allá de los compradores de dispositivos de última generación.

En este capítulo se explica qué es Android, cómo y por qué fue desarrollado, y qué lugar ocupa en el mercado de la tecnología móvil. La primera parte está dedicada a la historia y la segunda se enfoca en el funcionamiento de la plataforma Android.

Breve historia del desarrollo de software móvil

Para entender qué es lo que hace a Android tan irresistible, debemos estudiar la evolución del desarrollo móvil y las diferencias de Android con sus plataformas competidoras.

Hace mucho tiempo

¿Recuerda cuando hace ya bastante tiempo un teléfono era tan solo un teléfono? ¿Cuándo utilizábamos las líneas fijas de telefonía? ¿Cuándo corríamos hacia el teléfono en lugar de sacarlo de nuestro bolsillo? ¿Cuándo perdíamos a nuestros amigos en un abarrotado partido de fútbol y teníamos que esperar horas hasta que los encontrábamos? ¿Cuándo olvidábamos la lista de la compra (véase la figura 1.1) y teníamos que buscar una cabina de teléfono o volver a casa?

Figura 1.1. Los teléfonos móviles se han convertido en un accesorio fundamental para ir a la compra.

Aquellos días ya no volverán. Hoy, problemas tan comunes como este se resuelven fácilmente pulsando un botón o escribiendo un mensaje de texto como "¿20?" o "¿leche y?".

Nuestros teléfonos móviles nos mantienen seguros y conectados. Ahora podemos ir donde queramos libremente, confiando en nuestros teléfonos no solo para estar en contacto con amigos, familia y compañeros de trabajo, sino también para decirnos dónde ir, qué hacer y cómo hacerlo. Incluso influye en los asuntos domésticos más comunes.

Piense en la siguiente historia real, que ha sido ligeramente exagerada para destacar su mensaje:

"Hace algún tiempo, en una soleada tarde de verano, estaba entretenida haciendo la cena en mi nueva casa de campo en New Hampshire, cuando de repente un murciélago se tiró sobre mi cabeza, dándome un susto de muerte.

Lo primero que hice, aparte de agacharme, fue coger mi teléfono móvil y mandar un mensaje a mi marido, que en ese momento estaba viajando por el país. Escribí: "¡Hay un murciélago en casa!".

Mi marido no respondió inmediatamente (esto será motivo de divorcio, pensé), por lo que llamé a mi padre y le pregunté cómo podía deshacerme del murciélago.

Él tan solo se rió.

Enfadada, hice una foto al murciélago con mi teléfono y se la envié a mi marido y a mi blog, responsabilizándole del asunto y a la vez informando al mundo de mi peligroso encuentro doméstico.

Por último, escribí en Google "deshacerse de murciélago" y seguí las instrucciones que encontré en la Web para gente que se encontró en la misma situación. También aprendí que a finales de agosto es cuando las crías de murciélago dejan el nido por primera vez y aprenden a volar. Ahora que sabía que se trataba de una cría de murciélago, me tranquilicé y traté de echarla de casa.

Problema solucionado, y todo lo hice con ayuda de mi fiel móvil, un antiguo LG VX9800".

¿Qué es lo quiero decir con esto? A los dispositivos móviles de hoy en día no se les llama teléfonos inteligentes sin razón. Pueden solucionar prácticamente casi todo, y actualmente confiamos en ellos para todo.

Se habrá dado cuenta de que en esta historia he utilizado unos seis tipos diferentes de aplicaciones móviles. Cada una de ellas fue desarrollada por una empresa diferente y tenía una interfaz de usuario distinta. Algunas estaban bien diseñadas, otras no tanto. Pagué por algunas mientras que otras venían incluidas en mi teléfono.

Como usuario, esta experiencia me resultó útil, pero no muy inspiradora. Como desarrollador de aplicaciones móviles, quise tener la oportunidad de crear una aplicación más perfeccionada y potente que pudiera gestionar todo lo que había hecho y aún más. Por así decirlo, quería una trampa más adecuada para murciélagos.

Antes de Android, los desarrolladores se encontraban muchos obstáculos cuando escribían aplicaciones. Crear una aplicación mejor, única, competitiva, híbrida e incluir muchas tareas comunes, como mensajería o llamadas de una forma sencilla, eran con frecuencia objetivos no realistas.

Para entender el porqué, vamos a repasar brevemente la historia del desarrollo de software móvil.

"El ladrillo"

El Motorola DynaTAC 8000X fue el primer teléfono portátil comercialmente disponible. Apareció en el mercado en 1983, sus dimensiones eran 13 x 1.75 x 3.5 pulgadas, pesaba alrededor de 2.5 libras y le permitía hablar algo más de media hora. Su precio para el público era de 3.995 dólares, más unas elevadas cuotas mensuales y costes por minuto.

Le llamábamos "el ladrillo", y este apodo también era aplicable a muchos de aquellos antiguos móviles que nos encantaban y a la vez odiábamos. Estos móviles del tamaño de un ladrillo y con una batería que duraba media conversación, se podían ver en las manos de ejecutivos, personal de seguridad y gente adinerada. Los teléfonos móviles de primera generación eran muy caros. Solo los costes del servicio podían llevar a la bancarrota a un usuario medio, especialmente si se encontraba en itinerancia.

Los primeros teléfonos móviles no tenían muchas opciones, aunque por ejemplo el Motorola DynaTAC que se muestra en la figura 1.2, tenía muchos de los botones que hoy conocemos bien, con opciones de enviar, finalizar y eliminar. Estos teléfonos hacían poco más que realizar y recibir llamadas y, si tenía suerte, incluían una sencilla aplicación de contactos que era prácticamente imposible de utilizar.

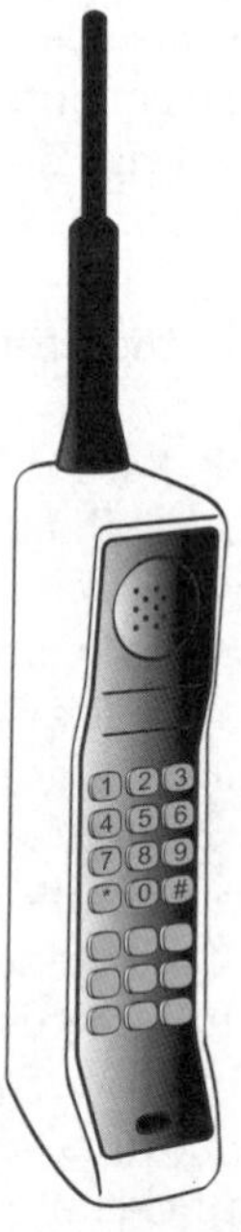

Figura 1.2. El primer teléfono comercialmente disponible: Motorola DynaTAC.

La primera generación de teléfonos móviles fue diseñada y desarrollada por los fabricantes de terminales. La competencia era feroz y los secretos industriales se guardaban celosamente. Los fabricantes no querían mostrar el interior de sus terminales, por lo que generalmente desarrollaban el software en la propia empresa. Como desarrollador, si no formaba parte de este círculo, no tenía la posibilidad de escribir aplicaciones para estos teléfonos.

En este periodo aparecieron los primeros juegos para "perder el tiempo". Nokia se hizo famosa por incluir el videojuego de los 70 *Snake* en algunos de sus primeros teléfonos en blanco y negro. Otros fabricantes hicieron lo mismo, incluyendo juegos como Pong, Tetris y Tic-Tac-Toe.

Estos terminales no eran perfectos, pero consiguieron algo importante: cambiaron la forma de pensar de la gente sobre la comunicación. Según los precios de los teléfonos bajaban, las baterías se mejoraban y crecían las áreas de cobertura, cada vez más gente empezaba a llevarlos encima. En poco tiempo dejaron de ser una novedad.

Los clientes empezaron a pedir más características y más juegos. Pero había un problema. Los fabricantes de terminales no tenían la motivación o los recursos necesarios para crear todas las aplicaciones que los usuarios querían. Necesitaban alguna forma de proporcionar un portal con servicios de entretenimiento e información sin que tuvieran acceso directo al terminal.

¿Y qué mejor forma de proporcionar estos servicios que a través de Internet?

WAP (*Wireless Application Protocol*, Protocolo de aplicaciones inalámbricas)

Tal cual, el acceso directo de los teléfonos móviles a Internet no estaba bien escalado. En ese momento, los sitios Web profesionales estaban llenos de colores e incluían mucho texto, imágenes y otros recursos. Estos sitios utilizaban JavaScript, Flash y otras tecnologías para mejorar la experiencia del usuario, y con frecuencia se diseñaban para una resolución de pantalla de 800x600 o mayor.

Cuando en 1996 apareció el primer teléfono de concha, el Motorola StarTAC, tan solo tenía una pantalla LCD con diez dígitos, aunque modelos posteriores incluyeron una pantalla tipo matriz de puntos. Mientras tanto, Nokia lanzó uno de sus primeros teléfonos con tapa deslizante, el 8110, cariñosamente conocido como "el teléfono Matrix", porque aparecía muchas veces en la película del mismo nombre. El 8110 podía mostrar cuatro líneas de texto con 13 caracteres por línea. En la figura 1.3 se muestran algunas de las formas más comunes de estos teléfonos.

Figura 1.3. Varias formas de teléfonos móviles: con forma de barra de chocolate, tapa deslizante y de concha.

Con sus pantallas de baja resolución del tamaño de un sello, y almacenamiento y potencia de procesamiento limitados, estos teléfonos no podían gestionar las operaciones de proceso de datos requeridas por los navegadores Web tradicionales. Los requisitos de ancho de banda para la transmisión de datos también implicaban un alto coste para el usuario.

El estándar WAP se creó para solucionar estos problemas. Dicho sencillamente, WAP era una versión sencilla de HTTP, que es el protocolo básico en Internet. A diferencia de los navegadores Web tradicionales, los navegadores WAP fueron diseñados para que cumplieran los requisitos de memoria y ancho de banda del teléfono. Los sitios WAP de terceros ofrecían páginas escritas en un lenguaje de marcado llamado WML (*Wireless Markup Language*, Lenguaje de marcado inalámbrico). Estás páginas después se podían visualizar en el navegador WAP del teléfono. Los usuarios navegaban todo lo que querían en la Web, pero las páginas tenían diseños mucho más sencillos.

La solución WAP era muy buena para los operadores de móviles. Podían proporcionar un portal WAP personalizado, dirigiendo a sus subscriptores al contenido que les querían ofrecer, y ganar dinero con los costes por los datos asociados a la navegación, con frecuencia elevados.

Por primera vez, los desarrolladores tenían la posibilidad de crear contenido para usuarios de teléfonos móviles, y algunos lo hicieron, aunque con éxito limitado. Solo unos pocos consiguieron destacar en el mercado, ya que el contenido no tenía demasiado valor y la experiencia del usuario dejaba mucho que desear.

La mayoría de sitios WAP eran extensiones de sitios bien conocidos, como `CNN.com` y `ESPN.com`, que estaban buscando nuevas formas de ampliar su número de lectores. De repente los usuarios podían leer las noticias, las cotizaciones de la bolsa o los resultados deportivos en sus teléfonos.

La comercialización de aplicaciones WAP era difícil, y no incluía un mecanismo de facturación. Algunas de las aplicaciones comerciales WAP más populares que surgieron entonces eran sencillos catálogos de fondos de pantalla y tonos de llamada, que permitían a los usuarios personalizar sus teléfonos por primera vez. Por ejemplo, un usuario navegaba a un sitio WAP y solicitaba un determinado artículo. Rellenaba un sencillo formulario con su número de teléfono y su modelo de teléfono. El proveedor de contenidos era el responsable de enviarle una imagen o un archivo de audio compatible con dicho teléfono. El pago y la verificación se gestionaban a través de varios mecanismos de envío con coste extra como SMS (*Short Message Service*, Servicio de mensajes cortos), EMS (*Enhanced Messaging Service*, Servicio de mensajería mejorado), MMS (*Multimedia Messaging Service*, Servicio de mensajería multimedia) y WAP Push.

Los navegadores WAP, sobre todo al principio, eran lentos y frustrantes. Escribir largas URL con el teclado numérico era muy pesado. Con frecuencia era difícil navegar por las páginas WAP. La mayoría de estos sitios estaban escritos para ser consultados por todos los modelos de teléfono, sin tener en cuenta especificaciones individuales. Daba igual que el teléfono del usuario tuviera una gran pantalla a color o una en blanco y negro del tamaño de un sello, el desarrollador no podía personalizar la experiencia del usuario. El resultado era que el usuario tenía una experiencia muy pobre y poco atractiva.

Los proveedores de contenido con frecuencia ni siquiera se molestaban en tener un sitio WAP y tan solo anunciaban códigos SMS abreviados en televisión y revistas. En este caso, el usuario enviaba un mensaje SMS con coste extra, solicitando un fondo de pantalla o tono específico, y el proveedor de contenidos se lo enviaba. A los operadores móviles les gustaba este método de envío ya que recibían una buena parte del coste de cada mensaje.

WAP no llegó a cubrir las expectativas comerciales. En algunos mercados triunfó, como en Japón, mientras que en otros como en EE. UU., no terminó de arrancar. Las pantallas de los terminales eran demasiado pequeñas para navegar. Leer un trozo de una frase y esperar a continuación varios segundos a que se cargara el siguiente trozo, arruinaba la experiencia del usuario, especialmente porque al usuario se le cobraba cada segundo de descarga. Los detractores empezaron a llamar a WAP "Wait and Pay (Espera y paga)".

Por último, el operador móvil que proporcionaba el portal WAP (página de inicio por defecto que se cargaba cuando iniciaba su navegador WAP) con frecuencia restringía los sitios a los que podía acceder. El portal permitía al operador limitar el número de sitios en los que el usuario podía navegar y dirigía a los subscriptores a los proveedores de contenidos preferidos por el operador, excluyendo a la competencia. Este tipo de solución acotada frustraba aún más a los desarrolladores terceros, que ya no podían ganarse la vida escribiendo aplicaciones.

Plataformas móviles propietarias

No fue una sorpresa que los usuarios pidieran más, realmente siempre es así.

Escribir aplicaciones robustas con WAP, como videojuegos con uso intensivo de gráficos era prácticamente imposible. El segmento de la población de 18 a 25 años, chicos y chicas con dinero disponible para personalizar sus teléfonos con fondos de pantalla y tonos, miraban a sus consolas de videojuegos portátiles y pedían un dispositivo que fuera a la vez teléfono y consola de videojuegos, o teléfono y reproductor de música. Argumentaban que si dispositivos como la Game Boy de Nintendo podían proporcionarles horas de entretenimiento con solo cinco botones, ¿por qué no simplemente añadirle las características de un teléfono? Otros miraban a sus cámaras digitales, Palm, BlackBerry, iPod e incluso a sus portátiles y se hacían la misma pregunta. El mercado parecía que se estaba acercando a la convergencia de dispositivos.

La memoria cada vez era más barata, las baterías mejores, y las PDA y otros dispositivos embebidos estaban empezando a instalar versiones reducidas de sistemas operativos comunes como Linux y Windows. El desarrollador tradicional de aplicaciones de escritorio repentinamente pasó a tener un papel en el mercado de dispositivos embebidos, especialmente con tecnologías de *smartphone* como Windows Mobile, que les resultaban familiares.

Los fabricantes de terminales se dieron cuenta de que si querían seguir vendiendo terminales tradicionales tenían que cambiar sus políticas proteccionistas relativas al diseño de terminales y mostrar, al menos en cierto grado, sus desarrollos internos.

Surgieron diversas plataformas propietarias y hoy en día todavía los desarrolladores crean activamente aplicaciones para dichas plataformas. Algunos *smartphone* instalaron Palm OS (más tarde conocido como Garnet OS) y RIM BlackBerry OS. Sun Microsystems utilizó su popular plataforma Java y surgió J2ME, actualmente conocido como Java Micro Edition (Java ME). El fabricante de chips Qualcomm desarrolló y licenció BREW (*Binary Runtime Environment for Wireless*, Entorno binario en tiempo de ejecución inalámbrico). Otras plataformas, como Symbian OS, fueron desarrolladas por fabricantes de terminales como Nokia, Sony Ericsson, Motorola y Samsung. El iPhone OS de Apple (OS X iPhone) se incorporó en el 2008. La figura 1.4 muestra diversos teléfonos, todos con diferentes plataformas de desarrollo.

Figura 1.4. Teléfonos con diferentes plataformas móviles.

Muchas de estas plataformas tenían asociados programas de desarrollo. Estos programas hacían que las comunidades de desarrolladores fueran pequeñas, vigiladas y bajo acuerdos contractuales sobre lo que podían y no podían hacer. Estos programas usualmente eran necesarios y los desarrolladores tenían que pagar por ellos.

Cada plataforma tiene ventajas y desventajas. Por supuesto, a los desarrolladores les encanta discutir sobre cuál plataforma es "la mejor". Pista: generalmente la plataforma en la cual estamos desarrollando.

La realidad es que al final ninguna plataforma ha sido la ganadora. Algunas son más apropiadas para vender juegos y ganar mucho dinero, si su empresa tiene el respaldo de la marca. Otras son más abiertas y adecuadas para los aficionados o para aplicaciones en el mercado vertical. Ninguna está optimizada para todos los tipos de aplicaciones. Como resultado, el mercado de la telefonía móvil se ha ido fragmentado cada vez más, y todas las plataformas tienen su parte del pastel.

Han crecieron rápidamente las líneas de productos de terminales de los fabricantes y operadores móviles. La penetración en el mercado de las plataformas depende en gran medida de la región o el segmento de población al que están destinadas. En lugar de elegir una sola plataforma, para poder competir en el mercado los fabricantes y operadores se han visto obligados a vender teléfonos para varias. Incluso hemos visto algunos terminales que soportan múltiples plataformas, por ejemplo los teléfonos Symbian, que también soportan J2ME. La comunidad de desarrolladores de tecnologías móviles se ha fragmentado como el mercado. Es prácticamente imposible estar al tanto de todos los cambios. Se han creado nichos especializados de desarrolladores. Los requisitos de desarrollo varían mucho según la plataforma. Los desarrolladores de software móvil trabajan con diferentes entornos de programación, diferentes herramientas y diferentes lenguajes de programación. La portabilidad entre las plataformas es con frecuencia compleja. Realizar el seguimiento de las configuraciones de terminales y requisitos de pruebas, programas de firma y certificación, y relaciones entre operadores y mercado de aplicaciones, se ha convertido en sí mismo en un complejo negocio derivado.

Esto es una auténtica pesadilla para una empresa determinada que quiera crear una aplicación móvil. ¿Debería ser J2ME? ¿BREW? ¿iPhone? ¿Windows Mobile? Todos tienen un móvil diferente. Esta empresa se ve obligada a elegir una plataforma, o peor, todas ellas. Algunas plataformas admiten aplicaciones gratuitas, mientras que otras no. Las opciones de aplicaciones en el mercado vertical son limitadas y caras.

Como resultado, muchas buenas aplicaciones no han llegado a los usuarios a las que estaban destinadas y algunas ideas muy buenas no se han llegado a desarrollar.

Open Handset Alliance

Entra en el juego el gigante de las búsquedas Google. Ahora un nombre muy conocido, Google ha mostrado interés en extender su visión, su marca, su plataforma de búsqueda basada en ingresos por anuncios y su conjunto de herramientas al mercado de la tecnología inalámbrica. El modelo de negocio de esta empresa ha tenido un éxito tremendo en Internet y, técnicamente hablando, la tecnología inalámbrica no es tan diferente.

Google se hace inalámbrico

Las incursiones iniciales de la empresa en el mercado móvil encontraron los obstáculos que cabría esperar. La libertad de la que disfrutaban los usuarios de Internet no era compartida por los subscriptores de telefonía móvil. Los usuarios de Internet pueden elegir entre una gran variedad de marcas de ordenadores, sistemas operativos, proveedores de servicios de Internet y aplicaciones de navegación Web.

Casi todos los servicios de Google son gratuitos y gestionados por anuncios. Muchas aplicaciones de Google Labs compiten directamente con las aplicaciones disponibles en los teléfonos móviles. Desde simples calendarios y calculadoras hasta la navegación con Google Maps y las últimas noticias personalizadas de News Alerts, sin mencionar las adquisiciones de empresas como Blogger y YouTube.

Como esta aproximación no dio los resultados esperados, Google empleó una estrategia diferente, modernizar todo el sistema en el que estaba basado el desarrollo de aplicaciones inalámbricas con el objetivo de proporcionar un entorno más abierto a usuarios y desarrolladores: el modelo Internet. Esta solución permite a los usuarios elegir entre software gratuito, *shareware* o software de pago, y facilita la competencia en libre mercado entre servicios.

Creación de Open Handset Alliance

Con su filosofía de diseño democrática centrada en el usuario, Google ha liderado un movimiento para convertir el reservado mercado inalámbrico en uno donde los usuarios puedan cambiar de operador fácilmente y acceder sin restricciones a aplicaciones y servicios. Con sus vastos recursos, Google ha elegido un enfoque amplio para estudiar toda la infraestructura inalámbrica, desde las políticas FCC (*Federal Communications Commision*, Comisión federal de Comunicaciones) del espectro inalámbrico, hasta los requisitos de los fabricantes de terminales, necesidades de los desarrolladores de aplicaciones y preferencias de los operadores móviles.

A continuación, Google se sentó con otros miembros de la comunidad inalámbrica que tenían ideas afines y se plantearon la siguiente pregunta: ¿Qué se necesita para crear un mejor teléfono móvil?

La OHA (*Open Handset Alliance*, Alianza de terminales abiertos) se creó en noviembre de 2007 para responder a esta cuestión. La OHA es una alianza comercial formada por muchas de las empresas más grandes y con más éxito del planeta del mercado móvil. Entre sus miembros se encuentras fabricantes de chips y de terminales, desarrolladores de software y proveedores de servicios. Está bien representada toda la cadena de desarrollo de la tecnología móvil.

Andy Rubin ha sido reconocido como el padre de la plataforma Android. Su empresa, Android Inc., fue comprada por Google en el 2005. Trabajando juntos, los miembros de OHA, incluyendo Google, empezaron a desarrollar una plataforma abierta no propietaria basada en la tecnología desarrollada en Android Inc., que tendría como objetivo aliviar los problemas mencionados anteriormente que obstaculizaban el camino de la comunidad de tecnologías móviles. El resultado es el proyecto Android. A día de hoy, la mayor parte del desarrollo de la plataforma Android se realiza por el equipo de Rubin en Google, donde ocupa el puesto de director de ingeniería y gestiona la hoja de ruta de Android.

La implicación de Google en el proyecto Android es tan grande que la línea que define quién tiene la responsabilidad de la plataforma, OHA o Google, está difuminada. Google proporciona el código inicial para el proyecto de código abierto Android y la documentación *online*, herramientas, foros y el kit de desarrollo software SDK para desarrolladores.

La mayoría de las novedades importantes en Android se genera desde Google. La empresa también ha organizado una serie de conferencias (Google IO, Mobile World Congress, CTIA Wireless) y el ADC (*Android Developer Challenge*, Desafío de desarrolladores de Android), un concurso para animar a los desarrolladores a crear buenas aplicaciones Android, con millones de dólares en premios para estimular el desarrollo en la plataforma. Eso no quiere decir que sean los únicos implicados, pero sí la fuerza impulsora que hay detrás de la plataforma.

Fabricantes: Diseño de dispositivos Android

Más de la mitad de los miembros de OHA son fabricantes de terminales, como Samsung, Motorola, Dell, Sony Ericsson, HTC y LG, y empresas de semiconductores, como Intel, Texas Instruments, ARM, NVIDIA y Qualcomm.

El primer terminal comercializado de Android, T-Mobile G1, fue desarrollado por el fabricante de terminales HTC, con servicio proporcionado por T-Mobile. Se lanzó en octubre de 2008. Se programó la salida al mercado de muchos otros terminales para el 2009 y principios de 2010. La plataforma experimentó un gran impulso en poco tiempo. En el último trimestre de 2010, Android había dominado el mercado de los *smartphone*, y había ganado terreno de forma constante a plataformas competidoras como RIM BlackBerry, Apple, iOS y Windows Mobile.

Google normalmente publica las estadísticas de la plataforma Android en su conferencia anual Google IO en mayo y en eventos importantes, como en los informes financieros de ganancias. Hasta julio de 2011, más de 310 dispositivos Android habían sido comercializados en 120 países. Más de 550.000 nuevos dispositivos Android habían sido activados diariamente, con un total de 200 millones de dispositivos activados (en noviembre de 2011). En este momento, las ventajas de tener el soporte del fabricante y del operador simultáneamente parecen estar dando buenos resultados.

Los fabricantes continúan creando nuevas generaciones de dispositivos Android, desde teléfonos con pantallas de alta definición hasta relojes para gestionar programas de ejercicios, lectores de libros electrónicos, televisiones con todas las funciones, portátiles y prácticamente cualquier dispositivo "inteligente" que pueda imaginar, como puede ver en la figura 1.5.

Figura 1.5. Ejemplo de dispositivos Android en el mercado actualmente.

Operadores de tecnología móvil: Transmisión de la experiencia Android

Cuando ya tiene los dispositivos, tiene que hacerlos llegar a los usuarios. Los operadores de tecnología móvil de toda América, así como de Europa, Asia, India, Australia, África y Oriente Medio, se han unido a la OHA, proporcionando un mercado mundial para el movimiento Android. Con casi medio millón de subscriptores, el gigante China Mobile es miembro fundador de la alianza.

Gran parte del éxito de Android también se debe al hecho de que muchos terminales Android no tienen el precio habitual de un *smartphone*, un buen número de ellos se ofrecen gratuitamente con la activación del operador. Competidores como el iPhone de Apple han luchado para ofrecer ofertas competitivas en el segmento inferior del mercado. Por primera vez, el usuario medio puede permitirse un dispositivo inteligente con todas las funciones. He perdido la cuenta de las veces que me he encontrado camareras, encargados de hoteles o empleados de supermercado que me han dicho que acababan de conseguir un teléfono Android y que les había cambiado la vida. Este fenómeno solo ha creado simpatías hacia el "aspirante" Android.

En mayo de 2011, más de 200 operadores y proveedores estaban vendiendo dispositivos Android en todo el mundo. En Estados Unidos, la plataforma Android ha recibida una buena dosis de ayuda de operadores como Verizon, Sprint y T-Mobile. Verizon lanzó una campaña por valor de 100 millones de dólares para promocionar su primer terminal Android, una serie de dispositivos que ahora abarcan varias generaciones de dispositivos Android; una marca tan fuerte hace pensar a mucha gente que todos los teléfonos Android son teléfonos Droid. Sprint lanzó el Evo 4G a bombo y platillo y tuvo el record de ventas en un solo día (`http://j.mp/uuWVIG`). Ahora los operadores también proporcionan a los subscriptores diferentes tipos de dispositivos, incluyendo planes inalámbricos competitivos para las tabletas de Android más recientes. Por ejemplo, Samsung anunció una venta de más de un millón de unidades de la primera Galaxy Tab en el primer trimestre que estuvieron disponibles, y desde entonces ha lanzado varios dispositivos más de esta línea de tabletas.

Ventas de dispositivos gracias a aplicaciones: Desarrollo de aplicaciones Android

Cuando los usuarios compran dispositivos Android, quieren ver esas maravillosas aplicaciones, ¿no? Al principio, Google encabezó el grupo de desarrollo de aplicaciones Android, muchas de las cuales, como el cliente de correo electrónico y el navegador Web, estaban incluidas en el núcleo de la plataforma. También desarrollaron con éxito la primera plataforma de distribución para aplicaciones Android de terceros: Android Market. Android Market, ahora Google play sigue siendo el método principal por el que los usuarios se descargan aplicaciones, pero ya no es el único mecanismo de distribución de aplicaciones Android.

En julio de 2011, en Android Market había disponibles más de 250.000 aplicaciones, con más de 6 millones de instalaciones. Esto solo teniendo en cuenta aplicaciones publicadas en este mercado, no las muchas aplicaciones vendidas individualmente o en otros mercados. Estos números tampoco tienen en cuenta que los últimos dispositivos Android soportan aplicaciones Flash, o todas las aplicaciones Web que tienen como destino dispositivos móviles que ejecuten la plataforma Android. Esto amplía todavía más las opciones de aplicaciones para usuarios Android y más oportunidades para desarrolladores.

En la conferencia Google IO de 2011, existían más de 450.000 desarrolladores Android registrados escribiendo aplicaciones interesantes y atractivas. Cuando termine de leer este libro, podrá sumarse a ellos.

Aprovechar todo lo que Android puede ofrecer

La plataforma abierta Android ha sido adoptada por gran parte de la comunidad de desarrollo de tecnología móvil, extendiéndose más allá de los miembros de la OHA.

Según los dispositivos y aplicaciones Android se han hecho más fácilmente disponibles, muchos otros operadores y fabricantes de dispositivos han aprovechado la oportunidad para vender dispositivos Android a sus suscriptores, especialmente debido a los beneficios obtenidos en comparación con las plataformas propietarias. El estándar abierto de la plataforma Android ha reducido los costes del operador en licencias y derechos de autor, y ahora podemos observar la migración hacia dispositivos más abiertos desde plataformas propietarias como RIM, Windows Mobile e iPhone de Apple. El mercado se ha abierto, ahora nuevos tipos de usuarios están considerando adquirir un *smartphone* por primera vez. Android es muy adecuado para cubrir esta demanda.

Mercado de Android: Dónde estamos ahora

El mercado de Android continúa creciendo a gran ritmo en todos los frentes (dispositivos, desarrolladores y usuarios). En los últimos tiempos se pueden destacar los siguientes hechos:

- **Hardware competitivo y actualizaciones de software:** Los desarrolladores de Android SDK se han centrado en proporcionar API con características disponibles en las plataformas competidoras, para situarlas al mismo nivel. Por ejemplo, las versiones recientes de Android SDK han incluido mejoras significativas desde el punto de vista empresarial.
- **Más allá de los *smartphone*:** Antes de la versión 3.x (Honeycomb), Android era casi exclusivamente una plataforma para *smartphone*. Android 4.0 (Ice Cream Sandwich) fusiona en una única versión las características de la plataforma *smartphone* con la de tabletas y otros dispositivos.
- **Gratuito*:** Las aplicaciones Android se pueden desarrollar de forma gratuita. No existen gastos de licencia o de derechos de autor en la plataforma. Tampoco se requieren cuotas de subscripción, ni por realizar pruebas, ni por firmas o certifi-

caciones. Las aplicaciones Android se pueden distribuir y comercializar de varias formas. El término "Gratuito*" indica que puede haber costes asociados al desarrollo, pero que no son impuestos por la plataforma. Los costes de diseño, desarrollo, prueba, marketing y mantenimiento no están incluidos. Si usted aporta todo esto, puede que no esté poniendo dinero en efectivo, pero realmente existen estos costes.

- **Marketing y opciones mejoradas enfocadas al usuario:** El equipo de desarrollo Android ha desplazado su interés de la implementación de características a la actualización para mejorar la usabilidad del usuario y aspecto visual. El resultado son interfaces de usuario holográficas. Los desarrolladores de aplicaciones de Google han seguido el ejemplo, actualizando las del núcleo con mejores diseños. En Google play se han incluido una serie de sofisticadas características (incluyendo una tienda de aplicaciones basada en la Web) y categorías y organización más interesantes.

Nota

Algunos se podrían preguntar qué pasa con las diversas batallas legales que rodean Android, que parecen implicar a casi todos los jugadores en el mercado de la tecnología móvil. Aunque la mayoría de estos problemas no afecta directamente a los desarrolladores, algunos sí lo hacen, en particular los relacionados con la compra dentro de aplicaciones, que es algo típico en cualquier aplicación conocida. Nosotros no podemos dar aquí ningún consejo legal. Lo que podemos recomendar es que se esté informado sobre estas batallas legales y esperar que salgan favorables, no solo para Android, sino también para todas las plataformas afectadas.

Diferencias de la plataforma Android

La plataforma Android se define a sí misma como "la primera plataforma de tecnología móvil completa, abierta y gratuita":

- **Completa:** Los diseñadores adoptaron un enfoque integral cuando desarrollaron la plataforma Android. Empezaron con un sistema operativo seguro y a partir de ahí construyeron un entorno de software robusto que permitiera el desarrollo de aplicaciones muy completas.
- **Abierta:** La plataforma Android se proporciona bajo licencia de código abierto. Los desarrolladores tienen un acceso sin precedentes a las características del dispositivo cuando desarrollan aplicaciones.
- **Gratuito:** Desarrollar aplicaciones Android es gratuito. No hay costes de licencia o derechos de autor para desarrollar en la plataforma. Tampoco se requieren cuotas de subscripción, ni por realizar pruebas, ni por firmas o certificaciones. Las aplicaciones Android se pueden distribuir y comercializar de varias formas.

Android: una plataforma de próxima generación

Aunque Android incluye muchas características que no están disponibles en el resto de plataformas existentes, sus diseñadores se apoyaron en métodos de probada calidad en el mundo inalámbrico. Es cierto que muchas de estas características aparecen en plataformas propietarias existentes, pero Android las combina de una forma libre y abierta, a la vez que simultáneamente aborda muchos de los fallos existentes en dichas plataformas competidoras.

La mascota de Android es un pequeño robot de color verde, que puede ver en la figura 1.6. Este pequeño chico (¿o chica?) se utiliza frecuentemente para representar productos relacionados con Android.

Figura 1.6. Algunos SDK de Android y sus nombres en clave.

Android es la primera de una nueva generación de plataformas de desarrollo móvil que proporcionan a sus desarrolladores una clara ventaja frente a sus competidores. Los diseñadores de Android estudiaron las ventajas y desventajas de las plataformas existentes y a continuación incluyeron las mejores características de todas ellas. Al mismo tiempo, los diseñadores evitaron los errores cometidos en el pasado.

Desde que apareciera Android 1.0 SDK, la plataforma se ha desarrollado a un ritmo trepidante. Durante bastante tiempo, se ha estado publicando un nuevo Android SDK cada par de meses. En la jerga del sector técnico, cada versión tiene un nombre de proyecto. En el caso de SDK se les ha puesto nombres de dulces, como puede ver en la figura 1.6. El nombre en clave de la última versión de Android es Ice Cream Sandwich.

Gratuito y de código abierto

Android es una plataforma de código abierto. Ni los desarrolladores ni los fabricantes de dispositivos pagan derechos de autor o gastos de licencia para desarrollar en la misma. El sistema operativo dentro de Android tiene licencia bajo GNU GPL2 (*General Public License Version 2*, Licencia pública general versión 2), una potente licencia "*copyleft*" donde cualquier mejora de terceros debe cumplir los términos del acuerdo de la licencia de código abierto.

La estructura Android se distribuye bajo licencia ASL/Apache2 (*Apache Software License*, Licencia de software Apache), que permite la distribución de derivados del código fuente, tanto abiertos como cerrados. Los desarrolladores comerciales (especialmente los fabricantes de dispositivos) pueden mejorar la plataforma sin tener que publicar sus avances a la comunidad de código abierto. En lugar de eso, los desarrolladores pueden obtener beneficios a partir de estas mejoras, como las relacionadas con un dispositivo específico, y redistribuir su trabajo bajo la licencia que quieran.

Los desarrolladores de aplicaciones Android tienen la opción de distribuir sus aplicaciones bajo el esquema de licencia que prefieran. Pueden escribir software gratuito de código abierto, aplicaciones tradicionales con licencia que les permite obtener un beneficio o algo a mitad de camino entre las dos opciones.

Herramientas de desarrollo conocidas y gratuitas

A diferencia de algunas plataformas propietarias que requieren costes de registro para desarrolladores, una rigurosa evaluación y caros compiladores, no hay gastos por adelantado para desarrollar aplicaciones Android.

Kit de desarrollo software gratuito

Android SDK y sus herramientas están disponibles gratuitamente. Los desarrolladores pueden descargar el kit de desarrollo desde el sitio Web de Android, después de aceptar los términos y condiciones del acuerdo de licencia de Android SDK.

Lenguaje de programación y entorno de desarrollo conocido

Los desarrolladores tienen varias opciones respecto al IDE (*Integrated Development Environment*, Entorno de desarrollo integrado). Muchos desarrolladores eligen el popular y gratuito Eclipse IDE para desarrollar aplicaciones Android. Eclipse es el IDE más popular para desarrollo Android, y existe un *plugin* de Android que facilita el desarrollo. Las aplicaciones Android se pueden desarrollar en los siguientes sistemas operativos:

- Windows XP (32-bit), Windows Vista (32-bit o 64-bit) y Windows 7 (32-bit o 64-bit).

- Mac OS X 10.5.8 o posterior (solo x86).
- Linux (probado en Ubuntu Linux 10.04 LTS Lucid Lynx, se requiere 8.04 LTS o posterior).

Curva de aprendizaje razonable para desarrolladores

Las aplicaciones Android se escriben en un lenguaje de programación muy respetado: Java. La estructura de una aplicación Android incluye construcciones de programación tradicionales, como hilos y procesos, y estructuras de datos especialmente diseñadas para encapsular objetos utilizados comúnmente en aplicaciones móviles. Los desarrolladores se pueden apoyar en librerías de clases conocidas como `java.net` y `java.next`. Las librerías especializadas para tareas como gráficos o gestión de bases de datos se implementan utilizando estándares bien definidos como OpenGL ES (*OpenGL Embedded Systems*, Sistemas embebidos OpenGL) y SQLite.

Desarrollo de potentes aplicaciones

En el pasado, los fabricantes de dispositivos con frecuencia establecían acuerdos especiales con los desarrolladores de software, como OEM/ODM (*Original Equipment Manufacturer/Original Design Manufacturer*, Fabricante de equipamiento original/ Fabricante de diseño original). Este grupo de élite de desarrolladores software escribía aplicaciones nativas, como mensajería y navegación Web, que se incluían en el dispositivo formando parte del conjunto de características originales. Para diseñar estas aplicaciones, los fabricantes concedían al desarrollador acceso privilegiado al interior de sus dispositivos e información sobre la estructura del software interno y del *firmware*.

En la plataforma Android no hay distinción entre aplicaciones nativas o de terceros, permitiendo la existencia de una competencia saludable entre los desarrolladores de aplicaciones. Todas las aplicaciones Android utilizan las mismas API. Los desarrolladores tienen un acceso sin precedentes al hardware interno, permitiendo que estos escriban aplicaciones mucho más potentes. Las aplicaciones pueden ampliarse o ser sustituidas totalmente.

Integración de aplicaciones segura y completa

Podrá recordar que en la historia del murciélago que conté anteriormente utilicé varias aplicaciones del teléfono en un tiempo limitado: mensaje de texto, llamada, cámara, correo electrónico, mensaje con imagen y navegador. Cada una de ellas era una aplicación independiente, algunas incluidas originalmente y otras compradas. Cada una de ellas tenía su propia interfaz de usuario por lo que realmente no estaban integradas.

Con Android no ocurre lo mismo. Una de las características más innovadoras y atractivas de Android es su gran diseño de integración de aplicaciones. Android proporciona todas las herramientas necesarias para, si se quiere decir así, diseñar una buena "trampa para murciélagos", permitiendo a los desarrolladores escribir aplicaciones que se apoyan perfectamente en funciones del núcleo como navegación Web, mapeado, gestión de contactos y mensajería. Las aplicaciones también se pueden convertir en proveedoras de contenido y compartir sus datos entre otras aplicaciones de una forma segura.

Plataformas como Symbian han sufrido contratiempos debido al software malicioso. El robusto modelo de seguridad de aplicaciones Android ayuda a proteger al usuario y al sistema de este tipo de software.

Sin obstáculos económicos para la publicación

Las aplicaciones Android no necesitan caros programas que gastan mucho tiempo en pruebas y certificación, necesarios en otras plataformas como BREW y Symbian. No se necesitan costosos programas de desarrollo para empezar a trabajar en la plataforma Android. Todo lo que necesita es un ordenador, un dispositivo Android, una buena idea, conocimientos de Java y quizás, si se me permite decirlo, este libro.

Un "mercado gratuito" para aplicaciones

Los desarrolladores de Android son libres de elegir el tipo de modelo de ingresos que deseen. Pueden desarrollar software gratuito, *shareware*, software de prueba, aplicaciones gestionadas por anuncios o aplicaciones de pago. Android fue diseñado fundamentalmente para cambiar las reglas sobre el tipo de aplicaciones inalámbricas que se pueden desarrollar. En el pasado, los desarrolladores se enfrentaban a muchas restricciones que tenían poco que ver con la funcionalidad o las características de la aplicación:

- Limitaciones en el número de aplicaciones en competencia de un tipo determinado.
- Limitaciones en el precio, en el modelo de ingresos y de derechos de autor.

Con Android, los desarrolladores pueden escribir y publicar con éxito el tipo de aplicación que deseen. Los desarrolladores pueden adaptar sus aplicaciones para grupos pequeños de población, en lugar de aplicaciones a gran escala con grandes beneficios demandadas por los operadores de tecnología móvil. Se pueden implementar aplicaciones en el mercado vertical para grupos de usuarios reducidos.

Debido a que los desarrolladores disponen de una gran variedad de mecanismos para la distribución de aplicaciones, pueden escoger los métodos que prefieran en lugar de ser obligados a seguir las reglas de otros. Los desarrolladores de Android pueden distribuir sus aplicaciones a los usuarios de diversas formas:

- Google creó Android Market, una tienda genérica de aplicaciones Android bajo un modelo de reparto de ingresos. Android Market ahora Google play, tiene una tienda Web para navegar y comprar aplicaciones *online*, como puede ver en la figura 1.7. Google play también vende películas, música y libros, por lo que su aplicación estará bien acompañada.

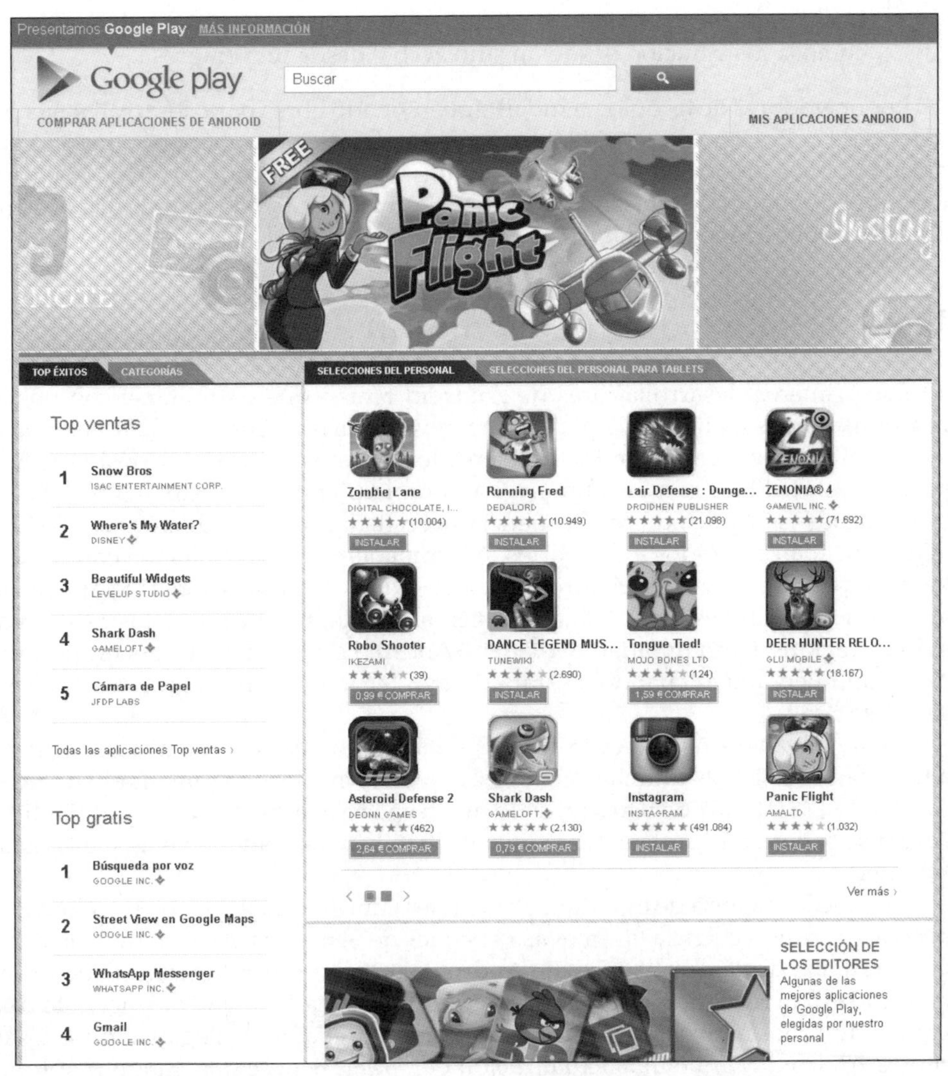

Figura 1.7. Google play con algunas aplicaciones disponibles.

- En 2011 se creó Amazon Appstore para Android, con una línea muy atractiva de aplicaciones Android, utilizando sus propios modelos de facturación y reparto de ingresos. Una característica única de Amazon Appstore para Android es que permite a los usuarios ver una demo de determinadas aplicaciones en el navegador Web antes de comprarlas. Amazon utiliza un entorno similar al emulador, que se ejecuta en el navegador.
- Existen otras muchas tiendas de aplicaciones de terceros. Algunas son para nichos de mercado determinados, mientras que otras suministran aplicaciones a diferentes plataformas móviles.

- Los desarrolladores pueden utilizar sus propios mecanismos de envío y cobro, como la distribución desde un sitio Web o desde una empresa.

Los operadores de tecnología móvil siguen siendo libres para desarrollar sus propias tiendas de aplicaciones y establecer sus propias reglas, pero ahora esta no será la única opción que los desarrolladores tendrán para distribuir sus aplicaciones. Asegúrese de leer cuidadosamente el acuerdo de licencia de cualquier tienda de aplicaciones antes de distribuir aplicaciones en la misma.

Una plataforma en crecimiento

Los primeros desarrolladores de Android tenían que enfrentarse con obstáculos típicos asociados a una nueva plataforma: revisiones frecuentes de SDK, falta de buena documentación e incertidumbre del mercado. Algunos antiguos dispositivos Android no eran compatibles con la última versión de la plataforma. Esto significaba que los desarrolladores Android con frecuencia necesitaban utilizar diferentes versiones de SDK para abarcar a todos los usuarios. Afortunadamente, la evolución constante de las herramientas de desarrollo Android ha conseguido que esto sea más fácil que antes, y ahora que Android es una plataforma bien asentada, muchos de estos problemas han sido corregidos. La comunidad del foro de Android es muy activa y generosa, y proporciona un buen apoyo cuando se trata de ayudar a los demás con estos baches en la carretera.

Cada nueva versión de Android SDK ha añadido una serie de mejoras sustanciales a la plataforma. En las últimas versiones, la plataforma ha experimentado un necesario "pulido" en la interfaz de usuario, en lo que respecta al aspecto visual y al rendimiento. Ahora se soportan completamente nuevos dispositivos como tabletas y televisión por Internet.

Aunque la mayoría de estas actualizaciones y mejoras han sido bien recibidas y eran necesarias, con frecuencia las nuevas versiones de SDK causan cierto revuelo dentro de la comunidad de desarrolladores de Android. Una serie de aplicaciones que ya estaban publicadas han requerido nuevas pruebas y se han lanzado otra vez al mercado Android para cumplir los nuevos requisitos de SDK, que rápidamente llegan a todos los dispositivos Android, ya que una actualización del *firmware* hace que antiguas aplicaciones queden obsoletas y a veces inservibles.

Aunque estas dificultades iniciales son previsibles y la mayoría de los desarrolladores se han enfrentado a ellas, es importante recordar que Android es un recién llegado al mercado móvil, comparado con las plataformas RIM y iOS. La tienda de aplicaciones de Apple todavía alardea de tener mayor número de aplicaciones, pero los usuarios están demandando esas mismas aplicaciones en sus dispositivos Android, por lo que solo es una cuestión de tiempo que ambos mercados se igualen. Pocos desarrolladores pueden permitirse el lujo de implementar aplicaciones en exclusiva para una determinada plataforma o quizá peor, deben dar soporte a todas las plataformas populares. Ahora los desarrolladores que trabajan con Android pueden beneficiarse de las ventajas asociadas a ser el primero en el mercado, aspecto que antes era exclusivo de otras plataformas.

La plataforma Android

Android es un sistema operativo y una plataforma software en la que se desarrollan aplicaciones. En los dispositivos Android se incluyen un conjunto de aplicaciones para tareas comunes, como la navegación Web y el correo electrónico.

Desde el punto de vista de OHA, como producto con un robusto entorno de desarrollo de código abierto, Android es una plataforma de desarrollo móvil emergente. La plataforma fue diseñada con el único propósito de potenciar un mercado libre y abierto que los usuarios podrían querer tener y en el que los desarrolladores software podrían querer trabajar.

Arquitectura de Android

La plataforma Android está diseñada para ser más tolerante a fallos que muchas de sus predecesoras. Un dispositivo Android tiene instalado el sistema operativo Linux sobre el cual las aplicaciones Android se ejecutan de forma segura. Cada aplicación Android se ejecuta en su propia máquina virtual, como puede ver en la figura 1.8. Las aplicaciones Android son gestionadas por código, por lo tanto, es mucho menos probable que hagan que el dispositivo falle, dando lugar a menos instancias de corrupción del dispositivo (bloqueándolo o haciéndolo inútil).

Sistema operativo Linux

El *kernel* Linux 2.6 gestiona los servicios del sistema del núcleo y actúa como una capa de abstracción hardware (HAL) entre el hardware físico del dispositivo y la pila software de Android. Algunas de las funciones del núcleo que el *kernel* gestiona son:

- Aplicación de permisos y seguridad de aplicaciones.
- Gestión de memoria a bajo nivel.
- Gestión de procesos e hilos.
- Pila de red.
- Acceso a *drivers* de pantalla, teclado, cámara, Wifi, Memoria flash, audio y *binder* IPC (*Inter-Process communication*, Comunicación entre procesos).

Entorno en tiempo de ejecución de la aplicación Android

Cada aplicación Android se ejecuta en un proceso independiente, con su propia instancia de Dalvik VM (*Dalvik Virtual Machine*, Máquina virtual Dalvik). Basada en Java VM, el diseño de Dalvik se ha optimizado para dispositivos móviles. Dalvik VM utiliza muy poca memoria y la carga de aplicaciones está optimizada. En un dispositivo pueden ejecutarse concurrentemente múltiples instancias de Dalvik VM.

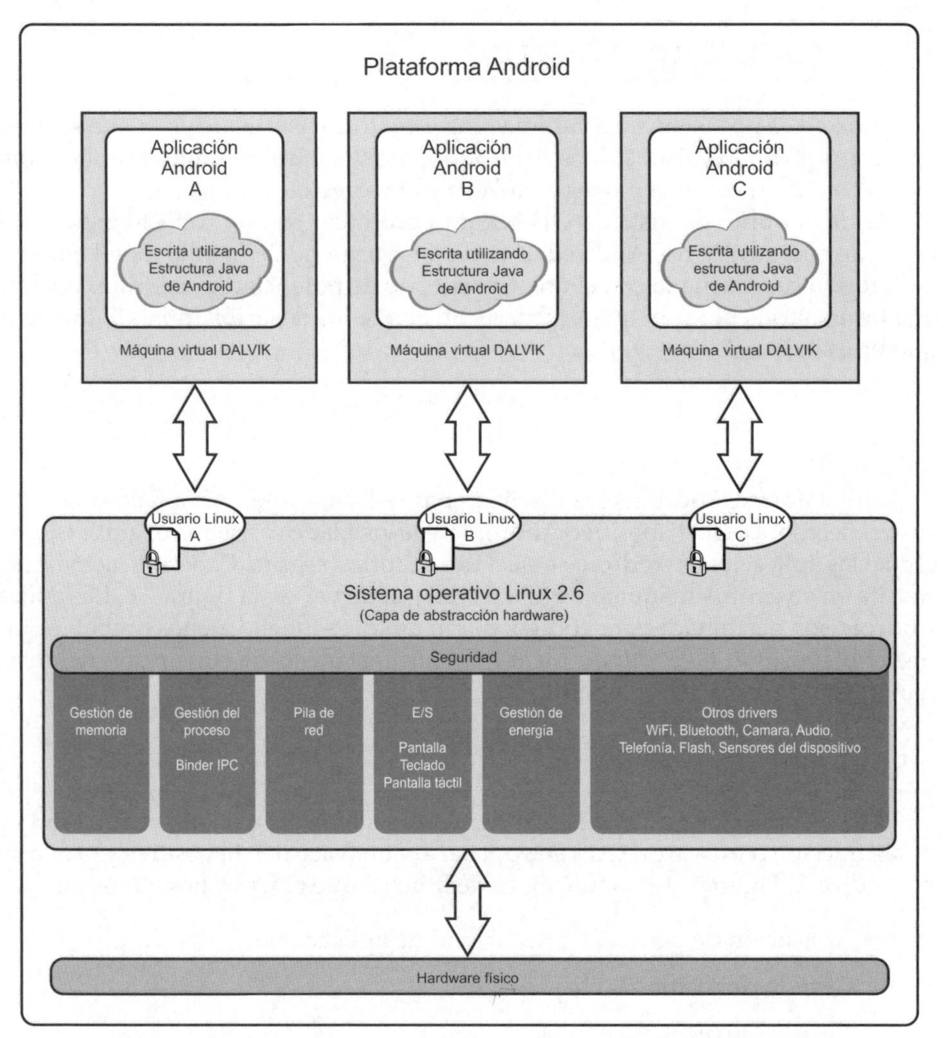

Figura 1.8. Diagrama de la arquitectura de la plataforma Android.

Seguridad y permisos

La integridad de Android se mantiene gracias a una serie de medidas de seguridad que garantizan la protección de los datos del usuario frente a software malicioso.

Aplicaciones como usuarios del sistema operativo

Cuando se instala una aplicación, el sistema operativo crea un nuevo perfil de usuario asociado con la misma. Cada aplicación se ejecuta como un usuario diferente, con sus propios archivos privados en el sistema de archivos, un identificador de usuario y un entorno de operación seguro. La aplicación se ejecuta en el sistema operativo en su propio proceso con su propia instancia de Dalvik y bajo su propio identificador de usuario.

Permisos de aplicación definidos explícitamente

Para acceder a los recursos compartidos del sistema, las aplicaciones Android se registran con los privilegios específicos que necesiten. Algunos de estos privilegios permiten que la aplicación utilice las funcionalidades del dispositivo para realizar llamadas, acceder a la red y controlar la cámara u otros sensores hardware. Las aplicaciones también necesitan permiso para acceder a datos compartidos que incluyan información privada y personal, como preferencias y ubicaciones del usuario e información de contacto.

Las aplicaciones también pueden declarar sus propios permisos para que otras aplicaciones los puedan utilizar. Una aplicación puede declarar los tipos de permisos que quiera, como permisos de solo lectura o solo escritura, para tener un mayor control.

Permisos limitados ad-hoc

Las aplicaciones que actúan como proveedores de contenidos podrían querer proporcionar permisos sobre la marcha a otras aplicaciones para compartir libremente determinada información. Esto se consigue concediendo y revocando acceso ad-hoc a recursos específicos utilizando URI (*Uniform Resource Identifiers*, Identificador uniforme de recurso).

Un URI gestiona datos específicos indexados del sistema, como imágenes y texto. A continuación puede ver un ejemplo de un URI que proporciona los números de teléfono de todos los contactos:

```
content://contacts/phones
```

Para entender cómo funciona esta gestión de permisos vamos a ver un ejemplo.

Supongamos que tenemos una aplicación que lleva un registro de la lista de deseos de cumpleaños de los usuarios públicos y privados. Si esta aplicación quisiera compartir sus datos con otras aplicaciones, podría conceder permisos URI para la lista de deseos pública, permitiendo que otras aplicaciones tengan permiso para acceder a esta lista, sin tener que pedir explícitamente dicha lista al usuario.

Firma de la aplicación para relaciones de confianza

Todos los paquetes de aplicaciones Android están firmados con un certificado, de forma que los usuarios sepan que la aplicación es auténtica. El desarrollador conserva la clave privada del certificado. Esto ayuda a definir una relación de confianza entre el desarrollador y el usuario. También permite que el desarrollador controle qué aplicaciones pueden conceder acceso a otras en el sistema. No es necesaria una autoridad del certificado, se aceptan certificados autofirmados.

Registro del desarrollador en el mercado

Para poder publicar aplicaciones en el popular Google play, los desarrolladores deben crear una cuenta de desarrollador. Google play está estrechamente controlado y no se permite el software malicioso.

Desarrollar aplicaciones Android

Android SDK proporciona un gran conjunto de interfaces de programación de aplicaciones (API), actualizado y robusto. Los servicios del núcleo del dispositivo Android son accesibles para todas las aplicaciones. Con los permisos apropiados, las aplicaciones Android pueden compartir datos entre ellas y acceder a recursos compartidos del sistema de forma segura.

Lenguajes de programación Android

Las aplicaciones Android están escritas en Java (véase la figura 1.9). Por ahora, el lenguaje Java es la única opción que tiene el desarrollador para acceder a Android SDK.

Figura 1.9. Duke, la mascota de Java.

Nota

Ha habido algunas especulaciones sobre la posibilidad de que otros lenguajes de programación, como C++, se pudieran añadir en versiones futuras de Android. Si su aplicación se basa en código nativo escrito en otro lenguaje como C o C++, podría pensar en integrarlo utilizando NDK (*Native Development Kit*, Kit de desarrollo nativo) de Android.

También puede desarrollar aplicaciones Web móviles para dispositivos Android. Se puede acceder a estas aplicaciones a través de la aplicación Android Browser, o de un control embebido `WebView` dentro de una aplicación nativa Android (escrita en Java).

Más adelante en este libro veremos el control `WebView`, pero dejaremos el desarrollo de aplicaciones Web para los especializados en tecnologías Web como HTML5. Este libro se centra en el desarrollo de aplicaciones nativas. Puede encontrar más información sobre el desarrollo de aplicaciones Web para dispositivos Android en el sitio Web de desarrolladores Android: `http://goo.gl/jYeOe`.

¿Tiene una aplicación flash que quiere implementar en la plataforma Android? Eche un vistazo al soporte de la plataforma Android para Adobe AIR. Los usuarios instalan la aplicación Adobe AIR desde Google play y a continuación la utilizan para cargar sus aplicaciones compatibles. Para más información consulte el sitio Web de Adobe: `http://goo.gl/b31wT`. Como con las aplicaciones Web, desarrollar aplicaciones flash está fuera del objetivo de este libro.

Sin distinción entre aplicaciones nativas y de terceros

A diferencia de otras plataformas de desarrollo móvil, en la plataforma Android no se distingue entre las aplicaciones nativas y las creadas por desarrolladores. Con los permisos adecuados, todas las aplicaciones tienen el mismo tipo de acceso a las librerías del núcleo y a las interfaces de hardware internas. Los dispositivos Android incluyen un conjunto de aplicaciones nativas como un navegador Web y un gestor de contactos. Las aplicaciones de terceros pueden integrarse con las aplicaciones del núcleo, extenderlas para mejorar la experiencia del usuario o sustituirlas completamente con aplicaciones alternativas. La idea es que cualquiera de estas aplicaciones del núcleo se cree utilizando exactamente las mismas API disponibles para los desarrolladores externos, lo que asegura la igualdad de condiciones, o lo más cerca posible.

Fíjese que aunque ésta ha sido la tendencia de Google desde el principio, en algunos casos ha utilizado API no documentadas. Como Android es abierto, no existen API privadas. Nunca han bloqueado el acceso a dichas API, pero han advertido a los desarrolladores que su uso puede ser incompatible con versiones de SDK futuras. Eche un vistazo a la entrada del blog en `http://goo.gl/ad6PK` para ver ejemplos recientes de API que se han documentado públicamente y que anteriormente no lo estaban.

Paquetes usados con frecuencia

Con Android, los desarrolladores de aplicaciones móviles ya no tienen que reinventar la rueda. En lugar de eso, utilizan librerías de clases conocidas a través de los paquetes Java de Android para realizar tareas comunes como el uso de gráficos, el acceso a bases de datos, el acceso a la red, las comunicaciones seguras y más utilidades. Los paquetes de Android incluyen soporte en los siguientes aspectos:

- Gran número de controles de la interfaz de usuario (botones, *spinners*, entrada de texto).
- Gran número de diseños de la interfaz de usuario (tablas, pestañas, listas, galerías).
- Red segura y características de navegación Web, como SSL (*Secure Socket Layer*, Capa de conexión segura o WebKit.

- Soporte XML: DOM (*Document Object Model*, Modelo de objetos del documento), SAX (*Simple API for XML*, API sencilla para XML), XMLPullParser.
- Almacenamiento estructurado y bases de datos relacionales (preferencias de aplicaciones, SQLite).
- Potentes gráficos 2D y 3D (SGL, OpenGL ES y RenderScript)
- Entornos multimedia para reproducir y grabar *streaming* autónomo o en red (MediaPlayer, JetPlayer, SoundPool).
- Soporte amplio para muchos formatos de audio y vídeo (MPEG4, MP3, imágenes fijas).
- Acceso a hardware opcional, como LBS (*Location-Based Services*, Servicios basados en localización), USB, Wifi, Bluetooth y sensores hardware.

Entorno de la aplicación Android

El entorno de la aplicación Android proporciona todo lo necesario para implementar una aplicación de nivel medio. El ciclo de vida de una aplicación Android incluye los siguientes componentes clave:

- Las actividades son funciones ejecutadas por la aplicación.
- Los grupos de vistas definen el diseño de la aplicación.
- Los *intents* informan al sistema sobre los planes de una aplicación.
- Los servicios permiten el procesamiento en segundo plano sin la intervención del usuario.
- Las notificaciones alertan al usuario cuando ocurre algo importante.
- Los proveedores de contenido facilitan la transmisión de datos entre diferentes aplicaciones.

Servicios de la plataforma Android

Las aplicaciones Android pueden interactuar con el sistema operativo y con el hardware interno a través de una serie de gestores. Cada gestor es responsable de mantener el estado de algún servicio interno del sistema. Por ejemplo:

- `LocationManager` facilita la interacción con los servicios basados en localización disponibles en el dispositivo.
- `ViewManager` y `WindowManager` gestionan el funcionamiento básico de la pantalla y de la interfaz de usuario del dispositivo.
- `AccesibilityManager` gestiona los eventos de accesibilidad, facilitando el soporte para usuarios con discapacidades físicas.

- `ClipboardManager` proporciona acceso al portapapeles global del dispositivo, para cortar y pegar contenido.
- `AudioManager` proporciona acceso a los controles de audio y del timbre del dispositivo.

Resumen

El desarrollo de software móvil ha evolucionado en el tiempo. Android ha surgido como una nueva plataforma de desarrollo para aplicaciones móviles, diseñada a partir de los éxitos del pasado y evitando los fallos de otras plataformas. Android fue diseñado para permitir al desarrollador diseñar aplicaciones innovadoras. La plataforma es de código abierto, sin gastos por adelantado, y los desarrolladores pueden disfrutar de muchos beneficios frente a otras plataformas de la competencia. Ahora ha llegado el momento de profundizar y empezar a escribir código Android, para que pueda valorar lo que puede llegar a hacer con esta plataforma.

Referencias y más información

- Desarrollo Android: `http://developer.android.com`.
- Open Handset Alliance: `http://www.openhandsetalliance.com`.
- Blog oficial de desarrolladores de Android: `http://android-developers.blogspot.com`.
- Blog de los autores: `http://androidbook.blogspot.com`.

2
Configurar el entorno de desarrollo Android

Los desarrolladores Android escriben y prueban sus aplicaciones en sus ordenadores y después las implementan en el dispositivo real para realizar más pruebas.

En este capítulo se familiarizará con todas las herramientas que necesita dominar para desarrollar aplicaciones Android. También verá cómo se instala el kit de desarrollo software de Android (SDK) y todo lo que ofrece.

Nota

Las herramientas de desarrollo Android se actualizan con frecuencia. Hemos hecho todo lo posible para utilizar las últimas herramientas en los pasos a seguir. Sin embargo, los pasos y las interfaces de usuario descritas en este capítulo puede que cambien con el tiempo. Por favor visite el sitio Web de desarrollo Android (`http://d.android.com/sdk`) y el nuestro (`http://androidbook.blogspot.com`) para consultar la información más actualizada.

Configurar el entorno de desarrollo

Para escribir aplicaciones Android debe configurar su entorno de programación para desarrollo Java. Este software puede descargarlo *online* sin coste alguno. Las aplicaciones Android se pueden desarrollar en sistemas Windows, Macintosh o Linux. Para desarrollar aplicaciones Android necesita tener el siguiente software instalado en su ordenador:

- El Entorno de desarrollo Java (JDK), versión 5 o 6, que lo puede descargar desde `http://www.oracle.com/technetwork/java/javase/downloads/index.htm` (o `http://java.sun.com/javase/downloads/index.jsp`, si es nostálgico).
- Un IDE Java compatible, como Eclipse, junto al *plugin* JDT. Puede descargar Eclipse desde `http://www.eclipse.org/downloads/`. Necesitará Eclipse 3.5 o posterior, o bien Eclipse IDE para desarrolladores Java, Eclipse Classic o Eclipse IDE para desarrolladores Java EE.
- El último Android SDK, herramientas y documentación, que lo puede descargar desde `http://d.android.com/sdk/index.html` (paquetes de inicio para Windows, Linux y Mac, incluyendo un instalador para Windows).
- El *plugin* herramientas de desarrollo Android para Eclipse (ADT), que lo puede descargar a través de la herramienta de actualización de software de Eclipse. Puede consultar las instrucciones para instalar este *plugin* en `http://d.android.com/sdk/eclipse-adt.html`. Aunque esta herramienta es opcional para el desarrollo, es recomendable que la instale. En este libro la utilizaremos con frecuencia.

En el sitio Web `http://d.android.com/sdk/requirements.html` puede ver un listado completo de todos los requisitos necesarios para utilizar el sistema de desarrollo Android.

Nota

La mayoría de los desarrolladores Android utilizan el popular Eclipse IDE. El equipo de desarrollo Android ha integrado directamente las herramientas de desarrollo en Eclipse IDE. Sin embargo, no tiene porqué limitarse a este sistema, también puede utilizar otros IDE. Para más información sobre el uso de otros entornos de desarrollo empiece leyendo `http://d.android.com/guide/developing/projects/projects-cmdline.html`, que habla sobre cómo utilizar las herramientas en línea de comandos, que puede resultarle útil a la hora de utilizar otros entornos. Además, eche un vistazo a `http://d.android.com/guide/developing/debugging/debugging-projects-cmdline.html` para información sobre depurar código desde otros IDE y `http://d.android.com/guide/developing/testing/testing_otheride.html` que habla sobre cómo hacer pruebas en otros IDE.

Estos son los pasos correspondientes al proceso de instalación básico:

1. Descargue e instale el JDK adecuado.
2. Descargue e instale la versión adecuada de Eclipse (u otro IDE compatible). Compruebe las actualizaciones y parches de seguridad e instálelas también.
3. Descargue e instale el paquete de inicio Android SDK.

4. (Solo para usuarios de Eclipse). Descargue e instale el *plugin* ADT de Android para Eclipse. Configure los ajustes de Android en las preferencias de Eclipse. Asegúrese de especificar el directorio donde instaló Android SDK y guarde estos ajustes.
5. Utilice Android SDK Manager para descargar e instalar versiones de la plataforma Android específicas y otros componentes que podría necesitar, incluyendo documentación, aplicaciones de ejemplo, *drivers* USB y herramientas adicionales. Android SDK Manager está disponible como una herramienta independiente en el paquete de inicio Android SDK, así como dentro de Eclipse si ha instalado el *plugin* en el paso anterior. En lo que se refiere a los componentes que tiene que escoger, le recomendamos una instalación completa (elija todo).
6. Si es necesario, configure su ordenador para la depuración en el dispositivo instalando el *driver* USB correspondiente.
7. Configure su o sus dispositivos Android para depuración.
8. Inicie Eclipse (o su IDE preferido) y empiece a desarrollar aplicaciones Android.

Dado el objetivo de este libro, no damos unas instrucciones paso a paso detalladas para instalar cada uno de los componentes de los pasos anteriores principalmente por tres razones. Primero, este es un libro intermedio/avanzado y suponemos que está algo familiarizado con la instalación de las herramientas de desarrollo Java y SDK. Segundo, el sitio Web de desarrolladores Android proporciona amplia información sobre la instalación de las herramientas de desarrollo y cómo configurarlas en diferentes sistemas operativos. Puede encontrar instrucciones para la instalación en `http://d.android.com/sdk/installing.html`. Tercero, los pasos exactos necesarios para instalar Android SDK suelen cambiar ligeramente en cada versión mayor (y en algunas menores) por lo que es mejor que eche un vistazo a la Web de desarrolladores Android para tener la información más reciente. Por último, no olvide que Android SDK y las herramientas se actualizan con frecuencia y puede que no coincidan exactamente con el entorno de desarrollo utilizado en este libro, como se comentó en la introducción. Dicho esto, le ayudaremos con algunos de los últimos pasos en el proceso descrito en esta sección, empezando después de que haya instalado y configurado JDK, Eclipse, Android SDK y el *plugin* ADT en el paso 6. Exploraremos Android SDK y veremos algunas de las herramientas del núcleo que necesita para desarrollar aplicaciones. En el próximo capítulo podrá probar su entorno de desarrollo y escribir su primera aplicación Android.

Configurar el sistema operativo para depuración de dispositivos

Para instalar y depurar aplicaciones Android en dispositivos Android, necesita configurar su sistema operativo para que tenga acceso al teléfono a través del cable USB, como puede ver en la figura 2.1. En algunos sistemas operativos, como Mac OS X, puede que esto funcione sin más. Sin embargo, en Windows, necesita instalar el *driver*

USB apropiado. Puede descargarlo desde el sitio Web `http://d.android.com/sdk/win-usb.html`. En Linux tiene que realizar algunos pasos adicionales. Consulte `http://d.android.com/guide/developing/device.html` para más información.

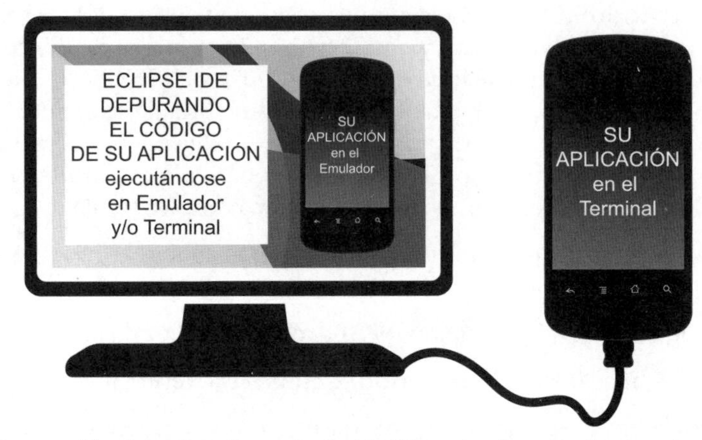

Figura 2.1. Depuración de aplicaciones Android utilizando el emulador y un terminal Android.

Configurar su hardware Android para la depuración

Por defecto, los dispositivos Android tienen el modo de depuración desactivado. El suyo debe estar habilitado para la depuración a través de la conexión USB para permitir que las herramientas instalen e inicien las aplicaciones que quiere implementar.

Necesita habilitar su dispositivo para poder instalar aplicaciones Android diferentes de las de Google play. Este ajustes lo puede encontrar en Menú>Ajustes>Aplicaciones. Aquí debe activar la opción llamada Orígenes desconocidos, como puede ver en la figura 2.2. Si no activa esta opción, no podrá instalar aplicaciones creadas por desarrolladores, aplicaciones de ejemplo o aplicaciones creadas en mercados alternativos sin las herramientas de desarrollo. Cargar aplicaciones desde servidores o incluso desde correo electrónico es una buena forma de probar implementaciones.

Podrá encontrar otros ajustes de desarrollo importantes disponibles en el dispositivo Android seleccionando Menú>Ajustes>Aplicaciones>Desarrollo, como puede ver en la figura 2.3. Aquí debería activar las siguientes opciones:

- Depuración USB: Este ajuste le permite depurar sus aplicaciones a través de la conexión USB.
- Pantalla activa: Este ajuste evita que su teléfono se vaya a dormir a mitad de su trabajo de desarrollo, siempre y cuando el dispositivo esté conectado.
- Ubicaciones simuladas: Este ajuste le permite enviar información de ubicaciones simuladas al teléfono para desarrollar, y es muy conveniente para aplicaciones que utilicen servicios basados en la localización.

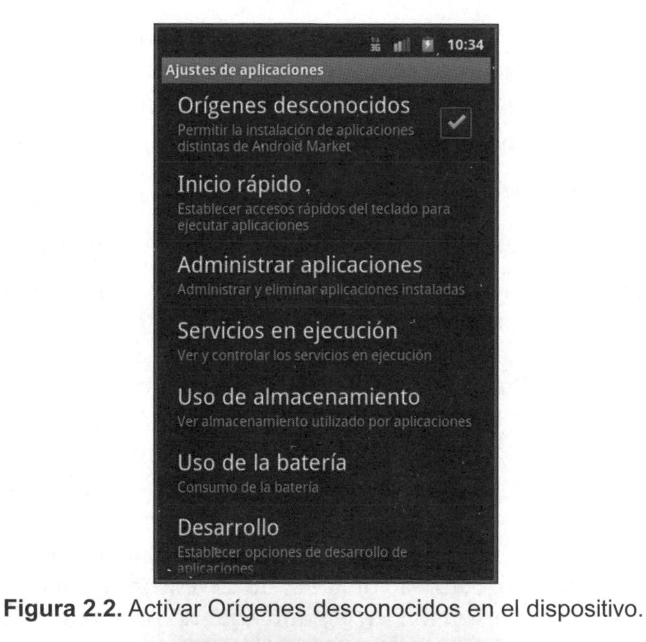

Figura 2.2. Activar Orígenes desconocidos en el dispositivo.

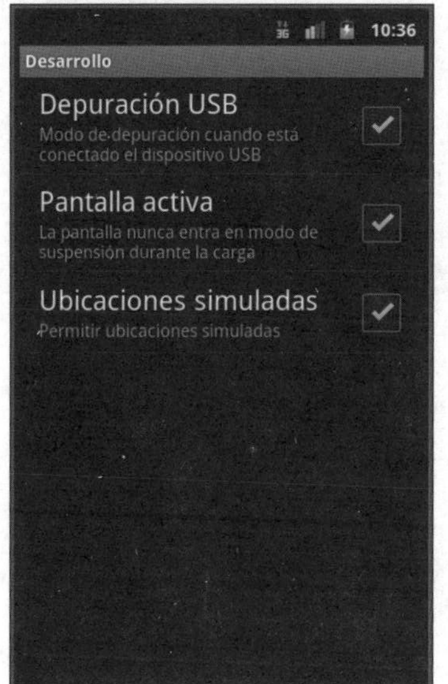

Figura 2.3. Activar ajustes de desarrollo Android en el dispositivo.

Actualizar Android SDK

Android SDK se actualiza de vez en cuando. Puede actualizarlo fácilmente junto con sus herramientas desde Eclipse utilizando Android SDK Manager, que se instala como parte del *plugin* ADT para Eclipse.

Los cambios pueden consistir en añadir, actualizar o eliminar características, modificaciones en los nombres de los paquetes y herramientas actualizadas. Con cada nueva versión de SDK, Google proporciona los siguientes documentos:

- **Resumen de cambios:** Breve descripción de los cambios mayores en SDK.
- **Informe API Diff:** Completa lista de cambios específicos en SDK.
- **Notas de la versión:** Lista de problemas conocidos en SDK.

Estos documentos los tiene disponibles en cada nueva versión de Android SDK. Por ejemplo, la información de Android 2.2 está disponible en `http://d.android.com/sdk/android-2.2.html` y la de Android 4.0 en `http://d.android.com/sdk/android-4.0.html`. Puede encontrar más información sobre cómo añadir y actualizar componentes SDK en `http://d.android.com/sdk/adding-components.html`.

Problemas con el kit de desarrollo Android

Debido a que Android SDK está constantemente en desarrollo, podría encontrar algún problema. Si cree que ha localizado un fallo, puede encontrar una lista de los problemas abiertos y su estado en la sección de seguimiento de problemas de la página Web del proyecto Android. También puede enviar nuevos problemas para que sean revisados.

Este sitio Web lo puede encontrar en `http://code.google.com/p/android/issues/list`. Para más información sobre cómo hacer que sus propios fallos o defectos sean considerados por el equipo de desarrollo de la plataforma Android, visite el sitio Web `http://source.android.com/source/report-bugs.html`.

Truco

¿Está frustrado con el tiempo que tarda en revisarse su fallo? Puede que le resulte útil conocer cómo funciona el proceso de resolución de errores en Android. Para más información sobre este particular consulte el sitio Web `http://source.android.com/source/life-of-a-bug.html`.

Explorar Android SDK

Android SDK incluye cinco componentes principales: Acuerdo de licencia Android SDK, Documentación de Android, Entorno de aplicación, Herramientas y Aplicaciones de ejemplo.

Acuerdo de licencia de Android SDK

Antes de poder descargar Android SDK, debe revisar y aceptar el acuerdo de licencia SDK Android. Este acuerdo es un contrato entre el desarrollador y Google (propietario de los derechos de autor de Android).

Aunque alguien en su empresa haya aceptado este acuerdo por usted, es importante para el desarrollador que tenga en cuenta los siguientes puntos:

- **Concesión de derechos:** Google (como propietario de los derechos de autor de Android) le concede una licencia limitada, de ámbito mundial, sin coste, no asignable y no exclusiva, para utilizar SDK únicamente para desarrollar aplicaciones para la plataforma Android. Google (y colaboradores terceros) le conceden esta licencia, pero ellos conservan los derechos de autor y de propiedad intelectual del material. Utilizar SDK no le da permiso para utilizar ninguna marca, logo o nombre comercial de Google. No podrá eliminar ninguno de los derechos de autor incluidos. Las aplicaciones de terceros que interactúen con las suyas (otras aplicaciones Android) están sujetas a otros términos y no están incluidas en este acuerdo.
- **Uso de SDK:** Solo puede desarrollar aplicaciones Android. No puede realizar trabajos derivados de SDK, distribuirlos en cualquier dispositivo o una parte del mismo junto con otro software.
- **Cambios en SDK y compatibilidad con versiones anteriores:** Google puede cambiar Android SDK en cualquier momento, sin aviso previo y sin tener en cuenta la compatibilidad con versiones anteriores. Aunque los cambios en la API Android eran un gran problema en versiones anteriores de SDK, las actuales son razonablemente estables. Dicho esto, cada actualización de SDK tiende a afectar a una pequeña parte de las aplicaciones existentes en el campo, por lo que es preciso actualizarlas.
- **Derechos del desarrollador de aplicaciones Android:** El desarrollador conserva todos los derechos de cualquier software que desarrolle con SDK, incluyendo los de propiedad intelectual. También mantiene toda la responsabilidad de su propio trabajo.
- **Requisitos de privacidad de aplicaciones Android:** Con este acuerdo se acepta que las aplicaciones del desarrollador protegerán la privacidad y los derechos legales de sus usuarios. Si su aplicación utiliza o accede a información personal o privada sobre usuarios (nombres de usuario, contraseñas, etc.), entonces debe incluir una declaración de privacidad adecuada y mantener esos datos archivados con seguridad. Fíjese que las leyes y regulaciones de privacidad pueden variar según donde se encuentre el usuario. El desarrollador es el único responsable de gestionar estos datos de forma adecuada.
- **Requisitos sobre software malicioso en aplicaciones Android:** El desarrollador es responsable de todas las aplicaciones que cree, y acepta no escribir aplicaciones perjudiciales o software malicioso. El desarrollador es el único responsable de todos los datos transmitidos a través de su aplicación.
- **Términos adicionales para API específicas de Google:** El uso de la API Android Maps está sujeta a más términos relacionados con el servicio (concretamente el uso de los siguientes paquetes: `com.google.android.maps` y `com.android.location.Geocoder`). Debe aceptar estos términos adicionales antes de utilizar estas API y siempre incluir el aviso de derechos de autor de Google

Maps proporcionado. El uso de la API de Google Data (aplicaciones de Google como Gmail, Blogger, Google Calendar, Google Finance Portofolio Data, Picasa, YouTube, etc.) está limitado al acceso que el usuario haya concedido explícitamente a su aplicación, por medio de la aceptación de permisos proporcionados por el desarrollador durante la instalación de la aplicación.

- **Desarrollo bajo su responsabilidad:** Cualquier daño que sea consecuencia del desarrollo con SDK es su propia culpa y no de Google.

Documentación de Android SDK

La documentación de Android se proporciona en formato HTML localmente y *online* en `http://d.android.com`. Puede encontrar la copia local de esta documentación en el subdirectorio `docs` del directorio de instalación de Android, como puede ver en la figura 2.4.

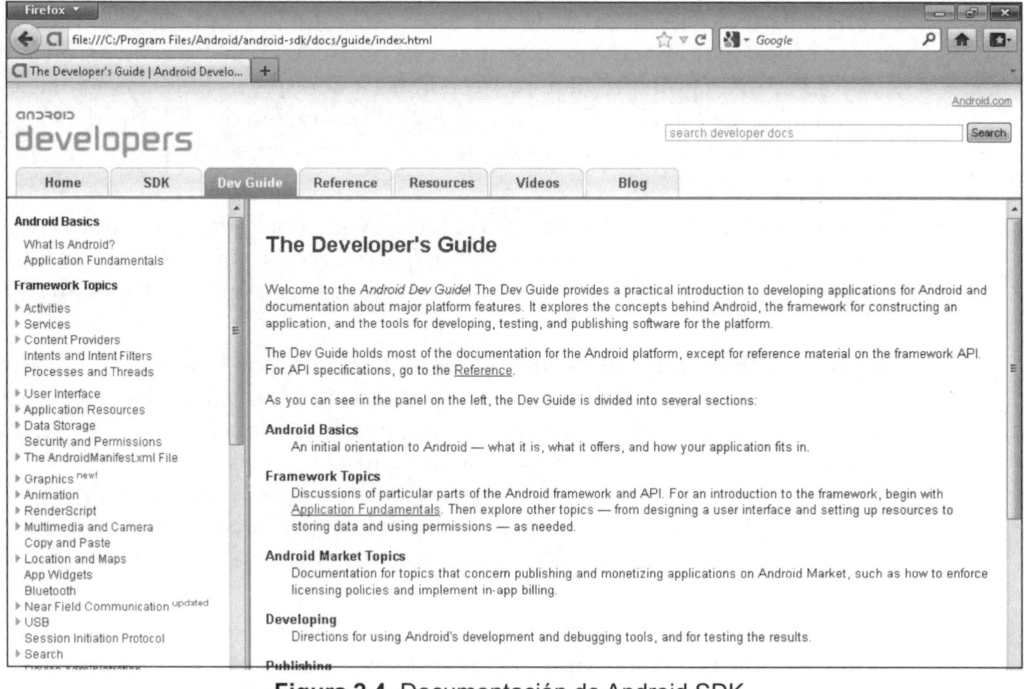

Figura 2.4. Documentación de Android SDK.

Entorno de aplicación del núcleo de Android

El entorno de la aplicación Android se proporciona en el archivo `android.jar`. Android SDK está formado por varios paquetes importantes, que se muestran en la tabla 2.1.

Tabla 2.1. Paquetes importantes en Android SDK.

Nombre del paquete a alto nivel	Descripción
`android.*`	Base de la aplicación Android
`dalvik.*`	Clases de soporte de la máquina virtual Dalvik
`java.*`	Clases del núcleo y utilidades genéricas conocidas para redes, seguridad, matemáticas, etc.
`javax.*`	Soporte de encriptación
`junit.*`	Soporte de pruebas de la unidad
`org.apache.http.*`	Soporte del protocolo HTTP
`org.json`	Soporte JSON (*JavaScript Object Notation*, Notación de objetos JavaScript)
`org.w3c.dom`	Enlaces Java W3C para DOM (*Document Object Model*, Modelo de objetos del documento) (XML y HTML)
`org.xml.sax.*`	API para soporte XML (SAX)
`org.xml.pull.*`	Análisis XML de alto rendimiento (*pull parsing*)

Fuera del núcleo de Android SDK hay disponibles varias API opcionales de terceros. Estos paquetes se deben instalar independientemente desde sus sitios Web. Algunos paquetes son de Google, mientras que otros son de fabricantes de dispositivos y otros proveedores. En la tabla 2.2 se describen algunas de las API más populares de terceros.

Tabla 2.2. API Android populares de terceros.

Opción Android SDK	Descripción
API complementarias de Google (Paquete: `com.google.*`)	Facilita el desarrollo utilizando Google Maps y otras API de Google y servicios. Por ejemplo, si quiere incluir el control `MapView` en su aplicación, necesita instalar y utilizar esta característica. Este complemento requiere que se acepten términos del servicio adicionales y registro para obtener la clave de la API. Para más información consulte la página Web `http://code.google.com/android/add-ons/google-apis/`.
Paquete de soporte Android (Paquetes: varios)	Añade varios componentes disponibles en versiones recientes de SDK en las antiguas. Por ejemplo, utilizando este complemento, las API Loader y Fragment introducidas en la API nivel 11 se pueden utilizar, en formato compatible, hasta la API nivel 4.
Mensajería *cloud* a dispositivo Android (C2DM) (Paquete: `com.google.android.c2dm`)	Proporciona acceso al servicio a desarrolladores para enviar desde la red a sus aplicaciones instaladas en dispositivos. Este SDK requiere aceptar términos del servicio adicionales y registrar una cuenta. Para más información consulte la página Web `http://code.google.com/android/c2dm/`.

Opción Android SDK	Descripción
Google Analytics SDK para Android (Paquete: com.google.android.apps.analytics)	Permite al desarrollador recoger y analizar información sobre el uso de sus aplicaciones con el popular servicio Google Analytics. Este SDK requiere aceptar términos del servicio adicionales y registrar una cuenta. Para más información consulte la página Web http://code.google.com/mobile/analytics/docs/android/.
Facturación Google Market (Paquete: com.android.vending.billing)	Permite al desarrollador utilizar Google play para activar compras desde la aplicación. Este SDK requiere aceptar términos del servicio adicionales y debe estar enlazado a su cuenta de publicación en Google play. Para más información consulte la página Web http://d.android.com/guide/market/billing/.
Licencia Google Market (Paquete: com.android.vending)	Permite al desarrollador utilizar Google play para activar la verificación de licencias desde la aplicación. Este SDK requiere aceptar términos del servicio adicionales y debe estar enlazado a su cuenta de publicación en Google play. Para más información consulte la página Web http://d.android.com/guide/publishing/licensing.html.
Dispositivos y complementos específicos de fabricantes y SDK	Podrá encontrar una serie de complementos y SDK de terceros dentro de Android SDK y del gestor de paquetes disponibles AVD. Todavía podrá encontrar más en sitios Web de terceros. Si está utilizando características de un dispositivo específico o fabricante, o servicios de un proveedor de servicios conocido, compruebe si tienen complementos disponibles para la plataforma Android. Por ejemplo, Motorola y AuthenTec proporcionan en su sitio Web de desarrollo un complemento SDK para acceder a un lector de huella dactilar del *smartphone* Motorola ATRIX 4G.

Herramientas del núcleo de Android

Android SDK proporciona muchas herramientas para diseñar, desarrollar, depurar e implementar sus aplicaciones Android. Por ahora, queremos que se familiarice con las herramientas del núcleo que necesita conocer para empezar a trabajar con aplicaciones Android. Describiremos con detalle muchas de las herramientas de Android en el capítulo 4.

Eclipse y el *plugin* ADT

Cuando esté desarrollando, la mayor parte de su tiempo estará utilizando el IDE. Este libro asume que está utilizando Eclipse con el *plugin* ADT, ya que es la configuración más popular del entorno de desarrollo. El *plugin* ADT para Eclipse integra muchas de las herramientas más importantes de Android SDK en su entorno de desarrollo, y proporciona varios asistentes para crear, depurar e implementar aplicaciones Android. El *plugin* ADT añade un conjunto de útiles funciones al IDE por defecto de Eclipse. Existen nuevos botones en la barra de tareas, incluyendo los que realizan las siguientes tareas:

- Iniciar Android SDK Manager.
- Iniciar el gestor de dispositivos virtuales de Android.
- Crear un proyecto nuevo utilizando el asistente de proyectos de Android.
- Crear un proyecto de prueba nuevo utilizando el asistente de proyectos de Android.
- Crear un nuevo archivo de recurso XML de Android.

Eclipse organiza su espacio de trabajo en perspectivas (cada una formada por un conjunto de paneles determinados) para realizar diferentes tareas como escribir código o depurar. Puede alternar entre perspectivas seleccionando la pestaña adecuada en la parte superior derecha del entorno Eclipse. La perspectiva Java define los paneles adecuados para escribir código y navegar por el proyecto. La perspectiva Depurar le permite definir puntos de interrupción, ver la información de LogCat y depurar. El complemento ADT añade varias perspectivas especiales para diseñar y depurar aplicaciones Android. La perspectiva Hierarchy View (Vista jerarquía) integra la herramienta para visualizar jerarquías en Eclipse, para que pueda diseñar, inspeccionar y depurar controles de la interfaz de usuario dentro de sus aplicaciones. La perspectiva DDMS integra la herramienta DDMS (*Dalvik Debug Monitor Service*, Servicio de monitorización de depuración Dalvik) en Eclipse de forma que pueda agregar el emulador e instancias de dispositivos para depurar sus aplicaciones. En la figura 2.5 se muestra la barra de herramientas de Eclipse con las características añadidas de Android (en la izquierda y en el centro) y las nuevas perspectivas Android (a la derecha).

Java - Eclipse
Archivo Editar Ejecutar Navegar Buscar Proyecto Refactorizar Ventana Ayuda
Hierarchy View DDMS Depurar Java

Figura 2.5. Características de Android añadidas a la barra de herramientas y perspectivas.

Puede alternar entre perspectivas dentro de Eclipse, dirigiéndose a Ventana>Abrir perspectiva o haciendo clic en la pestaña de la perspectiva correspondiente en la esquina superior derecha de la barra de herramientas de Eclipse.

Gestores de Android SDK y AVD

El primer icono de la barra de herramientas Android con un pequeño androide verde junto a un flecha que apunta hacia abajo iniciará Android SDK Manager, que puede ver en la figura 2.6. El segundo icono, que parece un pequeño teléfono móvil, iniciará Android Virtual Device Manager, que puede ver en la figura 2.7.

Estas herramientas realizan dos funciones importantes: la gestión de los componentes instalados Android SDK en la máquina de desarrollo y la gestión de las configuraciones AVD (*Android Virtual Device*, Dispositivo virtual Android) para el desarrollo.

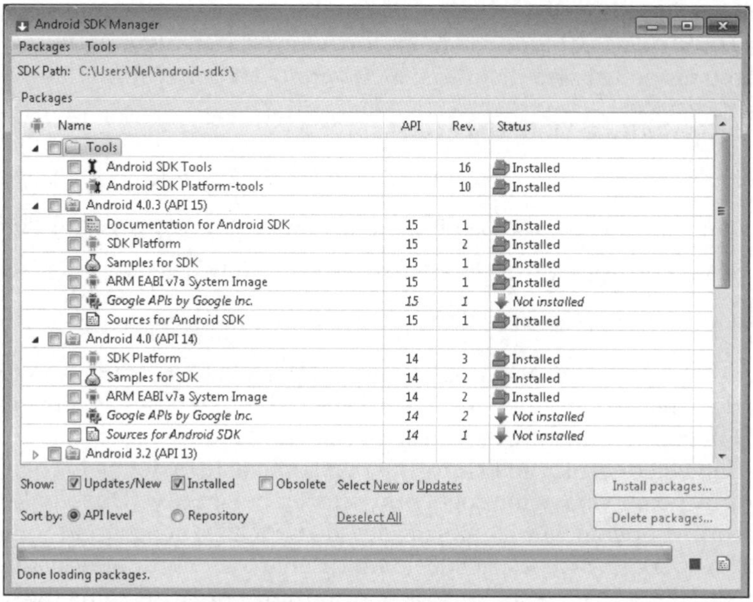

Figura 2.6. Android SDK Manager.

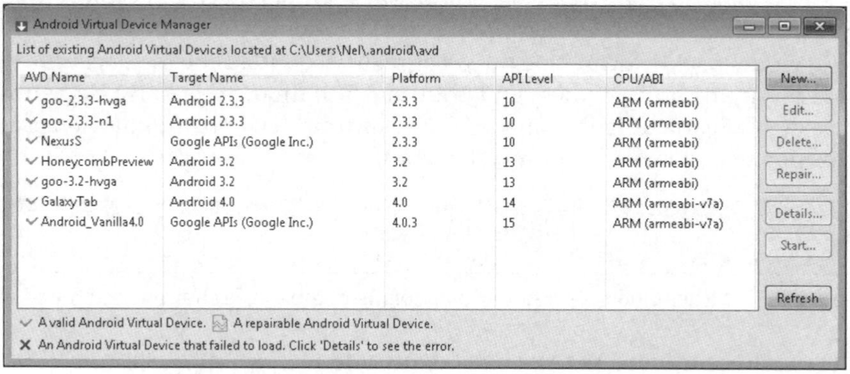

Figura 2.7. Android Virtual Device Manager.

Al igual que muchos ordenadores de sobremesa, dispositivos Android diferentes tienen instaladas diferentes versiones del sistema operativo Android. Los desarrolladores necesitan trabajar con diferentes versiones de Android SDK en sus aplicaciones, algunas de las cuales están diseñadas para un Android SDK determinado, mientras que otras intentan dar soporte simultáneamente a tantas versiones como sea posible.

Android SDK Manager facilita el desarrollo Android simultáneamente en múltiples versiones de la plataforma. Cuando se lanza un nuevo Android SDK, puede utilizar esta herramienta para descargar y actualizar sus herramientas, manteniendo la compatibilidad con versiones anteriores y poder usar versiones antiguas de Android SDK. Android Virtual Device Manager organiza y proporciona herramientas para crear y editar AVD.

Para gestionar aplicaciones en el emulador de Android debe configurar diferentes perfiles AVD. Cada uno describe el tipo de dispositivo que quiere que el emulador simule, incluyendo la plataforma Android que debe soportar así como definir cuáles deberían ser las especificaciones del dispositivo. Puede especificar diferentes tamaños de pantalla y orientaciones, si el emulador tiene una tarjeta SD y, si es así, qué capacidad tiene, entre otros muchos ajustes de la configuración del dispositivo.

Emulador de Android

El emulador de Android es una de las herramientas más importantes de Android SDK. La utilizará con frecuencia cuando diseñe y desarrolle aplicaciones Android. El emulador se ejecuta en su ordenador y se comporta tal y como lo haría un dispositivo móvil. Puede cargar aplicaciones Android en el emulador, probarlas y depurarlas.

El emulador es un dispositivo genérico y no está vinculado a ninguna configuración de teléfono específica. Los detalles de la configuración hardware y software que el emulador va a simular se describen en la configuración AVD proporcionada. En la figura 2.8 puede ver el aspecto que tendría el emulador en una configuración típica AVD estilo smartphone para Android 2.3.3.

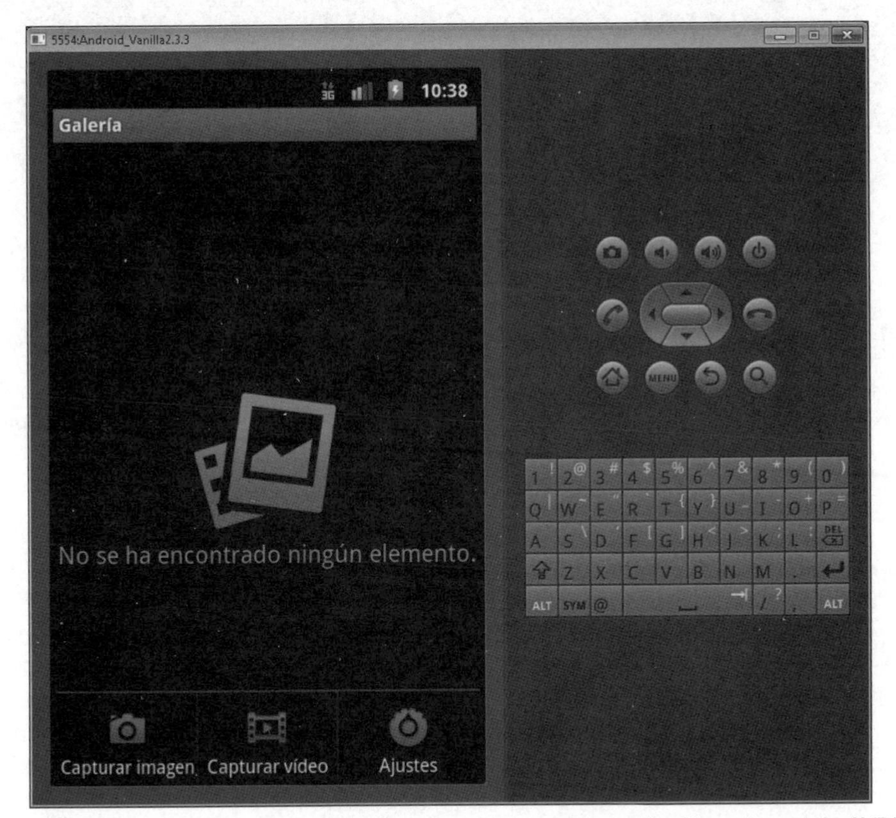

Figura 2.8. Emulador Android (estilo smartphone, configuración Gingerbread de AVD).

En la figura 2.9 puede ver el aspecto que tendría el emulador con la configuración típica estilo tableta para Android 3.2. Las figuras 2.8 y 2.9 muestran cómo se comporta la popular aplicación Galería en dos dispositivos diferentes.

Figura 2.9. Emulador Android (estilo tableta, configuración Honeycomb de AVD).

Nota

No olvide que el emulador Android es un substituto de un dispositivo Android real, pero imperfecto. El emulador es una herramienta muy valiosa para realizar pruebas pero nunca puede reemplazar las pruebas en dispositivos reales.

Aplicaciones de ejemplo Android

Android SDK proporciona muchas aplicaciones de ejemplo para ayudarle a pillar el truco al desarrollo Android. Muchas de estas aplicaciones están incluidas en Android SDK y están ubicadas en el subdirectorio `/samples` de Android SDK.

Hay disponibles muchas aplicaciones que le demostrarán el funcionamiento de diferentes aspectos de SDK. Algunas se centran en tareas de desarrollo de aplicaciones genéricas, como la gestión del ciclo de vida de una aplicación o el diseño de la interfaz de usuario.

Nota

En algunas instalaciones de Android SDK, las aplicaciones de ejemplo se instalan independientemente actualizando su instalación SDK mediante Android SDK Manager. También puede encontrar todas estas aplicaciones en el sitio Web de desarrolladores Android.

Alguna de las aplicaciones más sencillas a las que puede echar un vistazo son:

- **ApiDemos:** Utilidad gestionada por menú que muestra una gran variedad de API Android, desde *widgets* de la interfaz de usuario hasta componentes del ciclo de vida de la aplicación como servicios, alarmas y notificaciones.
- **Snake:** Juego que muestra gráficos en mapa de bits y eventos clave.
- **NotePad:** Sencilla aplicación de listados que muestra el acceso a bases de datos y la funcionalidad Live Folder (Directorio vivo).
- **LunarLander:** Juego que muestra gráficos y animaciones.
- **HoneycombGallery:** Aplicación que muestra diferentes características disponibles en Android 3.0+.
- **Spinner y SpinnerTest:** Aplicación que muestra algunos conceptos básicos del ciclo de vida de una aplicación, así como la creación y gestión de casos de prueba de aplicaciones utilizando el entorno de pruebas de unidad.
- **TicTacToeMain y TicTacToeLib:** Sencilla aplicación que muestra cómo crear y gestionar librerías de código compartido para usarlas con sus aplicaciones.

Existen muchas otras aplicaciones de ejemplo sobre características concretas, las cuales veremos más adelante en este libro. Puede encontrar más información sobre las aplicaciones de ejemplo en el sitio Web de desarrolladores Android en la pestaña Resources (Recursos).

También puede encontrar otras aplicaciones *online*. Algunas de las aplicaciones de ejemplo *online* más interesantes son:

- **Support4Demos:** Aplicación de ejemplo que muestra las características clave de la librería de compatibilidad Android API Nivel 4+, incluyendo fragmentos y cargadores. Puede encontrar más información sobre esta aplicación en la página Web de desarrolladores Android: `http://d.android.com/resources/samples/Support4Demos/index.html`.
- **Support13Demos:** Aplicación de ejemplo que muestra las características clave de la librería de compatibilidad Android API Nivel 13+, incluyendo soporte mejorado a fragmentos. Puede encontrar más información sobre esta aplicación en la página Web de desarrolladores Android: `http://d.android.com/resources/samples/Support13Demos/index.html`.

Nota

Para añadir un proyecto de ejemplo en Eclipse, seleccione Archivo>Nuevo>Android Project y a continuación seleccione el destino de implementación. Esto hace que la opción Create project from existing sample (Crear proyecto desde ejemplo existente) esté disponible. La disponibilidad de las aplicaciones de ejemplo depende del destino de implementación seleccionado. Siga el proceso que seguiría normalmente, creando una Configuración de depuración, compilando y ejecutando la aplicación en el emulador o en un dispositivo. Veremos estos pasos en detalle en el próximo capítulo cuando pruebe su entorno de desarrollo y escriba su primera aplicación.

Resumen

En este capítulo hemos instalado, configurado y empezado a explorar las herramientas que necesitamos para comenzar a desarrollar aplicaciones Android, incluyendo el JDK adecuado, el entorno de desarrollo Eclipse y Android SDK. Hemos explorado muchas de las características proporcionadas con Android SDK y hemos repasado sus funciones principales. Por último, hemos examinado las aplicaciones de ejemplo proporcionadas con Android SDK. Ahora debería tener el entorno de desarrollo razonablemente configurado para escribir aplicaciones. En el próximo capítulo podrá aprovechar toda esta etapa de configuración para escribir una aplicación Android.

Referencias y más información

- Guía de desarrolladores Android de Google: `http://d.android.com/guide/index.html`.
- Sitio Web de descarga de Android SDK: `http://d.android.com/sdk`.
- Acuerdo de licencia Android SDK: `http://d.android.com/sdk/terms.html`.
- Plataforma Java, edición estándar: `http://www.oracle.com/technetwork/java/javase`.
- Proyecto Eclipse: `http://www.eclipse.org`.

3
Escribir su primera aplicación Android

Ya debería tener una configuración del entorno de desarrollo Android que funcione adecuadamente en su ordenador. Con un poco de suerte también tendrá un dispositivo Android. Ahora ha llegado el momento de empezar a escribir código. En este capítulo aprenderá a añadir y crear proyectos Android en Eclipse y verificar que su entorno de desarrollo está configurado correctamente. También escribirá y depurará su primera aplicación en el emulador y en un dispositivo Android.

Nota

Las herramientas de desarrollo Android se actualizan con frecuencia. Hemos hecho todo lo posible para proporcionar los pasos a seguir de las últimas versiones. Sin embargo, los pasos y las interfaces de usuario descritas en este capítulo pueden cambiar con el tiempo. Por favor visite el sitio Web de desarrollo Android (`http://d.android.com/sdk`) para consultar la información más actualizada.

Probar el entorno de desarrollo

La mejor forma de comprobar si ha configurado su entorno de desarrollo correctamente es utilizar una aplicación Android existente y ejecutarla. Puede hacer esto fácilmente utilizando una de las aplicaciones de ejemplo incluidas en Android SDK, el subdirectorio `samples` que está ubicado dentro del directorio de instalación de Android SDK.

Dentro de las aplicaciones de ejemplo de Android SDK, podrá ver un juego clásico llamado Snake (`http://goo.gl/wRojX`). Para implementar y ejecutar la aplicación Snake, debe crear un nuevo proyecto Android en su espacio de trabajo de Eclipse, basado en el proyecto de ejemplo existente, crear un dispositivo virtual de Android (AVD) adecuado y definir una configuración de inicio para dicho proyecto. Cuando tenga todo configurado correctamente, podrá implementar la aplicación y ejecutarla en el emulador Android o en un dispositivo real. Probando su entorno de desarrollo con una aplicación de ejemplo podrá descartar problemas en la configuración del proyecto o en el código, y ver si las herramientas están configuradas correctamente para el desarrollo Android. Después de esta comprobación podrá escribir y compilar sus propias aplicaciones.

Añadir el proyecto Snake a su espacio de trabajo de Eclipse

Lo primero que tiene que hacer es añadir el proyecto Snake a su espacio de trabajo de Eclipse. Para hacerlo siga estos pasos:

1. Seleccione Archivo>Nuevo>Otras.
2. Seleccione Android Sample Project (Proyecto de ejemplo Android), como puede ver en la figura 3.1. Haga clic en **Siguiente**.

Figura 3.1. Crear un nuevo proyecto Android.

3. Seleccione su destino de implementación, como puede ver en la figura 3.2. En este caso, hemos elegido Android 4.0 de Android Open Source Project. Haga clic en **Siguiente**.

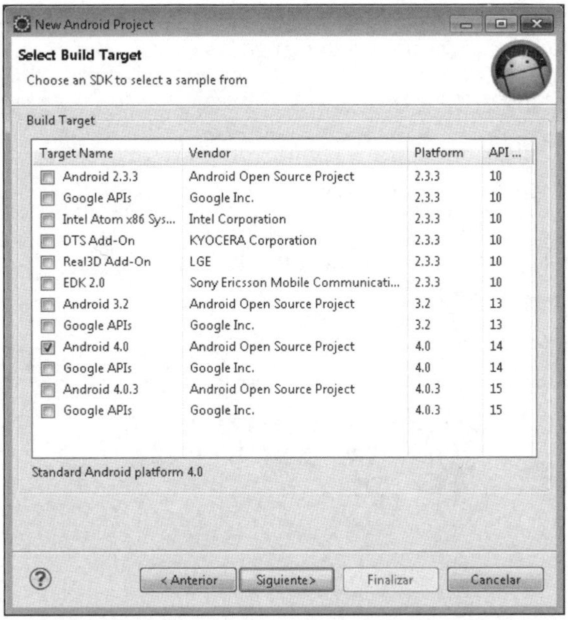

Figura 3.2. Elegir un nivel API para el ejemplo.

4. A continuación seleccione qué ejemplo quiere crear, como puede ver en la figura 3.3. Seleccione Snake.

Figura 3.3. Seleccionar el proyecto de ejemplo.

5. Haga clic en **Finalizar**. Ahora podrá ver los archivos del proyecto Snake en su espacio de trabajo, como en la figura 3.4.

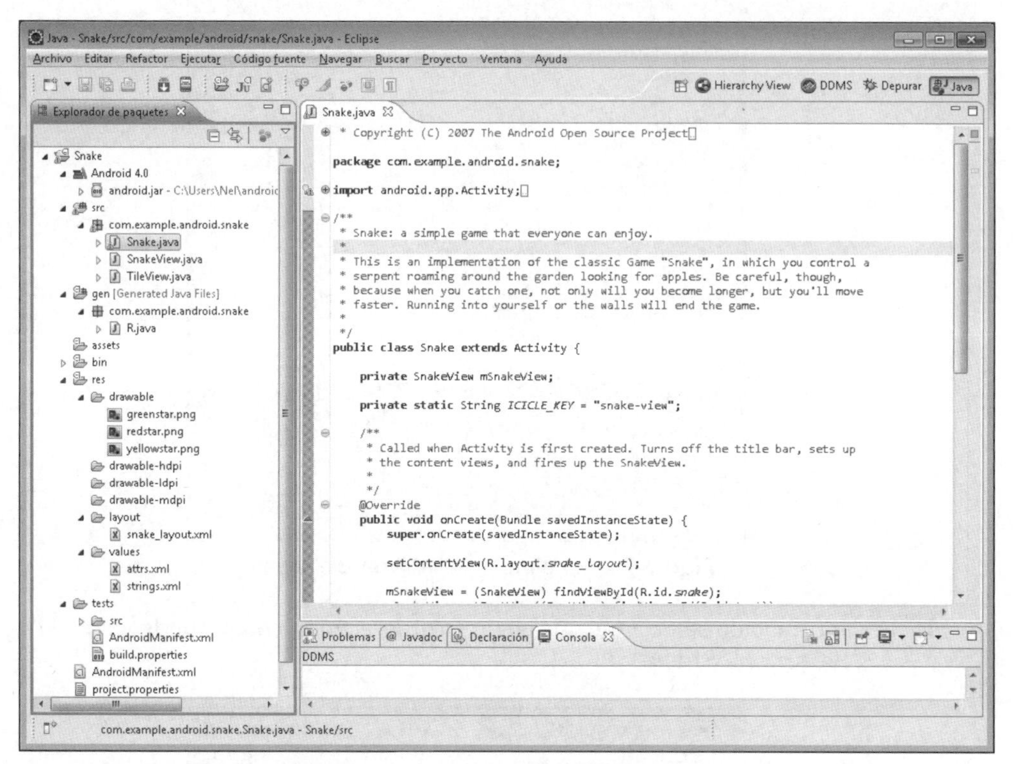

Figura 3.4. Archivos del proyecto Snake.

Advertencia

A veces Eclipse muestra el error "Project Snake is missing, required source folder:gen (El proyecto Snake no se encuentra, se necesita la carpeta de origen:gen)", cuando está añadiendo un proyecto existente al espacio de trabajo. Si esto ocurre, localice el archivo de proyecto llamado `R.java` en el directorio `/gen` y elimínelo. El archivo `R.java` se volverá a generar automáticamente y el error debería desaparecer. Eliminar y volver a implementar no siempre resuelve el problema.

Crear un dispositivo virtual Android (AVD) para su proyecto Snake

El próximo paso es crear un AVD que describa el tipo de dispositivo que quiere emular ejecutando la aplicación Snake. Este perfil AVD describe el tipo de dispositivo que quiere que simule el emulador, incluyendo la plataforma Android que debe soportar. No necesita crear nuevos AVD para cada aplicación, solo para cada dispositivo que quiera emular. Puede especificar diferentes tamaños de pantalla y orientaciones, y también si el emulador tiene una tarjeta SD, y si es así, qué capacidad tiene.

Para el objetivo perseguido con este ejemplo, un AVD para la instalación por defecto de Android 2.3.3 es suficiente. Estos son los pasos para crear un AVD básico:

1. Inicie Android Virtual Device Manager desde Eclipse haciendo clic en el icono de la barra de tareas representado un pequeño androide ( ). Si no encuentra el icono, también puede iniciar el programa desde el menú de Eclipse en Windows.
2. Haga clic en el botón **New** (Nuevo).
3. Escriba un nombre para su AVD. Como vamos a escoger las opciones por defecto, puede escribir el nombre **Android_Vanilla4.0**.
4. Seleccione Target (Destino). Queremos un dispositivo Android 4.0 típico, por lo tanto elija Google APIs (Google Inc.) - API Level 14 en el menú desplegable. Esta opción incluirá las aplicaciones Android de Google, como Maps, formando parte de la imagen de la plataforma.
5. Complete size (tamaño) de SD Card (Tarjeta SD), en kibibytes o mibibytes. ¿No está familiarizado con kibibytes? Eche un vistazo a la página Web `http://goo.gl/N3Rdd`. Esta imagen de la tarjeta SD utilizará espacio de su disco duro, por lo tanto elija algún valor razonable, como 1024 MiB.
6. Considere seriamente la posibilidad de activar la opción Snapshot. Esta opción mejora bastante el rendimiento en el inicio del emulador. Consulte el apéndice A para más información.

Advertencia

En el momento de escribir este libro, existía un problema conocido en el emulador con las herramientas R14 de Android que no permitía que la característica Snapshot funcionara correctamente. Consulte la página `http://goo.gl/pnMt0` para más información sobre los problemas conocidos más recientes.

7. Seleccione un skin (resolución). Esta opción controla las diferentes resoluciones del emulador. En este caso utilizaremos la opción recomendada, WVGA800 (en las herramientas R14 el emulador tiene problemas de rendimiento conocidos cuando ejecuta la resolución de pantalla estándar de Android 4.0, WXGA720). Esta resolución se relaciona más directamente con los populares dispositivos 4.0. Escoja la más apropiada para el dispositivo Android en el que planea ejecutar la aplicación. Los ajustes de su proyecto tendrán el aspecto de la figura 3.5.
8. Haga clic en el botón **Create AVD** (Crear AVD) y espere a que se realice la operación.

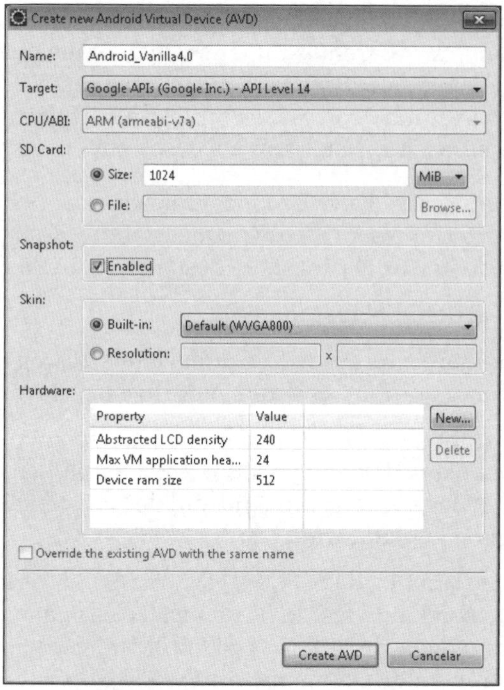

Figura 3.5. Crear un AVD nuevo.

9. Cierre la ventana de Android Virtual Device Manager. Debido a que el gestor de AVD formatea la memoria reservada para las imágenes de la tarjeta SD, crear AVD con tarjetas SD puede tardar algún tiempo.

Para más información sobre la creación de diferentes tipos de AVD, consulte el apéndice A.

Crear una configuración de inicio para su proyecto Snake

A continuación tiene que crear una configuración de inicio en Eclipse para definir las circunstancias en las que la aplicación Snake se va a implementar y a iniciarse. La configuración de inicio es donde configura las opciones del emulador y el punto de entrada de su aplicación. Puede crear configuración de ejecución y configuraciones de depuración por separado, cada una con opciones diferentes. Estas configuraciones se crean dentro del menú Ejecutar de Eclipse (Ejecutar>Configuraciones de ejecución y Ejecutar>Configuraciones de depuración). Siga estos pasos para crear una configuración de depuración básica para la aplicación Snake:

1. Seleccione Ejecutar>Configuraciones de depuración.
2. Haga doble clic en Android Application (Aplicación de Android) para crear una nueva configuración.

3. Escriba **ConfiguraciónDepuraciónSnake** en el campo Nombre.
4. Seleccione el proyecto haciendo clic en el botón **Browse** (Examinar) y haciendo clic en el nombre.
5. Haga clic en la pestaña Target (Destino) y seleccione el AVD Android_Vanilla4.0 que creó anteriormente, como se muestra en la figura 3.6.

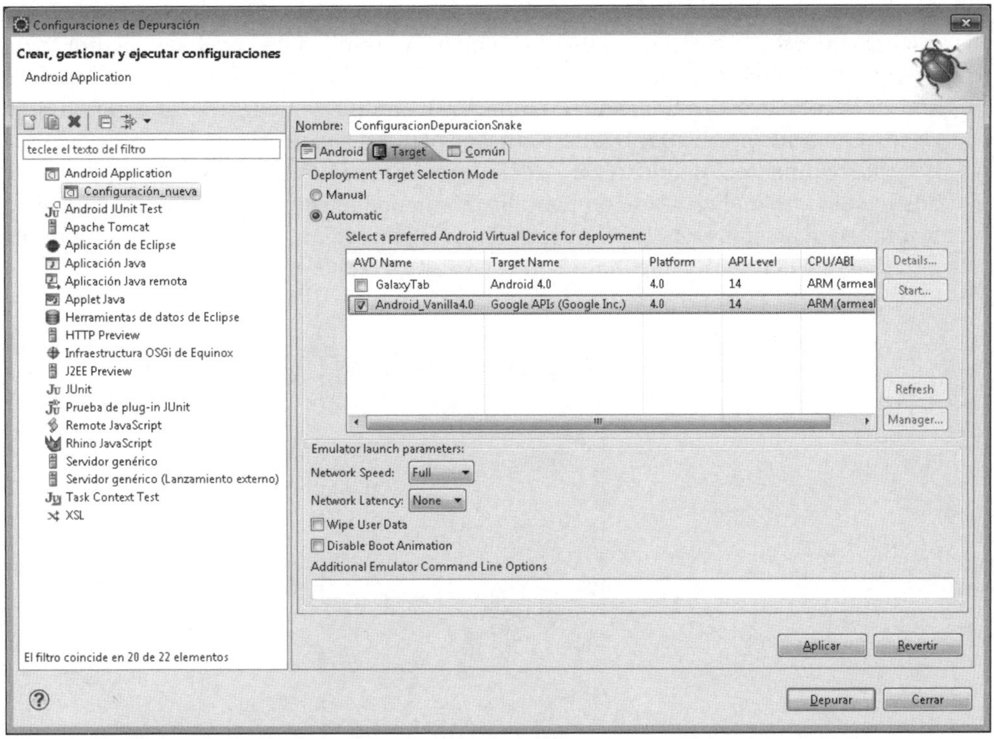

Figura 3.6. Configuración de depuración de la aplicación Snake en Eclipse.

Puede definir otras opciones del emulador y de inicio en las pestañas Target (Destino) y Común, pero por ahora vamos a dejar las que vienen por defecto.

Ejecutar la aplicación Snake en el emulador Android

Ahora puede ejecutar la aplicación Snake siguiendo estos pasos:

1. Haga clic en el menú desplegable del icono **Depurar como** ().
2. En este menú desplegable seleccione la configuración ConfiguraciónDepuraciónSnake que creó anteriormente. Si no ve esta configuración en la lista, búsquela en el listado de Configuraciones de depuración y a continuación haga clic en el botón **Depurar**. La próxima vez podrá iniciarla desde la lista desplegable.

3. El emulador de Android se iniciará, lo que puede tardar algún tiempo. A continuación la aplicación se instalará o reinstalará en el emulador.

Nota

Es posible que el emulador tarde mucho en arrancar, incluso en ordenadores rápidos. Puede seguir trabajando mientras se carga y volver a él cuando lo necesite. Las herramientas de Eclipse gestionan la reinstalación y el reinicio de la aplicación, por lo que puede sencillamente dejar el emulador abierto todo el tiempo. Ésta es otra razón para activar la característica Snapshot en cada AVD. También puede utilizar el botón **Start** (Inicio) en Android Virtual Device Manager para iniciar un emulador antes de que lo necesite realmente. Cuando inicia el AVD de esta forma también tiene algunas opciones adicionales como el escalado de pantalla, como puede ver en la figura 3.7, que puede utilizar para ajustar el AVD en su pantalla si la resolución es muy alta, o simular más exactamente el tamaño que tendrá en el hardware real.

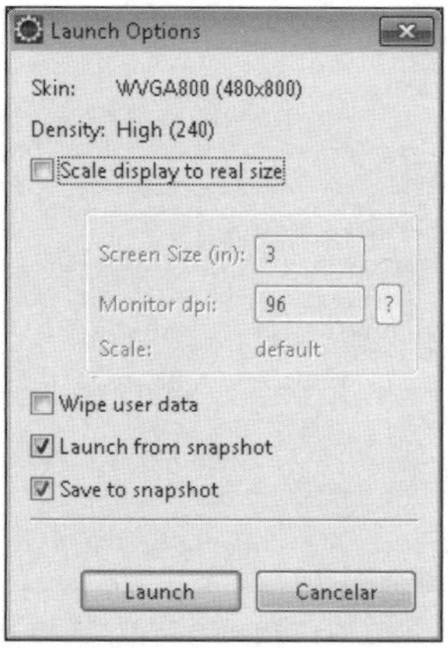

Figura 3.7. Configuración de opciones de inicio de AVD.

4. En la figura 3.8 puede ver el emulador iniciado. Si es necesario desbloquéelo.
5. La aplicación Snake se iniciará y podrá jugar a Snake, como se muestra en la figura 3.9.

Puede interactuar con la aplicación Snake a través del emulador. También puede iniciar esta aplicación desde la pantalla de aplicaciones en cualquier momento, haciendo clic en el icono de la aplicación. No tiene que cerrar y reiniciar el emulador cada vez que quiera volver a implementar y reinstalar su aplicación para pruebas. Simplemente deje el emulador ejecutándose en su ordenador en segundo plano mientras trabaja en Eclipse y a continuación vuelva a implementarlo utilizando de nuevo la configuración de depuración.

Figura 3.8. Emulador Android iniciado.

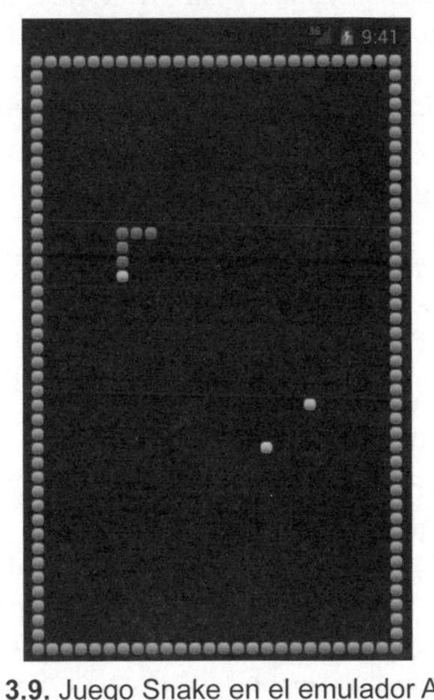

Figura 3.9. Juego Snake en el emulador Android.

Crear su primera aplicación Android

Llegó el momento de escribir su primera aplicación desde cero. Para ir calentando, empezará con una sencilla aplicación "Hola Mundo" y sobre la misma podrá explorar alguna de las características de la plataforma Android en detalle.

> **Nota**
>
> Los ejemplos de código de este capítulo son los de la aplicación `MyFirstAndroidApp`. El código fuente de esta aplicación lo puede descargar de la Web de la editorial.

Crear y configurar un nuevo proyecto Android

Puede crear una nueva aplicación Android prácticamente del mismo modo que cuando añadió la aplicación Snake a su espacio de trabajo de Eclipse. Lo primero que tiene que hacer es crear un nuevo proyecto en su espacio de trabajo de Eclipse. El asistente para la creación de proyectos Android generará todos los archivos necesarios para la aplicación. Para crear un nuevo proyecto en Eclipse siga estos pasos:

1. Seleccione Archivo>Nuevo>Android Project o haga clic en el icono de crear un nuevo proyecto en la barra de herramientas ().
2. Escriba un nombre para el proyecto, como puede ver en la figura 3.10. En este caso le hemos utilizado **MyFirstAndroidApp**.
3. Seleccione una ubicación para los archivos del proyecto. Debido a que se trata de un nuevo proyecto, seleccione la opción Create new project in workspace (Crear proyecto nuevo en espacio de trabajo). Active la casilla de verificación Use default location (Usar ubicación por defecto) o cambie el directorio donde quiera almacenar los archivos fuente. Haga clic en **Siguiente**.
4. Seleccione el Build Target (Implementación destino), como puede ver en la figura 3.11. Elija uno que sea compatible con los dispositivos Android reales que tenga. En este ejemplo podría utilizar Android 2.3.3 o, para dispositivos Ice Cream Sandwich, Android 4.0.3 (API Level 15). Haga clic en **Siguiente**.
5. Configure la información de su aplicación. Complete el campo Application Name (Nombre de la aplicación), que es el nombre reducido de la aplicación, que se muestra con el icono de inicio de la aplicación. En este caso, hemos utilizado "**My First Android App**".
6. Elija un Package Name (Nombre de paquete). Aquí debería seguir las convenciones estándar de Java para el espacio de nombres de paquetes. Debido a que todos los ejemplos de código de este libro se encuentran en el espacio de nombres `com.androidbook.*`, utilizaremos el nombre de paquete **com.androidbook.myfirstandroidapp**, pero es libre de escoger el nombre que quiera.

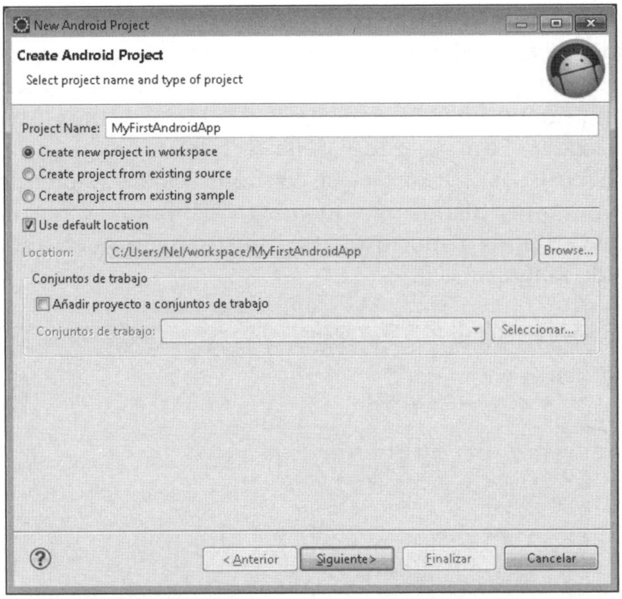

Figura 3.10. Configurar un nuevo proyecto Android.

Figura 3.11. Seleccionar una implementación destino para un nuevo proyecto Android.

7. Active la casilla de verificación Create Activity (Crear actividad). Esto hace que el asistente cree una actividad de inicio por defecto para la aplicación. Esta clase tendrá el nombre **MyFirstAndroidAppActivity**.

8. Defina el valor de Minimum SDK (SDK mínimo). Este valor debería ser el mismo o inferior que el nivel de la API destino. Debido a que queremos que nuestra aplicación sea compatible con prácticamente cualquier dispositivo Android, puede definir un número bajo (por ejemplo 4 que representa Android 1.6), o también puede escoger el mismo que el de la API destino para evitar molestas advertencias en Eclipse. Asegúrese de que configura esta versión mínima para que pueda abarcar cualquier dispositivo que tenga disponible y pueda instalar con éxito la aplicación en estos dispositivos. Sus ajustes del proyecto ahora deberían tener el aspecto de la figura 3.12.

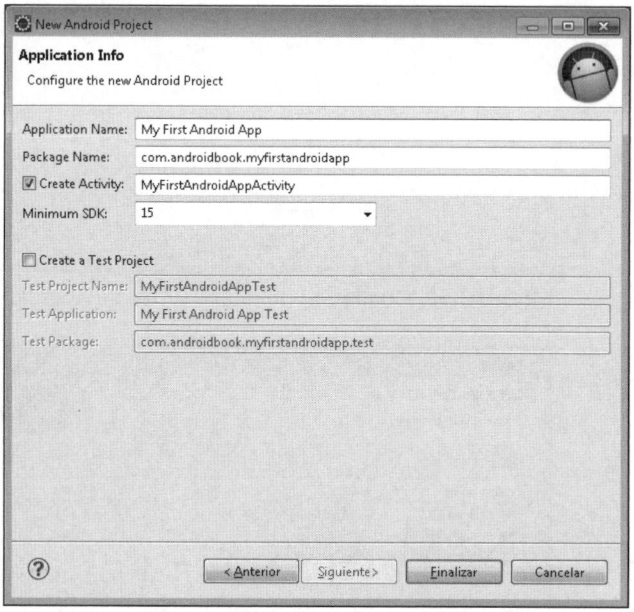

Figura 3.12. Configurar la nueva aplicación utilizando el asistente para proyectos Android.

9. Por último haga clic en el botón **Finalizar**.

Archivos y directorios del núcleo de la aplicación Android

Cada aplicación Android incluye un conjunto de archivos del núcleo que se crean y se utilizan para definir la funcionalidad de la aplicación. Por defecto con cada aplicación Android se crean los siguientes archivos:

- `AndroidManifest.xml`: Archivo central de configuración de la aplicación. Define las características y permisos de la aplicación así como el modo en que se ejecutan.

- `project.properties`: Archivo de implementación utilizado por Eclipse y por el *plugin* ADT. Define el destino de implementación de su aplicación y otras opciones del sistema, si se necesitan. No modifique este archivo.
- `proguard.cfg`: Archivo de implementación utilizado por Eclipse, ProGuard y el *plugin* ADT. Modifique este archivo para configurar la optimización de su código y los ajustes de ofuscación para las versiones de lanzamiento.
- directorio `/src`: Directorio donde se encuentra el código fuente.
- `/src/com/androidbook/myfirstandroidapp/MyFirstAndroidAppActivity.java`: Punto de entrada principal de la aplicación, llamado `MyFirstAndroidAppActivity`. Esta actividad se define en la actividad de inicio por defecto en el archivo `manifest` de Android.
- `/gen/com/androidbook/myfirstandroidapp/R.java`: Archivo fuente de gestión de recursos. No modifique este archivo.
- directorio `/assets`: Directorio donde los archivos no compilados se incluyen en el proyecto. Los *assets* son fragmentos de datos de la aplicación (archivos, directorios) que no quiere que se gestionen como recursos de la aplicación.
- directorio `/res`: Directorio donde se gestionan todos los recursos de la aplicación. Los recursos incluyen animaciones, gráficos, archivos de diseño, cadenas de datos y números, y archivos sin procesar.
- `/res/drawable-*`: Se incluyen recursos gráficos de iconos de la aplicación de varios tamaños para diferentes resoluciones de la pantalla del dispositivo.
- `/res/layout/main.xml`: Archivo de diseño utilizado por `MyFirstAndroidApp` para distribuir los controles en la pantalla principal de la aplicación.
- `/res/values/strings.xml`: Archivo donde se definen los recursos cadenas.

Otros archivos que forman parte del proyecto Eclipse son guardados en el disco en el espacio de trabajo. Sin embargo, los archivos y directorios incluidos en esta lista son los más importantes y los utilizará con frecuencia.

Crear un AVD para su proyecto

El próximo paso es crear un AVD que describa el tipo de dispositivo que quiere emular cuando ejecute la aplicación. En este ejemplo, podemos utilizar el AVD que creamos para la aplicación Snake.

Un AVD describe un dispositivo, no una aplicación, por lo tanto puede utilizar el mismo AVD para varias aplicaciones. También puede crear AVD similares con la misma configuración pero con datos diferentes (como diferentes aplicaciones instaladas y contenidos diferentes de la tarjeta SD).

Crear una configuración de inicio para su proyecto

A continuación debe crear las configuraciones de inicio de ejecución y de depuración en Eclipse para definir las circunstancias en las que su aplicación se implementa y se ejecuta. La configuración de inicio es donde establece las opciones del emulador y el punto de entrada de su aplicación.

Puede crear configuraciones de ejecución y de depuración independientemente, cada una con diferentes opciones. Empiece creando una configuración de ejecución para la aplicación. Siga estos pasos para crear una configuración de ejecución básica para la aplicación `MyFirstAndroidApp`:

1. Seleccione Ejecutar>Configuraciones de ejecución (haga clic con el botón derecho sobre el nombre del proyecto y seleccione Ejecutar como).
2. Haga doble clic en Android Application (Aplicación Android).
3. Escriba el nombre **MyFirstAndroidAppRunConfig**.
4. Seleccione el proyecto haciendo clic en el botón **Browse** (Examinar).
5. En la pestaña Target (Destino) cambie el Deployment Target Selection Mode (Modo de selección de destino de implementación) a Manual.

Truco

Si deja el Deployment Target Selection Mode (Modo de selección de destino de implementación) en Automatic (Automático) en las configuraciones de ejecución o de depuración, su aplicación se instalará y ejecutará automáticamente en el dispositivo, si está conectado. Si no es así, se iniciará en el emulador con el AVD especificado. Cuando elige Manual, siempre se le preguntará si, (a) quiere que su aplicación se inicie en el emulador existente, (b) quiere que se inicie en una nueva instancia del emulador y se le permite especificar un AVD, o (c) quiere que se inicie en el dispositivo (si está conectado). Si ya existe un emulador ejecutándose, el dispositivo está conectado, y el modo seleccionado es Automatic (Automático), entonces también tendrá las mismas opciones.

A continuación cree una configuración de depuración para la aplicación. Este proceso es similar al de la configuración de ejecución. Siga estos pasos para crear una configuración de depuración básica para la aplicación:

1. Seleccione Ejecutar>Configuraciones de depuración (o haga clic con el botón derecho sobre el nombre del proyecto y seleccione Depurar como).
2. Haga doble clic en Android Application (Aplicación Android).
3. Escriba el nombre **MyFirstAndroidAppDebugConfig**.
4. Seleccione el proyecto haciendo clic en el botón **Browse** (Examinar).

5. En la pestaña Target (Destino) cambie el Deployment Target Selection Mode (Modo de selección del destino de implementación) a Manual.
6. Haga clic en **Aplicar** y a continuación en **Cerrar**.

Ya tiene una configuración de depuración para su aplicación.

Ejecutar su aplicación Android en el emulador

Ahora puede ejecutar su aplicación siguiendo estos pasos:

1. Haga clic en icono **Ejecutar Como** () de la barra de herramientas.
2. En el menú desplegable de este icono seleccione la configuración de ejecución que creó anteriormente. Si no la ve en la lista, seleccione Configuraciones de ejecución y elija la configuración adecuada. La configuración de ejecución seleccionada se mostrará en esta lista desplegable la próxima vez que la quiera ejecutar.
3. Debido a que eligió el modo Manual en Deployment Target Selection Mode (Modo de selección de destino de implementación), a continuación se le pedirá la instancia del emulador. Cambie la selección a Launch a new Android Virtual Device (Iniciar un nuevo dispositivo virtual Android) y a continuación seleccione el AVD que creó, como puede ver en la figura 3.13. Aquí puede elegir entre un emulador que ya se esté ejecutando o iniciar una nueva instancia de otro AVD compatible con los ajustes de la aplicación.

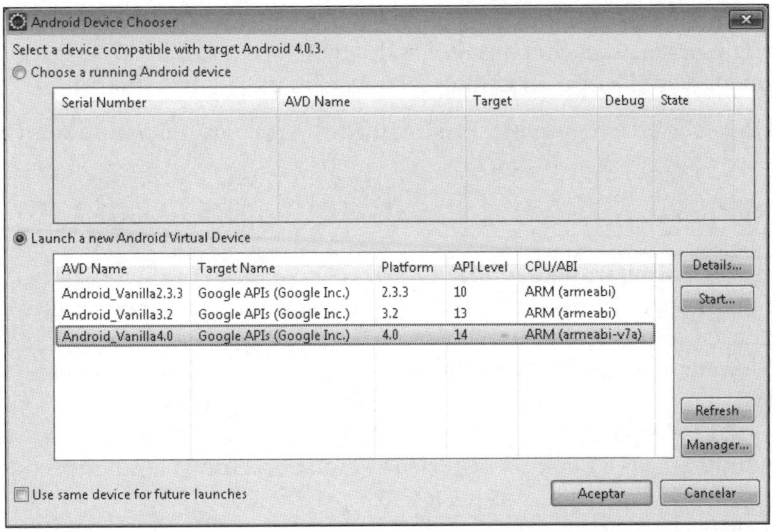

Figura 3.13. Modo de selección del destino de implementación manual.

4. Se inicia el emulador de Android, que puede tardar algún tiempo.

5. Haga clic en el botón **Menu** o mueva el deslizador a la derecha para desbloquear el emulador. Se inicia la aplicación, como se muestra en la figura 3.14.

Figura 3.14. La aplicación ejecutándose en el emulador.

6. Haga clic en el botón **Back** (Volver) del emulador para finalizar la aplicación o haga clic en **Home** (Inicio) para suspenderlo.
7. Haga clic en botón **grid** (rejilla) de la parte inferior para explorar todas las aplicaciones instaladas. Su pantalla tendrá un aspecto similar al de la figura 3.15, donde puede ver el icono de la nueva aplicación en la parte inferior.
8. Haga clic en el icono **My First Android App** para iniciar de nuevo la aplicación.

Depurar su aplicación Android en el emulador

Antes de continuar, necesita familiarizarse con la depuración en el emulador. Para mostrar algunas herramientas muy útiles de depuración, vamos a introducir un error en la aplicación que acabamos de crear. En su proyecto, modifique el archivo fuente llamado `MyFirstAndroidApp.java`. Cree un nuevo método llamado `forceError()` en su clase y realice una llamada a este método en el método `onCreate()` de la clase `Activity`. El método `forceError()` crea un error no controlado en su aplicación.

El método `forceError()` debería ser algo parecido al siguiente código:

```
public void forceError() {
    if(true) {
        throw new Error("Whoops");
    }
}
```

Figura 3.15. El icono de My First Android App se muestra en el listado de aplicaciones.

En este punto probablemente resulte útil ejecutar la aplicación y ver qué ocurre. Para ello en primer lugar ejecute la configuración de ejecución. En el emulador podrá observar que la aplicación se ha detenido inesperadamente. Podrá ver un cuadro de diálogo que le permite cerrar la aplicación forzadamente, como puede observar en la figura 3.16.

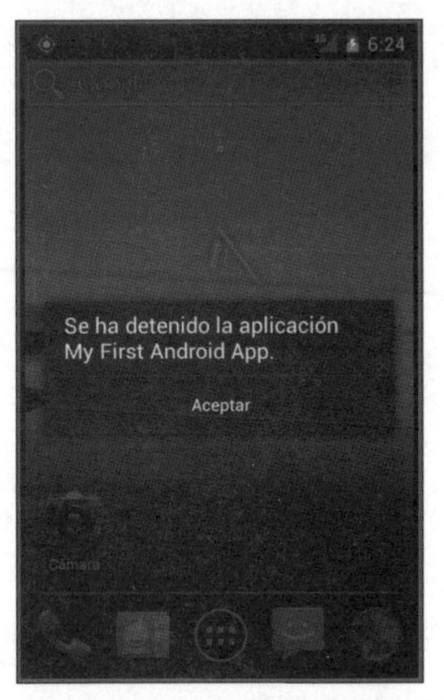

Figura 3.16. Aplicación My First Android Application generando un error.

Cierre la aplicación pero deje que el emulador se siga ejecutando. Ahora llegó el momento de depurar. Siga estos pasos:

1. Haga clic en el menú desplegable del icono **Depurar como** (icono) de la barra de herramientas.
2. En el menú desplegable, haga clic en Depurar como y seleccione la configuración apropiada. Esta configuración se mostrará en la lista desplegable la próxima vez que la ejecute.
3. Continúe del mismo modo que con la configuración de ejecución, seleccione el AVD adecuado y a continuación inicie el emulador de nuevo, desbloqueándolo si fuera necesario.

En algunos instantes se conectará el depurador. Si es la primera vez que está depurando una aplicación Android, puede que necesite aceptar algunos cuadros de diálogo, como el que se muestra en la figura 3.17, la primera vez que su aplicación se conecte con el depurador.

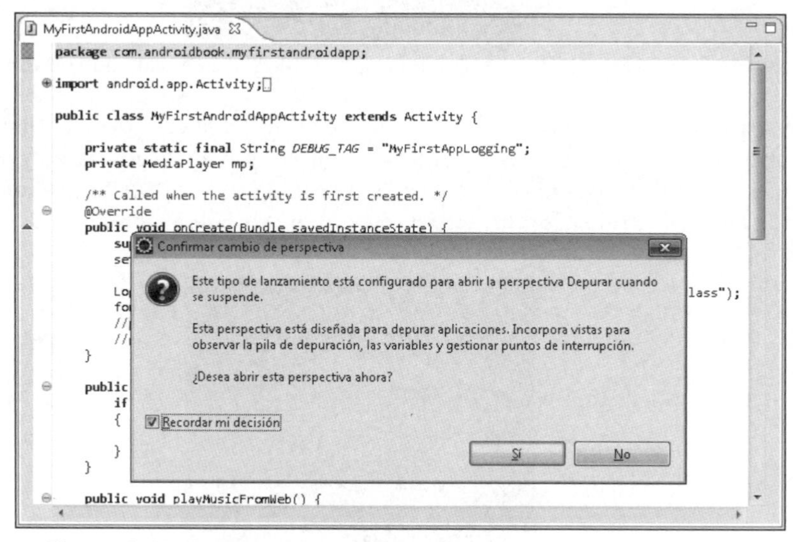

Figura 3.17. Cambiar a la perspectiva de depuración para depurar en el emulador de Android.

En eclipse, utilice la perspectiva Depurar para definir puntos de interrupción, ejecutar el código paso a paso y explorar la información de LogCat sobre su aplicación. Ahora, cuando la aplicación falle, podrá determinar la causa utilizando el depurador. Puede que necesite aceptar varios cuadros de diálogo según configura la depuración en Eclipse. Si permite que la aplicación se siga ejecutando después del error, podrá examinar los resultados en la perspectiva Depurar de Eclipse. Si examina el panel de la pestaña LogCat, podrá observar que su aplicación fue forzada a finalizar debido a una excepción no controlada., como puede ver en la figura 3.18.

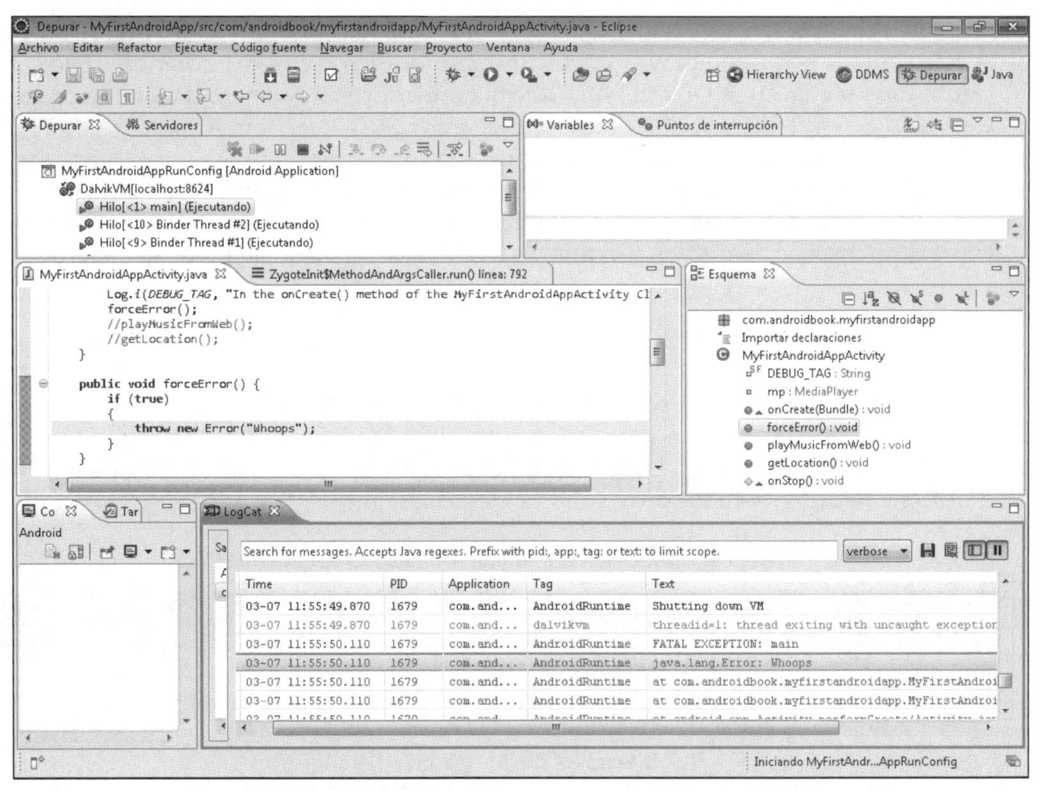

Figura 3.18. Depurando la aplicación en Android.

Concretamente puede ver el error en color rojo `AndroidRunTime: java.lang.Error: Whoops`. Vuelva al emulador y haga clic en **OK**. A continuación defina un punto de interrupción en el método `forceError()` haciendo clic con el botón derecho en la parte izquierda de la correspondiente línea de código y seleccionando Conmutar punto de interrupción (o utilizando la combinación de teclas **Control-Mayús-B**).

Truco

En Eclipse puede recorrer el código con Recorrer principal (**F5**), Recorrer todo (**F6**), Recorrer hasta retorno (**F7**) o Reanudar (**F8**). En Mac OS X puede que la tecla **F8** esté asignada globalmente. Si quiere utilizar este comando del teclado, podría cambiar esta asignación en Eclipse dirigiéndose a Ventana>Preferencias>General>Claves y a continuación buscar la entrada para Reanudar y cambiarla por su preferencia. Como alternativa puede cambiar la asignación global en Mac OS X dirigiéndose a Preferencias del sistema>Teclado y ratón>Atajos de teclado y cambiar la asignación de **F8** por otra acción.

En el emulador reinicie su aplicación y ejecute el código paso a paso. Verá que su aplicación lanza una excepción y a continuación dicha excepción se muestra en el panel de la pestaña Variables de la perspectiva Depurar. Si expande su contenido se mostrará el error "**Whoops**". Ahora es un buen momento para hacer que su aplicación se bloquee repetidamente para que se vaya acostumbrando a los controles. Mientras hace esto, cambie a la perspectiva DDMS. Verá que el emulador mantiene un listado de procesos ejecutándose en el dispositivo, como `system_process` o `com.android.phone`. Si inicia `MyFirstAndroidApp`, podrá ver que `com.android-book.myfirstandroidapp` se muestra como un proceso en la lista del emulador. Cierre la aplicación cuando genere el error y fíjese que desaparecerá de la lista de procesos. Puede utilizar DDMS para terminar el proceso, inspeccionar hilos y la pila y acceder al sistema de archivos del teléfono.

Añadir soporte de registro a su aplicación Android

Antes de que empiece a sumergirse en las opciones de Android SDK, debería familiarizarse con el registro, un útil recurso para depurar y aprender Android. El registro de Android se encuentra en la clase `Log` del paquete `android.util`. En la tabla 3.1 se muestran algunos métodos muy valiosos de la clase `android.util`.

Tabla 3.1. Métodos del registro utilizados habitualmente.

Método	Objetivo
`Log.e()`	Errores del registro
`Log.w()`	Advertencias del registro
`Log.i()`	Mensajes de información del registro
`Log.d()`	Mensajes de depuración del registro
`Log.v()`	Mensajes detallados del registro

Para añadir el soporte del registro a su aplicación, modifique el archivo `MyFirstAndroidApp.java`. En primer lugar debe añadir la sentencia de importación adecuada de la clase `Log`.

```
import android.util.Log;
```

Truco

Para ahorrar tiempo en Eclipse, puede utilizar las clases importadas en su código y añadir las importaciones necesarias pasando con el cursor por encima del nombre de la clase importada y seleccionando la opción Añadir importación. También puede utilizar el comando Organizar importaciones (**Control-Mayús-O** en Windows o **Comando-Mayús-O** en Mac) para que Eclipse organice automáticamente sus importaciones. Con esta acción se eliminan importaciones no utilizadas y se añaden las nuevas para los paquetes utilizados pero no importados. Si surge un problema con los nombres, como ocurre con frecuencia en la clase `Logs`, puede seleccionar el paquete que pretende utilizar.

Dentro de la clase **MyFirstAndroidApp**, declare una cadena constante para etiquetar todos los mensajes del registro de esta clase. Puede utilizar la utilidad **LogCat** de Eclipse para filtrar todos sus mensajes del registro con la etiqueta de cadena `DEBUG_TAG`:

```
private static final String DEBUG_TAG= "MyFirstAppLogging";
```

Ahora, dentro del método `onCreate()`, puede registrar información:

```
Log.i(DEBUG_TAG,
   "In the onCreate() method of the MyFirstAndroidAppActivity Class");
```

Ahora que está aquí, debería comentar la llamada anterior a `forceError()` para que su aplicación no genere un error. Ahora está preparado para ejecutar la aplicación. Guarde su trabajo y depúrelo en el emulador. Podrá ver que sus mensajes de registro aparecen en el listado de **LogCat** con el valor **MyFirstAndroidAppLogging** en el campo **Tag**.

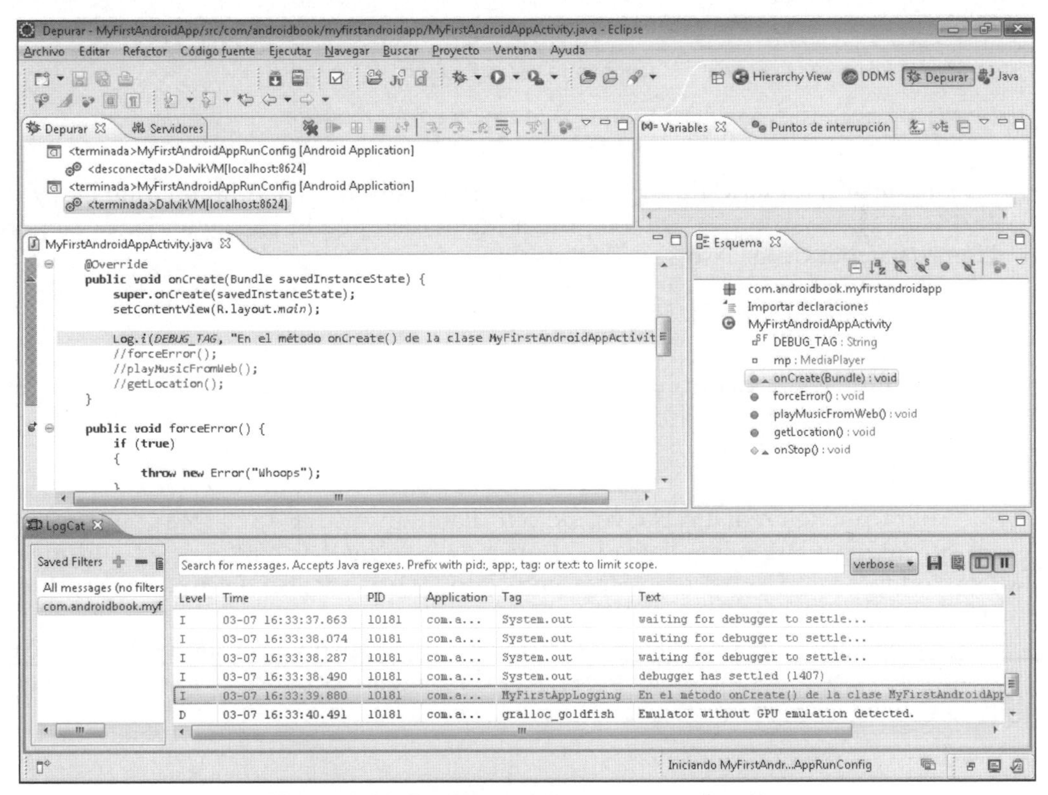

Figura 3.19. Registro LogCat para su aplicación.

Añadir soporte multimedia a su aplicación

A continuación vamos a añadir algo de dinamismo a su aplicación haciendo que reproduzca un archivo de música MP3. Esta opción la puede encontrar en la clase `MediaPlayer` del paquete `android.media.package`.

Puede crear objetos MediaPlayer desde recursos existentes en la aplicación o especificando un archivo de destino utilizando el Identificador uniforme de recursos (URI). Para hacerlo más sencillo, vamos a empezar accediendo a un archivo MP3 utilizando la clase Uri del paquete android.net.

En la tabla 3.2 puede ver algunos métodos de las clases android.media.MediaPlayer and android.net.Uri.

Tabla 3.2. Métodos de análisis URI y de MediaPlayer utilizados habitualmente.

Método	Objetivo
MediaPlayer.create()	Crea un nuevo reproductor para ejecutar un determinado archivo destino
MediaPlayer.start()	Inicia la reproducción
MediaPlayer.stop()	Detiene la reproducción
MediaPlayer.release()	Libera los recursos del reproductor

Para añadir soporte de reproducción MP3 a su aplicación, modifique el archivo MyFirstAndroidApp.java. En primer lugar, debe añadir las sentencias de importación adecuadas de la clase MediaPlayer:

```
import android.media.MediaPlayer;
import android.net.Uri;
```

A continuación, dentro de la clase MyFirstAndroidApp, declare una variable miembro para su objeto MediaPlayer:

```
private MediaPlayer mp;
```

Ahora puede crear un nuevo método llamado reproducirMusicaDeWeb() en su clase y realizar una llamada al mismo en su método onCreate(). El método reproducirMusicaDeWeb() crea un objeto Uri válido, un objeto MediaPlayer e inicia el reproductor MP3.

Si la operación falla por algún motivo, el método registra un error personalizado con la etiqueta correspondiente en el registro. El método reproducirMusicaDeWeb() debería tener el siguiente aspecto:

```
public void reproducirMusicaDeWeb() {
   try {
      Uri file = Uri.parse("http://www.perlgurl.org/podcast/archives"
         + "/podcasts/PerlgurlPromo.mp3");
      mp = MediaPlayer.create(this, file);
      mp.start();
   }
   catch (Exception e) {
      Log.e(DEBUG_TAG, "Error en la reproducción", e);
   }
}
```

A partir de Android 4.0 (API Nivel 14), utilizar la clase `MediaPlayer` para acceder a archivos multimedia de Internet requiere que se registre el permiso `INTERNET` en el archivo `manifest` Android de la aplicación. Por último, su aplicación necesita permisos especiales para acceder a las funcionalidades basadas en localización. Debe registrar estos permisos en el archivo `AndroidManifest.xml`. Para añadir permisos a su aplicación siga estos pasos:

1. Haga doble clic en el archivo `AndroidManifest.xml`.
2. Cambie a la pestaña Permissions (Permisos).
3. Haga clic en el botón **Add** (Añadir) y seleccione Uses Permission (Utilizar permiso).
4. En el panel de la derecha seleccione android.permission.INTERNET.
5. Guarde el archivo.

Mas adelante estudiaremos todo lo relacionado con los diferentes estados `Activity` y llamadas que pueden incluir fragmentos del método `ReproducirMusicaDeWeb()`. Por ahora, es suficiente con que sepa que el método `onCreate()` es llamado cada vez que el usuario navega a `Activity` (hacia adelante o hacia atrás) y siempre que el usuario rote la pantalla o realice otros cambios en la configuración del dispositivo. Esto no incluye todos los casos pero es suficiente para este ejemplo.

Por último querrá salir limpiamente cuando la aplicación se cierre. Para hacer esto, necesita anular el método `onStop()` de la clase `Activity`, detener el objeto `MediaPlayer` y liberar sus recursos. El método `onStop()` debería parecerse al siguiente código:

```
protected void onStop() {
    if (mp != null) {
        mp.stop();
        mp.release();
    }
    super.onStop();

}
```

Truco

En Eclipse puede hacer clic con el botón derecho sobre la clase y seleccionar Código fuente (o utilizar la combinación **Control-Mayús-S**). A continuación debe seleccionar la opción Alterar temporalmente/Implementar métodos y escoger el método `onStop()`.

Si ahora ejecuta la aplicación en el emulador (y tiene una conexión a Internet para obtener los datos que se encuentran en la ubicación URI), se reproducirá el archivo MP3. Cuando cierre la aplicación, MediaPlayer se detendrá y se liberará adecuadamente.

Añadir servicios basados en la localización a su aplicación

Su aplicación ya sabe como decir "Hola" y reproducir música, pero no sabe dónde está ubicada. Ahora es buen momento para familiarizarse con algunas sencillas llamadas basadas en la localización para obtener las coordenadas GPS (*Global Positioning System*, Sistema de posicionamiento global). Para utilizar los servicios basados en la localización y la integración de mapas, utilizará algunas de las aplicaciones Google disponibles en los dispositivos Android comunes, concretamente la aplicación Maps. No necesita crear otro AVD, porque ya incluyó la API de Google en el destino de implementación para el AVD que creó anteriormente.

Configurar la posición en el emulador

El emulador no tiene sensores de localización, por lo que lo primero que tiene que hacer es indicarle algunas coordenadas GPS. En el apéndice A puede encontrar los pasos que tiene que seguir para conseguirlo. Después de configurar la posición en su emulador, la aplicación Maps debería mostrar la posición simulada (véase la figura 3.20).

Figura 3.20. Ajustar la localización del emulador en Madrid.

Encontrar la última posición conocida

Para añadir soporte de localización a MyFirstAndroidApp, modifique el archivo `MyFirstAndroidApp.java`. En primer lugar debe añadir las sentencias de importación adecuadas:

```
import android.location.Location;
import android.location.LocationManager;
```

A continuación tiene que crear un nuevo método llamado `obtenerLocalizacion()` en su clase y hacer una llamada a dicho método en su método `onCreate()`. El método `obtenerLocalizacion()` obtiene la última posición conocida del dispositivo y la registra como un mensaje de información. Si la operación falla por algún motivo, el método registrará un error. Este método debería ser algo parecido al siguiente código:

```
public void obtenerLocalizacion() {
   try {
      LocationManager locMgr = (LocationManager)
         getSystemService(LOCATION_SERVICE);
      Location recentLoc = locMgr.
         getLastKnownLocation(LocationManager.GPS_PROVIDER);
      Log.i(DEBUG_TAG, "loc: " + recentLoc.toString());
   }
   catch (Exception e) {
      Log.e(DEBUG_TAG, "Location failed", e);
   }
}
```

Por último, su aplicación necesita permisos especiales para acceder a las funciones basadas en la localización. Debe registrar el permiso en su archivo `AndroidManifest.xml`. Para añadir permisos de servicios basados en la localización a su aplicación, siga estos pasos:

1. Haga doble clic en el archivo `AndroidManifest.xml`.
2. Cambie a la pestaña Permissions (Permisos).
3. Haga clic en el botón **Add** (Añadir) y seleccione Uses Permission (Utilizar permiso).
4. En el panel derecho seleccione android.permission.ACCESS_FINE_LOCATION.
5. Guarde el archivo.

Si ahora ejecuta su aplicación en el emulador, se registrarán las coordenadas GPS que envió al emulador como un mensaje con información que podrá ver en el panel LogCat de Eclipse.

Depurar su aplicación en el Hardware

Ya domina la ejecución de aplicaciones en el emulador. Ahora vamos a implementar la aplicación en un hardware real. En primer lugar debe registrar su aplicación como depurable en su archivo `AndroidManifest.xml`. Para ello siga estos pasos:

1. Haga doble clic en el archivo `AndroidManifest.xml`.
2. Cambie a la pestaña Application (Aplicación).
3. Defina el campo Debuggable (Depurable) como True (Si).
4. Guarde el archivo.

Puede modificar el elemento de la aplicación del archivo `AndroidManifest.xml` directamente con el atributo `android:debuggable`, del siguiente modo:

```
<application ... android:debuggable="true">
```

A continuación conecte un dispositivo Android a su ordenador a través del cable USB y reinicie la configuración de ejecución o de depuración de la aplicación. Como eligió el modo **Manual** para la configuración, ahora debería ver un dispositivo Android real listado como opción en el cuadro de diálogo **Android Device Chooser** (Selección de dispositivo Android), como puede ver en la figura 3.21.

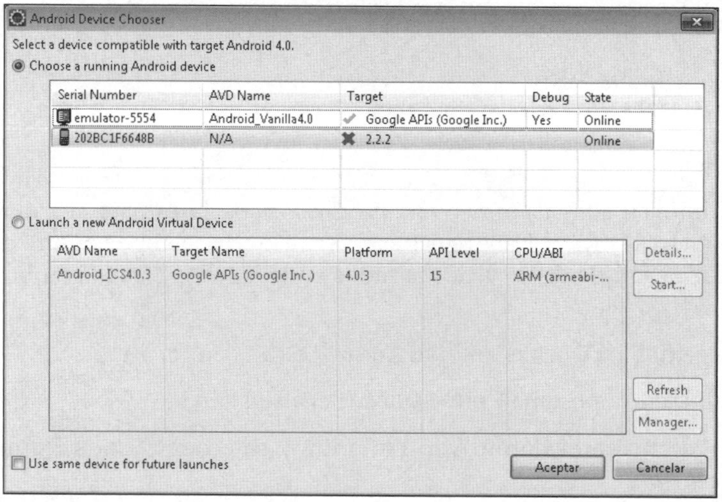

Figura 3.21. Seleccionar un dispositivo Android conectado por USB.

Seleccione el dispositivo Android como su destino de implementación y podrá ver que su aplicación se carga y se inicia, igual que antes. Si ha habilitado las opciones de depuración en su dispositivo, también podrá depurar aquí la aplicación. Puede ver que el dispositivo está utilizando una conexión de depuración USB porque en la barra de notificaciones aparecerá un pequeño icono con forma de insecto (). En la figura 3.22 se muestra la aplicación ejecutándose en un dispositivo real (en este caso un *smartphone* ejecutando Android 2.2.2). Depurar en el dispositivo es prácticamente igual que depurar en el emulador, salvo por una par de excepciones. No puede utilizar los controles del emulador para hacer cosas como enviar un SMS o configurar la localización del dispositivo, sin embargo puede ejecutar acciones reales (un SMS o datos de localización reales).

Resumen

En este capítulo hemos visto cómo añadir, implementar, ejecutar y depurar proyectos Android utilizando Eclipse. Empezamos probando el entorno de desarrollo con una aplicación sencilla de Android SDK y a continuación creamos una nueva aplicación

Android desde cero utilizando Eclipse. También hemos aprendido a realizar cambios rápidos a la aplicación, mostrando algunas atractivas características de Android en las que profundizaremos en futuros capítulos.

Figura 3.22. My First Android App funcionando en un dispositivo Android.

En los próximos capítulos veremos las herramientas disponibles para desarrollar aplicaciones Android y después nos centraremos en los detalles a la hora de definir la aplicación utilizando el archivo `manifest` y veremos cómo funciona el ciclo de vida de una aplicación. También veremos cómo organizar los recursos de una aplicación, como imágenes y cadenas, para usarlos dentro de la misma.

Referencias y más información

- Referencia de Android SDK en relación con la clase de la aplicación `Activity`: `http://d.android.com/reference/android/app/Activity.html`.
- Referencia de Android SDK en relación con la clase de la aplicación `Log`: `http://d.android.com/reference/android/util/Log.html`.
- Referencia de Android SDK en relación con la clase de la aplicación `MediaPlayer`: `http://d.android.com/reference/android/media/MediaPlayer.html`.

- Referencia de Android SDK en relación con la clase de la aplicación `Uri`: `http://d.android.com/reference/android/net/Uri.html`.
- Referencia de Android SDK en relación con la clase de la aplicación `LocationManager`: `http://d.android.com/reference/android/location/LocationManager.html`.
- Guía de desarrollo Android para trabajar en un dispositivo real: `http://d.android.com/guide/developing/device.html`.
- Recursos de Android sobre tareas comunes y cómo ejecutarlas en Android: `http://d.android.com/resources/faq/commontasks.html`.
- Código de ejemplo Android de la aplicación "Snake": `http://d.android.com/resources/samples/Snake`.

4
Dominar las herramientas de desarrollo Android

Los desarrolladores Android son afortunados ya que tienen muchas herramientas a su disposición como ayuda para el diseño y el desarrollo de aplicaciones de calidad. Algunas de estas herramientas están integradas en Eclipse con el *plugin* ADT, mientras que otras se utilizan desde la línea de comandos. En este capítulo haremos un recorrido por algunas de las herramientas más importantes disponibles en Android. Esta información le ayudará a desarrollar aplicaciones Android más rápido y con menos obstáculos.

Nota

Las herramientas de desarrollo Android se actualizan con frecuencia. Hemos hecho todo lo posible para proporcionar los pasos a seguir de las últimas herramientas. Sin embargo, los pasos y las interfaces de usuario descritas en este capítulo pueden cambiar con el tiempo. Por favor visite el sitio Web de desarrollo Android (`http://d.android.com/sdk`) para consultar la información más actualizada.

Utilizar la documentación de Android

Aunque en sí no es una herramienta, la documentación de Android es un recurso fundamental para los desarrolladores Android. En el subdirectorio `docs` de la documentación de Android SDK se proporciona una versión HTML de la misma, y éste debería ser su primer recurso cuando tenga algún problema. También puede acceder a la documentación *online* de ayuda más reciente, en el sitio Web de desarrolladores Android, `http://developer.android.com` (o en forma abreviada `http:d.android.com`). Esta documentación se encuentra organizada para que pueda realizar búsquedas, y está divida en siete secciones:

- Home (Inicio): En esta pestaña se proporcionan algunos aspectos de alto nivel para desarrolladores Android, incluyendo los anuncios de nuevas versiones de la plataforma. También podrá encontrar enlaces para descargar la última versión de Android SDK, publicar sus aplicaciones en Google play y más información relevante.
- SDK: Esta pestaña proporciona información importante sobre la versión SDK instalada en su ordenador. Una de las características más importantes de esta página son las notas de la versión, que describen los problemas conocidos para determinada instalación. Esta información también es útil si la ayuda *online* ha sido actualizada pero quiere desarrollar en una versión antigua de SDK.
- Dev Guide (Guía para desarrolladores): Esta pestaña enlaza con la guía para desarrolladores Android, que incluye una serie de preguntas frecuentes, guía de buenas prácticas y un útil glosario de terminología de Android para los nuevos en la plataforma. En la sección Appendix (Apéndice) de esta pestaña también se proporcionan detalles de la versión de la plataforma Android (niveles API), formatos multimedia soportados y listas de *intents*.
- Reference (Referencia): Esta pestaña incluye un índice de clases y paquetes de todas las API Android que forman parte de Android SDK, en formato estilo documento de Java. Gastará mucho tiempo en esta sección, buscando documentación de las clases Java, comprobando parámetros de los métodos y otras tareas similares.
- Resources (Recursos): Esta pestaña incluye enlaces a artículos, tutoriales y código de ejemplo, y también actúa como pasarela a los foros de desarrolladores Android. Existen una serie de grupos de Google a los que se puede unir, dependiendo de sus intereses.
- Videos: En esta pestaña, que solo está disponible *online*, podrá encontrar vídeos de formación de Android. Aquí podrá ver vídeos sobre la plataforma Android, consejos para desarrolladores y sesiones de la conferencia Goggle I/O.
- Blog: Esta pestaña enlaza con el blog oficial de desarrolladores Android. Aquí puede consultar las noticias más recientes sobre la plataforma Android. Encontrará ejemplos para aprender a hacer determinadas tareas, para optimizar aplicaciones Android, y podrá ver información sobre las nuevas versiones de Android y sus características, así como recomendaciones a seguir por los diseñadores de la plataforma.

En la figura 4.1 se muestra la pestaña Reference (Referencia) de este sitio Web.

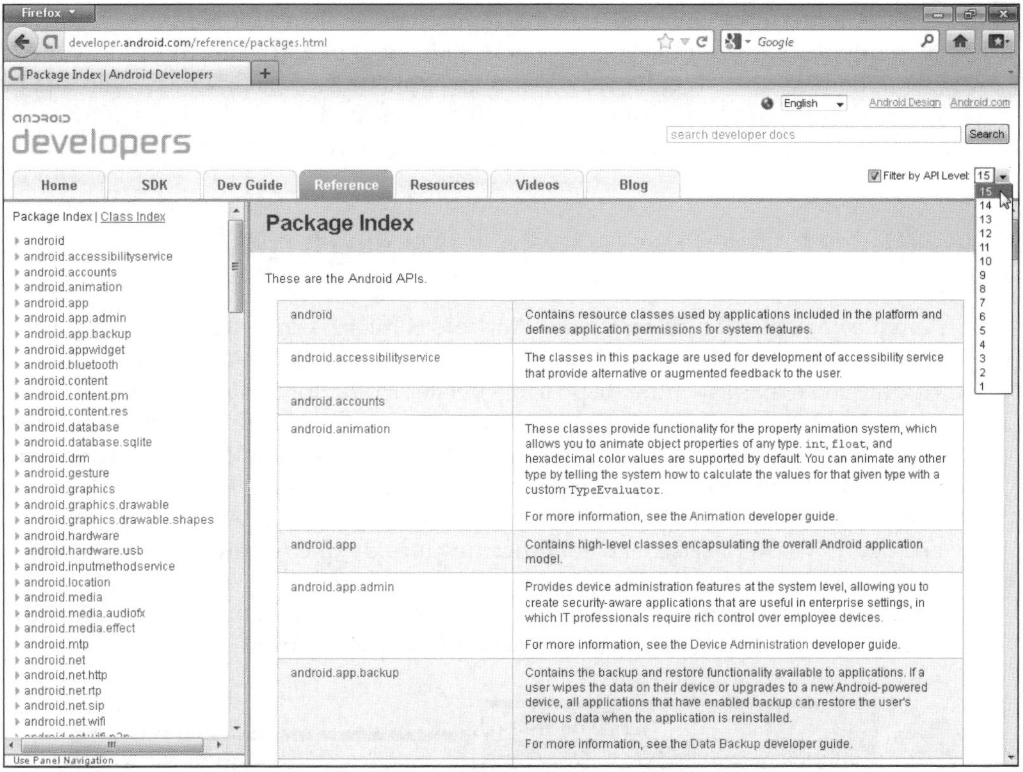

Figura 4.1. Sitio Web de desarrolladores de Android.

Ahora es el momento adecuado de que se familiarice con la documentación de Android SDK. En primer lugar eche un vistazo a la documentación *online* y después puede probar con la local.

> **Nota**
>
> Cada versión de la plataforma Android SDK incluye características diferentes. Se han ido añadiendo nuevas API, clases, interfaces y métodos. Por lo tanto, cada elemento de la documentación está etiquetado con el nivel de la API existente cuando se añadió. Para ver si un elemento está disponible en una versión de la plataforma, compruebe el nivel de la API, que generalmente podrá ver en la parte derecha de la documentación. También puede filtrar la documentación según un determinado nivel de la API, de forma que solo se muestren las características SDK disponibles para una determinada versión de la plataforma, como puede observar en la parte superior derecha de la figura 4.1.

Tenga en cuenta que este libro está pensado para que sea su compañero de viaje para dominar el desarrollo Android. Se cubren los fundamentos de Android y se intenta proporcionar mucha información utilizando un formato fácilmente digerible para ayudarle a poner en marcha el sistema rápidamente. También le aporta información sobre lo que tiene disponible y lo que es factible en la plataforma Android. No se trata de una referencia de SDK exhaustiva, sino una guía de buenas prácticas. Necesita familiarizarse a fondo con la documentación sobre las clases Java de Android SDK para que pueda tener éxito diseñando y desarrollando aplicaciones Android a largo plazo.

Aprovechar el emulador de Android

Aunque ya hablamos del emulador Android como herramienta del núcleo en el capítulo 2, merece la pena mencionarlo aquí de nuevo. El emulador Android probablemente es la herramienta más potente a disposición del desarrollador, junto con Android SDK y el gestor de AVD (del que también hablamos extensamente en los dos capítulos anteriores). Es importante que los desarrolladores aprendan a utilizar el emulador y entiendan sus limitaciones. El emulador está integrado en Eclipse, a través del *plugin* ADT. Para más información sobre el emulador, por favor consulte el apéndice A.

Le sugerimos que revise este apéndice después de que haya consultado el resto de aspectos que se cubren en este capítulo.

En la figura 4.2 se muestra una aplicación de ejemplo llamada PeakBagger 1.0 y el aspecto que tiene cuando se ejecuta en el emulador de Android.

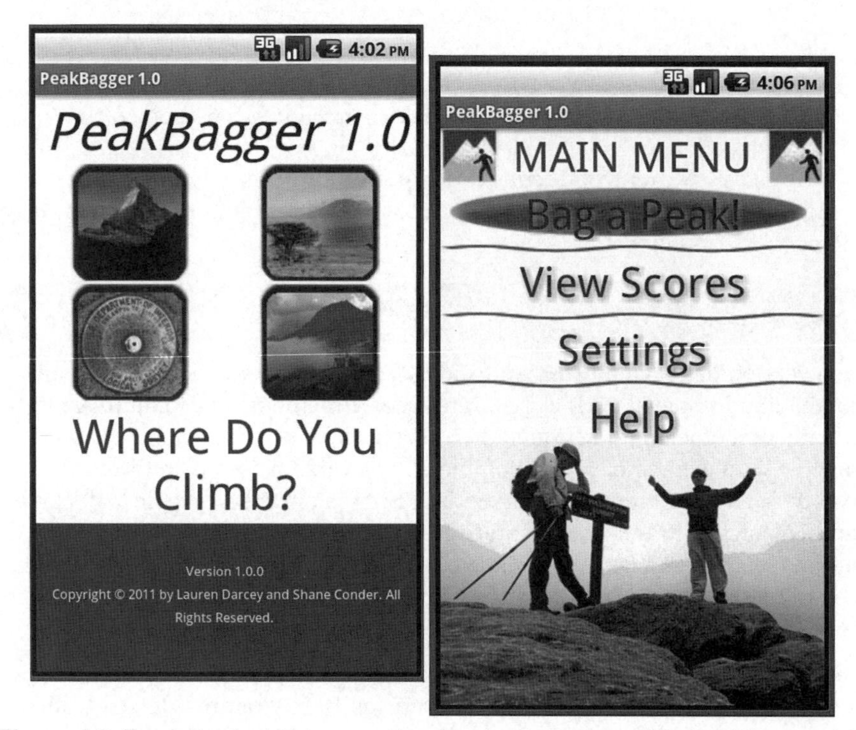

Figura 4.2. Emulador Android en acción ejecutando la aplicación PeakBagger 1.0.

También puede encontrar información muy completa sobre el emulador en el sitio Web de desarrolladores Android: `http://d.android.com/guide/developing/tools/emulator.html`.

Visualizar datos del registro de la aplicación con LogCat

Ya ha aprendido a añadir información de la aplicación al registro en el último capítulo utilizando la clase `android.util.log`. La salida del registro aparece en el panel de la pestaña LogCat de Eclipse (disponible en las perspectivas Depurar y DDMS de Eclipse). También puede interactuar directamente con LogCat, como veremos más adelante en este capítulo.

Aunque tenga un buen depurador, es una buena idea incluir soporte de registro en sus aplicaciones. Puede observar la salida del registro de su aplicación, generada tanto en el emulador como en el dispositivo conectado. La información del registro es muy útil para realizar el seguimiento de fallos complejos y para crear informes de estado de la aplicación durante la fase de desarrollo del proyecto.

Los datos del registro están clasificados según su importancia. Cuando cree una nueva clase en su proyecto, le recomendamos que defina una etiqueta única para dicha clase y así pueda localizar fácilmente los mensajes creados en el registro. Puede utilizar esta etiqueta para filtrar los datos del registro y encontrar solo los mensajes que le interesan. Puede utilizar la utilidad LogCat desde Eclipse para filtrar los mensajes del registro por la cadena de depuración incluidas en su aplicación. Para aprender a hacer esto consulte el apéndice C. Por último, debe considerar que existen algunas desventajas en cuanto al rendimiento cuando utiliza el registro. Muchas entradas en el registro afectan al rendimiento del dispositivo y de la aplicación. Como mínimo, el registro de depuración y el detallado solo deberían utilizarse en la fase de desarrollo, y después eliminarlos antes de la publicar la aplicación.

Depurar aplicaciones con DDMS

Cuando hay que depurar en el emulador o en el dispositivo, necesita centrar su atención en la herramienta *Dalvik Debug Monitor Service* (DDMS). Esta herramienta es una utilidad de depuración integrada en Eclipse por medio de una perspectiva específica. También está disponible como un archivo ejecutable independiente en el directorio `/tools` de la instalación de Android SDK.

La perspectiva DDMS de Eclipse, que puede ver en la figura 4.3, proporciona una serie de opciones muy útiles para interactuar con emuladores y terminales, y depurar aplicaciones. Utilizará DDMS para ver y gestionar procesos e hilos que se ejecutan en el dispositivo, visualizar datos de la pila, vincularse a procesos a depurar y muchas otras tareas.

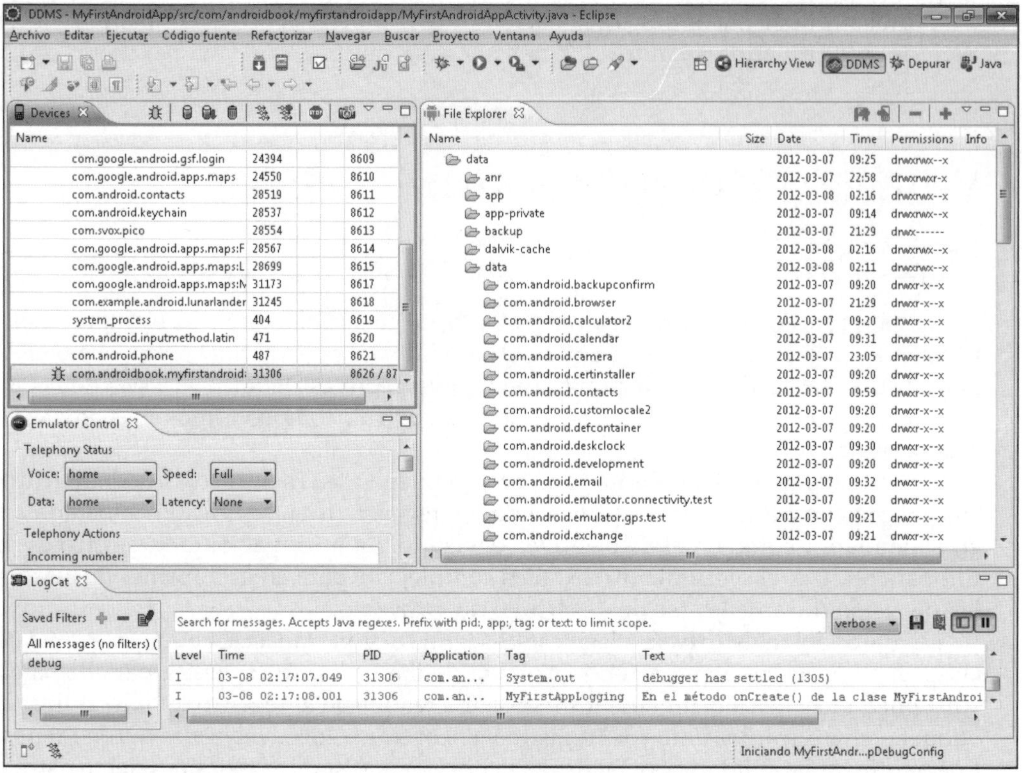

Figura 4.3. Utilizar DDMS desde la perspectiva integrada en Eclipse.

Puede encontrar más información sobre DDMS y cómo utilizar sus características en el apéndice B. Le sugerimos que lea este apéndice después ver el resto de este capítulo.

Utilizar Android Debug Bridge (ADB)

ADB (*Android Debug Bridge*, Puente de depuración Android) es una herramienta cliente/servidor en línea de comandos, que permite a los desarrolladores depurar código Android en el emulador y en el dispositivo, utilizando un IDE estándar de Java como Eclipse. Tanto DDMS como el *plugin* ADT para Eclipse emplean ADB para facilitar la interacción entre el entorno de desarrollo y el dispositivo (o emulador). Puede encontrar la herramienta `adb.exe` en el directorio `platform-tools` de Android SDK.

Los desarrolladores también pueden utilizar ADB para interactuar con el sistema de archivos del dispositivo, instalar y desinstalar aplicaciones Android manualmente y enviar comandos de consola. Por ejemplo los comandos `logcat` y `sqlite3` le permiten acceder a los datos del registro y a las bases de datos de la aplicación respectivamente. Para una referencia completa sobre ADB consulte la documentación de Android SDK en `http://d.android.com/guide/developing/tools/adb.html`.

Utilizar editores de recursos y UI Designer

Ecplise es conocido por ser un entorno de desarrollo para aplicaciones Java sólido y bien diseñado. Cuando instala el *plugin* ADT para Eclipse añade una serie de sencillas herramientas específicas para Android que le ayudan a diseñar, desarrollar, depurar y publicar aplicaciones. Como todas las aplicaciones, las de Android incluyen funcionalidad (código Java) y datos (recursos como cadenas o gráficos). La funcionalidad es gestionada por el editor y el compilador Java de Eclipse. El *plugin* ADT añade muchos editores especiales para crear archivos de recursos específicos de Android que utilizará para encapsular datos de aplicaciones, como cadenas y plantillas de recursos de interfaz de usuario, llamadas diseños. La mayoría de recursos de Android se almacenan en archivos especiales con formato XML. Los editores de recursos y el UI Designer, que forman parte del *plugin* ADT, le permiten trabajar con recursos de aplicaciones de una forma gráfica y estructurada, o modificando directamente el archivo XML. Dos ejemplos de editores son el de recursos cadena y el de archivos `manifest` de Android. El editor de recursos genérico se cargará cuando esté trabajando con archivos XML en la jerarquía del directorio del proyecto `/res`, como los recursos cadena, color o dimensión.

El editor de archivos `manifest` de Android se cargará cuando abra el archivo `manifest` asociado con su proyecto. En la figura 4.4 puede ver que este editor está formado por varias pestañas, que organizan el contenido de dicho tipo de recurso. Fíjese que la pestaña **XML** siempre se encuentra situada al final, donde puede modificar manualmente el archivo del recurso XML, si fuera necesario.

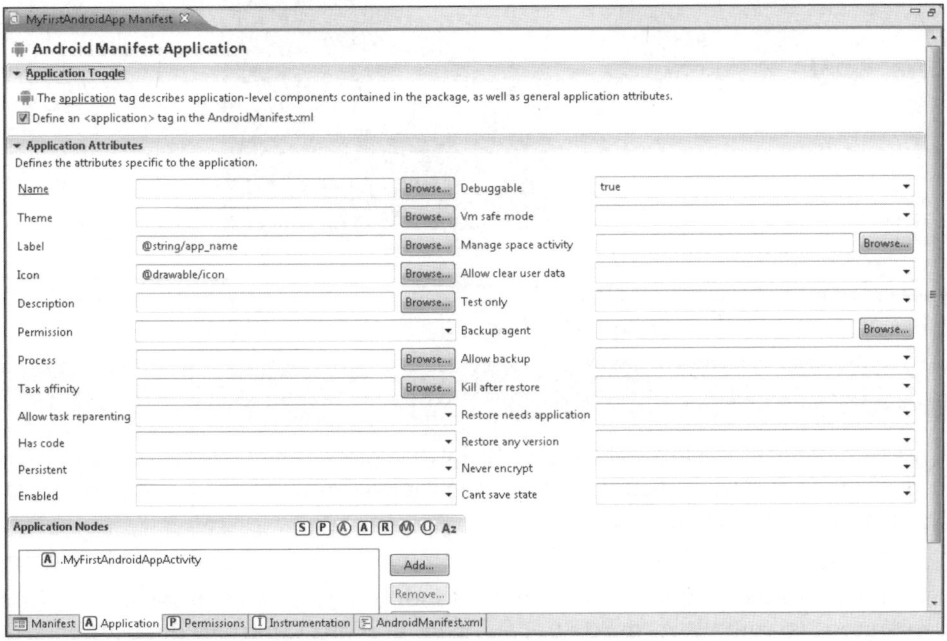

Figura 4.4. Modificar el archivo manifest de Android en Eclipse.

Los recursos de diseño de Android (plantillas de interfaz de usuario) técnicamente también son archivos XML. Sin embargo, algunos prefieren arrastrar y soltar controles, moverlos por la página y previsualizar el aspecto que tendría la interfaz de usuario para cualquier persona. Las recientes actualizaciones del *plugin* ADT han mejorado mucho las características de UI Designer para desarrolladores. El UI Designer se carga siempre que abra un archivo XML de la jerarquía del directorio `/res/layout` del proyecto. Puede utilizar UI Designer en modo gráfico, que le permite arrastrar y soltar controles, y ver el aspecto que tendría su aplicación, modificando una serie de opciones de configuración del estilo AVD (nivel de la API de Android, resolución de pantalla, orientación, temas, etc.), como puede ver en la figura 4.5. También puede cambiar al modo de edición XML para modificar los controles directamente o configurar propiedades específicas.

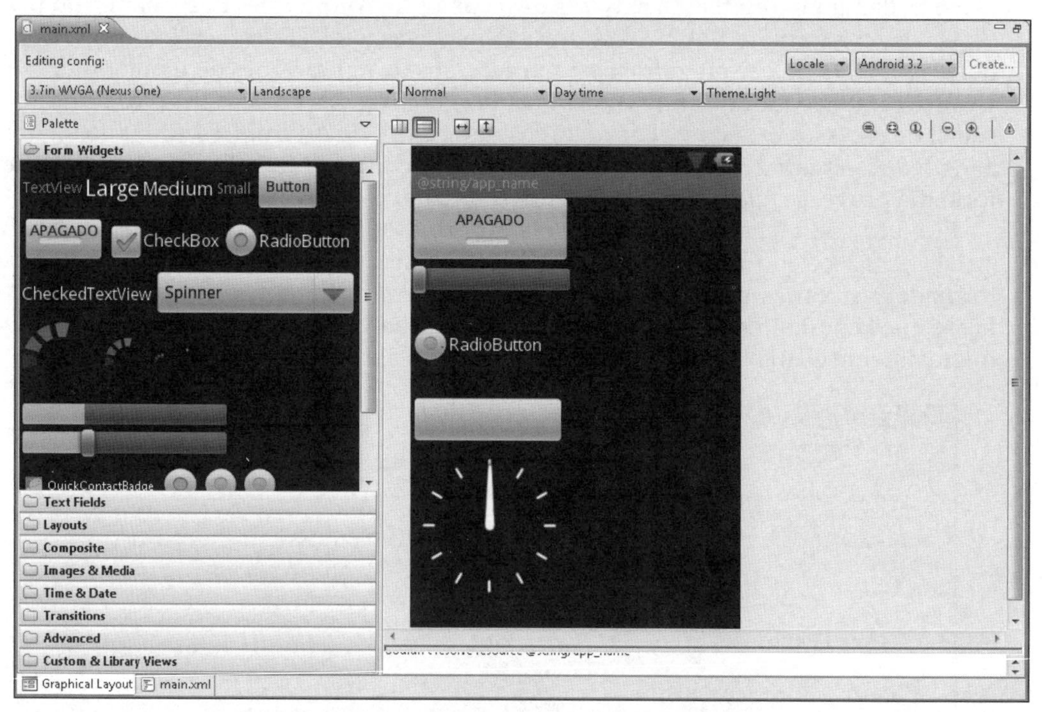

Figura 4.5. Utilizar UI Designer en Eclipse.

> **Truco**
>
> Le recomendamos que fije el panel de Eclipse Propiedades a la izquierda del diseñador de interfaz de usuario para modificar las propiedades de un control determinado de una forma más estructurada.

En los capítulos 8 y 9 estudiaremos a fondo el diseño y el desarrollo de interfaces de usuario, así como la forma de trabajar con diseños y controles de dicha interfaz. Por ahora, tan solo queremos que sea consciente de que los componentes de la interfaz de usuario de su aplicación generalmente se almacenan como recursos, y que el *plugin* ADT de Eclipse proporciona algunas herramientas muy útiles para diseñar y gestionar dichos recursos.

Utilizar Hierarchy Viewer

Hierarchy Viewer es una herramienta de Android que identifica las relaciones entre los componentes del diseño (la jerarquía), y ayuda a los desarrolladores a diseñar, depurar y esbozar sus interfaces de usuario.

Los desarrolladores pueden utilizar esta herramienta para explorar las propiedades de los controles de la interfaz de usuario y desarrollar diseños con alta resolución. Este visor está disponible como un ejecutable independiente en el subdirectorio `tools` de su instalación de Android SDK, así como una perspectiva de Eclipse cuando utiliza el *plugin* ADT para el desarrollo Android. En la figura 4.6 se muestra el aspecto de Hierarchy Viewer cuando se inicia y se conecta a una instancia del emulador por primera vez, antes de que se muestre ninguna vista gráfica. La aplicación que se va a explorar incluye un paquete llamado `com.example.android.snake.Snake`.

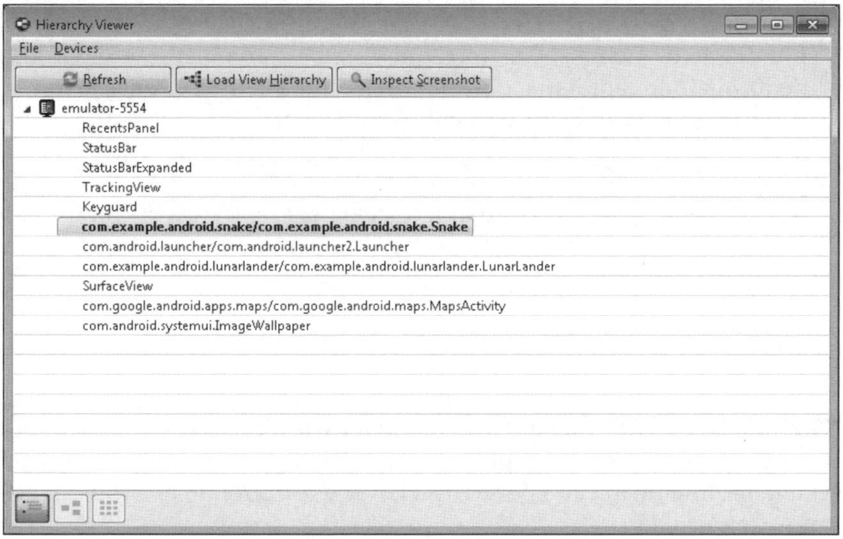

Figura 4.6. Aplicación Hierarchy Viewer iniciada independientemente por primera vez.

Hierarchy Viewer es una herramienta visual que se puede utilizar para inspeccionar las interfaces de usuario de su aplicación de forma que le permite identificar y mejorar sus diseños. Puede profundizar en controles específicos de la interfaz de usuario, e inspeccionar sus propiedades en tiempo de ejecución. Puede guardar capturas de pantalla del estado actual de la aplicación en el emulador o en el dispositivo. Esta aplicación puede funcionar en dos modos principales:

- **Modo Layout View (Vista diseño):** Este modo muestra la jerarquía de los controles de la interfaz de usuario cargados por su aplicación en forma de árbol. Puede hacer zoom y seleccionar controles específicos para obtener mucha información sobre su estado actual, así como información de sus perfiles para ayudarle a optimizarlos.
- **Modo Pixel Perfect (Pixel perfecto):** Este modo muestra los píxeles de la interfaz de usuario en forma de rejilla sobre la que puede hacer zoom. Esta opción resulta útil para diseñadores que necesitan explorar partes muy específicas o alinear vistas de imágenes.

Puede cambiar entre ambos modos utilizando los botones que se encuentran en la parte inferior izquierda de la herramienta.

Iniciar Hierarchy Viewer

Para iniciar Hierarchy Viewer con su aplicación en el emulador siga estos pasos:

1. Inicie su aplicación Android en el emulador.
2. Diríjase al subdirectorio `tools` de Android SDK e inicie la aplicación Hierarchy Viewer (`hierarchyviewer.bat` en Windows), o utilice la perspectiva correspondiente de Eclipse. Creemos que es más conveniente utilizar la herramienta de forma independiente, porque con frecuencia querremos ajustar la interfaz de usuario utilizando Eclipse mientras trabajamos.
3. Seleccione su instancia del emulador de la lista de dispositivos.
4. Seleccione la aplicación que quiere visualizar entre las opciones disponibles. La aplicación se debe estar ejecutando en el emulador para que se muestre en la lista.

Trabajar en el Modo Layout View

Este modo es muy útil para depurar problemas de dibujo relacionados con los controles de la interfaz de usuario de su aplicación. Si no sabe por qué algo no se está dibujando correctamente, intente iniciar Hierarchy Viewer y comprobar las propiedades del control en tiempo de ejecución.

Nota

Cuando carga una aplicación en Hierarchy Viewer, tiene que saber que la interfaz de su aplicación no empieza en la raíz de la jerarquía de la vista en árbol. De hecho, existen varias capas de controles de diseño por encima del contenido de su aplicación que aparecerán como controles padre de su contenido. Por ejemplo, la barra de estado del sistema y la barra de título son controles de alto nivel. Los contenidos de su aplicación son realmente controles hijos dentro de un control `FrameLayout` llamado `@id/content`. Cuando carga contenidos del diseño utilizando el método `setContentView()` dentro de su clase `Activity`, está especificando qué se va a cargar dentro de este `FrameLayout` de alto nivel.

En la figura 4.7 se muestra Hierarchy Viewer cargado en el modo Layout View.

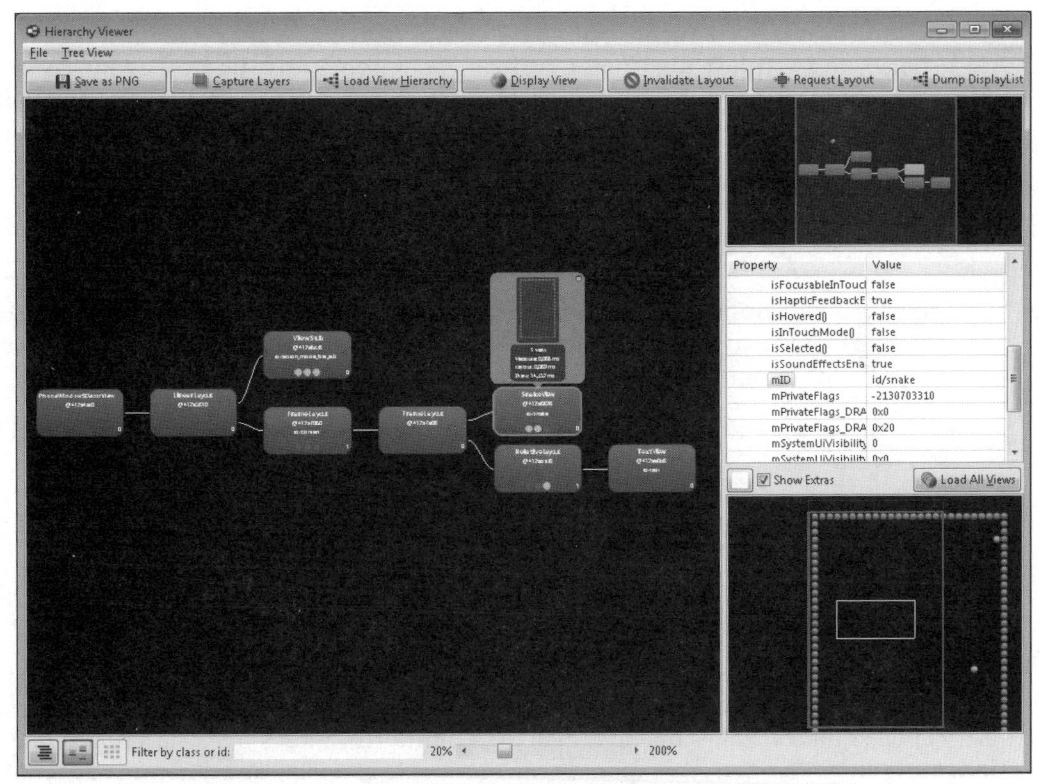

Figura 4.7. Herramienta Hierarchy Viewer (Modo Layout View).

Cuando carga por primera vez su aplicación en el modo Layout View, podrá ver varios paneles de información. El panel principal muestra las relaciones padre/hijo de los controles en vista de árbol. Cada nodo del árbol representa un control de la interfaz de usuario en la pantalla, y muestra el identificador único del control, su tipo e información de su perfil para la optimización (hablaremos más sobre esto en breve). También existen una serie de pequeños paneles en la parte derecha de la pantalla. El panel lupa/zoom le permite desplazarse rápidamente por una vista de árbol muy larga. El panel de propiedades muestra las diferentes propiedades de cada nodo del árbol, cuando se seleccionan. Por último, se muestra el modelo de la interfaz de usuario cargada actualmente, con un recuadro rojo destacando el control seleccionado.

Truco

Es más conveniente que explore los objetos `View` de su aplicación en la herramienta Hierarchy View, definiendo nombres fáciles de recordar en las propiedades `id` de los objetos `View`, en lugar de las etiquetas por defecto generadas automáticamente de forma secuencial. Por ejemplo, un control `Button` llamado `BotónDeEnvío` es más descriptivo que `Button1`.

Puede utilizar la herramienta Hierarchy Viewer para interactuar y depurar la interfaz de usuario de su aplicación. Puede utilizar los botones **Invalidate Layout** (Anular diseño) y **Request Layout** (Solicitar diseño), que se corresponden con las funciones `View.invalidate()` y `View.requestLayout()` del hilo UI respectivamente. Estas funciones inician objetos `View` y los dibujan o redibujan según sea necesario.

Optimizar su interfaz de usuario

También puede utilizar Hierarchy Viewer para optimizar el contenido de su interfaz de usuario. Habrá visto los pequeños puntos rojos, amarillos y verdes que aparecen en la vista en árbol de la figura 4.7. Se trata de indicadores de rendimiento de cada control:

- El punto de la izquierda representa cuánto tiempo tarda la operación de medición en esta vista.
- El punto central representa cuanto tiempo tarda la operación de renderizado del diseño en esta vista.
- El punto de la derecha representa cuánto tiempo tarda la operación de dibujado para esta vista.

Los indicadores pueden ser rojos, amarillos o verdes y representan cómo renderiza cada control comparado con el resto de controles del árbol. En sí no son una indicación estricta de si un control es bueno o malo. Un punto rojo indica que esta vista es la que más tarda en renderizarse, comparada con el resto de las vistas de la jerarquía. Un punto amarillo significa que el tiempo de renderizado de dicha vista está dentro del 50% inferior del resto de las vistas de la jerarquía. Un punto verde significa que el tiempo de renderizado de dicha vista está por encima del 50% del resto de vistas de la jerarquía. Cuando hace clic en una determinada vista dentro del árbol, también puede ver los tiempos reales de rendimiento en el que están basados los indicadores.

Nota

Hierarchy Viewer proporciona una evaluación con precisión a nivel del control, pero no le dirá si su diseño de interfaz de usuario está organizado de la forma más eficiente. Para hacer esto, tendrá que utilizar la herramienta en línea de comandos `layoutopt`, disponible en el subdirectorio `tools` de la instalación de Android SDK. Esta herramienta le ayudará a identificar los controles innecesarios en la interfaz de usuario, además de otros puntos poco eficientes. Para más información consulte la página Web de desarrolladores Android: `http://d.android.com/guide/developing/tools/layoutopt.html`.

Para más información sobre cómo utilizar estos datos para mejorar la interfaz de usuario de su aplicación Android, eche un vistazo al tutorial que podrá encontrar en `http://goo.gl/IM2e7`.

Trabajar en el modo Pixel Perfect

Puede usar la vista Pixel Perfect para explorar con detalle la interfaz de usuario de su aplicación. También puede cargar un archivo boceto PNG para superponer su interfaz de usuario y ajustar el aspecto de su aplicación. Para acceder a esta vista haga clic en el botón que tiene nueve píxeles que se encuentra en la parte inferior izquierda de Hierarchy Viewer. En la figura 4.8 se muestra cómo puede inspeccionar la pantalla de la aplicación que se esté ejecutando actualmente a nivel de píxeles, utilizando la función lupa de este modo.

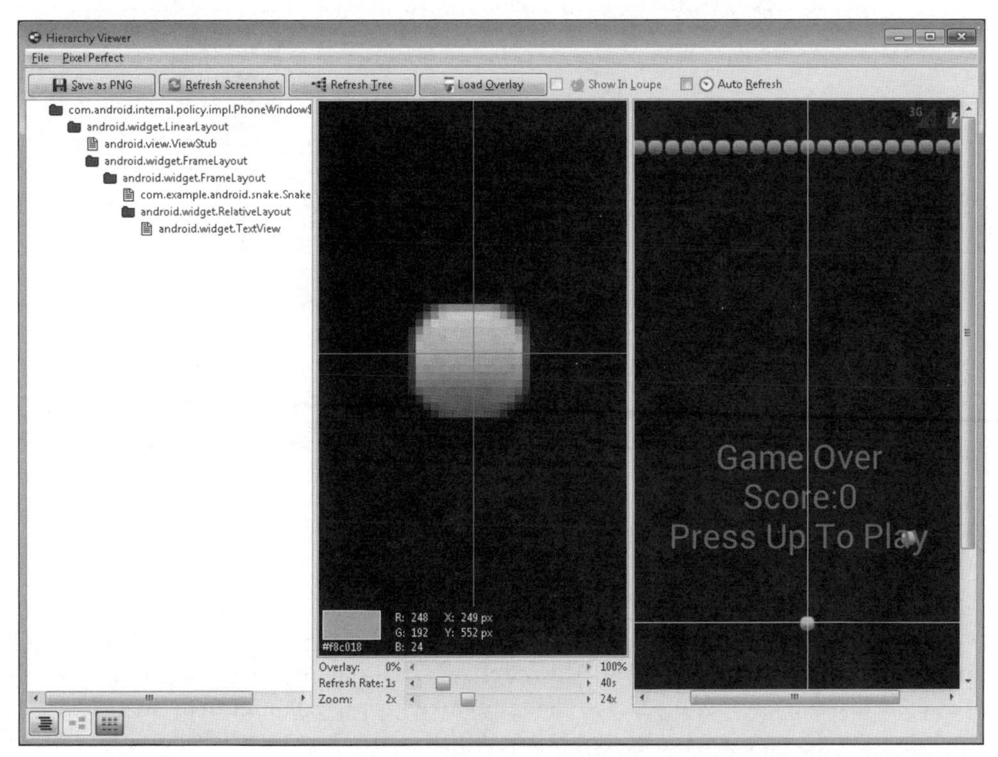

Figura 4.8. Herramienta Hierarchy Viewer (Modo Pixel Perfect).

Trabajar con gráficos extensibles 9-patch

Android soporta el uso de gráficos extensibles 9-patch, que dan la posibilidad de utilizar diferentes características de la interfaz de usuario, orientaciones y pantallas de dispositivos. Estos gráficos se pueden crear a partir de archivos PNG utilizando la herramienta `draw9patch` incluida en el directorio `/tools` de Android SDK.

Los gráficos extensibles 9-patch son simplemente gráficos PNG que incluyen regiones, o áreas de la imagen, que se pueden escalar adecuadamente, en lugar de escalar toda la imagen completa de una sola vez. En la figura 4.9 se muestra cómo una imagen (que se visualiza como un cuadrado) se divide en 9 regiones. Con frecuencia el segmento central es transparente.

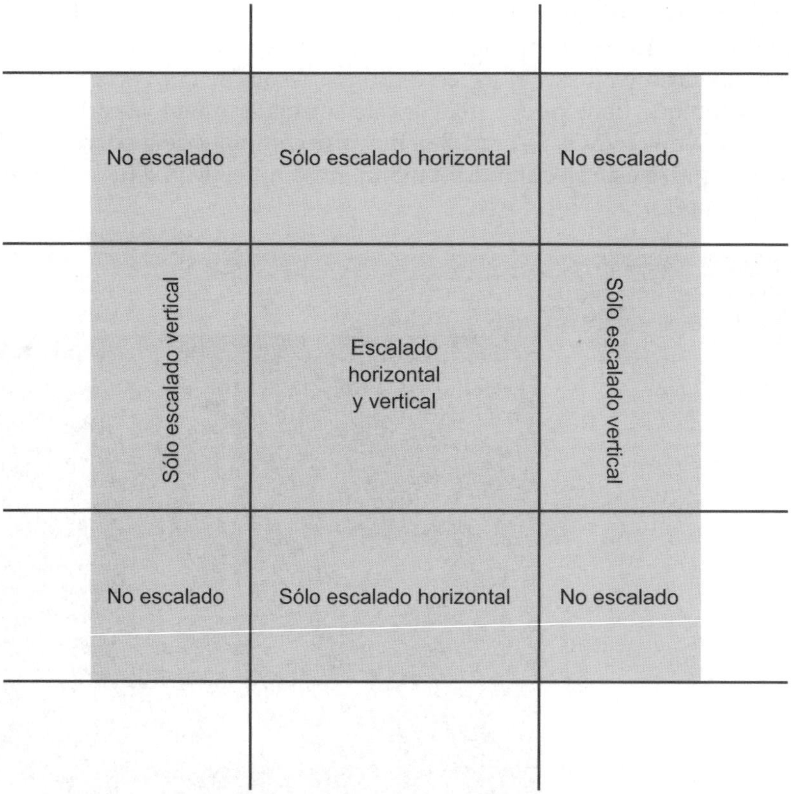

Figura 4.9. Cómo se escala un gráfico 9-patch de un cuadrado.

La interfaz de la herramienta `draw9patch` es muy sencilla. En el panel de la izquierda puede definir las guías que especifican cómo se escala su gráfico cuando es estirado. En el panel de la derecha puede ver una vista previa del comportamiento de su gráfico cuando se escala con las regiones definidas. En la figura 4.10 se muestra un sencillo archivo PNG cargado en la herramienta, antes de definir las guías.

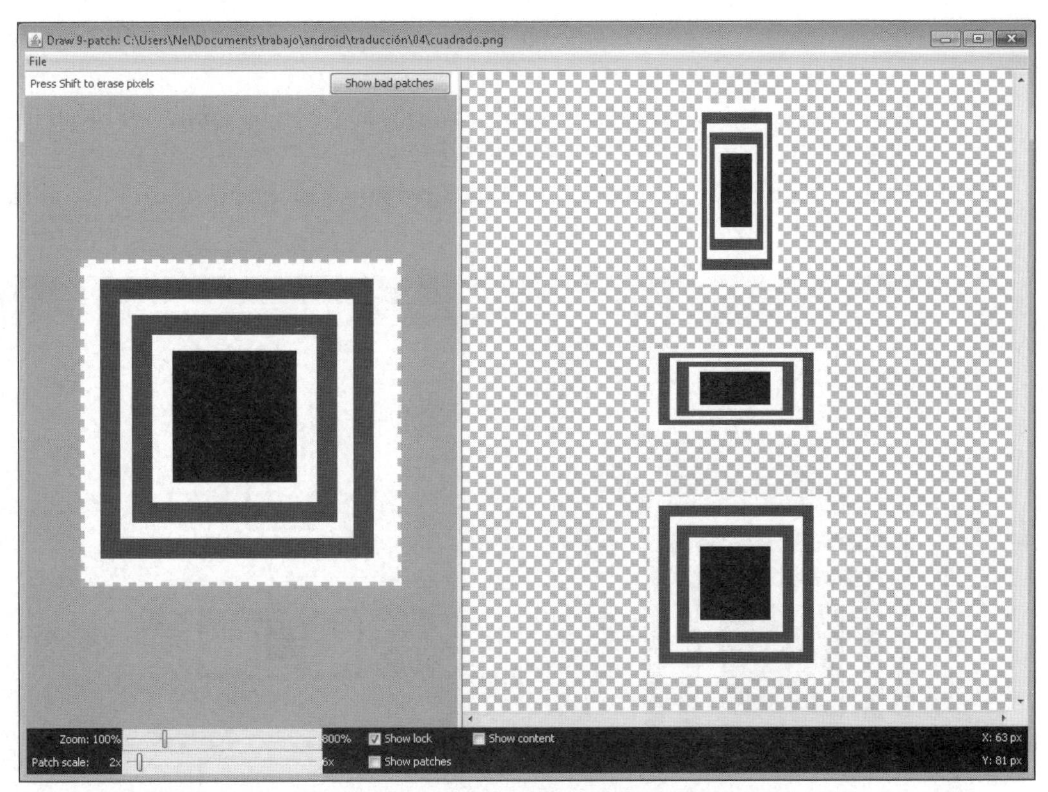

Figura 4.10. Un sencillo archivo PNG antes de ser procesado como gráfico 9-patch.

Para crear un gráfico extensible 9-patch a partir de un archivo PNG utilizando la herramienta `draw9patch` siga estos pasos:

1. Inicie `draw9patch.bat` desde el subdirectorio `tools` de Android SDK.
2. Arrastre un archivo PNG al panel izquierdo (o utilice File>Open 9-patch (Archivo> Abrir 9-patch)).
3. Active la casilla de verificación Show patches (Mostrar regiones) en la parte inferior del panel izquierdo.
4. Configure adecuadamente Patch scale (Escala de región), escogiendo valores más altos para que la imagen resultante se estire más.
5. Haga clic en el borde izquierdo de su gráfico para definir una guía de región horizontal.
6. Haga clic en la parte superior de su gráfico para definir una guía de región vertical.
7. Observe los resultados en el panel de la derecha. Mueva las guías de regiones hasta que el gráfico se extienda lo que necesite. En las figura 4.11 y 4.12 se muestran dos configuraciones posibles.

8. Para eliminar una guía, mantenga pulsado **Mayús** mientras hace clic en el pixel de la guía (de color negro).
9. Guarde el archivo gráfico. Los nombres de los archivos de gráficos 9-patch deberían terminar en `.9.png` (por ejemplo, `little_black_box.9.png`).
10. Incluya su archivo gráfico como un recurso en su proyecto Android y utilícelo como un archivo PNG normal.

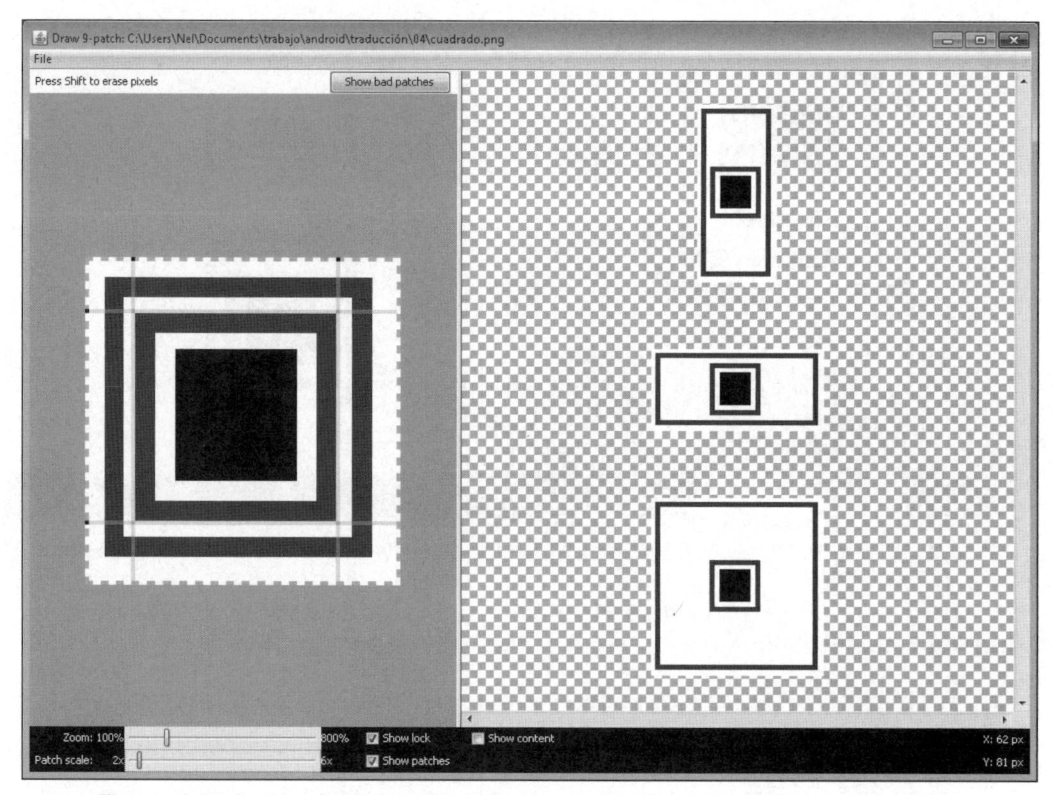

Figura 4.11. Archivo PNG 9-patch después de añadir una configuración de guías.

Trabajar con otras herramientas de Android

Aunque ya hemos visto las herramientas más importantes, en Android SDK también se incluyen un conjunto de utilidades especializadas. Muchas de estas herramientas proporcionan la funcionalidad integrada en Eclipse a través del *plugin* ADT. Sin embargo, si no utiliza Eclipse, puede utilizar estas herramientas desde la línea de comandos. En el sitio Web de desarrolladores Android (`http://d.android.com/guide/developing/tools/index.html`) puede encontrar la lista completa de herramientas de desarrollo que forman parte de Android SDK.

Aquí puede ver la descripción de cada herramienta, así como un enlace a su documentación oficial. Estas son las herramientas de las que todavía no hemos hablado:

- android: Esta herramienta en línea de comandos proporciona la misma funcionalidad que Android SDK y el gestor de AVD, y además le puede ayudar a crear y gestionar proyectos si no está utilizando Eclipse IDE con el *plugin* ADT.

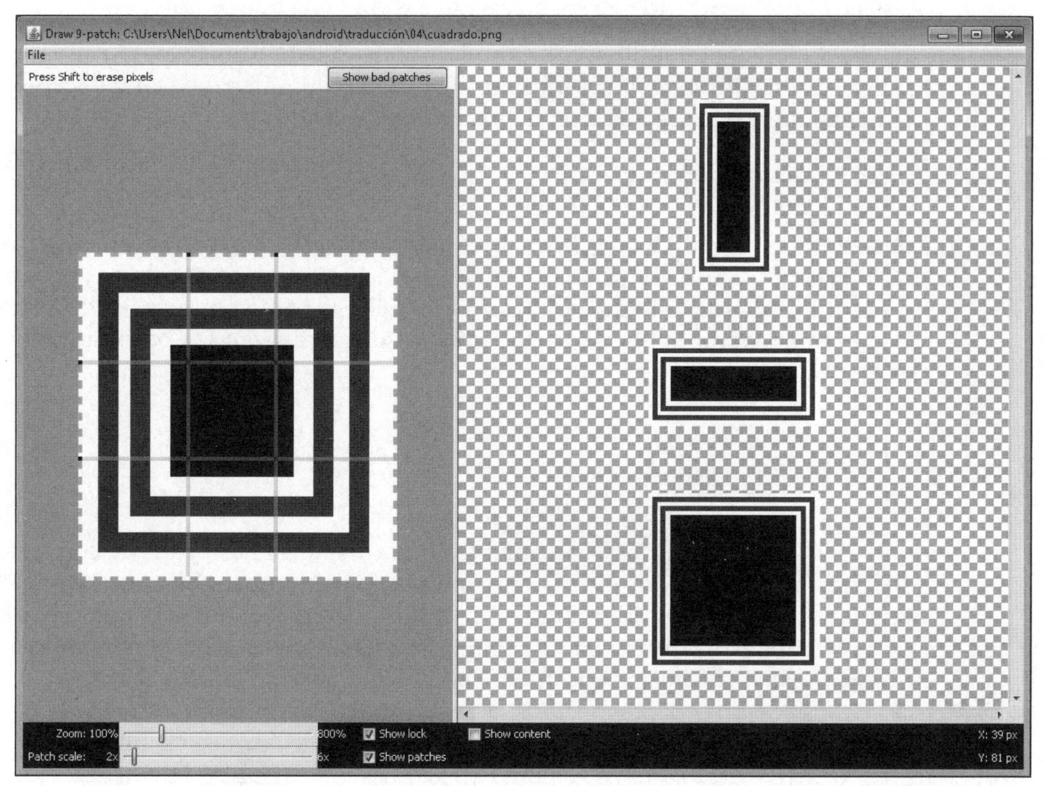

Figura 4.12. Archivo PNG 9-patch después de añadir otra configuración de guías.

- bmgr: A esta herramienta se accede a través la línea de comandos ADB para interactuar con el gestor de copias de seguridad de Android.
- dmtracedump, hprof-conv, traceview: Estas herramientas se utilizan para diagnóstico, registro de depuración y ajuste de aplicaciones.
- etc1tool: Esta herramienta en línea de comandos le permite convertir archivos PNG a archivos ETC1 (*Ericsson Texture Compression*, Compresión de texturas de Ericsson). La especificación de ETC1 la puede encontrar en `http://goo.gl/AKV5l`.
- logcat: A esta herramienta se accede a través de la línea de comandos ADB para interactuar con la herramienta de registro de la plataforma, LogCat. Aunque normalmente se accede a la salida del registro desde Eclipse utilizando el *plugin*

ADT, también puede utilizar esta herramienta para capturar, borrar y redirigir la salida del registro (muy útil si está utilizando automatización o no está usando Eclipse). Aunque la herramienta en línea de comandos logcat se utiliza para proporcionar mejores filtros, un cambio reciente en la vista logcat de Eclipse ha potenciado la versión gráfica de este filtrado.

- mksdcard: Esta herramienta en línea de comandos le permite crear imágenes en disco de tarjetas SD independientemente del AVD de que se trate.
- monkey, monkeyrunner: Estas herramientas las puede utilizar para probar sus aplicaciones e implementar conjuntos de pruebas automatizadas. En el capítulo 18 hablaremos de la realización de pruebas en aplicaciones.
- sqlite3: A esta herramienta se accede a través del comando ADB y sirve para interactuar con bases de datos SQLite.
- zipaling: Esta herramienta en línea de comandos se utiliza para alinear su archivo APK después de que haya sido firmado para su publicación. Solo es necesaria si no utiliza el asistente de exportación de Eclipse para compilar, empaquetar, firmar y alinear su publicación. Veremos cómo se realizan los pasos anteriores en el capítulo 19.

Resumen

Android SDK incluye una serie de potentes herramientas para ayudarle con tareas comunes de desarrollo en Android. La documentación de Android es una referencia esencial para desarrolladores. El emulador de Android se puede utilizar para ejecutar y depurar aplicaciones Android virtualmente, sin necesidad de utilizar un dispositivo real. La herramienta de depuración DDMS, que está integrada dentro del entorno de desarrollo Eclipse como una perspectiva, es útil para controlar emuladores y dispositivos. ADB es una potente herramienta en línea de comandos que se encuentra tras las opciones de DDMS y del *plugin* ADT para Eclipse. Las herramientas Hierarchy Viewer y `layoutopt` se pueden utilizar para diseñar y optimizar los controles de su interfaz de usuario, mientras que la herramienta 9-patch le permite crear gráficos extensibles para utilizarlos en sus aplicaciones. También existen otras herramientas para ayudar a los desarrolladores en diferentes tareas de desarrollo, desde el diseño hasta el desarrollo, prueba y publicación.

Referencias y más información

- Referencia *online* SDK de Google para desarrolladores Android: `http://d.android.com/reference/packages.html`
- Guía del emulador de Android para desarrolladores: `http://d.android.com/guide/developing/tools/emulator.html`

- Guía de la herramienta DDMS para desarrolladores: `http://d.android.com/guide/developing/debugging/ddms.html`
- Guía de ADB para desarrolladores: `http://d.android.com/guide/developing/tools/adb.html`.
- Guía de gráficos 9-patch para desarrolladores: `http://d.android.com/guide/developing/tools/draw9patch.html`.
- Guía de depuración y ajuste de interfaces de usuario para desarrolladores: `http://d.android.com/guide/developing/debugging/debugging-ui.html`.

Parte II.
Conceptos básicos de aplicaciones Android

5 Estructura de una aplicación Android

Las clases típicas de ordenadores con frecuencia definen un programa en términos de funcionalidad y datos, y las aplicaciones Android no son diferentes. Realizan tareas, muestran información por pantalla y realizan acciones con los datos a partir de diversas fuentes.

Desarrollar aplicaciones Android para dispositivos móviles con recursos limitados requiere un profundo conocimiento del ciclo de vida de una aplicación. Android utiliza su propia terminología para estos bloques constructivos de la aplicación, como contexto, actividad e `Intent`. En este capítulo se familiarizará con los términos más importantes y sus componentes de clase Java relacionados, que se utilizan en las aplicaciones Android.

Dominar la terminología importante de Android

En este capítulo se introduce la terminología que se utiliza en el desarrollo de aplicaciones Android y se proporcionan conocimientos importantes sobre su funcionamiento y cómo interactúan unas con otras. Estos son algunos de los términos más importantes que se ven en este capítulo:

- **Contexto:** El contexto es el núcleo de una aplicación Android. La mayor parte de la funcionalidad concreta se puede acceder o referenciar a través del contexto. La clase `Context` (`android.content.Context`) es un bloque constructivo fundamental de cualquier aplicación Android y proporciona acceso a características generales como los archivos privados y los recursos del dispositivo, así como los servicios en toda la aplicación. El objeto `Context` se instancia como un objeto `Application` (`android.app.Application`).

- **Actividad:** Una aplicación Android es un conjunto de tareas, llamadas actividades. Cada actividad dentro de una aplicación tiene una única tarea u objetivo. La clase `Activity` (`android.app.Activity`) es un bloque constructivo fundamental de cualquier aplicación Android, y la mayoría de aplicaciones están formadas por varias actividades. Normalmente, el objetivo es gestionar la visualización de una sola pantalla, pero pensar que una actividad es una pantalla es demasiado simplista. La clase `Activity` es una extensión de la clase `Context`, de forma que también incluye toda la funcionalidad de la clase `Context`.
- **Fragmento:** Una actividad cumple una única tarea u objetivo, pero puede ser dividida en partes, cada una de las cuales se denomina fragmento. Cada fragmento dentro de una aplicación cumple una única tarea u objetivo dentro de su actividad padre. La clase `Fragment` (`android.app.Fragment`) se utiliza con frecuencia para organizar funciones de actividades de forma que permite una experiencia del usuario más flexible entre varios tamaños de pantalla, orientaciones y relaciones de aspecto. Habitualmente se utilizar para incluir el código y la lógica de pantalla para poder colocar el mismo componente de interfaz de usuario en múltiples pantallas, que se representan con múltiples clases `Activity`.
- **Intent:** El sistema operativo Android utiliza un mecanismo de mensajes asíncronos para asociar peticiones de tareas con su actividad correspondiente. Cada petición se empaqueta como un `Intent`. Puede pensar en las peticiones como mensajes que declaran un `Intent` para hacer algo. La clase `Intent` (`android.app.intent`) es el método principal por el que componentes de una aplicación como actividades y servicios se comunican unos con otros.
- **Servicio:** Las tareas que no requieren la interacción del usuario se pueden encapsular como servicios. Un servicio es más útil cuando las operaciones son largas (descargando procesos que consuman mucho tiempo) o necesitan ser ejecutadas con regularidad (como comprobar si hay correo nuevo en un servidor). Mientras que las actividades se ejecutan en primer plano y generalmente incluyen una interfaz de usuario, la clase `Service` (`android.app.Service`) se utiliza para gestionar operaciones en segundo plano dentro de una aplicación Android. La clase `Service` es una extensión de la clase `Context`.

Utilizar el contexto de una aplicación

El contexto de una aplicación es la ubicación centralizada de toda la funcionalidad de alto nivel de la aplicación. La clase `Context` se puede utilizar para gestionar detalles específicos de la configuración de la aplicación así como operaciones y datos de toda la aplicación. Utilice el contexto para acceder a ajustes y recursos compartidos entre múltiples instancias `Activity`.

Recuperar el contexto de una aplicación

Puede recuperar el contexto del proceso actual utilizando el método `getApplicationContext()`, que se encuentra en clases comunes como `Activity` y `Service` del siguiente modo:

```
Context context = getApplicationContext();
```

Utilizar el contexto de la aplicación

Después de recuperar un objeto `Context` válido, puede utilizarlo para acceder a características y servicios de toda la aplicación, incluyendo los siguientes:

- Recuperar recursos de la aplicación como cadenas, gráficos y archivos XML.
- Acceder a las preferencias de una aplicación.
- Gestionar archivos y directorios privados de la aplicación.
- Recuperar *assets* no compilados de la aplicación.
- Acceder a servicios del sistema.
- Gestionar una base de datos privada de la aplicación (SQLite).
- Trabajar con permisos de la aplicación.

Advertencia

Debido a que la clase `Activity` se deriva de la clase `Context`, a veces puede utilizar la primera en lugar de recuperar explícitamente el `Context` de la aplicación. Sin embargo, no debería utilizar `Activity` en lugar de `Context` en todos los casos, ya que si lo hace podrían generarse pérdidas de memoria. Puede encontrar un gran artículo sobre este tema en `http://goo.gl/UEDh1`.

Recuperar recursos de la aplicación

Puede recuperar recursos de la aplicación con el método `getResources()` del contexto de la aplicación. La forma más fácil de recuperar un recurso es utilizar su identificador, un número único generado automáticamente dentro de la clase `R.java`. En el siguiente ejemplo se recupera una instancia `String` desde los recursos de la aplicación a través de su identificador:

```
String greeting = getResources().getString(R.string.hello);
```

En el capítulo 7 hablaremos más sobre los diferentes tipos de recursos en una aplicación.

Acceder a las preferencias de una aplicación

Puede recuperar preferencias compartidas de una aplicación utilizando el método `getSharedPreferences()` del contexto de la aplicación. La clase `SharedPreferences` se puede utilizar para guardar datos sencillos de la aplicación, como los ajustes de la configuración o información permanente del estado de la aplicación En el capítulo 12 hablaremos más sobre las preferencias de una aplicación.

Acceder a archivos y directorios de una aplicación

Puede utilizar el contexto de una aplicación para acceder, crear y gestionar archivos privados así como a los que se encuentran en almacenamiento externo. En el capítulo 13 hablaremos más sobre la gestión de archivos de una aplicación.

Recuperar assets de una aplicación

Puede recuperar recursos de una aplicación utilizando el método `getAssets()` del contexto de la aplicación. De esta forma se obtiene una instancia `AssetManager` (`android.content.res.AssetManager`) que puede utilizar para abrir un *asset* determinado a través de su nombre.

Ejecutar tareas y actividades de una aplicación

La clase de Android `Activity` (`android.app.Activity`) es el núcleo de toda aplicación Android. La mayoría de las veces, se define e implementa una clase `Activity` para cada pantalla de su aplicación. Por ejemplo, un sencillo juego podría incluir las siguientes actividades, que puede ver en la figura 5.1:

- **Pantalla de inicio o bienvenida:** Este actividad es el punto de entrada principal a la aplicación. Muestra el nombre de la aplicación e información de la versión, y sirve de transición al menú principal después de un corto intervalo de tiempo.
- **Pantalla del menú principal:** Esta actividad se utiliza para conducir al usuario a las actividades principales de la aplicación. Aquí el usuario debe seleccionar lo que quiere hacer dentro de la aplicación.
- **Pantalla de juego:** Esta actividad es donde tiene lugar el juego.
- **Pantalla de puntuaciones:** Esta actividad muestra las mejores puntuaciones o los ajustes.
- **Pantalla de ayuda:** Esta actividad muestra información que el usuario podría necesitar para poder jugar.

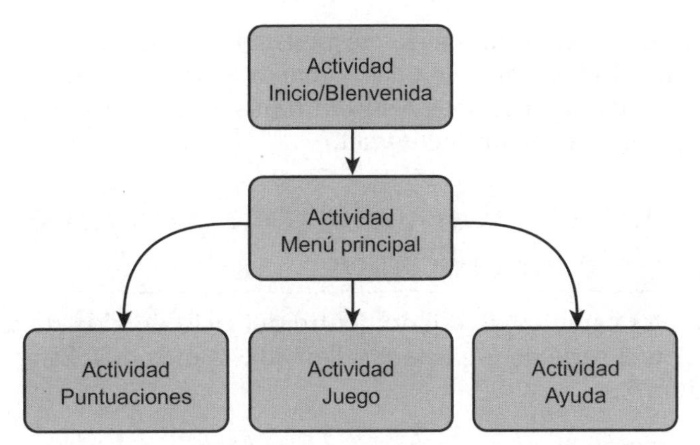

Figura 5.1. Sencillo juego formado por cinco actividades.

Ciclo de vida de una actividad Android

Las aplicaciones Android pueden ser multiproceso, y el sistema operativo Android permite que varias aplicaciones se ejecuten concurrentemente, siempre que tengan la memoria y la capacidad de procesamiento suficientes. Las aplicaciones pueden ejecutarse en segundo plano y pueden ser interrumpidas o detenidas cuando ocurren eventos, como por ejemplo una llamada de teléfono. Solo puede existir una aplicación activa visible para el usuario a la vez, y además en un momento dado, solo puede existir una única aplicación `Activity` en segundo plano.

El sistema operativo Android controla todos los objetos `Activity` que se están ejecutando, situándolos en la pila `Activity`, como puede ver en la figura 5.2. Cuando se inicia una nueva actividad, la que se encuentra en la parte superior de la pila se detiene (actividad en primer plano actual), y la nueva actividad se coloca en la parte superior en su lugar. Cuando esta actividad finaliza, se elimina de la pila y se reanuda la actividad que se encuentra a continuación.

Yo soy la primera actividad.
El usuario puede verme e interactuar conmigo
Yo soy la segunda actividad de la pila.
Si el usuario pulsa Volver o la primera actividad es destruida,
el usuario podrá verme e interactuar conmigo de nuevo.
Yo soy la actividad en el medio de la pila.
Los usuarios no pueden verme ni interactuar conmigo
hasta que todas las que están encima sean destruidas.
Yo soy la úlitma actividad de la pila.
Si las actividades que están por encima utilizan demasiados recursos,
¡seré destruida!

Figura 5.2. Pila de actividades.

Las aplicaciones Android son las responsables de gestionar su estado, memoria, recursos y datos. Deben ser detenidas y reanudadas fácilmente. El primer paso para diseñar y desarrollar aplicaciones Android robustas es entender los diferentes estados dentro del ciclo de vida de una actividad.

Utilizar llamadas a actividades para gestionar el estado y los recursos de la aplicación

Los diferentes cambios de estado dentro del ciclo de vida de una actividad están marcados por una serie de importantes llamadas a métodos. Estas llamadas se muestran en la figura 5.3.

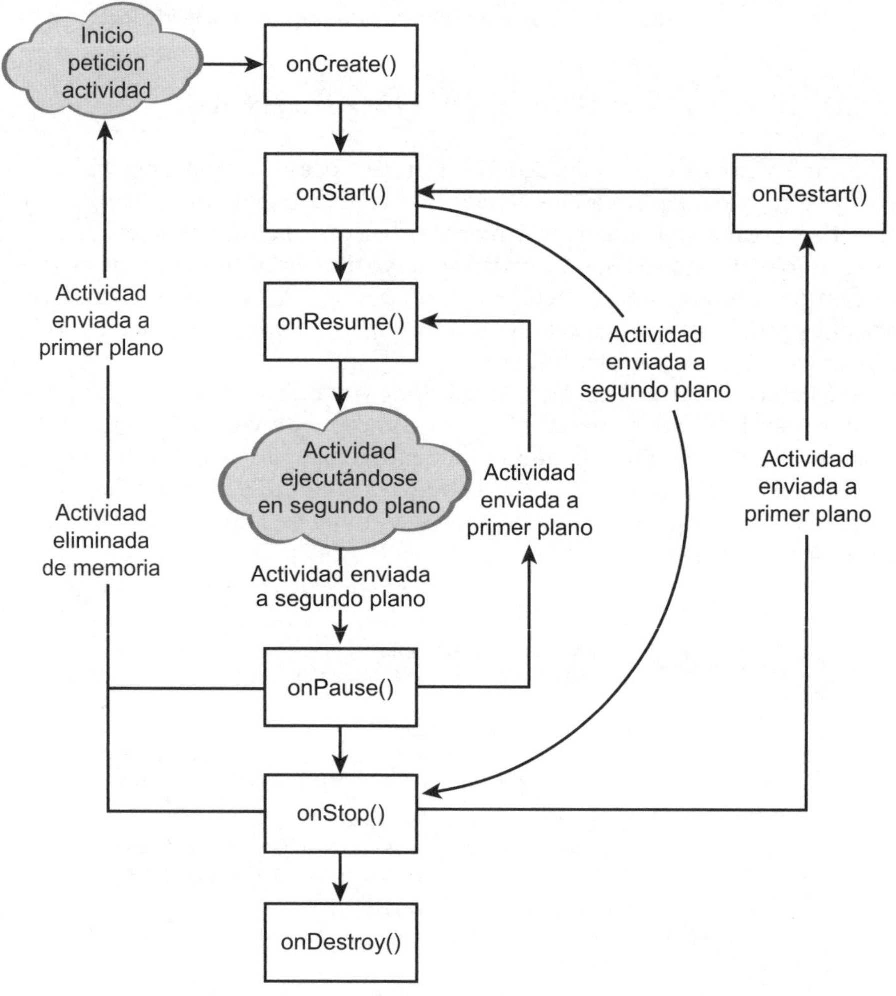

Figura 5.3. Ciclo de vida de una actividad de Android.

A continuación puede ver la declaración de las llamadas más importantes de la clase `Activity`:

```
public class MyActivity extends Activity {
   protected void onCreate(Bundle savedInstanceState);
   protected void onStart();
   protected void onRestart();
   protected void onResume();
   protected void onPause();
   protected void onStop();
   protected void onDestroy();
}
```

A continuación vamos a ver en detalle cada una de estas llamadas a métodos, cuándo se llaman y para qué se utilizan.

Inicializar datos estáticos de la actividad en onCreate()

Cuando se inicia una actividad por primera vez, se realiza una llamada al método `onCreate()`. Este método tiene un único parámetro, `Bundle`, que tiene un valor nulo si la actividad iniciada es nueva. Si esta actividad fue eliminada por motivos de memoria y ahora se inicia de nuevo, `Bundle` contiene la información anterior del estado de esta actividad para que se pueda reiniciar. En el método `onCreate()` es adecuado realizar cualquier configuración, como el diseño o el enlace de datos. Esto incluye llamadas al método `setContentView()`.

Inicializar y recuperar datos de la actividad en onResume()

Cuando la actividad alcanza la parte superior de la pila de actividades y se convierte en el proceso en primer plano, se invoca al método `onResume()`. Aunque es posible que el usuario todavía no vea la actividad, es el lugar más apropiado para recuperar instancias a recursos (exclusivo o no exclusivo) que la actividad necesita ejecutar. Con frecuencia estos recursos son intensivos en procesamiento, por lo que solo los mantendremos cuando la actividad esté en segundo plano.

Truco

El método `onResume()` con frecuencia es el adecuado para iniciar audio, vídeo y animaciones.

Detener, guardar y liberar datos de la actividad en onPause()

Cuando otra actividad se mueve a la parte superior de la pila de actividades, con el método `onPause()` se informa a la actividad actual de que está siendo desplazada hacia abajo en la pila.

Aquí, la actividad debería detener cualquier audio, vídeo o animación iniciada en el método `onResume()`. En esta ubicación también es donde debería desactivar recursos como objetos `Cursor` de bases de datos, u otros objetos que deberían ser eliminados en caso de que su actividad termine. El método `onPause()` puede ser la última oportunidad para que la actividad elimine y libere cualquier recurso mientras esté en segundo plano. Aquí necesita guardar cualquier dato que pueda necesitar, en caso de que su aplicación no se reanude. El sistema se reserva el derecho a eliminar una actividad sin previo aviso después de la llamada a `onPause()`. La actividad también puede guardar información del estado de preferencias específicas de dicha actividad o de toda la aplicación. En el capítulo 12 hablaremos más sobre preferencias.

En el método `onPause()`, la actividad tiene que realizar las acciones en el momento oportuno, ya que la nueva actividad en primer plano no se iniciará hasta que finalice el método `onPause()`.

Advertencia

En general, los recursos y datos recuperados en el método `onResume()` deberían ser liberados en el método `onPause()`. Si no se hace así, cabe la posibilidad de que dichos recursos no sean liberados adecuadamente si el proceso finaliza.

Evitar la eliminación de actividades

Si hay poca memoria disponible, el sistema operativo Android puede eliminar procesos de una actividad que haya sido detenida o destruida. Esto básicamente significa que cualquier actividad que no esté en primer plano es susceptible de ser finalizada.

Si la actividad se elimina después de `onPause()`, no se invocará a los métodos `onStop()` y `onDestroy()`. Cuantos más recursos se liberen en una actividad durante el método `onPause()`, habrá menos probabilidades de que la actividad sea eliminada cuando se encuentre en segundo plano, sin realizar más llamadas a métodos de estado. Cuando una actividad es eliminada, no desaparece de la pila de actividades. En lugar de eso, el estado de dicha actividad se guarda en un objeto `Bundle`, suponiendo que la actividad implementa y utiliza `onSaveInstanceState()` para datos personalizados, aunque se guardan automáticamente algunos datos `View`. Cuando más tarde el usuario vuelve a la actividad, el método `onCreate()` es invocado de nuevo, esta vez con un objeto `Bundle` válido como parámetro.

Truco

¿Por qué es importante que su aplicación se elimine cuando sea sencillo reanudarla? Ante todo es una cuestión de capacidad de respuesta. El diseñador de la aplicación debe lograr un delicado equilibrio entre el mantenimiento de datos y los recursos que la aplicación necesita para reanudarse rápidamente, sin degradar los recursos de la CPU y del sistema mientras se encuentra en segundo plano.

Guardar el estado de la actividad en un Bundle con onSaveInstanceState()

Si una actividad es susceptible de ser eliminada por el sistema operativo Android debido a la falta de memoria, dicha actividad puede guardar su información de estado en un objeto `Bundle` utilizando el método `onSaveInstanceState()`. Esta llamada no está garantizada en todas las circunstancias, por lo que debe utilizar el método `onPause()` para la asignación de datos importantes. Recomendamos guardar los datos importantes en almacenamiento permanente en `onPause()`, pero utilizar `onSaveInstanceState()` para iniciar los datos que se puedan utilizar para restaurar rápidamente la pantalla actual al estado en el que se encuentra actualmente.

> **Truco**
>
> Podría utilizar el método `onSaveInstanceState()` para guardar información no fundamental, como datos de campos de formulario no asignados o cualquier otra información de estado, que haga que la experiencia del usuario en su aplicación sea menos incomoda.

Cuando se vuelve a esta actividad más adelante, el `Bundle` se pasa dentro del método `onCreate()`, permitiendo que dicha actividad vuelva exactamente al mismo estado en el que estaba cuando fue detenida. También puede leer la información del `Bundle` después de la llamada al método `onStart()` con una llamada a `onRestoreInstanceState()`. De esta forma, al estar ahí la información del `Bundle`, la restauración del estado anterior será más rápida y eficiente que si empieza desde cero.

Destruir datos estáticos de la actividad en onDestroy()

Cuando una actividad es destruida durante el transcurso de la ejecución, se invoca al método `onDestroy()`, el cual puede ser llamado por alguna de las siguientes razones: la actividad ha terminado su ciclo de vida voluntariamente o bien la actividad está siendo eliminada por el sistema operativo porque necesita recursos, pero todavía tiene tiempo de destruir su actividad (al contrario que eliminarla sin llamar al método `onDestroy()`).

> **Truco**
>
> El método `isFinishing()` devuelve el valor False (Falso) si la actividad ha sido eliminada por el sistema operativo Android. Este método también puede ser útil en el método `onPause()` para saber si la actividad va a ser o no reanudada inmediatamente. A pesar de todo la actividad todavía podría ser eliminada en el método `onStop()` más adelante. Podría utilizar esta técnica como una indicación de cuánta información de estado debería guardar en almacenamiento permanente.

Organizar componentes de una actividad con fragmentos

En versiones antiguas de Android SDK, generalmente existía una relación uno a uno entre una clase `Activity` y una pantalla de la aplicación. Dicho de otro modo, para cada pantalla de la aplicación se definía una actividad, para gestionar su interfaz de usuario. Esto funcionaba bien para dispositivos con pantallas pequeñas como la de los smartphone, pero cuando Android SDK comenzó a soportar otros tipos de dispositivos como tabletas o televisiones, esta relación no resultó ser lo suficientemente flexible. Había ocasiones en que la funcionalidad de la pantalla necesitaba ser divida en componentes a un nivel inferior al de la clase `Activity`. Por lo tanto, en Android 3.0 se introdujo un nuevo concepto llamado fragmentos. Un fragmento consiste en una sección de funcionalidad de la pantalla o de la interfaz de usuario con su propio ciclo de vida que se ubica dentro de una actividad, y se representa con la clase `Fragment` (`android.app.Fragment`) u otras clases de soporte. Las instancias de la clase `Fragment` deben estar incluidas dentro de una instancia `Activity` (y de su ciclo de vida), pero no es necesario que estén vinculadas con la misma clase `Activity` cada vez que los fragmentos son instanciados.

Truco

Puede que se esté preguntando por qué consideramos los fragmentos bloques constructivos fundamentales de las aplicaciones Android, ya que se han incluido recientemente en la versión 3.0 de Android SDK. De todo lo que hemos oído y leído de los desarrolladores de Android SDK, se puede deducir que los fragmentos son el futuro de diseño de aplicaciones Android para todo tipo de dispositivos. Algunos componentes de la interfaz de usuario más establecidas se han quedado obsoletos con la introducción de nuevas versiones dentro de las API `Fragment`. En la documentación de Android SDK se fomenta su uso, hasta el punto de que Android SDK ahora incluye un paquete de compatibilidad (también llamado paquete de soporte) que permite el uso de la librería de fragmentos en todas las versiones actuales de la plataforma Android (siendo la versión 1.6 la más antigua soportada).

Los fragmentos, y cómo hacen que las aplicaciones sean más flexibles, se entienden mejor con un ejemplo. Suponga que tiene una sencilla aplicación de reproducción de música MP3 que permite al usuario visualizar una lista de artistas, desde aquí explorar sus discos y desde estos últimos visualizar las canciones de un disco determinado. Cuando en un momento dado el usuario selecciona la reproducción de una canción, se muestra la carátula del disco junto con la información de la canción y su progreso (con los controles para siguiente, anterior, pausa, etc.).

Si estuviera utilizando la sencilla regla de una pantalla para cada actividad, en este caso tendría cuatro pantallas, que se podrían llamar: Lista de artistas, Lista de discos de artista, Lista de canciones de disco y Mostrar canción. Podría implementar cuatro actividades, una para cada pantalla. Esto funcionaría bien para un dispositivo con una pantalla pequeña como la de un smartphone. Pero en una tableta o en una televisión estaría desaprovechando mucho espacio. O dicho de otra forma, tiene más opciones de proporcionar una experiencia al usuario más enriquecedora, en un dispositivo con más espacio disponible. En realidad, en una pantalla lo suficientemente grande, querrá implementar una interfaz estándar de librería musical:

- En la primera columna se muestra el listado de artistas. Cuando se selecciona un artista se filtra la segunda columna.
- En la segunda columna se muestra un listado de los discos de un determinado artista. Cuando se selecciona un disco se filtra la tercera columna.
- En la tercera columna se muestra un listado de las canciones del disco.
- En la mitad inferior de la pantalla, debajo de las columnas, siempre se muestra el artista, el disco o la carátula, y detalles, dependiendo de la selección de las columnas superiores. Si el usuario selecciona la opción de reproducir, la aplicación también puede mostrar información en ésta área de la canción y su progreso.

Este tipo de diseño de aplicación solo requiere una pantalla, y por lo tanto una sola clase `Activity`, como puede ver en la figura 5.4.

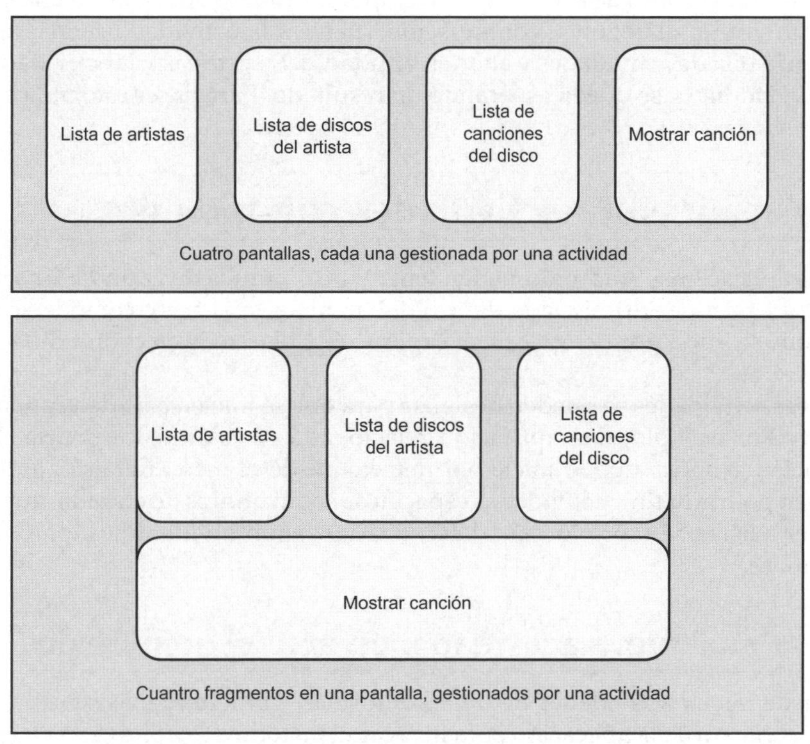

Figura 5.4. Los fragmentos pueden mejorar la flexibilidad del flujo de trabajo en su aplicación.

Pero el problema surge cuando realmente tiene que desarrollar dos aplicaciones por separado: una para las pantallas pequeñas y otra para las grandes. Aquí es donde los fragmentos entran en juego. Si divide en componentes sus características y crea cuatro fragmentos (Lista de artistas, Lista de discos, Lista de canciones y Mostrar reproducción de la canción), puede mezclarlos y distribuirlos sobre la marcha, pero teniendo que mantener un solo código base. En el capítulo 10 hablaremos en detalle de los fragmentos.

Gestionar transiciones en la actividad con Intents

Durante el transcurso del ciclo de vida de una aplicación Android, el usuario puede cambiar entre diferentes instancias `Activity`. A veces pueden existir simultáneamente varias instancias de una actividad en la pila de actividades. Los desarrolladores tienen que prestar atención al ciclo de vida de cada actividad durante estas transiciones.

Algunas instancias `Activity`, como la pantalla de inicio/bienvenida, se muestran y a continuación son descartadas cuando la actividad de la pantalla del menú principal toma el relevo. El usuario no puede volver a la actividad de la pantalla de inicio sin tener que reiniciar la aplicación. En este caso, puede utilizar los métodos `startActivity()` y `finish()`.

Otras transiciones de actividad son temporales, como por ejemplo una actividad hijo que muestra un diálogo y a continuación vuelve a la actividad original (que fue detenida en la pila de actividades y ahora reanudada). En este caso, la actividad padre inicia la actividad hijo y se queda esperando un resultado. Para hacer esto utilice los métodos `startActivityForResult()` y `onActivityResult()`.

Transición entre actividades con Intents

Las aplicaciones Android pueden tener varios puntos de entrada. Una determinada actividad puede ser designada dentro del archivo `manifest` como la actividad principal que se inicia por defecto. En el capítulo 6 hablaremos en profundidad del archivo `manifest`.

Otras actividades se pueden designar para que se inicien bajo determinadas circunstancias. Por ejemplo, una aplicación relacionada con la música podría designar una aplicación genérica que se inicie por defecto desde el menú de dicha aplicación, pero también podría definir actividades específicas como puntos de entrada alternativos para acceder a listas de reproducción determinadas según un identificador, o a artistas por su nombre.

Iniciar una nueva actividad mediante el nombre de la clase

Puede iniciar actividades de diversas formas. El método más sencillo es utilizar el objeto contexto de la aplicación para invocar al método `startActivity()`, que utiliza un único parámetro, un `Intent`.

Un Intent (android.content.Intent) es un mecanismo de mensaje asíncrono utilizado por el sistema operativo Android para asociar peticiones de tareas con el servicio o actividad (iniciándolos si es necesario) apropiado, y para transmitir eventos Intent a todo el sistema en general.

No obstante, por ahora nos vamos a centrar en el objeto Intent y en cómo se utiliza con actividades. La siguiente línea de código invoca al método startActivity() con un Intent explícitamente. Este Intent solicita el inicio de la actividad destino llamada MyDrawActivity por su clase. Esta clase está implementada en cualquier otro sitio dentro del paquete.

```
startActivity(new Intent(getApplicationContext(),MyDrawActivity.class));
```

Esta línea de código puede ser suficiente para muchas aplicaciones que simplemente realizan la transición de una actividad a la siguiente. Sin embargo, puede utilizar el mecanismo Intent de una forma mucho más robusta, por ejemplo para pasar datos entre actividades.

Crear Intents con acción y datos

Hemos visto el caso más sencillo de la utilización de un Intent para iniciar una clase por su nombre. Los Intents no necesitan especificar explícitamente el componente o la clase que quieren iniciar. En lugar de eso, puede crear un filtro Intent y registrarlo dentro del archivo manifest de Android. Estos filtros se utilizan por actividades, servicios y receptores de eventos, para especificar cuáles son los eventos que cada uno está interesado en recibir (y filtrarlos del resto). El sistema operativo Android intenta solucionar los requisitos del Intent e iniciar la actividad adecuada basándose en el criterio de filtrado.

En su interior un objeto Intent está formado de dos partes principales: la acción a realizar y, opcionalmente, los datos sobre los que hay que actuar. También puede especificar parejas acción/datos utilizando tipos Intent Action y objetos Uri. Como vimos en el capítulo 3, un objeto Uri representa una cadena que proporciona la localización y el nombre de un objeto. Por lo tanto, un Intent básicamente dice "haz esto" (la acción) en "esto" (Uri que describe qué recursos utilizar para ejecutar la acción).

Los tipos de acciones más comunes se definen en la clase Intent, incluyendo ACTION_MAIN (describe el punto de entrada principal de una aplicación) y ACTION_EDIT (utilizada con los datos modificados junto con un Uri). También puede encontrar tipos de acciones que generan puntos de integración con actividades en otras aplicaciones, como el navegador o el dial del teléfono.

Iniciar una actividad que pertenece a otra aplicación

En principio su aplicación solo iniciará actividades definidas dentro de su propio paquete. Sin embargo, con los permisos apropiados, las aplicaciones también pueden iniciar actividades externas que se encuentran en otras aplicaciones. Por ejemplo, una aplicación CRM (*Customer Relationship Management*, Gestión de relaciones con el cliente) podría iniciar la aplicación Contactos para explorar la base de datos de los contactos, seleccionar un contacto determinado y devolver el identificador único del contacto al CRM.

A continuación puede ver un ejemplo sobre cómo crear un sencillo `Intent` con una acción predefinida (`ACTION_DIAL`), para marcar en el teléfono un número específico, en forma de un sencillo objeto `Uri`:

```
Uri number = Uri.parse("tel:5555551212");
Intent dial = new Intent(Intent.ACTION_DIAL, number);
startActivity(dial);
```

Puede encontrar un listado de los `Intents` de aplicaciones Google más utilizados en `http://d.android.com/guide/appendix/g-app-intents.html`. También puede utilizar el registro de `Intents` gestionado por desarrolladores de OpenIntents, en `http://www.openintents.org/en/intentstable`. Existe una lista de `Intents` en desarrollo de aplicaciones de terceros y también dentro de Android SDK.

Pasar información adicional utilizando Intents

También puede incluir datos adicionales en un `Intent`. La propiedad `Extras` de un `Intent` se almacena en un objeto `Bundle`. La clase `Intent` también incluye una serie de útiles métodos para obtener y configurar parejas nombre/valor para muchos tipos de datos comunes.

Por ejemplo, el siguiente `Intent` incluye dos fragmentos añadidos de información, un valor `string` y otro `boolean`:

```
Intent intent = new Intent(this, MyActivity.class);
intent.putExtra("SomeStringData","Foo");
intent.putExtra("SomeBooleanData",false);
startActivity(intent);
```

A continuación, en el método `onCreate()` de la clase `MyActivity`, puede recuperar los datos añadidos enviados como sigue:

```
Bundle extras = getIntent().getExtras();
if (extras != null) {
   String myStr = extras.getString("SomeStringData", "Default Value");
   Boolean myBool = extras.getString("SomeBooleanData", true);
}
```

Truco

Las cadenas que utiliza para identificar los objetos añadidos de su `Intent` pueden ser lo que quiera. Sin embargo, las convenciones de Android para el nombre en clave de los datos añadidos señalan que hay que incluir un prefijo del paquete, por ejemplo, `com.androidbook.Multimedia.CadenaDeDatos`. También recomendamos que defina los nombres de cadenas añadidas en la actividad en la que se van a utilizar (esto no lo hemos hecho en el ejemplo anterior por brevedad).

Organizar la navegación en la aplicación con actividades e Intents

Como se comentó anteriormente, su aplicación probablemente incluirá una serie de pantallas, cada una con su propia actividad. Hay una estrecha relación entre actividades e `Intents` y la navegación en la aplicación. Con frecuencia se encontrará con una especie de menús prototipo que se utilizan de diferentes formas para navegar por la aplicación:

- **Menú principal o pantalla tipo listado:** Actúa como un enlace en el cual cada elemento del menú inicia una actividad diferente en su aplicación. Por ejemplo, los elementos de menú para iniciar la actividad Juego, la actividad Puntuaciones o la actividad Ayuda.
- **Pantalla tipo listado con detalles:** Actúa como un directorio en el que cada elemento del menú inicia la misma actividad, pero cada elemento pasa datos diferentes formando parte del `Intent` (por ejemplo, un menú con todos los registros de la base de datos). Al seleccionar un elemento específico se podría iniciar la actividad para modificar un registro, pasando los identificadores únicos de determinados elementos.
- **Hacer clic en acciones:** A veces quiere navegar entre pantallas en forma de asistente. Podría configurar el controlador del clic como un control de la interfaz de usuario, como un botón **Siguiente**, para poner en marcha una nueva actividad y finalizar la actual.
- **Menú de opciones:** En algunas aplicaciones se prefiere ocultar las opciones de navegación hasta que el usuario las necesite. Después el usuario puede hacer clic en el botón **Menú** del dispositivo e iniciar un menú de opciones, donde cada opción de la lista se corresponda con un `Intent`, que inicia una actividad diferente.
- **Navegación estilo tipo barra de acciones:** Introducidas en una versión reciente de Android SDK, las barras de acciones consisten en una barra de título con botones de navegación, cada uno de los cuales genera un `Intent` e inicia una actividad específica.

Trabajar con servicios

Tratar de asimilar las actividades y los `Intents` cuando está empezando a desarrollar en Android puede ser un tarea desalentadora. Hemos intentado incluir todo lo que necesita saber para empezar a escribir aplicaciones Android con múltiples clases `Activity`, pero seríamos descuidados si no dijéramos que hay mucho más que decir sobre este tema, aunque buena parte de ello se trata en este libro a través de ejemplos. Sin embargo, necesitábamos darle un adelanto sobre algunos de estos temas ahora, ya que empezaremos a verlos en el próximo capítulo cuando estudiemos la configuración del archivo `manifest` de Android de su aplicación. Un componente de una aplicación que hemos visto brevemente son los servicios. Se puede pensar en un servicio de Android (`android.app.Service`) como un componente creado por el desarrollador que no tiene su propia interfaz de usuario. Puede ser una de las dos cosas, o ambas. Se puede utilizar para ejecutar operaciones largas que sobrepasen el ámbito de una única actividad, y adicionalmente un servicio puede ser el servidor de una estructura cliente/servidor para proporcionar funcionalidad a través de invocación remota vía comunicación interprocesos. Aunque con frecuencia se utiliza para controlar operaciones largas de servidor, el tiempo de procesado puede ser el que el desarrollador quiera. Todas las clases `Service` definidas por una aplicación Android deben ser registradas en el archivo `manifest` de Android. Puede utilizar los servicios con diferentes objetivos. En general, un servicio se utiliza cuando no se requieren entradas del usuario. Existen algunas circunstancias en las que podría querer implementar o utilizar un servicio Android:

- Una aplicación de pronóstico del tiempo, de correo electrónico o de redes sociales podría implementar un servicio para comprobar periódicamente actualizaciones en la red (existen otras implementaciones para muestreo de datos, pero este es un uso habitual de los servicios).
- Un juego podría crear un servicio para descargar y procesar el contenido para el siguiente nivel o cuando el usuario lo necesite.
- Una aplicación de imágenes o multimedia que tiene los datos sincronizados *online* podría implementar un servicio para empaquetar y subir nuevos contenidos en segundo plano cuando no hay actividad en el dispositivo.
- Una aplicación de edición de vídeo podría descargar operaciones de procesamiento intensivo de una cola en un servicio, para evitar que tareas no fundamentales afecten al rendimiento global del sistema.
- Una aplicación de noticias podría implementar un servicio para precargar contenido descargando noticias nuevas por adelantado, o cuando el usuario inicie la aplicación, para mejorar el rendimiento y la capacidad de respuesta.

Una buena regla de diseño es que si la tarea requiere el uso de un hilo, puede afectar a la capacidad de respuesta y al rendimiento de la aplicación, y no necesita una respuesta inmediata de la misma, se puede considerar la implementación de un servicio, para gestionar la tarea fuera de la aplicación principal y de cualquier ciclo de vida de actividades individuales.

Recibir y transmitir Intents

Los `Intents` también se utilizan con otro objetivo. Puede transmitir un `Intent` (a través de una llamada a `broadcastIntent()`) a todo el sistema Android en general, permitiendo que cualquier aplicación interesada (llamada `BroadcastReceiver`) reciba dicha transmisión y actúe en consecuencia. Su aplicación podría tanto enviar como escuchar transmisiones de `Intents`. Las transmisiones habitualmente se utilizan para informar al sistema de que algo interesante ha ocurrido. Por ejemplo, un `Intent` comúnmente transmitido es `ACTION_BATTERY_LOW`, que se transmite como una advertencia cuando la batería tiene poca carga. Si su aplicación tiene un servicio en ejecución que gasta batería en exceso, o si puede perder datos en caso de un apagado inesperado, sería interesante escuchar este tipo de información y actuar en consecuencia. También existen transmisiones interesantes de otros eventos del sistema, como cambios en el estado de la tarjeta de memoria, aplicaciones instaladas o eliminadas o el cambio del fondo de pantalla.

Su aplicación también puede compartir información utilizando este mecanismo de transmisión. Por ejemplo, una aplicación de correo electrónico podría transmitir un `Intent` cuando llegue un correo nuevo, para que otras aplicaciones (como aplicaciones de spam o antivirus) que podrían estar interesadas en este tipo de eventos puedan reaccionar.

Resumen

Hemos intentado mantener una solución de compromiso, proporcionando una referencia amplia, y a la vez tratando de no abrumarle con detalles que no necesitará conocer cuando desarrolle una aplicación Android típica. En lugar de eso, nos hemos centrado en los detalles que necesita conocer para avanzar en el desarrollo de aplicaciones Android y para entender los ejemplos de este libro.

La clase `Activity` es el bloque fundamental de cualquier aplicación Android. Cada actividad ejecuta una tarea específica dentro de la aplicación, generalmente representada por una única pantalla. Cada actividad es responsable de gestionar sus propios recursos y datos a través de una serie de llamadas a ciclos de vida. Puede dividir su clase `Activity` en componentes funcionales utilizando la clase `Fragment`. Esto permitirá que más de una actividad muestre componentes similares en una pantalla, sin tener que duplicar código en varias clases `Activity`. La transición de una actividad a la siguiente se realiza con el mecanismo `Intent`. Un objeto `Intent` actúa como un mensaje asíncrono que el sistema operativo Android procesa, y al que responde iniciando la actividad o servicio correspondiente. También puede utilizar objetos `Intent` para transmitir eventos a todo el sistema, que pueden ser escuchados por las aplicaciones interesadas.

Referencias y más información

- Referencia de Android SDK en relación con la clase `Context`: `http://developer.android.com/reference/android/content/Context.html`.
- Referencia de Android SDK en relación con la clase `Activity`: `http://developer.android.com/reference/android/app/Activity.html`.

- Referencia de Android SDK en relación con la clase `Fragment`: `http://developer.android.com/reference/android/app/Fragment.html`.
- Guía de desarrollo Android con fragmentos: `http://developer.android.com/guide/topics/fundamentals/fragments.html`.
- Uso del paquete de compatibilidad (soporte) de Android: `http://d.android.com/sdk/compatibility-library.html`.
- Guía de desarrollo Android con `Intents` y filtros de `Intents`: `http://developer.android.com/guide/topics/intents/intents-filters.html`.

6
Definir su aplicación utilizando el archivo manifest de Android

Los proyectos de Android utilizan un archivo especial de configuración llamado archivo `manifest` Android para definir los ajustes de la aplicación, como el nombre y la versión, así como los permisos que necesita para poder ejecutarse y los componentes por los que está formado. En este capítulo vamos a ver este archivo en detalle y aprenderemos cómo lo utilizan las aplicaciones para definir y describir su comportamiento.

Configurar aplicaciones Android utilizando el archivo manifest

El archivo `manifest` es una archivo formateado como XML que debe acompañar a cada aplicación Android. Contiene información importante sobre la misma. Es donde se define el nombre de la aplicación y se da información sobre la versión, así como los componentes por los que está formada, permisos que necesita para ejecutarse y más información sobre su configuración.

Su nombre es `AndroidManifest.xml` y se debe incluir en el nivel superior de un proyecto Android. La información de este archivo se utiliza por el sistema Android para:

- Instalar y actualizar el paquete de la aplicación.
- Mostrar al usuario los detalles de la aplicación, como su nombre, descripción e iconos.

- Especificar los requisitos de la aplicación, incluyendo la versión soportada de Android SDK, configuración del dispositivo necesaria (por ejemplo, navegación d-pad), y características de la plataforma utilizadas por la aplicación (por ejemplo, característica multi-táctil).
- Especificar las características requeridas por la aplicación para su filtrado en el mercado.
- Registrar actividades de la aplicación y el momento en el que se deberían iniciar.
- Gestionar permisos de la aplicación.
- Configurar otros detalles de componentes avanzados de la aplicación, incluyendo servicios definidos, receptores de transmisiones y proveedores de contenidos.
- Especificar filtros de Intents para actividades, servicios y receptores de transmisiones.
- Habilitar ajustes de aplicaciones como depuración y configuración de instrumentación para pruebas de aplicaciones.

Truco

Cuando utiliza Eclipse con el *plugin* ADT, el asistente de creación de proyectos genera automáticamente el archivo `AndroidManifest.xml`. Si no utiliza Eclipse, la herramienta en línea de comandos `android` también puede crear el archivo `manifest` de forma automatizada.

Modificar el archivo manifest

Este archivo está ubicado en el nivel superior de su proyecto Android. Puede modificarlo utilizando el editor de recursos del archivo `manifest` de Eclipse, que es una opción incluida en el *plugin* ADT de Eclipse, o modificar manualmente el archivo XML.

Truco

Para cambios de configuración sencillos, recomendamos utilizar el editor. Sin embargo, si va a añadir muchos registros de actividades o algo más complejo, usualmente es mejor que modifique directamente el archivo XML porque el editor de recursos puede ser algo confuso y no tiene documentación disponible. Hemos notado que cuando los cambios complejos en la de configuración generan XML anidados (como por ejemplo un filtro `Intent`), es fácil que los usuarios terminen con ajustes de `manifest` en niveles erróneos de la jerarquía de etiquetas XML. Por lo tanto, si utiliza el editor, siempre debería comprobar in situ el XML resultante para asegurarse de que es correcto.

Editar el archivo manifest con Eclipse

Puede utilizar el editor de archivos `manifest` de Eclipse para modificar este archivo. El editor organiza la información en categorías:

- Pestaña Manifest.
- Pestaña Application (Aplicación).
- Pestaña Permissions (Permisos).
- Pestaña Instrumentation (Instrumentación).
- Pestaña AndroidManifest.xml.

Vamos a echar un vistazo más de cerca a un archivo `manifest` de ejemplo. Es algo más complejo de los que hemos visto hasta ahora, y se muestran características diferentes de las del archivo `manifest` por defecto que configuramos para el proyecto MyFirstAndroidApp.

Configurar ajustes en todo el paquete del proyecto utilizando la pestaña Manifest

La pestaña Manifest, que puede ver en la figura 6.1, incluye ajustes de todo el paquete, incluyendo su nombre, información de la versión e información sobre la versión de Android SDK soportada. Aquí también puede configurar cualquier requisito de hardware o de características.

Gestionar ajustes de la aplicación y de actividades en la pestaña Application

Las pestaña Application incluye ajustes globales de la aplicación, como la etiqueta y el icono, así como información sobre componentes de la aplicación, como actividades, y otros, como configuración de servicios, filtros de `Intents` y proveedores de contenidos.

Forzar permisos de aplicaciones en la pestaña Permissions

La pestaña Permissions, que puede ver en la figura 6.3, incluye todos los permisos que necesita su aplicación. Esta pestaña también se puede utilizar para forzar permisos personalizados creados por la aplicación.

Advertencia

No confunda el campo Permission (Permisos) de la aplicación (lista desplegable en la pestaña Application (Aplicación)), con las opciones de la pestaña Permissions (Permisos). Utilice la pestaña para definir los permisos necesarios de la aplicación.

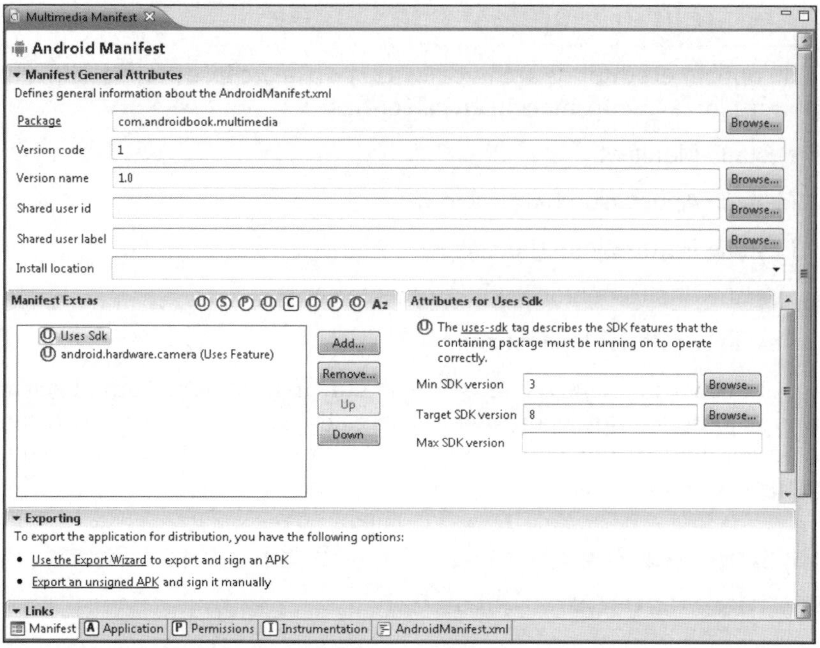

Multimedia Manifest

Android Manifest

Manifest General Attributes

Defines general information about the AndroidManifest.xml

Package: com.androidbook.multimedia [Browse...]

Version code: 1

Version name: 1.0 [Browse...]

Shared user id: [Browse...]

Shared user label: [Browse...]

Install location:

Manifest Extras

Uses Sdk

android.hardware.camera (Uses Feature)

Add... Remove... Up Down

Attributes for Uses Sdk

The uses-sdk tag describes the SDK features that the containing package must be running on to operate correctly.

Min SDK version: 3 [Browse...]

Target SDK version: 8 [Browse...]

Max SDK version:

Exporting

To export the application for distribution, you have the following options:

- Use the Export Wizard to export and sign an APK
- Export an unsigned APK and sign it manually

Links

Manifest | Application | Permissions | Instrumentation | AndroidManifest.xml

Figura 6.1. Pestaña Manifest del editor de recursos del archivo manifest de Eclipse.

Multimedia Manifest

Android Manifest Application

Application Toggle

The application tag describes application-level components contained in the package, as well as general application attributes.

Define an <application> tag in the AndroidManifest.xml

Application Attributes

Defines the attributes specific to the application.

Name	[Browse...]	Debuggable	true
Theme	[Browse...]	Vm safe mode	
Label	@string/app_name [Browse...]	Manage space activity	[Browse...]
Icon	@drawable/ic_launcher [Browse...]	Allow clear user data	
Description	[Browse...]	Test only	
Permission		Backup agent	[Browse...]
Process	[Browse...]	Allow backup	
Task affinity	[Browse...]	Kill after restore	
Allow task reparenting		Restore needs application	
Has code		Restore any version	
Persistent		Never encrypt	
Enabled		Cant save state	

Application Nodes

.MultimediaActivity

Intent Filter

android.intent.action.MAIN (Action)

android.intent.category.LAUNCHER (Category)

Add... Remove...

Attributes for .MultimediaActivity

The activity tag declares an **android.app.Activity** class that is available as part of the package's application components, implementing a part of the application's user interface.

Name*: .MultimediaActivity [Browse...]

Manifest | Application | Permissions | Instrumentation | AndroidManifest.xml

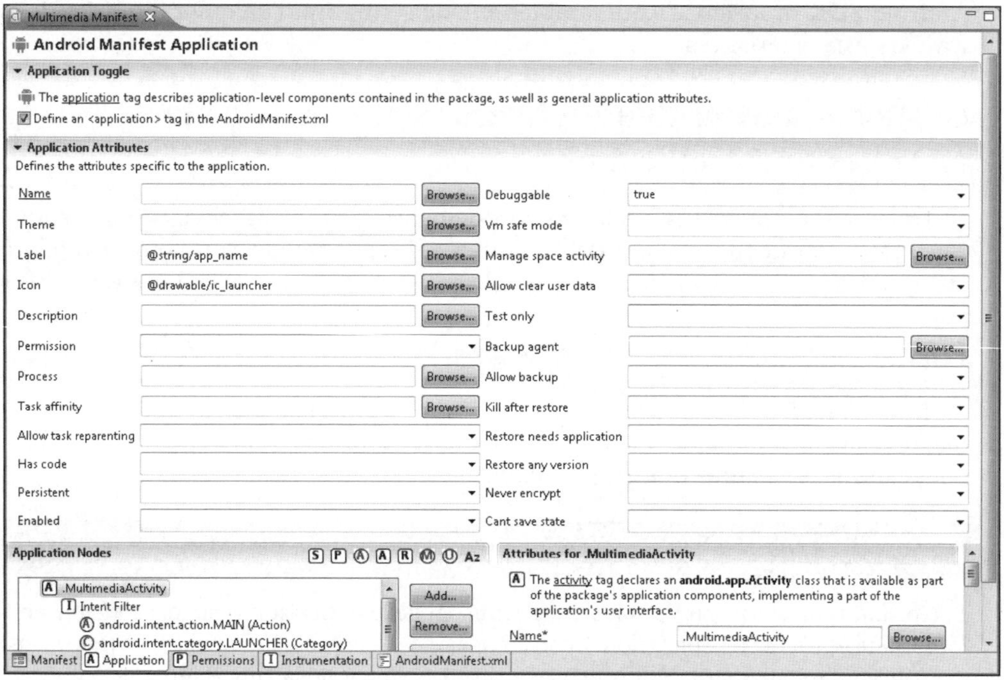

Figura 6.2. Pestaña Application del editor de recursos del archivo manifest de Eclipse.

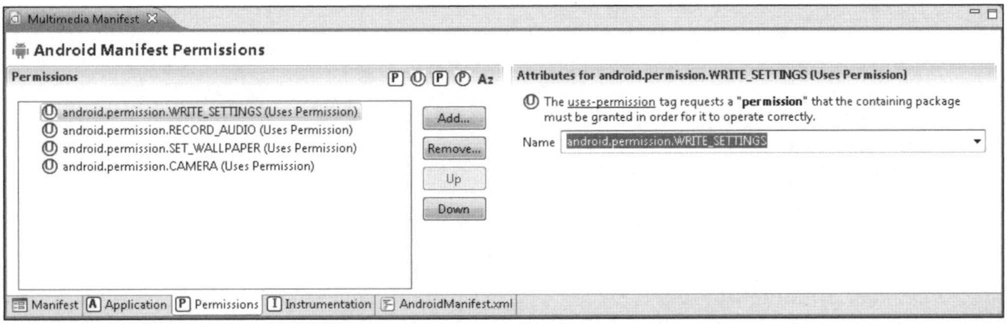

Figura 6.3. Pestaña Permissions del editor de recursos del archivo manifest de Eclipse.

Gestionar la instrumentación de pruebas en la pestaña Instrumentation

La pestaña Instrumentation (Instrumentación) permite a los desarrolladores declarar las clases de instrumentación para controlar la aplicación. Hablaremos en detalle de instrumentación y pruebas en el capítulo 18.

Modificar el archivo manifest de forma manual

El archivo `manifest` de Android es un archivo con un formato especial XML. Puede modificar este archivo manualmente haciendo clic en la pestaña AndroidManifest.xml.

Este archivo generalmente incluye una sola etiqueta `<manifest>` con una etiqueta `<application>`. A continuación puede ver un ejemplo de un archivo `AndroidManifest.xml` de una aplicación llamada Multimedia.

```
<?xml version="1.0" encoding="utf-8"?>
<manifest xmlns:android="http://schemas.android.com/apk/res/android"
   package="com.androidbook.multimedia"
   android:versionCode="1"
   android:versionName="1.0">
   <application android:icon="@drawable/ic_launcher"
      android:label="@string/app_name"
      android:debuggable="true">
      <activity android:name=".MultimediaMenuActivity"
         android:label="@string/app_name">
         <intent-filter>
            <action
               android:name="android.intent.action.MAIN" />
            <category
               android:name="android.intent.category.LAUNCHER" />
         </intent-filter>
      </activity>
      <activity android:name="AudioActivity"></activity>
      <activity android:name="StillImageActivity"></activity>
      <activity android:name="VideoPlayActivity"></activity>
      <activity android:name="VideoRecordActivity"></activity>
```

```
    </application>
    <uses-permission
       android:name="android.permission.WRITE_SETTINGS" />
    <uses-permission
       android:name="android.permission.RECORD_AUDIO" />
    <uses-permission
       android:name="android.permission.SET_WALLPAPER" />
    <uses-permission
       android:name="android.permission.CAMERA"></uses-permission>
    <uses-sdk
       android:minSdkVersion="4"
       android:targetSdkVersion="10">
    </uses-sdk>
    <uses-feature
       android:name="android.hardware.camera" />
</manifest>
```

A continuación puede ver un resumen de lo que el archivo nos dice sobre la aplicación Multimedia:

- La aplicación utiliza un paquete llamado `com.androidbook.multimedia`.
- El nombre de la versión de la aplicación es 1.0.
- El nombre del código de la aplicación es 1.
- El nombre y la etiqueta de la aplicación se guardan en un recurso de cadena llamado `@string/app_name` dentro del archivo de recursos `/res/values/strings.xml`.
- La aplicación es depurable en un dispositivo Android.
- El icono de la aplicación se llama `ic_launcher` (puede ser un archivo PNG, JPG o GIF) y se guarda en el directorio `/res/drawable` (realmente existen diferentes versiones para diferentes densidades de píxeles).
- La aplicación incluye cinco actividades (`MultimediaMenuActivity`, `AudioActivity`, `StillImageActivity`, `VideoPlayActivity` y `VideoRecordActivity`).
- La actividad `MultimediaMenuActivity` es el punto de entrada principal en la aplicación, ya que gestiona la acción `android.intent.action.MAIN`. Esta actividad se muestra en el lanzador de la aplicación, porque su categoría es `android.intent.category.LAUNCHER`.
- La aplicación necesita los siguientes permisos para ejecutarse: posibilidad de grabar audio, definir el fondo de pantalla del dispositivo, acceder a la cámara incluida en el dispositivo y realizar ajustes.
- La aplicación funciona desde el nivel 4 hasta el 10 de la API. Dicho de otro modo, la versión inferior de Android SDK soportada es la 1.6, y la aplicación se escribió para implementarse en Gingerbread MR1 (por ejemplo, Android 2.3.4).
- Por último, la aplicación necesita que la cámara funcione correctamente.

A continuación vamos a hablar en detalle de algunos de estos importantes ajustes de la configuración.

Gestionar la identidad de su aplicación

En el archivo `manifest` de Android se definen las propiedades de su aplicación. El nombre del paquete deber estar definido en este archivo dentro de la etiqueta `<manifest>` utilizando el atributo `package`:

```
<manifest
    xmlns:android="http://schemas.android.com/apk/res/android"
    package="com.androidbook.multimedia"
    android:versionCode="1"
    android:versionName="1.0">
```

Version de su aplicación

Versionar adecuadamente su aplicación es fundamental para mantenerla en su ámbito. Hacerlo de forma inteligente puede ayudar a reducir la confusión y hacer que el soporte del producto y la actualización sean más sencillas. En la etiqueta `<manifest>` se definen dos tipos diferentes de atributos: el nombre de la versión y el código de la versión. El nombre de la versión (`android:versionName`) es una atributo sencillo definido por el desarrollador. Esta información se muestra a los usuarios cuando gestionan aplicaciones en sus dispositivos y cuando descargan aplicaciones desde los mercados. Los desarrolladores utilizan esta información para controlar las versiones de su aplicación. En el capítulo 16 hablaremos sobre cómo definir versiones correctas para aplicaciones móviles.

> **Advertencia**
>
> Aunque puede utilizar un recurso cadena para algunos ajustes del archivo `manifest`, como `android:versionName`, algunos sistemas de publicación no soportan esta característica.

El sistema operativo Android utiliza el código de la versión (`android:versionCode`), que es un atributo numérico, para gestionar actualizaciones de la aplicación. En el capítulo 19 hablaremos en detalle sobre publicación y soporte de actualizaciones.

Configurar el nombre y el icono de la aplicación

Los ajustes globales de la aplicación se definen en la etiqueta `<application>` del archivo `manifest`. Aquí se define información como el icono de la aplicación (`android:icon`) y un nombre fácil de utilizar (`android:label`). Estos ajustes son atributos de la etiqueta `<application>`.

Por ejemplo, a continuación definimos el icono de la aplicación como un recurso de imagen proporcionado en el paquete de la aplicación, y la etiqueta como un recurso de cadena:

```
<application android:icon="@drawable/ic_launcher"
   android:label="@string/app_name">
```

En la etiqueta `<application>` también puede definir ajustes opcionales de la aplicación como atributos, como por ejemplo una descripción de la aplicación (`android:description`) y un ajuste para habilitar la depuración de la aplicación en el dispositivo (`android:debuggable="true"`).

Aplicar requisitos del sistema en su aplicación

Además de configurar la identidad de su aplicación, el archivo `manifest` también se utiliza para especificar los requisitos del sistema necesarios para que la aplicación funcione adecuadamente. Por ejemplo, una aplicación de realidad aumentada podría necesitar que el dispositivo tuviera GPS, una brújula y una cámara. Igualmente, una aplicación que utilice la API Bluetooth disponible en Android SDK, necesita un dispositivo con una versión SDK con una API de nivel 5 o superior (Android 2.0), porque aquí es donde se introdujeron dichas API.

En el archivo `manifest` se pueden definir y aplicar este tipo de requisitos del sistema. Cuando se instala una aplicación en un dispositivo, la plataforma Android comprueba estos requisitos y generará un error si fuera necesario. De forma similar, Google play utiliza la información del archivo `manifest` para filtrar las aplicaciones disponibles en cada dispositivo, para que los usuarios instalen aplicaciones que se puedan ejecutar en sus dispositivos.

Algunos de estos requisitos del sistema que los desarrolladores pueden configurar a través del archivo `manifest` de Android son:

- Versión de Android SDK soportada por la aplicación.
- Características de la plataforma Android utilizadas por la aplicación.
- Configuraciones de hardware requeridas por la aplicación.
- Tamaño de la pantalla y densidad de píxeles soportadas por la aplicación.
- Librerías externas con las que enlaza la aplicación.

Utilizar versiones específicas de SDK.

Los dispositivos Android ejecutan diferentes versiones de la plataforma Android. Con frecuencia verá dispositivos antiguos, poco potentes o baratos, que ejecutan versiones antiguas de la plataforma Android, mientras que los dispositivos más potentes del mercado utilizan la última versión del software Android.

Actualmente existen cientos de dispositivos Android diferentes en las manos de los usuarios. Los desarrolladores deben decidir el tipo de usuarios para una determinada aplicación. ¿Hay que tratar de incluir a la mayor proporción de usuarios, por lo que habría que dar soporte al mayor número posible de versiones de la plataforma, o hay que desarrollar un juego muy avanzado que requiere el último hardware en el dispositivo?

Truco

Puede ampliar el rango de versiones SDK que su aplicación soporta utilizando el paquete de compatibilidad, o utilizando la reflexión en Java para comprobar las características del SDK antes de utilizarlas. Puede encontrar más información sobre el paquete de compatibilidad en `http://goo.gl/WcIt0` y sobre la compatibilidad con versiones anteriores en `http://goo.gl/oTNUJ` y `http://goo.gl/L6iZR`.

Los desarrolladores pueden especificar las versiones de la plataforma Android soportadas por su aplicación en el archivo `manifest` utilizando la etiqueta `<uses-sdk>`. Esta etiqueta incluye tres atributos importantes:

- minSdkVersion: Especifica el nivel de API más bajo soportado por la aplicación.
- targetSdkVersion: Especifica el nivel óptimo de la API soportado por la aplicación.
- maxSdkVersion: Especifica el nivel de la API más alto soportado por la aplicación.

Truco

El mercado Android filtra las aplicaciones disponibles para un determinado usuario basándose en ajustes como la etiqueta `<uses-sdk>` del archivo `manifest` de la aplicación. Esta etiqueta es un requisito para las aplicaciones que se quieren publicar en Google play. Si no la utiliza se generará una advertencia en el entorno de desarrollo.

Cada atributo de la etiqueta `<uses-sdk>` es un entero que representa el nivel de la API, asociado con una determinada versión de Android SDK. Este valor no se corresponde directamente con la versión de Android SDK, sino que es la revisión del nivel API asociado con una SDK. El nivel de la API es configurado por los desarrolladores de Android SDK. Necesita repasar la documentación de Android SDK para determinar el nivel de API de cada versión. En la tabla 6.1 se muestran las versiones de Android SDK disponibles para la publicación de aplicaciones.

Tabla 6.1. Versiones de Android SDK y sus niveles de la API correspondientes.

Versión de Android SDK	Nivel API	Nombre en clave /Código de la versión
Android 1.0	1	BASE
Android 1.1	2	BASE_1_1

Versión de Android SDK	Nivel API	Nombre en clave /Código de la versión
Android 1.5	3	CUPCAKE
Android 1.6	4	DONUT
Android 2.0	5	ECLAIR
Android 2.0.1	6	ECLAIR_0_1
Android 2.1.X	7	ECLAIR_MR1
Android 2.2.X	8	FROYO
Android 2.3, 2.3.1, 2.3.2	9	GINGERBREAD
Android 2.3.3, 2.3.4	10	GINGERBREAD_MR1
Android 3.0.X	11	HONEYCOMB
Android 3.1.X	12	HONEYCOMB_MR1
Android 3.2	13	HONEYCOMB_MR2
Android 4.0, 4.0.1, 4.0.2	14	ICE_CREAM_SANDWICH
Android 4.0.3	15	ICE_CREAM_SANDWICH_MR1

Definir la versión mínima de SDK

Siempre debería definir el atributo `minSdkVersion` en su aplicación. Este valor representa el valor más bajo de la versión de Android SDK que su aplicación soporta.

Por ejemplo, si su aplicación utiliza las API introducidas en Android SDK 1.6, debería comprobar la documentación de dicha versión, y vería que está definida con el nivel 4 de la API. Por lo tanto, debería añadir la siguiente línea a su archivo `manifest` dentro del bloque definido por la etiqueta `<manifest>`:

```
<uses-sdk android:minSdkVersion="4" />
```

Así de sencillo. Si quiere que su aplicación sea compatible con el mayor número posible de dispositivos Android, debería utilizar el nivel más bajo de API posible. Sin embargo, debe probar adecuadamente su aplicación en las plataformas que no son su destino (cualquier nivel de la API por debajo de su SDK destino, como se describe en la siguiente sección).

Definir la versión destino de SDK

Debería siempre definir el atributo `targetSdkVersion` en su aplicación. Este valor representa la versión de SDK para la que su aplicación se ha diseñado, y para la que se ha probado.

Por ejemplo, si su aplicación fue creada utilizando API que son compatibles con versiones anteriores hasta Android 1.6 (nivel 4 de API), pero se ha diseñado y probado utilizando Android 2.3.4 (nivel 10 de API), tendría que definir el valor 10 en el atributo `targetSdkVersion`. Por lo tanto, debería añadir la siguiente línea a su archivo `manifest` dentro del bloque definido por la etiqueta `<manifest>`:

```
<uses-sdk android:minSdkVersion="4" android:targetSdkVersion="10" />
```

¿Por qué debería especificar la versión SDK de destino que ha utilizado? Bien, la plataforma Android incluye funcionalidad para compatibilidad con versiones anteriores (hasta cierto punto). Piénselo de la siguiente forma: un método específico de una API determinada podría estar funcionado desde el nivel 1 de la API. Sin embargo, el interior de este método (su comportamiento) podría haber cambiado ligeramente de SDK en SDK. Cuando define la versión de destino de SDK en su aplicación, el sistema operativo Android intenta asociar su aplicación con la versión exacta de SDK (y con el comportamiento según lo probó en su aplicación), aunque se ejecute en una versión diferente (más reciente) de la plataforma. Esto significa que su aplicación debería seguir comportándose como siempre, independientemente de cualquier cambio o mejora en SDK, que podría tener consecuencias imprevisibles en su aplicación.

Definir la versión máxima de SDK

En pocas ocasiones tendrá que especificar el atributo `maxSdkVersion` en su aplicación. Este valor representa la versión más reciente de Android SDK que soporta su aplicación, en términos del nivel de la API. Restringe la compatibilidad con versiones posteriores en su aplicación.

Una razón por la que le podría interesar definir este atributo es si quisiera limitar quién puede instalar la aplicación, para excluir dispositivos con versiones más recientes de SDK. Por ejemplo, podría desarrollar una versión beta gratuita de su aplicación, planificando una versión de pago para la versión SDK más reciente. Configurando el atributo `maxSdkVersion` en su aplicación gratuita, no permite que los que tengan la SDK más reciente instalen la versión gratuita de su aplicación. ¿La desventaja de esta idea? Si sus usuarios tienen dispositivos que pueden recibir actualizaciones inalámbricas de SDK, su aplicación dejaría de funcionar (y no aparecería) en dispositivos donde antes funcionaba perfectamente, algo que podría "molestar" a sus usuarios y resultar en malas evaluaciones de su producto en el mercado. En resumen, utilice `maxSdkVersion` solo cuando sea absolutamente necesario y si entiende los riesgos asociados con su uso.

Forzar requisitos del sistema en su aplicación

Los dispositivos Android tienen diferentes configuraciones de hardware y software. Algunos incluyen teclados físicos y otro software. Del mismo modo, algunos dispositivos Android soportan las librerías de gráficos 3D más recientes, mientras que otros proporcionan muy poco o ningún soporte de gráficos. El archivo `manifest` de Android incluye varias etiquetas de información, para indicar las características y las configuraciones hardware del sistema soportadas o requeridas por una aplicación Android en particular

Definir métodos de entrada soportados

Puede utilizar la etiqueta `<uses-configuration>` para especificar los métodos de entrada software y hardware que soporta la aplicación. Existen diferentes atributos de configuración para cinco tipos de navegación: los tipos de teclado hardware y software, dispositivos de navegación como pad direccional, rueda de desplazamiento o *wheel* y ajustes de la pantalla táctil.

En un determinado atributo no se pueden definir varias configuraciones. Si una aplicación soporta múltiples configuraciones de entrada, en el archivo `manifest` deben existir múltiples etiquetas `<uses-configuration>`, una para cada tipo de configuración soportada.

Por ejemplo, si su aplicación necesita un teclado físico y una pantalla táctil para su uso con el dedo o con un *stylus*, necesita definir dos etiquetas `<uses-configuration>` en su archivo `manifest`, como sigue:

```
 <uses-configuration android:reqHardKeyboard="true"
   android:reqTouchScreen="finger" />
<uses-configuration android:reqHardKeyboard="true"
   android:reqTouchScreen="stylus" />
```

Para más información sobre la etiqueta `<uses-configuration>` del archivo `manifest` de Android, eche un vistazo a la referencia de Android SDK en `http://d.android.com/guide/topics/manifest/uses-configuration-element.html`.

Definir características requeridas del dispositivo

No todos los dispositivos Android soportan todas las características. Dicho de otro modo, Existen una serie de API (y hardware relacionado) que los fabricantes y operadores de dispositivos Android pueden incluir como opción. Por ejemplo, no todos los dispositivos Android incluyen las características multi-táctil o cámara *flash*.

La etiqueta `<uses-feature>` se utiliza para especificar las características de Android que utiliza su aplicación para poder ejecutarse correctamente. Estos ajustes tan solo dan información. El sistema operativo Android no aplica estos ajustes, pero los canales de publicación como Google play utilizan esta información para filtrar las aplicaciones disponibles para un usuario en particular. Otras aplicaciones también podrían comprobar esta información.

Si su aplicación requiere múltiples características, debe crear una etiqueta `<uses-feature>` para cada una. Por ejemplo, una aplicación que necesite sensores de luz y de proximidad necesitaría dos etiquetas:

```
<uses-feature android:name="android.hardware.sensor.light" />
<uses-feature android:name="android.hardware.sensor.proximity" />
```

Un uso muy habitual de esta etiqueta es para especificar las versiones de OpenGL ES soportadas por su aplicación. Por defecto, todas las aplicaciones funcionan con OpenGL ES 1.0 (que es una característica necesaria en todos los dispositivos Android). Sin embargo, si su aplicación requiere características solo disponibles en las últimas versiones de Open GL ES, como 2.0, entonces tiene que especificarlo en el archivo `manifest`. Esto se consigue utilizando el atributo `android:glEsVersion` de la etiqueta `<uses-feature>`. Especifique la versión más baja de Open GL ES que su aplicación necesite. Si la aplicación funciona con las versiones 1.0 y 2.0, defina la versión inferior, de forma que Google play permita que más usuarios instalen su aplicación.

Para más información sobre la etiqueta `<uses-feature>` del archivo `manifest`, eche un vistazo a la referencia de Android SDK en `http://d.android.com/guide/topics/manifest/usesfeature-element.html`.

Definir tamaños de pantalla soportados

Los dispositivos Android tienen muchos tamaños y formas. Los tamaños de la pantalla y la densidad de píxeles varían enormemente dentro del amplio rango de dispositivos Android disponibles actualmente en el mercado. Puede utilizar la etiqueta `<supports-screen>` para especificar los tipos de pantalla de Android que soporta su aplicación.

La plataforma Android clasifica los tipos de pantalla según el tamaño (pequeño, normal, grande y extra-extra) y la densidad de píxeles (LDPI, MDPI, HDPI y XHDPI, que representan densidad baja, media, alta y muy alta). Estas opciones cubren todos los tipos de pantallas disponibles en la plataforma Android.

Por ejemplo, si su aplicación soporta pantallas QVGA (tamaño pequeño) y HVGA (tamaño normal) independientemente de la densidad de píxeles, la etiqueta `<supports-screen>` de la aplicación se configuraría del siguiente modo:

```
<supports-screens android:smallScreens="true"
   android:normalScreens="true"
   android:largeScreens"false"
   android:anyDensity="true"/>
```

Para más información sobre la etiqueta `<supports-screen>` del archivo `manifest`, eche un vistazo a la referencia de Android SDK en `http://d.android.com/guide/topics/manifest/supports-screens-element.html` así como a la guía de desarrollo Android sobre soporte de pantallas en `http://d.android.com/guide/practices/screens_support.html#DensityConsiderations`.

Trabajar con librerías externas

Puede registrar librerías compartidas con las que su aplicación enlaza en el archivo `manifest`. Por defecto, cada aplicación está enlazada con los paquetes estándar de Android (como `android.app`) y tiene conocimiento de su propio paquete. Sin embargo, si su aplicación enlaza con paquetes adicionales, deberían ser registradas dentro de la etiqueta `<application>` del archivo `manifest`, utilizando la etiqueta `<uses-library>`. Por ejemplo:

```
<uses-library android:name="com.sharedlibrary.sharedStuff" />
```

Esta característica se utiliza con frecuencia para enlazar dos API opcionales de Google. Para más información sobre la etiqueta `<uses-library>` del archivo `manifest`, consulte la referencia de Android SDK en `http://d.android.com/guide/topics/manifest/uses-library-element.html`.

Otros ajustes y filtros de la configuración de la aplicación

Es bueno que conozca otros ajustes menos importantes del archivo `manifest`, ya que también se utilizan en Google play para el filtrado de aplicaciones:

- La etiqueta `<supports-gl-texture>` se utiliza para especificar el formato de compresión de texturas GL soportado por la aplicación. Esta etiqueta es utilizada por aplicaciones que usan librerías gráficas y que quieren mantener la compatibilidad solo con dispositivos que soporten un formato de compresión específico. Para más información sobre esta etiqueta del archivo `manifest`, consulte la documentación de Android SDK en `http://d.android.com/guide/topics/manifest/supports-gl-texture-element.html`.
- La etiqueta `<compatible-screens>` se utiliza únicamente por Google play para restringir la instalación de su aplicación en dispositivos con tamaños de pantalla específicos. Esta etiqueta no es comprobada por el sistema operativo Android y su uso está desaconsejado, a no ser que realmente necesite restringir la instalación de su aplicación a ciertos dispositivos. Para más información sobre esta etiqueta del archivo `manifest`, consulte la documentación de Android SDK en `http://d.android.com/guide/topics/manifest/compatible-screens-element.html`.

Declarar actividades en el archivo manifest de Android

Cada actividad de una aplicación debe ser definida dentro del archivo `manifest` con una etiqueta `<activity>`. Por ejemplo, el siguiente fragmento XML declara una clase `Activity` llamada `AudioActivity`:

```
<activity android:name="AudioActivity" />
```

Esta actividad debe definirse como una clase dentro del paquete `com.androidbook.multimedia`, es decir, el paquete especificado en el elemento `<manifest>` del archivo `manifest` de Android. También puede aplicar el ámbito de la clase `Activity`, utilizando un punto como prefijo en el nombre de la clase:

```
<activity android:name=".AudioActivity" />
```

O también puede especificar el nombre completo de la clase:

```
<activity android:name="com.androidbook.multimedia.AudioActivity" />
```

Advertencia

Debe definir una etiqueta `<activity>` para cada actividad, porque si no lo hace así no se ejecutará como parte de su aplicación. Es bastante habitual que los desarrolladores implementen una actividad y a continuación olviden realizar este paso. Luego pierden mucho tiempo preguntándose qué es lo que no funciona, y se dan cuenta de que olvidaron declararla en el archivo `manifest`.

Designar una actividad como punto de entrada principal de su aplicación utilizando un filtro Intent

Puede designar una clase `Activity` como punto de entrada principal configurando un filtro `Intent` con la etiqueta `<intent-filter>` en el archivo `manifest`, con el tipo de acción `MAIN` y la categoría `LAUNCHER`.

Por ejemplo, el siguiente XML define una actividad llamada `MultimediaMenuActivity` como el punto de entrada principal de la aplicación:

```
<activity android:name=".MultimediaMenuActivity"
   android:label="@string/app_name">
   <intent-filter>
      <action android:name="android.intent.action.MAIN" />
      <category android:name="android.intent.category.LAUNCHER" />
   </intent-filter>
</activity>
```

Configurar otros filtros Intent

El sistema operativo Android utiliza filtros `Intent` para calcular `Intents` implícitos, es decir, que no especifican actividades determinadas u otros tipos de componentes para que se puedan iniciar. Los filtros `Intent` se pueden aplicar a actividades, servicios y a receptores de transmisiones. Un filtro `Intent` declara que este componente de la aplicación puede gestionar o procesar un tipo de `Intent` específico, cuando coincide con el criterio de filtrado.

Aplicaciones diferentes tienen los mismos tipos de filtros Intent y son capaces de procesar los mismos tipos de peticiones. De hecho, de esta forma funcionan las características "compartidas" y el flexible sistema de inicio de aplicaciones del sistema operativo Android. Por ejemplo, puede tener varios navegadores Web instalados en un dispositivo y todos pueden gestionar los Intents "busca en la Web" configurando los filtros adecuados. Los filtros Intent se definen utilizando la etiqueta <intent-filter> y deben incluir al menos una etiqueta <action>, aunque también pueden incluir otra información, como bloques <category> o <data>. A continuación puede ver un ejemplo de un bloque de un filtro Intent que podría encontrarse dentro de un bloque <activity>:

```
<intent-filter>
  <action android:name="android.intent.action.VIEW" />
     <category android:name="android.intent.category.BROWSABLE" />
     <category android:name="android.intent.category.DEFAULT" />
     <data android:scheme="geoname"/>
</intent-filter>
```

Esta definición de filtro Intent utiliza una acción predefinida llamada VIEW, acción que se utiliza para ver un contenido específico. También gestiona objetos Intent de las categorías BROWSABLE o DEFAULT, y utiliza un esquema de geoname, de forma que cuando un Uri comienza por geoname://, la actividad con este filtro Intent se puede iniciar para visualizar el contenido.

Truco

Puede definir acciones personalizadas exclusivas para su aplicación. Si hace esto, asegúrese de documentar estas acciones si quiere que sean utilizadas por terceros. Puede documentarlas como quiera: su documentación SDK podría proporcionarse en su sitio Web, o podría entregar directamente documentos confidenciales al cliente. Para conseguir la mayor visibilidad, considere la opción de utilizar un registro *online*, como el de Openintents (www.openintents.org).

Registrar otros componentes en la aplicación

Todos los componentes de la aplicación deben ser definidos dentro del archivo manifest. Además de las actividades, todos los servicios y receptores de transmisiones deben ser declarados dentro de este archivo.

- Los servicios se declaran utilizando la etiqueta <service>.
- Los receptores de transmisiones se declaran utilizando la etiqueta <receiver>.
- Los proveedores de contenido se declaran utilizado la etiqueta <provider>.

Tanto los servicios como los receptores de transmisiones utilizan filtros Intent. Si su aplicación actúa como un proveedor de contenidos, mostrando servicios de datos compartidos utilizados por otras aplicaciones, debe declarar esta característica dentro del archivo manifest, utilizando la etiqueta <provider>. Configurar un proveedor de contenidos implica definir los subconjuntos de datos compartidos y los permisos necesarios para acceder a los mismos, si hay alguno. En el capítulo 14 hablaremos de los proveedores de contenidos.

Trabajar con permisos

El sistema operativo Android se ha bloqueado para que las aplicaciones tengan una capacidad limitada de realizar operaciones que afecten negativamente fuera de su espacio de procesamiento. De esta forma, las aplicaciones Android se ejecutan dentro de la burbuja de su propia máquina virtual, con su propia cuenta de usuario de Linux (y con los permisos relacionados).

Registrar permisos que necesita su aplicación

Las aplicaciones Android no incluyen permisos por defecto. En lugar de eso, los permisos para recursos compartidos o de acceso privilegiado (tanto si son datos compartidos, como la base de datos de contactos, como si acceden al hardware del dispositivo, como la cámara), deben declararse explícitamente dentro del archivo `manifest`. Estos permisos son concedidos cuando se instala la aplicación.

Truco

Cuando los usuarios instalan una aplicación, se les informa sobre los permisos que necesita para poder ejecutarse, y que deben ser aprobados. Solicite solo los permisos que su aplicación precise.

El siguiente fragmento XML del archivo `manifest` de Android que vimos anteriormente, define un permiso utilizando la etiqueta `<uses-permission>` para obtener acceso a la cámara del dispositivo:

```
<uses-permission android:name="android.permission.CAMERA" />
```

En la clase `android.Manifest.permission` puede encontrar una lista completa de los permisos. El archivo `manifest` de su aplicación solo debería incluir los permisos necesarios para que se pueda ejecutar. El usuario es informado durante la instalación sobre los permisos que cada aplicación Android precisa.

Truco

Podrá encontrar que, en determinados casos, no se aplican los permisos (puede operar sin el permiso) en un dispositivo determinado. En estos casos, es prudente solicitar el permiso de todas formas, por dos razones. La primera es que se le informa al usuario de que la aplicación está realizando dichas acciones delicadas, y la segunda es que dicho permiso podría ser forzado en una posterior actualización del dispositivo. También debe saber que en las primeras versiones de SDK, no todos los permisos eran necesariamente aplicados a nivel de la plataforma.

Advertencia

Tenga en cuenta que los usuarios verán estos permisos antes de instalar la aplicación. Si la descripción o el tipo de aplicación que proporciona, no justifica claramente el permiso solicitado, puede que obtenga puntuaciones bajas, simplemente por solicitar permisos no necesarios.

Declarar permisos utilizados por su aplicación

Las aplicaciones también pueden definir y aplicar sus propios permisos a través de la etiqueta `<permission>`, que serán utilizados por otras aplicaciones. Los permisos deben ser descritos y a continuación aplicarse a componentes específicos de la aplicación, como actividades, utilizando el atributo `android:permission`.

Truco

Utilice ámbitos tipo Java para crear nombres únicos de permisos de aplicaciones (por ejemplo, `com.androidbook.Multimedia.ViewMatureMaterial`).

Se pueden aplicar permisos en diferentes puntos:

- Cuando se inicia una actividad o servicio.
- Cuando se accede a datos proporcionados por un proveedor de contenidos.
- A nivel de llamada a una función.
- Cuando envía o recibe transmisiones de un `intent`.

Los permisos pueden tener tres niveles de protección principales: `normal`, `dangerous` (peligroso) o `signature` (firma). El nivel de protección `normal` es una buena opción por defecto para aplicar permisos suaves en su aplicación. El nivel de protección `dangerous` (peligroso) se utiliza para actividades de alto riesgo, que podrían afectar negativamente a su dispositivo. Por último, el nivel `signature` (firma) permite que cualquier aplicación firmada con el mismo certificado utilice dicho componente para una interoperabilidad controlada de la aplicación. En el capítulo 19 hablaremos con más detalle sobre la firma de aplicaciones. Los permisos se pueden dividir en categorías, llamadas permission groups, que describen o advierten por qué determinadas actividades necesitan permisos. Por ejemplo, se pueden aplicar permisos a actividades que muestran datos delicados de usuarios como la localización o información personal (android.permission-group.LOCATION y android.permission-group.PERSONAL_INFO), acceder al hardware del dispositivo (android.permission-group.HARDWARE_CONTROLS) o realizar operaciones que podrían incurrir en gastos para el usuario (android.permission-group.COST_MONEY). En la clase Manifest.permission-group tiene disponible un listado completo de los grupos de permisos. Para más información sobre aplicaciones y cómo pueden definir sus propios permisos, consulte la documentación en SDK de la etiqueta de manifest <permission> en http://d.android.com/guide/topics/manifest/permission-element.html.

Otros ajustes del archivo manifest de Android

Hasta ahora hemos visto los fundamentos del archivo manifest de Android, pero también existen muchos otros ajustes que puede configurar utilizando diferentes bloques de etiquetas, por no mencionar los atributos dentro de cada etiqueta de los que ya hemos hablado. Otras características que puede configurar dentro del archivo manifest son:

- Ajustes de temas de toda la aplicación con los atributos de la etiqueta <application>.
- Configuración de características de pruebas de unidades con la etiqueta <instrumentation>.
- Alias de actividades utilizando la etiqueta <activity-alias>.
- Crear receptores de transmisiones con la etiqueta <receiver>.
- Crear proveedores de contenidos con la etiqueta <provider> y gestión de permisos de proveedores de contenidos utilizando las etiquetas <grant-uri-permission> y <path-permission>.
- Incluir otros datos dentro de los registros de los componentes actividad, servicio o receptor con la etiqueta <meta-data>.

Para descripciones más detalladas de cada etiqueta y atributo disponibles en Android SDK (y hay muchas), por favor consulte la referencia de Android SDK sobre el archivo manifest en http://d.android.com/guide/topics/manifest/manifest-intro.html.

Resumen

Cada aplicación Android incluye un archivo de configuración con formato XML llamado AndroidManifest.xml. Este archivo describe con detalle la identidad de la aplicación. La información que debe definir dentro del archivo manifest de Android incluye el nombre de la aplicación y datos sobre su versión, componentes incluidos, configuraciones de dispositivos requeridas y qué permisos necesita para poder ejecutarse. El archivo `manifest` es utilizado por el sistema operativo Android para instalar, actualizar y ejecutar el paquete de la aplicación. Algunos detalles de este archivo también son utilizados por terceros, incluyendo el canal de publicación Google play.

Referencias y más información

- Guía de desarrollo Android sobre el archivo `manifest`: `http://d.android.com/guide/topics/manifest/manifest-intro.html`.
- Guía de desarrollo Android sobre niveles de API: `http://d.android.com/guide/appendix/api-levels.html`.
- Guía de desarrollo Android sobre soporte de múltiples pantallas: `http://d.android.com/guide/practices/screens_support.html`.
- Guía de desarrollo Android sobre seguridad y permisos: `http://d.android.com/guide/topics/security/security.html`.

7 Gestionar recursos de la aplicación

Las aplicaciones bien escritas acceden a sus recursos por programación en lugar de a través del código fuente. Esto se hace así por diversas razones. Guardar los recursos de la aplicación en un único lugar es la solución de desarrollo más organizada y hace al código más entendible y fácil de mantener. Externalizar recursos como cadenas facilita la localización de aplicaciones en diferentes idiomas y regiones. Por último, pueden ser necesarios recursos diferentes para dispositivos diferentes. En este capítulo aprenderemos cómo las aplicaciones Android almacenan y acceden a recursos importantes como cadenas, gráficos y otros tipos de datos. También veremos cómo organizar recursos dentro de los archivos del proyecto, para localización y diferentes configuraciones de dispositivos.

¿Qué son los recursos?

Todas las aplicaciones Android están formadas por dos elementos: funcionalidad (instrucciones de código) y datos (recursos). La funcionalidad es el código que determina el comportamiento de la aplicación. Esto incluye cualquier algoritmo que hace que su aplicación se ejecute. Los recursos incluyen cadenas, imágenes e iconos, archivos de audio, vídeos y cualquier otro dato usado por la aplicación.

Truco

Muchos de los ejemplos de código de este capítulo se han obtenido a partir de las aplicaciones SimpleResourceView, ResourceRoundUp y ParisView, que puede descargar desde el sitio el sitio Web de la editorial.

Almacenar recursos de la aplicación

Los archivos de recursos de Android se almacenan independientemente de los archivos de la clase `.java` dentro de un proyecto Android. La mayoría de los tipos comunes de recursos se almacenan en formato XML. También puede almacenar archivos de datos *raw* y gráficos como recursos. Los recursos están organizados en una estricta jerarquía de directorios.

Todos los recursos deben ser almacenados en el directorio `/res` en subdirectorios con nombres especiales que deben estar en minúsculas.

Diferentes tipos de recursos se almacenan en diferentes directorios. En la tabla 7.1 se muestran los subdirectorios de recursos generados cuando se crea un proyecto Android.

Tabla 7.1. Directorios de recursos por defecto en Android.

Subdirectorio de recursos	Propósito
`/res/drawable-*/`	Recursos gráficos
`/res/layout/`	Recursos de la interfaz de usuarios
`/res/values/`	Datos sencillos como cadenas y colores

Cada tipo de recurso se corresponde con un nombre de subdirectorio de recursos específico. Por ejemplo, todos los gráficos se guardan en la estructura de directorios `/res/drawable`. Los recursos se pueden organizar en más niveles de diversas formas, utilizando nombres de directorios más específicos. Por ejemplo, el directorio `/res/drawable-hdpi` almacena gráficos para pantallas de alta densidad, el directorio `/res/drawable-ldpi` para las de baja densidad, y el directorio `/res/drawable-mdpi` para las de densidad media. Si tiene un recurso gráfico compartido entre todas las pantallas, podría almacenarlo simplemente en el directorio `/res/drawable`. Más adelante en este capítulo hablaremos con más detalle sobre los calificadores de directorios de recursos.

Si utiliza Eclipse con el *plugin* ADT, se dará cuenta que añadir recursos a su proyecto es sencillo. El *plugin* automáticamente detecta nuevos recursos cuando los añade al subdirectorio de recursos apropiado del proyecto, dentro del directorio `/res`. Los recursos se compilan, generando el archivo fuente `R.java`, que le permite acceder a ellos mediante programación.

Tipos de valores de recursos

La aplicaciones Android se apoyan en diferentes tipos de recursos (como cadenas de texto, gráficos y esquemas de colores) para el diseño de la interfaz de usuario. Estos recursos se almacenan en el directorio `/res` de su proyecto Android en un estricto (pero razonablemente flexible) conjunto de directorios y archivos. Todos los nombres de archivos de recursos deben estar en minúsculas y ser sencillos (solo letras, números y caracteres subrayados). En la tabla 7.2 se muestran los diferentes tipos de recursos de Android SDK y cómo son almacenados.

Tabla 7.2. Almacenamiento de tipos de recursos comunes en la jerarquía de archivos del proyecto.

Tipo de recursos	Directorio	Nombres sugeridos	Etiqueta XML
Cadenas	`/res/values/`	`strings.xml`	`<string>`
Cadenas plurales	`/res/values/`	`strings.xml`	`<plurals>`, `<item>`
Conjunto de cadenas	`/res/values/`	`strings.xml` o `arrays.xml`	`<string-array>`, `<item>`
Booleanos	`/res/values/`	`bools.xml`	`<bool>`
Colores	`/res/values/`	`colors.xml`	`<color>`
Lista de estado de colores	`/res/color/`	Ejemplos: `buttonstates.xml`, `indicators.xml`	`<selector>`, `<item>`
Dimensiones	`/res/values/`	`dimens.xml`	`<dimen>`
Enteros	`/res/values/`	`integers.xml`	`<integer>`
Conjuntos de enteros	`/res/values/`	`integer.xml`	`<integer-array>`
Conjuntos mixtos	`/res/values/`	`arrays.xml`	`<array>`, `<item>`
Dibujos sencillos (dibujables)	`/res/values/`	`drawables.xml`	`<drawable>`
Gráficos	`/res/drawable/`	Ejemplos: `icon.png`, `logo.png`	Archivos soportados de gráficos o archivos XML dibujables como formas.
Animaciones interpoladas	`/res/anim/`	Ejemplos: `fadesequence.xml`, `spinsequence.xml`	`<set>`, `<alpha>`, `<scale>`, `<translate>`, `<rotate>`
Animaciones de propiedad	`/res/animator/`	Ejemplos: `mypropanims.xml`	`<set>`, `<objectAnimator>`, `<valueAnimator>`
Animaciones fotograma a fotograma	`/res/drawable/`	Ejemplos: `sequence1.xml`, `sequence2.xml`	`<animation-list>`, `<item>`
Menús	`/res/menu/`	Ejemplos: `mainmenu.xml`, `helpmenu.xml`	`<menu>`
Archivos XML	`/res/xml/`	Ejemplos: `data.xml`, `data2.xml`	Definidos por el desarrollador.

Tipo de recursos	Directorio	Nombres sugeridos	Etiqueta XML
Archivos *raw*	/res/raw/	Ejemplos: jingle.mp3, somevideo.mp4, helptext.txt	Definidos por el desarrollador.
Diseños	/res/layout/	Ejemplos: main.xml, help.xml	Varían. Debe ser un control del diseño.
Estilos y temas	/res/values/	styles.xml, themes.xml	<style>

Truco

Algunos archivos de recursos, como archivos de animación y gráficos, son referenciados mediante variables denominadas por su nombre de archivo (independientemente del sufijo), por lo que debería nombrar sus archivos adecuadamente.

Almacenar tipos de recursos primitivos

Los valores de recursos comunes, como cadenas, colores, dimensiones u otras primitivas, se almacenan en el directorio del proyecto /res/values en forma de archivos XML. Cada archivo de recurso que se encuentre en el directorio /res/values debería tener el siguiente encabezado:

```
<?xml version="1.0" encoding="utf-8"?>
```

A continuación seguiría el nodo raíz <resources>, seguido por el tipo de recurso específico, como <string> o <color>. Cada recurso se define utilizando un nombre de elemento diferente. Los tipos de recursos primitivos simplemente tienen un único nombre y un valor, como el siguiente recurso de color:

```
<color name="myFavoriteShadeOfRed">#800000</color>
```

Truco

Aunque los nombres de archivos XML son arbitrarios, es una buena práctica almacenar sus recursos en archivos independientes que reflejen los tipos, como strings.xml, colors.xml, etc. Sin embargo, el desarrollador tiene la libertad de crear archivos de recursos múltiples para un tipo determinado, como dos archivos XML independientes llamados bright_colors.xml y muted_colors.xml. En el capítulo 15 hablaremos de recursos alternativos que también influyen en el nombre y la subdivisión de los archivos.

Almacenar gráficos y archivos

Además de los tipos sencillos de recursos almacenados en el directorio `/res/values`, también puede almacenar muchos otros tipos de recursos, como gráficos, archivos XML arbitrarios o archivos *raw*. Estos tipos de recursos no se almacenan en el directorio `/res/values`, sino en directorios con nombres especiales según su tipo. Por ejemplo, los gráficos se almacenan en la estructura de directorios `/res/drawable`. Los archivos XML se pueden almacenar en el directorio `/res/xml` y los archivos *raw* en `/res/raw`.

Asegúrese de dar nombres apropiados a sus archivos de recursos, ya que el nombre del recurso para gráficos y archivos se deriva del nombre de archivo del recurso en cuestión. Por ejemplo, un archivo llamado `flag.png` del directorio `/res/drawable` se le dará el nombre `R.drawable.flag`.

Almacenar otros tipos de recursos

El resto de tipos de recursos, sean animaciones interpoladas, listas de estado de colores o menús, se almacenan en formatos XML especiales en diversos directorios, como puede ver en la tabla 7.2. Como ya hemos comentado, cada recurso debe tener un único nombre.

Utilización de los recursos

La plataforma Android incluye un mecanismo muy robusto para cargar los recursos apropiados en tiempo de ejecución. Puede organizar los recursos de un proyecto Android basándose en diferentes tipos de criterios. Puede resultarle útil pensar en los recursos almacenados en la jerarquía de directorios que acabamos de ver, como los recursos por defecto de la aplicación. También puede proporcionar versiones especiales de sus recursos para que se carguen en lugar de los recursos por defecto, bajo determinadas condiciones. Estos recursos especializados se denominan recursos alternativos. Dos razones muy habituales por las que los desarrolladores utilizan recursos alternativos son tener como objetivo la internacionalización y localización y para diseñar una aplicación que se ejecute sin ningún problema en diferentes pantallas y orientaciones de dispositivos. En este capítulo nos centramos en los recursos por defecto, y en el capítulo 15 hablaremos de recursos alternativos. Para entender bien los recursos por defecto y alternativos lo mejor es ver un ejemplo. Supongamos que tenemos una sencilla aplicación con sus recursos imprescindibles cadena, gráfico y diseño. En esta aplicación, los recursos se almacenan en el directorio de recursos de alto nivel (por ejemplo, `/res/values/strings.xml`, `/res/drawable/mylogo.png` y `/res/layout/main.xml`). Independientemente del dispositivo Android (pantalla de alta definición, pantalla del tamaño de un sello, orientación vertical o apaisada, etc.) donde se ejecute la aplicación, se cargarán y utilizarán los mismos datos de recursos. Esta aplicación solo utiliza recursos por defecto. ¿Pero qué pasaría si quisiéramos que nuestra aplicación utilizara diferentes tamaños de gráficos basada en la densidad de la pantalla? Para conseguir esto podríamos recurrir a recursos gráficos alternativos. Por ejemplo, podríamos proporcionar diferentes logos según la densidad de la pantalla del dispositivo, con cuatro versiones diferentes de `mylogo.png`:

```
/res/drawable-ldpi/mylogo.png (pantallas de densidad baja)
/res/drawable-mdpi/mylogo.png (pantallas de densidad media)
/res/drawable-hdpi/mylogo.png (pantallas de densidad alta)
/res/drawable-xhdpi/mylogo.png (pantallas de densidad muy alta)
```

Vamos a ver otro ejemplo. Supongamos que nos damos cuenta que la aplicación tendría mucho mejor aspecto si el diseño fuera totalmente personalizable entre las orientaciones vertical y apaisada. Podríamos modificar el diseño, cambiando los controles de sitio para mejorar la experiencia del usuario, proporcionando dos distribuciones:

```
/res/layout-port/main.xml (diseño cargado en modo vertical)
/res/layout-land/main.xml (diseño cargado en modo apaisado)
```

Ahora estamos introduciendo el concepto de recursos alternativos porque es difícil evitarlo completamente, pero en la mayor parte de este libro principalmente trabajaremos con los recursos por defecto, simplemente para enfocarnos en tareas específicas de programación, sin la confusión que se genera cuando se intenta personalizar una aplicación para que se ejecute perfectamente en cada configuración de los dispositivos disponibles.

Acceder a los recursos por programación

Los desarrolladores acceden a los recursos específicos de la aplicación utilizando el archivo de la clase `R.java` y sus subclases, que se generan automáticamente cuando añade recursos a su proyecto (si está utilizando Eclipse). Puede hacer referencia a cualquier identificador de recurso en su proyecto por su nombre (que es la razón por la que debe ser único). Por ejemplo, para acceder en el código a un recurso cadena llamado `strHello` definido dentro del archivo de recurso llamado `/res/values/strings.xml`, se haría del siguiente modo:

```
R.string.strHello
```

Esta variable no es el dato real asociado con la cadena llamada `hello`. En lugar de eso, se utilizará este identificador de recurso para recuperar el recurso de dicho tipo (que resulta ser una cadena) a partir de los recursos del proyecto asociados con su aplicación. En primer lugar, recuperará la instancia `Resources` para su aplicación `Context` (`android.content.Context`), que en este caso es `this`, ya que la clase `Activity` es una extensión de `Context`. A continuación utilizará la instancia `Resources` para obtener el tipo de recurso que quiere. Podrá ver que la clase `Resources` (`android.content.res.Resources`) incluye métodos muy útiles para gestionar cualquier tipo de recurso. Por ejemplo, una forma sencilla de obtener el texto de la cadena es invocar al método `getString()` de la clase `Resources`, del siguiente modo:

```
String myString = getResources().getString(R.string.strHello);
```

Antes de seguir adelante, creemos que puede ser útil detenerse y crear algunos recursos, por lo que vamos a ver un sencillo ejemplo.

Configurar valores sencillos de recursos en Eclipse

Para entender cómo se configuran los recursos utilizando el *plugin* ADT, vamos a ver un ejemplo. Cree un nuevo proyecto Android y diríjase al archivo `/res/values/strings.xml` en Eclipse, y a continuación haga doble clic el mismo para modificarlo. Alternativamente, puede seguir el ejemplo ResourceRoundup que se encuentra en el código de ejemplo proporcionado.

Su archivo `strings.xml` se mostrará en el panel de la derecha y tendría que parecerse a la figura 7.1, pero con menos cadenas.

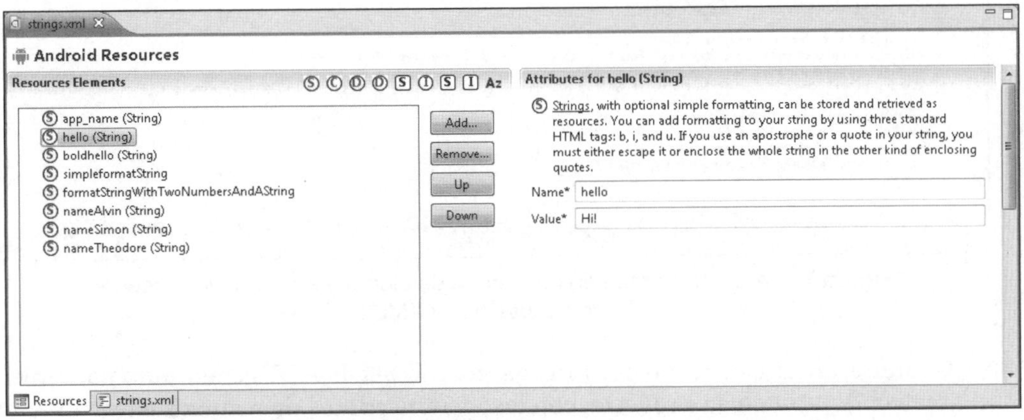

Figura 7.1. Archivo de recurso de cadena de ejemplo en el editor de recursos de Eclipse (vista de edición).

Hay dos pestañas en la parte inferior de este panel. La pestaña Resources (Recursos) proporciona un método sencillo de insertar tipos primitivos de recursos como cadenas, colores y dimensiones. En la pestaña strings.xml se muestra el archivo *raw* XML del recurso que está creando. A veces modificar manualmente el archivo XML es más rápido, especialmente si tiene que introducir varios recursos. Haga clic en la pestaña strings.xml y su panel tendrá una aspecto parecido al de la figura 7.2.

A continuación añada algunos recursos utilizando el botón Add (Añadir) de la pestaña Resources (Recursos). Concretamente añada los siguientes:

- Un recurso de color llamado `prettyTextColor` con el valor **#ff0000**.
- Un recurso de dimensión llamado `textPointSize` con el valor **14pt**.
- Un recurso `drawable` llamado `redDrawable` con el valor **#F00**.

Ahora tiene recursos de diferentes tipos en su archivo de recursos `strings.xml`. Si vuelve a la vista XML, verá que el editor de recursos de Eclipse ha añadido los elementos XML adecuados a su archivo, que ahora debería ser algo parecido al siguiente código:

```
<?xml version="1.0" encoding="utf-8"?>
   <resources>
      <string name="app_name">ResourceRoundup</string>
      <string name="hello">Hello World, ResourceRoundupActivity</string>
      <color name="prettyTextColor">#ff0000</color>
      <dimen name="textPointSize">14pt</dimen>
      <drawable name="redDrawable">#F00</drawable>
</resources>
```

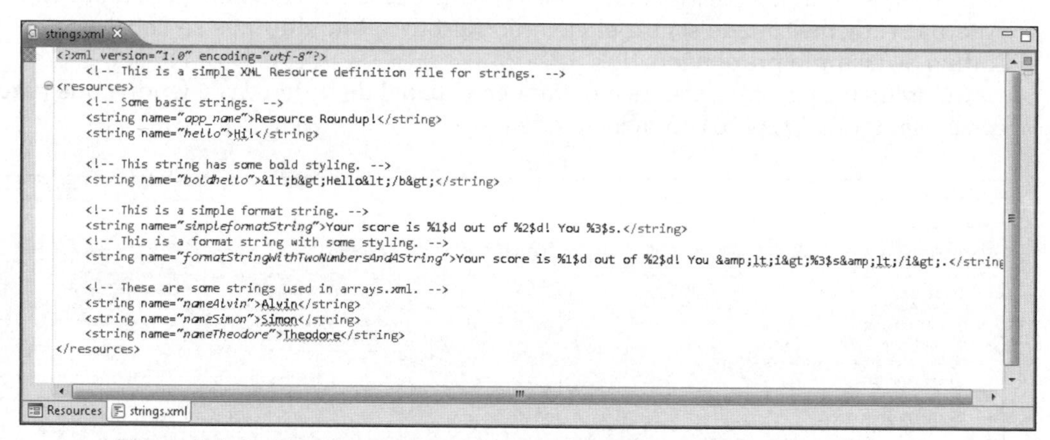

Figura 7.2. Archivo de recurso de cadena de ejemplo en el editor de recursos de Eclipse (vista XML).

Guarde el archivo de recursos `strings.xml`. El *plugin* ADT genera automáticamente el archivo `R.java` en su proyecto, con los identificadores de recursos adecuados, que le permiten acceder mediante programación a sus recursos después de se hayan compilado en su proyecto. Si navega a su archivo `R.java`, que está ubicado en el directorio `/gen` del paquete de su proyecto, tendría que tener un aspecto parecido al siguiente código:

```
package com.androidbook.resourceroundup;
public final class R {
   public static final class attr {
   }
   public static final class color {
      public static final int prettyTextColor=0x7f050000;
   }
   public static final class dimen {
      public static final int textPointSize=0x7f060000;
   }
   public static final class drawable {
      public static final int icon=0x7f020000;
      public static final int redDrawable=0x7f020001;
   }
   public static final class layout {
      public static final int main=0x7f030000;
   }
   public static final class string {
```

```
        public static final int app_name=0x7f040000;
        public static final int hello=0x7f040001;
    }
}
```

Ahora puede utilizar estos recursos en su código sin problema. Si navega al archivo fuente `ResourceRoundupActivity.java`, puede añadir algunas líneas para recuperar sus recursos y trabajar con ellos, del siguiente modo:

```
String myString = getResources().getString(R.string.hello);
int myColor =
   getResources().getColor(R.color.prettyTextColor);
float myDimen =
   getResources().getDimension(R.dimen.textPointSize);
ColorDrawable myDraw = (ColorDrawable)getResources().
   getDrawable(R.drawable.redDrawable);
```

Algunos tipos de recursos, como conjuntos de cadenas, es más fácil añadirlos a los archivos de recursos modificando el archivo XML a mano. Por ejemplo, si volvemos al archivo `strings.xml` y seleccionamos la pestaña **strings.xml**, podemos añadir un conjunto de cadenas a nuestra lista de recursos añadiendo el siguiente elemento XML:

```
<?xml version="1.0" encoding="utf-8"?>
<resources>
   <string name="app_name">Use Some Resources</string>
   <string name="hello">Hello World, UseSomeResources</string>
   <color name="prettyTextColor">#ff0000</color>
   <dimen name="textPointSize">14pt</dimen>
   <drawable name="redDrawable">#F00</drawable>
   <string-array name="flavors">
      <item>Vanilla</item>
   <item>Chocolate</item>
   <item>Strawberry</item>
   </string-array>
</resources>
```

Guarde el archivo `strings.xml`, y ahora este conjunto de cadenas llamado `flavors` estará disponible en su archivo `R.java`, por lo que podrá usarlo mediante programación en `ResourceRoundupActivity.java` como sigue:

```
String[] aFlavors =
getResources().getStringArray(R.array.flavors);
```

Ya tiene una idea general sobre cómo añadir recursos sencillos utilizando el *plugin* ADT, pero existen muchos tipos diferentes de datos disponibles para ser añadidos como recursos. Es una práctica habitual almacenar los diferentes tipos de recursos en archivos diferentes. Por ejemplo, podría almacenar las cadenas en `/res/values/strings.xml`, el recurso de color `prettyTextColor` en `/res/values/colors.xml` y el recurso de dimensión `textPointSize` en `/res/values/dimens.xml`. Reorganizar las ubicaciones donde guarda los recursos en la jerarquía de directorios no cambia los nombres de los recursos utilizados anteriormente para poder acceder a los mismos por programación.

A continuación vamos a ver con más detalle cómo añadir algunos de los tipos de recursos más habituales a sus aplicaciones Android.

Trabajar con diferentes tipos de recursos

En esta sección vamos a estudiar los tipos específicos de recursos disponibles en aplicaciones Android, cómo se definen en los archivos del proyecto y cómo acceder a los mismos mediante programación.

Para cada tipo de recurso aprenderemos los tipos de valores que pueden almacenar y en qué formato. Algunos tipos de recurso (como de cadena o color) tienen un buen soporte en el editor de recursos del plugin ADT, mientras que otros (como las secuencias de animación) se gestionan más fácilmente modificando el archivo XML directamente.

Trabajar con recursos de cadena

Los recursos de cadena se encuentran entre los tipos de recursos más sencillos para el desarrollador. Pueden mostrar etiquetas de texto en vistas de formularios y como texto de ayuda. El nombre de la aplicación también se almacena por defecto como un recurso de cadena. Los recursos de cadena se definen en XML bajo el directorio del proyecto `/res/values/` y se compilan en el paquete de la aplicación durante la implementación. Hay que añadir secuencias de escape o poner entre comillas dobles todas las cadenas con apóstrofe o comillas simples. En la tabla 7.3 se muestran algunos ejemplos de cadenas con el formato correcto.

Tabla 7.3. Ejemplos de formatos de recursos de cadena.

Valor del recurso de cadena	Se muestra como
`Hola, mundo`	Hola, mundo
`"Nombre completo del usuario:"`	Nombre completo del usuario:
`Ella dijo, \"Hola.\"`	Ella dijo, "Hola".
`User\'s Full Name:` (Nombre completo del usuario)	User's Full Name.
`She\'s busy but she did say, \"Hi.\"` (Ella estaba ocupada pero dijo, "Hola.")	She's busy but she did say, "Hi."

Puede modificar directamente el archivo `strings.xml` en la pestaña Resources (Recursos), o puede modificar directamente el archivo XML haciendo clic en su nombre y seleccionando la pestaña `strings.xml`. Cuando haya guardado el archivo, los identificadores de recursos se añaden automáticamente a su archivo de la clase `R.java`.

Los valores cadena son adecuadamente etiquetados con `<string>` y representan una pareja nombre/valor. El atributo nombre se utiliza para hacer referencia mediante programación a una cadena en particular, por lo que debería nombrar adecuadamente estos recursos. A continuación puede ver un ejemplo de un archivo de recurso de cadena `/res/values/strings.xml`:

```
<?xml version="1.0" encoding="utf-8"?>
<resources>
   <string name="app_name">Resource Viewer</string>
   <string name="test_string">Testing 1,2,3</string>
   <string name="test_string2">Testing 4,5,6</string>
</resources>
```

Cadenas en negrita, cursiva y subrayadas

También puede añadir tres atributos tipo HTML a los recursos de cadena. Se trata de negrita, cursiva y subrayado. El estilo se especifica con las etiquetas `<b>`, `<i>` y `<u>` respectivamente. Por ejemplo:

```
<string name="txt"><b>Bold</b>,<i>Italic</i>,<u>Line</u></string>
```

Utilizar recursos de cadena como cadenas con formato

Puede crear cadenas con formato sin tener que utilizar caracteres de escape para todas las etiquetas de negrita, cursiva o subrayado. Por ejemplo, el siguiente texto muestra un resultado y la cadena `win` (ganar) o `lose` (perder):

```
<string name="winLose">Score: %1$d of %2$d! You %3$s.</string>
```

Si quiere incluir negrita, cursiva o subrayado en esta cadena, necesita utilizar caracteres de escape para las etiquetas de formato. Por ejemplo, si quiere poner en cursiva la cadena `win` (ganar) o `lose` (perder) al final, su recurso tendría el siguiente aspecto:

```
<string name="winLoseStyled">
   Score: %1$d of %2$d! You &lt;i&gt;%3$s&lt;/i&gt;.</string>
```

Nota

Los que estén familiarizados con XML reconocerán el texto anterior como el uso de caracteres de escape estándar en XML. Realmente es así. Después de que el conjunto estándar de caracteres de escape XML haya sido analizado, a continuación la cadena se interpreta con las etiquetas de formato. Como en cualquier documento XML, también necesitaría utilizar caracteres de escape para las comillas simples (' es `'`), comillas dobles (" es `"`) y el símbolo *ampersand* (& es `&`).

Utilizar recursos de cadena mediante programación

Como vimos anteriormente en este capítulo, acceder a recursos de cadena en el código es sencillo. Existen dos formas de acceder a ellos.

El siguiente código accede al recurso de cadena llamado `Hello` de su aplicación, devolviendo solo la cadena. Todos los atributos estilo HTML (negrita, cursiva y subrayado) han sido suprimidos de la cadena.

```
String myStrHello =
   getResources().getString(R.string.hello);
```

También puede acceder a la cadena conservando el formato utilizando este otro método:

```
CharSequence myBoldStr =
   getResources().getText(R.string.boldhello);
```

Para cargar una cadena con formato, necesita asegurarse que utiliza caracteres de escape en todas las variables de formato. Una forma de hacer esto es utilizando el método `htmlEncode()` de la clase `TextUtils` (`android.text.TextUtils`):

```
String mySimpleWinString;
mySimpleWinString =
   getResources().getString(R.string.winLose);
String escapedWin = TextUtils.htmlEncode(mySimpleWinString);
String resultText = String.format(mySimpleWinString, 5, 5, escapedWin);
```

El texto resultante en la variable `TextResult` sería:

```
Score: 5 of 5! You Won.
```

Ahora, si tiene una cadena con un estilo aplicado, como en el recurso de cadena `winLoseStyled` que vimos anteriormente, necesita realizar unos cuantos pasos más para utilizar las etiquetas de escape. Por esta razón, sería bueno que utilizara el método `fromHtml()` de la clase `Html` (`android.text.Html`), como se muestra a continuación:

```
String myStyledWinString;
myStyledWinString =
   getResources().getString(R.string.winLoseStyled);
String escapedWin = TextUtils.htmlEncode(myStyledWinString);
String resultText =
   String.format(myStyledWinString, 5, 5, escapedWin);
CharSequence styledResults = Html.fromHtml(resultText);
```

El texto resultante de la variable `styledResults` sería:

```
Score: 5 of 5! You <i>Won</i>
```

La variable `styledResults` se puede utilizar en los controles de la interfaz del usuario como objetos `TextView`, donde el texto con estilo se mostrará correctamente.

Truco

Puede utilizar un recurso especial llamado <plurals> para definir cadenas que cambian basadas en su forma en singular o plural. Por ejemplo, podría utilizar el plural en la siguiente cadena:

```
"¡Ha atrapado un ganso!"
```

como:

```
"¡Ha atrapado %d gansos!"
```

Las cadenas en plural se cargan utilizando el método `getQuantityString()` de la clase `Resources` en lugar del método `getString()`. Para más información eche un vistazo a la documentación de Android SDK en relación con los plurales.

Trabajar con conjuntos de cadenas

Puede especificar listas de cadenas en archivos de recursos. Ésta puede ser una buena forma de guardar opciones de menú y valores de listas desplegables. Los conjuntos de cadenas se definen en XML en el directorio del proyecto `/res/values` y se compilan en el paquete de la aplicación durante la implementación.

Los conjuntos de cadenas se etiquetan adecuadamente con <string-array> y una serie de etiquetas <item> hijo, una para cada cadena del conjunto. A continuación puede ver un ejemplo de un archivo de recurso conjunto `/res/values/arrays.xml`:

```
<?xml version="1.0" encoding="utf-8"?>
<resources>
   <string-array name="flavors">
      <item>Vanilla Bean</item>
      <item>Chocolate Fudge Brownie</item>
      <item>Strawberry Cheesecake</item>
      <item>Coffee, Coffee, Buzz Buzz Buzz</item>
      <item>Americone Dream</item>
   </string-array>
   <string-array name="soups">
      <item>Vegetable minestrone</item>
      <item>New England clam chowder</item>
      <item>Organic chicken noodle</item>
   </string-array>
</resources>
```

Como vimos anteriormente en este capítulo, acceder a los conjuntos de cadenas es sencillo. El método `getStringArray()` recupera un conjunto de cadenas de un archivo de recurso, en este caso uno llamado `flavors`:

```
String[] aFlavors =
   getResources().getStringArray(R.array.flavors);
```

Trabajar con recursos booleanos

La jerarquía de recursos de Android también soporta otros tipos de primitivas. Los recursos booleanos se pueden utilizar para almacenar información sobre las preferencias de un juego o los valores por defecto. Los recursos booleanos se definen en XML en el directorio del proyecto /res/values/ y se compilan en el paquete de la aplicación durante la implementación.

Definir recursos booleanos en XML

Los valores booleanos se etiquetan con <bool> que representa una pareja nombre/valor. Con el atributo nombre se hace referencia mediante programación al valor booleano en cuestión, por lo que debe nombrar estos recursos adecuadamente. A continuación puede ver un ejemplo de un archivo de recurso booleano /res/values/bools.xml:

```
<?xml version="1.0" encoding="utf-8"?>
<resources>
   <bool name="bOnePlusOneEqualsTwo">true</bool>
   <bool name="bAdvancedFeaturesEnabled">false</bool>
</resources>
```

Utilizar recursos booleanos mediante programación

Para utilizar un recurso booleano en su código, lo debe cargar utilizando el método <getBoolean> de la clase <Resources>. El siguiente código accede a un recurso booleano de la aplicación llamado bAdvandedFeaturesEnables:

```
boolean bAdvancedMode =
   getResources().getBoolean(R.bool.bAdvancedFeaturesEnabled);
```

Trabajar con recursos enteros

Además de cadenas y booleanos, también puede almacenar enteros como recursos. Los recursos de cadena se definen en XML en el directorio del proyecto /res/values y se compilan en el paquete de la aplicación durante la implementación.

Definir recursos enteros en XML

Los valores enteros se etiquetan con <integer> y representan parejas nombre/valor. Con el atributo nombre se hace referencia mediante programación al valor entero en cuestión, por lo que debe nombrar estos recursos adecuadamente. A continuación puede ver un ejemplo de un archivo de recurso entero /res/values/nums.xml:

```
<?xml version="1.0" encoding="utf-8"?>
<resources>
   <integer name="numTimesToRepeat">25</integer>
   <integer name="startingAgeOfCharacter">3</integer>
</resources>
```

Utilizar recursos enteros mediante programación

Para utilizar recursos enteros, debe cargarlos utilizando la clase Resources. El siguiente código accede a un recurso entero de la aplicación llamado numTimesToRepeat:

```
int repTimes = getResources().getInteger(R.integer.numTimesToRepeat);
```

Truco

Igual que con los conjuntos de cadenas, puede crear conjuntos de enteros como recursos utilizando la etiqueta <integer-array> con etiquetas <item> hijo, definiendo una para cada elemento del conjunto. A continuación puede cargar el conjunto de enteros utilizando el método <getInArray()> de la clase Resources.

Trabajar con colores

Las aplicaciones Android pueden almacenar valores de colores RGB, que a continuación se pueden aplicar sobre otros elementos de la pantalla. Puede utilizar estos valores para definir el color del texto o de otros elementos, como el fondo de pantalla. Los recursos de color se definen en XML en el directorio del proyecto /res/values y se compilan en el paquete de la aplicación durante la implementación.

Definir recursos de color en XML

Los valores de colores RGB siempre comienzan con el símbolo almohadilla (#). Puede añadir el valor alpha para controlar la transparencia. Se soportan los siguientes formatos de color:

- #RGB (por ejemplo, #F00 es el color rojo con 12 bits).
- #ARGB (por ejemplo, #8F00 es el color rojo con 12 bits y alpha 50 por 100).
- #RRGGBB (por ejemplo, #FF00FF es el color magenta con 24 bits).
- #AARRGGBB (por ejemplo, #80FF00FF es el color magenta con 24 bits y alpha 50 por 100).

Los valores de color se etiquetan con <color> y representan parejas nombre/valor. A continuación puede ver un ejemplo de un sencillo archivo de un recurso de color /res/values/colors.xml:

```
<?xml version="1.0" encoding="utf-8"?>
<resources>
   <color name="background_color">#006400</color>
   <color name="text_color">#FFE4C4</color>
</resources>
```

Utilizar recursos de color mediante programación

En el ejemplo del principio de este capítulo se accedía a recursos de color, los cuales simplemente son enteros. El siguiente ejemplo muestra el método `getColor()` recuperando un recurso de color llamado `prettyTextColor`:

```
int myResourceColor =
    getResources().getColor(R.color.prettyTextColor);
```

Trabajar con dimensiones

Muchos controles del diseño de la interfaz del usuario, como controles de texto y botones, se dibujan con unas dimensiones concretas. Las dimensiones se pueden almacenar como recursos. Los valores de dimensiones siempre terminan con una unidad de medida.

Definir recursos de dimensión en XML

Los valores de dimensiones se etiquetan con `<dimen>` y representan parejas nombre/valor. Los recursos de dimensión se definen en XML en el directorio del proyecto `/res/values` y se compilan en el paquete de la aplicación durante la implementación. En la tabla 7.4 se muestran las unidades de dimensión soportadas.

Tabla 7.4. Unidades de medida de dimensión soportadas.

Unidad de medida	Descripción	Etiqueta recurso requerida	Ejemplo
Píxeles	Píxeles de la pantalla real	`px`	`20px`
Pulgadas	Medida física	`in`	`1in`
Milímetros	Medida física	`mm`	`1mm`
Puntos	Unidad habitual de tamaño de fuente independientes de la densidad	`pt`	`14pt`
Píxeles de pantalla	Píxeles en relación a una pantalla de 16dpi (dimensión preferida para compatibilidad de pantallas)	`dp`	`1dp`
Píxeles independientes de la escala	Mejor para mostrar fuentes escalables	`sp`	`14sp`

A continuación puede ver un ejemplo de un sencillo recurso de dimensión llamado `/res/values/dimens.xml`:

```
<?xml version="1.0" encoding="utf-8"?>
<resources>
    <dimen name="FourteenPt">14pt</dimen>
```

```
    <dimen name="OneInch">1in</dimen>
    <dimen name="TenMillimeters">10mm</dimen>
    <dimen name="TenPixels">10px</dimen>
</resources>
```

Nota

En general, dp se utiliza para diseños y gráficos mientras que sp se utiliza para texto. En los ajustes por defecto de un dispositivo generalmente dp y sp representan lo mismo. Sin embargo, el usuario puede controlar el tamaño del texto cuando está en unidades sp, por lo que no utilizará sp para un texto en el que el tamaño de la fuente sea importante, como en un título. En cambio, esta unidad es buena para aquel texto donde los ajustes para los usuarios pueden ser importantes (como por ejemplo una fuente muy grande para usuarios con problemas de visión).

Utilizar recursos de dimensión mediante programación

Los recursos de dimensión simplemente son valores en coma flotante. En el siguiente ejemplo, el método `getDimension()` obtiene un recurso de dimensión llamado `textPointSize`:

```
float myDimension =
    getResources().getDimension(R.dimen.textPointSize);
```

Advertencia

Sea prudente cuando elija las unidades de dimensión en sus aplicaciones. Si tiene pensado poder implementar en múltiples dispositivos con diferentes tamaños de pantalla y resoluciones, entonces tiene que apoyarse en unidades de dimensión más escalables, como dp y sp, y no en píxeles, puntos, pulgadas o milímetros.

Trabajar con dibujos sencillos

Puede definir rectángulos coloreados sencillos utilizando el tipo de recurso `drawable`, que a continuación se puede aplicar sobre otros elementos de la pantalla. Estos tipos de recursos se definen con colores específicos, al igual que los recursos color.

Definir recursos dibujo sencillos en XML

Los recursos de dibujo que se pueden colorear se definen en XML en el directorio del proyecto `/res/values` y se compilan en el paquete de la aplicación durante la implementación. Estos recursos utilizan la etiqueta `<drawable>` y representan parejas nombre/valor. A continuación puede ver un ejemplo de archivo de un recurso dibujo sencillo llamado `/res/values/drawables.xml`:

```
<?xml version="1.0" encoding="utf-8"?>
<resources>
   <drawable name="red_rect">#F00</drawable>
</resources>
```

Aunque puede parecer un poco confuso, también puede crear archivos XML que describen otras subclases `drawable`, como `ShapeDrawable.Drawable`. Los archivos XML se almacenan en el directorio `/res/drawable` en su proyecto, junto con los archivos de imágenes. No es lo mismo que almacenar recursos `<drawable>`, que se pueden pintar. Los recursos `ShapeDrawable` se almacenan en el directorio `/res/values`, como se comentó anteriormente.

A continuación puede ver un ejemplo de un `ShapeDrawable` del archivo `/res/drawable/red_oval.xml`:

```
<?xml version="1.0" encoding="utf-8"?>
<shape
   xmlns:android=
      "http://schemas.android.com/apk/res/android"
   android:shape="oval">
   <solid android:color="#f00"/>
</shape>
```

Por supuesto, no necesitamos definir el tamaño ya que se escalará automáticamente en el diseño donde se ubique, igual que con un formato de gráficos vectorial.

Utilizar recursos de dibujo sencillos mediante programación

Los recursos de dibujo definidos con `<drawable>` son simples rectángulos de un color determinado que se representan con la subclase `Drawable` de `ColorDrawable`. El siguiente código obtiene un recurso `ColorDrawable` llamado `redDrawable`:

```
ColorDrawable myDraw = (ColorDrawable)getResources().
   getDrawable(R.drawable.redDrawable);
```

> **Truco**
>
> Se pueden definir muchos tipos de recursos adicionales de dibujo como recursos XML. Estos dibujos especiales se corresponden con clases `drawable` específicas como `ClipDrawable` y `LevelListDrawable`. Para más información sobre estos tipos especiales, consulte la documentación de Android SDK.

Trabajar con imágenes

Las aplicaciones con frecuencia incluyen elementos visuales como iconos y gráficos. Android soporta varios formatos de imágenes que se pueden incluir directamente como recursos en su aplicación. En la tabla 7.5 se muestran estos formatos de imágenes.

Tabla 7.5. Formatos de imágenes soportados en Android

Formato de imagen soportado	Descripción	Extensión requerida
PNG (*Portable Network Graphics*, Gráficos de red portables)	Formato preferido (sin pérdidas)	`.png`
Imágenes 9-Patch	Formato preferido (sin pérdidas)	`.9.png`
JPEG (*Joint Photographic Experts Group*, Grupo conjunto de expertos en fotografía)	Formato aceptable (con pérdidas)	`.jpg`, `.jpeg`
GIF (*Graphics Interchange Format*, Formato de intercambio de gráficos)	Formato no recomendado	`.gif`

Estos formatos de imagen son soportados muy bien por editores de gráficos bien conocidos como Adobe Photoshop, GIMP o Microsoft Paint. Los gráficos 9-Patch se pueden crear a partir de archivos PNG con la herramienta `draw9patch` incluida con Android SDK en el directorio `/tools`. Añadir recursos de imagen a su proyecto es sencillo. Simplemente arrastre la imagen dentro de la jerarquía de directorios de recursos y automáticamente será incluido en el paquete de la aplicación.

Advertencia

Los nombres de archivos de recursos deben estar en minúsculas y ser sencillos (solo letras, números y caracteres subrayados). Esta regla se aplica a todos los archivos, incluyendo los gráficos.

Trabajar con gráficos 9-Patch

Las pantallas de dispositivos Android, sean smartphone, tabletas o televisiones, tienen dimensiones diferentes. Puede ser útil utilizar gráficos estirables para permitir que un gráfico sencillo se pueda escalar adecuadamente en diferentes tamaños de pantalla, orientaciones o longitudes de texto. Esto puede ahorrar mucho tiempo al diseñador a la hora de crear gráficos para diferentes tamaños de pantalla.

Por este motivo Android soporta gráficos 9-Patch. Simplemente son gráficos PNG que definen parches, o áreas de la imagen, que se pueden escalar, en lugar de tener que escalar toda la imagen como una sola unidad. Con frecuencia el área central será transparente o de un color de fondo determinado, ya que ésta será la parte estirable. Como tal, un uso muy habitual de los gráficos 9-patch es crear marcos y bordes. Se necesita poco más que las esquinas, por lo que un pequeño archivo gráfico se puede utilizar para enmarcar cualquier tamaño de imagen o control de visualización.

Los gráficos 9-Patch se pueden crear a partir de archivos PNG utilizando la herramienta `draw9patch` que se encuentra en el directorio `/tools` de Android SDK. En el capítulo 15 hablaremos con más detalle sobre la compatibilidad y el uso de este tipo de gráficos.

Utilizar recursos de imagen mediante programación

Los recursos de imagen son simplemente otro tipo de `Drawable` llamado `BitmapDrawable`. En la mayoría de los casos, solo necesitará el identificador del recurso de imagen para definirlo como un atributo en un control de la interfaz del usuario.

Por ejemplo, si soltamos el archivo gráfico `flag.png` en el directorio `/res/drawable` y añadimos un control `ImageView` en el diseño principal, podremos interactuar con dicho control mediante programación en el diseño, utilizando en primer lugar el método `findViewById()` para obtener un control mediante su identificador, y a continuación cambiando al tipo adecuado de control, en este caso un objeto `ImageView` (`android.widget.ImageView`):

```
ImageView flagImageView =
    (ImageView)findViewById(R.id.ImageView01);
flagImageView.setImageResource(R.drawable.flag);
```

Del mismo modo, si quiere acceder directamente al objeto `BitmapDrawable` (`android.graphic.drawable.BitmapDrawable()`), puede solicitar el recurso utilizando el método `getDrawable()`, como sigue:

```
BitmapDrawable bitmapFlag = (BitmapDrawable)
    getResources().getDrawable(R.drawable.flag);
int iBitmapHeightInPixels =
    bitmapFlag.getIntrinsicHeight();
int iBitmapWidthInPixels = bitmapFlag.getIntrinsicWidth();
```

Por último, si trabaja con gráficos 9-patch, cuando invoque a `getDrawable()` obtendrá un objeto `NinePatchDrawable` (`android.graphics.drawable.NinePatchDrawable`), en lugar de un objeto `BitmapDrawable`:

```
NinePatchDrawable stretchy = (NinePatchDrawable)
    getResources().getDrawable(R.drawable.pyramid);
int iStretchyHeightInPixels =
    stretchy.getIntrinsicHeight();
int iStretchyWidthInPixels = stretchy.getIntrinsicWidth();
```

Truco

Puede utilizar un recurso especial llamado `<selector>` para definir diferentes colores o recursos de dibujo que vaya a utilizar, dependiendo del estado de un control. Por ejemplo, podría definir un listado de estados de color para un control `Button`: gris cuando el botón está desactivado, verde cuando está activado, y amarillo cuando se está haciendo clic sobre él. De forma similar, podría proporcionar diferentes recursos de dibujo basándose en el estado de un control `ImageButton`. Para más información, consulte la documentación de Android SDK relacionada con los recursos de listados de colores y dibujos.

Trabajar con animaciones

Android soporta diferentes tipos de animaciones. Dos de las más sencillas son las animaciones fotograma a fotograma y las interpoladas. La animación fotograma a fotograma consiste en la visualización de una rápida sucesión de secuencias de imágenes. Las imágenes interpoladas consisten en aplicar una transformación gráfica estándar, como la rotación o el desvanecimiento, sobre una imagen. Android SDK proporciona algunas prácticas utilidades para cargar y utilizar recursos de animación. Puede encontrarlas en la clase `view.animation.AnimationUtils`. A continuación vamos a ver cómo se definen los diferentes tipos de animación en función de los recursos.

Definir y utilizar recursos de animación fotograma a fotograma

La animaciones fotograma a fotograma se utilizan con frecuencia cuando el contenido cambia entre fotograma y fotograma. Este tipo de animación se puede utilizar en transiciones complejas de fotogramas (como un libro de imágenes infantil). Para definir recursos fotograma a fotograma, siga estos pasos:

1. Guarde cada fotograma como un recurso de dibujo individual. Puede ser útil denominar sus gráficos de forma secuencial, en el orden en el que se muestran, por ejemplo `frame1.png`, `frame2.png`, etc.
2. Defina el recurso conjunto de animación en un archivo XML dentro de la jerarquía de directorio de recursos `/res/drawable/resource`.
3. Cargue, inicie y detenga la animación mediante programación.

A continuación puede ver un ejemplo de un sencillo archivo de recurso de animación llamado `/res/drawable/juggle.xml` que define una animación de tres fotogramas, que tarda 1.5 segundos en completar un bucle:

```
<?xml version="1.0" encoding="utf-8" ?>
<animation-list
   xmlns:android="http://schemas.android.com/apk/res/android"
   android:oneshot="false">
   <item
      android:drawable="@drawable/splash1"
      android:duration="500" />
   <item
      android:drawable="@drawable/splash2"
      android:duration="500" />
   <item
      android:drawable="@drawable/splash3"
      android:duration="500" />
</animation-list>
```

Los recursos de la animación fotograma a fotograma definidos con `<animation-list>` se representan mediante la subclase `AnimationDrawable`. El siguiente código recupera un recurso `AnimationDrawable` llamado `juggle`:

```
AnimationDrawable jugglerAnimation = (AnimationDrawable)getResources().
   getDrawable(R.drawable.juggle);
```

Cuando tenga un `AnimationDrawable` (`android.graphics.drawable.AnimationDrawable`) válido, puede asignarlo a un control `View` en la pantalla e iniciar y detener la animación.

Definir y utilizar recursos de animación interpolada

Una animación interpolada incluye las características de escalado, desvanecimiento, rotación y traslación. Estas acciones se pueden aplicar simultáneamente o secuencialmente, y pueden utilizar diferentes interpoladores.

Las secuencias de animaciones interpoladas no están vinculadas con un tipo concreto de archivo gráfico, por lo que puede escribir una secuencia y a continuación utilizarla sobre diferentes gráficos. Por ejemplo, podría hacer que unos gráficos luna, estrella y diamante vayan cambiando periódicamente utilizando una única secuencia de escalado, o puede hacerlos girar utilizando una secuencia de rotación.

Definir recursos de animación interpolada en XML

Las secuencias de animaciones gráficas se pueden almacenar como archivos formateados como XML en el directorio `/res/anim` y compilar en el código binario de la aplicación durante la implementación.

A continuación puede ver un ejemplo de un sencillo recurso de animación llamado `/res/anim/spin.xml` que define una simple operación de rotación, girando el objeto gráfico en la dirección de las agujas del reloj en cuatro tiempos, tardando en completarse 10 segundos:

```
<?xml version="1.0" encoding="utf-8" ?>
<set xmlns:android="http://schemas.android.com/apk/res/android">
   <rotate
      android:fromDegrees="0"
      android:toDegrees="-1440"
      android:pivotX="50%"
      android:pivotY="50%"
      android:duration="10000" />
</set>
```

Utilizar recursos de animación interpolada mediante programación

Si volvemos al ejemplo anterior donde utilizamos `BitDrawable`, ahora podemos incluir alguna animación simplemente añadiendo el siguiente código para cargar el archivo del recurso de animación `spin.xml`, y configurar el movimiento de la animación:

```
ImageView flagImageView =
   (ImageView)findViewById(R.id.ImageView01);
flagImageView.setImageResource(R.drawable.flag);
...
```

```
Animation an =
    AnimationUtils.loadAnimation(this, R.anim.spin);
flagImageView.startAnimation(an);
```

Ahora ya tiene su gráfico girando. Fíjese que hemos cargado la animación utilizando el objeto de clase básico `Animation`. También puede obtener tipos de animaciones concretas recurriendo a las subclases `RotateAnimation`, `ScaleAnimation`, `TranslateAnimation` y `AlphaAnimation` (que se encuentran en el paquete `android.view.animation`). Existen una serie de interpoladores diferentes que puede utilizar con sus secuencias de animación interpoladas.

Trabajar con menús

También puede incluir recursos de menú en sus archivos de proyecto. Del mismo modo que los recursos de animación, los recursos de menú no están vinculados con un control específico sino que pueden ser reutilizados en cualquier control de menú.

Definir recursos de menú en XML

Cada recurso de menú (que consiste en un conjunto de elementos de menú independientes) se almacena como un archivo con formato especial XML en el directorio `/res/menu` y se compila en el paquete de la aplicación durante la implementación.

A continuación puede ver un ejemplo de un sencillo archivo de recurso de menú llamado `/res/menu/speed.xml` que define un pequeño menú con cuatro elementos en un orden determinado:

```
<menu xmlns:android="http://schemas.android.com/apk/res/android">
    <item
        android:id="@+id/start"
        android:title="Start!"
        android:orderInCategory="1"></item>
    <item
        android:id="@+id/stop" android:title="Stop!"
        android:orderInCategory="4"></item>
    <item
        android:id="@+id/accel"
        android:title="Vroom! Accelerate!"
        android:orderInCategory="2"></item>
    <item
        android:id="@+id/decel"
        android:title="Decelerate!"
        android:orderInCategory="3"></item>
</menu>
```

Puede crear menús utilizando el *plugin* ADT, que puede acceder a diferentes atributos de configuración para cada elemento del menú. En el caso del ejemplo anterior, hemos definido el título (etiqueta) de cada elemento del menú y el orden en el cual se muestran los elementos. Ahora puede utilizar los recursos de cadena para ambos títulos, en lugar de tener que escribirlos en las cadenas. Por ejemplo:

```
<menu xmlns:android=
   "http://schemas.android.com/apk/res/android">
   <item
      android:id="@+id/start"
      android:title="@string/start"
      android:orderInCategory="1"></item>
   <item
      android:id="@+id/stop"
      android:title="@string/stop"
      android:orderInCategory="2"></item>
</menu>
```

Utilizar recursos de menú mediante programación

Para acceder al recurso de menú anterior llamado `/res/menu/speed.xml`, simplemente cancele el método `onCreateOptionsMenu()` en su clase `Activity`, devolviendo `true` para hacer que el menú se muestre:

```
public boolean onCreateOptionsMenu(Menu menu) {
   getMenuInflater().inflate(R.menu.speed, menu);
   return true;
}
```

Ya está. Ahora si ejecuta su aplicación y hace clic en el botón del menú, podrá ver este recurso de menú. Se pueden asignar otros atributos XML a elementos de menú. Para consultar una lista completa de estos atributos, consulte la referencia de Android SDK sobre recursos de menú en el sitio Web `http://d.android.com/guide/topics/resources/menu-resource.html`. En el capítulo 8 hablaremos mucho más sobre menús y gestión de eventos de menú.

Trabajar con archivos XML

Puede incluir archivos de recursos XML arbitrarios a su proyecto. Debería almacenarlos en `/res/xml` y se compilarán en el paquete de la aplicación durante la implementación. Android SDK incluye diversos tipos de paquetes y clases disponibles para ser modificados como XML. En el capítulo 13 veremos en detalle la gestión XML. Por ahora, vamos a crear un archivo de recurso XML y accederemos al mismo a través del código.

Definir recursos XML raw

En primer lugar vamos a incluir un sencillo archivo XML en el directorio `/res/xml`. En este caso se puede crear el archivo `my-pets.xml` que tiene el siguiente contenido:

```
<?xml version="1.0" encoding="utf-8"?>
<pets>
   <pet name="Bit" type="Bunny" />
   <pet name="Nibble" type="Bunny" />
   <pet name="Stack" type="Bunny" />
   <pet name="Queue" type="Bunny" />
   <pet name="Heap" type="Bunny" />
```

```
    <pet name="Null" type="Bunny" />
    <pet name="Nigiri" type="Fish" />
    <pet name="Sashimi II" type="Fish" />
    <pet name="Kiwi" type="Lovebird" />
</pets>
```

Utilizar recursos XML mediante programación

Ahora puede acceder a este archivo XML como un recurso mediante programación del siguiente modo:

```
XmlResourceParser myPets =
    getResources().getXml(R.xml.my_pets);
```

A continuación puede utilizar el intérprete que quiera para analizar el archivo XML. En el capítulo 13 hablaremos sobre cómo trabajar con archivos, incluyendo archivos XML.

Trabajar con archivos *raw*

Su aplicación también puede incluir archivos *raw* como parte de sus recursos. Por ejemplo, su aplicación podría utilizar archivos *raw* como archivos de audio, de vídeo y otros formatos no soportados por la herramienta de empaquetado de recursos de Android `aapt`.

Definir recursos de archivos *raw*

Todos los recursos de archivos *raw* se incluyen en el directorio `/res/raw` y se añaden al paquete de su aplicación sin más procesamiento.

Advertencia

Los nombres de archivo de los recursos deben ser en minúsculas y sencillos (solo letras, números y guión bajo). Esto también se aplica a los archivo *raw* aunque las herramientas no los procesan, sino que tan solo los incluyen en el paquete de su aplicación.

El nombre del archivo de recurso debe ser único en el directorio y debería ser descriptivo, ya que mediante este nombre (sin la extensión) se accederá al recurso.

Utilizar recursos de archivos *raw* mediante programación

Puede acceder a archivos *raw* desde el directorio de recursos `/res/raw`, y a cualquier otro recurso desde el directorio `/res/drawable` (gráficos de mapa de bits, cualquier archivo que no utilice el método de definición XML `<resource>`). A continuación puede ver una forma de abrir un archivo llamado `the_help.txt`:

```
InputStream iFile =
    getResources().openRawResource(R.raw.the_help);
```

Referencias a recursos

Puede hacer referencia a recursos en lugar de duplicarlos. Por ejemplo, su aplicación podría querer referenciar un único recurso de cadena en múltiples conjuntos de cadenas. El uso más habitual de la referencia a recursos es en archivos de diseño XML, donde los diseños pueden referenciar cualquier número de recursos para especificar atributos para colores del diseño, dimensiones, cadenas y gráficos. Otro uso muy común es con recursos de estilo y tema.

Los recursos se referencian con el siguiente formato:

```
@resource_type/variable_name
```

Recuerde que anteriormente teníamos un conjunto de cadenas que representaban nombres de sopas. Si queremos localizar el listado de sopas, una forma mejor de crear este conjunto es originar recursos de cadena individuales para cada nombre de sopa, y a continuación almacenar las referencias de estos recursos de cadena en un conjunto de cadenas (en lugar de texto). Para hacer esto, definimos los recursos de cadena en el archivo `/res/strings.xml` del siguiente modo:

```
<?xml version="1.0" encoding="utf-8"?>
<resources>
    <string name="app_name">Application Name</string>
    <string name="chicken_soup">Organic Chicken Noodle</string>
    <string name="minestrone_soup">Veggie Minestrone</string>
    <string name="chowder_soup">New England Lobster Chowder</string>
</resources>
```

Y a continuación podemos definir un conjunto de cadenas localizable que haga referencia a los recursos de cadena por su nombre en el archivo `/res/arrays.xml` del siguiente modo:

```
<?xml version="1.0" encoding="utf-8"?>
<resources>
    <string-array name="soups">
        <item>@string/minestrone_soup</item>
        <item>@string/chowder_soup</item>
        <item>@string/chicken_soup</item>
    </string-array>
</resources>
```

Truco

Primero guarde el archivo `strings.xml` para que los recursos de cadena (que son recuperadospor `aapt` e incluidos en la clase `R.java`) estén definidos antes de intentar guardar el archivo `strings.xml`,que referencia dichos recursos cadena. Si no lo hace así, obtendrá el siguiente error:

```
Error: No resource found that matches the given name.
```

También puede utilizar referencias para crear alias para otros recursos. Por ejemplo, puede crear un alias del recurso de sistema para la cadena OK, con el nombre de un recurso de aplicación, incluyendo el siguiente código en su archivo de recurso strings.xml:

```
<?xml version="1.0" encoding="utf-8"?>
<resources>
    <string id="app_ok">@android:string/ok</string>
</resources>
```

Hablaremos más sobre los diferentes recursos disponibles del sistema más adelante en este capítulo.

Truco

Igual que los conjuntos de cadenas y de enteros, puede crear conjuntos de cualquier tipo de recurso utilizando la etiqueta <array> con etiquetas <item> hijo, definiendo un elemento por cada recurso del array. A continuación puede cargar el conjunto formado por diversos recursos utilizando el método obtainTypedArray() de la clase Resources. El recurso de conjunto tipificado se utiliza habitualmente para agrupar y cargar un grupo de recursos drawable en una sola llamada. Para más información consulte la documentación de Android SDK sobre recursos de conjunto tipificado.

Trabajar con diseños

Igual que los diseñadores Web utilizan HTML, los diseñadores de interfaces de usuario pueden utilizar XML para definir los elementos y el diseño de las pantallas de aplicaciones Android. Un recurso de diseño XML es el lugar donde se juntan muchos recursos diferentes para definir la pantalla de la aplicación Android. Los archivos de recursos de diseño se incluyen en el directorio /res/layout y se compilan en el paquete de la aplicación durante la implementación. Los archivos de diseño pueden incluir muchos controles de interfaz de usuario, y definir el diseño de una pantalla completa o describir controles personalizados utilizados en otros diseños.

A continuación puede ver un ejemplo de un archivo de diseño (/res/layout/main.xml) que define un color del fondo de pantalla y muestra algún texto en el centro de la misma, como puede ver en la figura 7.3.

El archivo de diseño main.xml que se visualiza en la pantalla hace referencia a otros recursos, incluyendo colores, cadenas y valores de dimensiones, estando todos definidos en los archivos de recursos strings.xml, colors.xml y dimens.xml. A continuación puede ver el código correspondiente al recurso para el color de fondo de la pantalla, y a los recursos para el color, la cadena y el tamaño del texto del control TextView:

```
<?xml version="1.0" encoding="utf-8"?>
<LinearLayout xmlns:android=
    "http://schemas.android.com/apk/res/android"
    android:orientation="vertical"
```

```
    android:layout_width="fill_parent"
    android:layout_height="fill_parent"
    android:background="@color/background_color">
    <TextView
        android:id="@+id/TextView01"
        android:layout_width="fill_parent"
        android:layout_height="fill_parent"
        android:text="@string/test_string"
        android:textColor="@color/text_color"
        android:gravity="center"
        android:textSize="@dimen/text_size" />
</LinearLayout>
```

Figura 7.3. Archivo de diseño main.xml en el emulador.

El diseño anterior describe todos los elementos visuales de la pantalla. En este ejemplo, se ha utilizado un control `LinearLayout` como contenedor de otros controles de la interfaz del usuario, en este caso, un único `TextView` que muestra una línea de texto.

Truco

Puede encapsular definiciones comunes del diseño en sus propios archivos XML y a continuación incluir dichos diseños dentro de otros archivos de diseño con la etiqueta `<include>`. Por ejemplo, podría utilizar esta etiqueta para incluir otro diseño llamado `/res/layout/mygreenrect.xml` dentro de la definición del diseño `main.xml`:

```
<include layout="@layout/mygreenrect"/>
```

Crear diseños en Eclipse

Puede crear diseños y vistas previas en Eclipse utilizando la funcionalidad del editor de recursos proporcionada por el *plugin* ADT, como puede ver en la figura 7.4. Si hace clic en el archivo del proyecto `/res/layout/main.xml` (que se incluye en todos los proyectos Android nuevos), podrá ver la pestaña **Layout** (Diseño), que le mostrará una vista previa del diseño, y la pestaña **main.xml**, que le muestra el archivo XML *raw* del diseño.

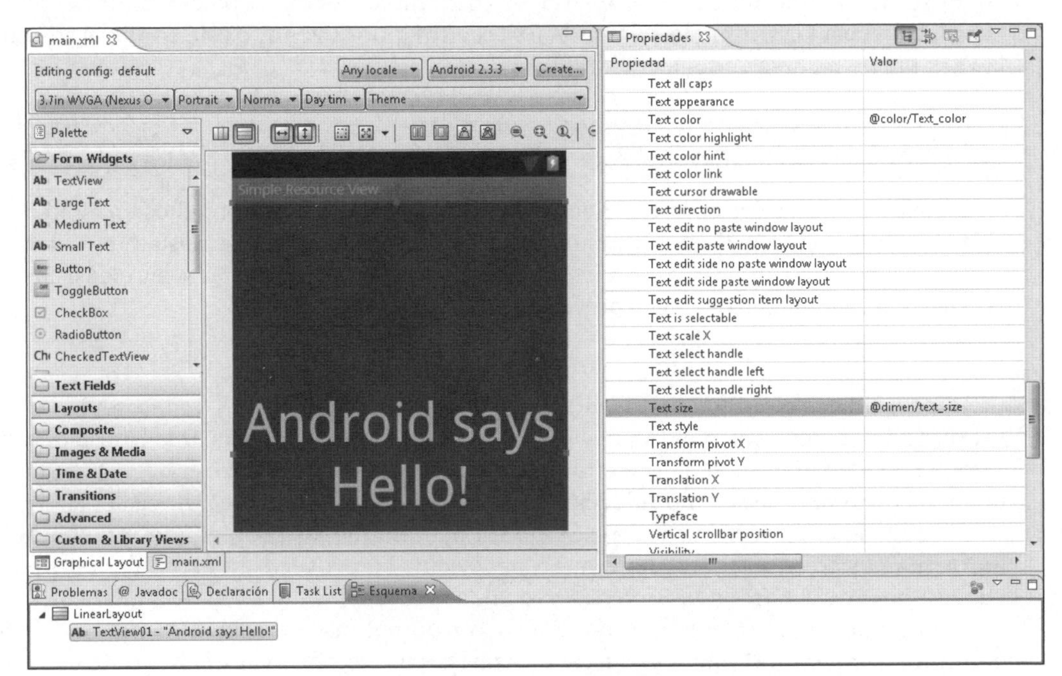

Figura 7.4. Crear un diseño con Eclipse.

Como ocurre con la mayoría de editores de interfaz de usuario, el *plugin* ADT funciona correctamente para sus necesidades fundamentales del diseño, le permite crear fácilmente controles de la interfaz de usuario como `TextView` y `Button`, y le permite configurar las propiedades de los controles en el panel **Properties** (Propiedades).

Truco

Mover el panel **Properties** (Propiedades) a la parte derecha del espacio de trabajo en Eclipse le facilitará buscar y definir propiedades de controles cuando cree diseños.

Ahora es un buen momento para conocer más en detalle el editor de recursos de diseño, también llamado creador de diseños. Intente crear un nuevo proyecto Android llamado ParisView (disponible como código de ejemplo). Diríjase al archivo de diseño

`/res/layout/main.xml` y haga doble clic para abrirlo en el editor. Por defecto es bastante sencillo, incluyendo tan solo un rectángulo negro (vacío) y una cadena de texto.

Debajo del panel de recursos de la perspectiva de Eclipse, podrá ver la pestaña Esquema, que contiene la jerarquía XML de dicho archivo de diseño. Por defecto, podrá ver un `LinearLayout`. Si lo expande, verá que incluye un control `TextView`. Haga clic en él. Podrá observar que en el panel Properties (Propiedades) de la perspectiva de Eclipse ahora se encuentran todas las propiedades disponibles de dicho objeto. Si se desplaza hacia abajo hasta la propiedad llamada text (texto), podrá ver que está configurada con la variable de recurso cadena @string/hello.

Truco

También puede seleccionar controles específicos haciendo clic sobre ellos en el área de la vista previa del diseño. El control seleccionado actualmente se destaca en color rojo. Es preferible utilizar la vista Esquema, de forma que puede estar seguro de estar haciendo clic sobre lo que tiene previsto.

Puede utilizar el editor de diseños para configurar y tener una vista previa de las propiedades de los controles del diseño. Por ejemplo, puede modificar la propiedad de `TextView` llamada `textSize` escribiendo **18pt** (una dimensión). Podrá ver inmediatamente el resultado de sus modificaciones en la propiedad, en el área de vista previa.

Cambie a la pestaña `main.xml`. Se podrá fijar en que las propiedades que ha definido ahora están en XML. Si ahora guarda y ejecuta su proyecto en el emulador, podrá ver resultados similares a los que observa en la vista previa.

Ahora vuelva al panel Esquema. Podrá ver un botón verde con el signo más y un botón rojo con el signo menos. Puede utilizarlos para añadir o eliminar controles a su archivo de diseño. Por ejemplo, seleccione `LinearLayout` de la vista Esquema y a continuación haga clic en el botón verde para añadir un control dentro de dicho objeto contenedor. Seleccione el objeto `ImageView`. Ahora tiene un nuevo control en su diseño. Realmente no puede verlo porque todavía no está totalmente definido.

Arrastre dos archivo de gráficos PNG (o JPG) en el directorio `/res/drawable` de su proyecto, llamándolos `flag.png` y `background.png`. Ahora, diríjase a las propiedades de su control `ImageView` y defina la propiedad `src` haciendo clic en el botón de búsqueda de recursos etiquetado como **[...]**. Puede explorar todos los recursos `Drawable` en su proyecto y seleccionar el recurso `flag` que acaba de añadir. También puede configurar esta propiedad manualmente escribiendo **@drawable/flag**.

Ahora podrá ver que el gráfico se muestra en su vista previa. A continuación, seleccione el objeto `LinearLayout` y configure su propiedad `background` como la del objeto `background` que añadió anteriormente.

Si guarda el archivo de diseño y ejecuta la aplicación en el emulador, como se muestra en la figura 7.5, o en el teléfono, podrá ver el mismo resultado que en el panel de vista previa del editor de diseño.

Figura 7.5. Diseño con LinearLayout, TextView e ImageView, en el emulador.

Utilizar recursos de diseño mediante programación

Los objetos dentro de un diseño, sean controles `Button` o `ImageView`, se derivan todos de la clase `View`. A continuación puede ver el código que se utilizaría para obtener un objeto `TextView` llamado `TextView01`, invocado en una clase `Activity` después de la llamada a `setContentView()`:

```
TextView txt = (TextView)findViewById(R.id.TextView01);
```

También puede acceder al código XML de un recurso de diseño de la misma forma que accedería a cualquier archivo XML. El siguiente código obtiene el archivo de diseño `main.xml` para análisis XML:

```
XmlResourceParser myMainXml =
    getResources().getLayout(R.layout.main);
```

Los desarrolladores también pueden definir diseños personalizados con atributos específicos. En el capítulo 9 hablaremos en detalle sobre archivos de diseño y la creación de interfaces de usuario de Android.

Advertencia

El código Java asociado con su proyecto no sabe qué versión se ha cargado de un determinado recurso, tanto si es la versión por defecto o alguna versión alternativa. Sea precavido cuando proporciona recursos de diseño alternativos. Los recursos de diseño tienden a ser más complicados, y los controles hijo incluidos en los mismos son referidos con frecuencia en el código por su nombre. Por lo tanto, si empieza a crear recursos de diseño alternativos, asegúrese de que cada control hijo referenciado en el código existe en cada diseño alternativo. Por ejemplo, si tiene una interfaz de usuario con un control `Button`, asegúrese de que el identificador de este control (`android:id`) es el mismo tanto en la vista apaisada, vertical o en cualquier otro recurso de diseño alternativo. Podría incluir diferentes controles y propiedades en cada diseño y reorganizarlos como quiera, pero los controles a los que hace referencia y que son accedidos mediante programación deberían existir en todos los diseños, de forma que su código se ejecute correctamente, independientemente del diseño cargado. Si no lo hace así, necesitará crear un código condicional, o incluso si la pantalla es muy diferente podría considerar representarla por una clase `Activity` diferente.

Hacer referencia a recursos del sistema

Además de los recursos incluidos en su proyecto, también puede aprovechar los recursos genéricos proporcionados en Android SDK. Puede acceder a estos recursos del sistema como si accediera a sus propios recursos. El paquete `android` incluye todo tipo de recursos, que puede explorar en las subclases `android.R`. Aquí encontrará recursos para:

- Secuencias de animación para efectos de desvanecimiento.
- Conjuntos de tipos correo electrónico/teléfono (casa, trabajo y similares).
- Colores estándar del sistema.
- Dimensiones para imágenes en miniatura e iconos de aplicaciones.
- Muchos tipos de diseños y recursos `drawable` habituales.
- Cadenas de error y texto estándar de botones.
- Estilos y temas del sistema.

Puede hacer referencia a recursos del sistema desde otros recursos, como archivos de diseño, especificando el nombre del paquete `@android` antes del recurso. Por ejemplo, para definir el fondo de pantalla con el color gris oscuro del sistema, tendrá que configurar el atributo color de fondo adecuado como `@android:color/darr_gray`.

Puede acceder a los recursos del sistema mediante programación a través de la clase `android.R`. Si volvemos al ejemplo anterior sobre la animación, podríamos haber usado una animación del sistema en lugar de definir la nuestra. A continuación puede ver el mismo ejemplo de la animación, ahora utilizando una animación del sistema con efecto de desvanecimiento:

```
ImageView flagImageView =
   (ImageView)findViewById(R.id.ImageView01);
flagImageView.setImageResource(R.drawable.flag);
```

```
Animation an = AnimationUtils.
    loadAnimation(this, android.R.anim.fade_in);
flagImageView.startAnimation(an);
```

Advertencia

Aunque referenciar recursos del sistema puede ser útil para dar a la aplicación un aspecto más consistente con el resto de una determinada interfaz de usuario del dispositivo (a veces los usuarios lo apreciarán), tiene que ser prudente al utilizarlos. Si un determinado dispositivo tiene recursos de sistema muy diferentes, o no incluye recursos específicos utilizados por su aplicación, entonces su aplicación no tendrá el aspecto o el comportamiento esperado. Puede utilizar una aplicación instalable, llamada rs:ResEnum (`http://goo.gl/Ir3V8`) para enumerar y mostrar los diferentes recursos disponibles de un dispositivo determinado. De esta forma, puede verificar rápidamente la disponibilidad de los recursos de sistema en los dispositivos donde quiere realizar la implementación.

Resumen

Las aplicaciones Android utilizan diferentes tipos de recursos, incluyendo cadenas, conjuntos de cadenas, colores, dimensiones, objetos dibujables, gráficos, secuencias de animación, diseños y muchos más. Los recursos también pueden ser archivos *raw*. Muchos de estos recursos se definen en XML y están organizados en directorios del proyecto con nombres especiales. Tanto los recursos por defecto como los alternativos pueden ser definidos utilizando esta jerarquía.

Los recursos son compilados y referenciados utilizando el archivo de la clase `R.java`, generado automáticamente por el *plugin* ADT de Eclipse cuando se guardan los recursos de la aplicación, permitiendo que los desarrolladores accedan a los mismos mediante programación.

Referencias y más información

- Guía de desarrollo Android sobre recursos de aplicaciones: `http://d.android.com/guide/topics/resources/index.html`.
- Guía de desarrollo Android sobre tipos de recursos: `http://d.android.com/guide/topics/resources/available-resources.html`.

Parte III.
Fundamentos de diseño de interfaces de usuario Android

8
Explorar elementos de la pantalla interfaz del usuario

La mayoría de aplicaciones Android necesitan inevitablemente algún tipo de interfaz de usuario. En este capítulo vamos a ver los elementos de la interfaz de usuario disponibles en el kit de desarrollo de software de Android (SDK). Algunos de estos elementos muestran información al usuario, mientras que otros son controles de entrada que puede utilizar para obtener información del mismo. En este capítulo aprenderemos a emplear controles habituales de la interfaz del usuario para diseñar diferentes tipos de pantallas.

Introducción a vistas y diseños de Android

Antes de seguir adelante necesitamos definir unos cuantos términos. De esta forma entenderá mejor ciertas características de Android SDK antes de que hablemos a fondo de ellas. En primer lugar vamos a hablar de `View` y lo que significa en Android SDK.

Introducción a View

Android SDK incluye un paquete Java llamado `android.view`, el cual contiene un conjunto de interfaces y clases relacionadas con los dibujos en pantalla. Sin embargo, cuando nos referimos al objeto `View`, realmente nos estamos refiriendo a la única clase dentro de este paquete: la clase `android.view.View`.

La clase `View` es el bloque constructivo básico de la interfaz de usuario en Android. Representa un área rectangular de la pantalla. Esta clase actúa como base para prácticamente todos los controles y diseños de la interfaz de usuario dentro de Android SDK.

Introducción a los controles de Android

Android SDK incluye un paquete llamado `android.widget`. Cuando nos referimos a los controles, normalmente nos referimos a una clase dentro de este paquete. Android SDK incluye clases para dibujar la mayoría de objetos habituales, como las clases `ImageView`, `FrameLayout`, `EditText` y `Button`. Como dijimos anteriormente, normalmente todos los controles derivan de la clase `View`.

Este capítulo trata principalmente sobre controles que muestran y obtienen datos del usuario. Se cubren en detalle muchos de estos controles básicos.

Sus archivos de recurso de diseño están formados por diferentes controles de la interfaz del usuario. Algunos son estáticos, y no necesita trabajar con ellos mediante programación. A otros querrá poder acceder y modificar desde su código Java. Cada control al que quiera tener acceso mediante programación debe tener un identificador único especificado a través del atributo `android:id`. Utilizará este identificador para acceder al control con el método `findViewById()` de su clase `Activity`. La mayoría de las veces necesitará cambiar el tipo del `View` devuelto por el tipo de control adecuado. Por ejemplo, el siguiente código muestra cómo acceder al control `TextView` empleando este identificador único:

```
TextView tv = (TextView)findViewById(R.id.TextView01);
```

Nota

No debe confundir los controles de la interfaz del usuario del paquete `android.widget` con las aplicaciones Widget. Un `AppWidget` (`android.appwidget`) es una extensión de una aplicación que habitualmente se muestra en la pantalla de inicio de Android.

Introducción a Layout

Dentro del paquete `android.widget` puede encontrar un tipo especial de control llamado `Layout`. Un control `Layout` es un objeto `View`, pero realmente no dibuja nada concreto en la pantalla. En cambio, es un contenedor padre para organizar otros controles (hijos). Los controles `Layout` determinan cómo y en qué lugar de la pantalla se dibujan los controles hijo. Cada tipo de control `Layout` dibuja sus controles hijo utilizando unas reglas determinadas. Por ejemplo, el control `LinearLayout` dibuja sus controles hijo en una única fila horizontal o columna vertical. Del mismo modo, un control `TableLayout` muestra cada uno de sus controles hijo en forma de tabla (en celdas dentro de filas y columnas específicas).

En el capítulo 9 veremos cómo organizar varios controles dentro de `Layout` y de otros contenedores. Estos controles `View` especiales, que se derivan de la clase `android.view.ViewGroup`, serán útiles solo después de que haya estudiado los diferentes controles de visualización que estos contenedores pueden incluir. Por necesidad, en este capítulo utilizaremos algunos de los objetos `View` para mostrar cómo emplear los controles mencionados anteriormente. Sin embargo, no entraremos en detalles sobre los diferentes tipos de diseños disponibles en Android SDK hasta el próximo capítulo.

Nota

Muchos de los códigos de ejemplo que se usan en este capítulo son de la aplicación ViewSamples, cuyo código fuente puede descargar desde la página Web de la editorial.

Mostrar texto a los usuarios con TextView

Uno de los elementos básicos de la interfaz de usuario (o de los controles) de Android SDK es el control `TextView`. Se utiliza simplemente para escribir texto en su pantalla. Principalmente lo empleará para mostrar cadenas de texto fijas o etiquetas.

Usualmente el control `TextView` es un control hijo dentro de otros elementos y controles de la pantalla. Como la mayoría de los elementos de la interfaz del usuario, se deriva de `View` y está incluido dentro del paquete `android.widget`. Debido a que es un `View`, se pueden aplicar al objeto todos los atributos estándar como ancho, alto, relleno y visibilidad. Sin embargo, al tratarse de un control para mostrar texto, puede definir muchos otros atributos `TextView` para controlar el comportamiento y la visualización en diferentes situaciones.

No obstante, en primer lugar vamos a ver cómo colocar texto rápidamente en la pantalla. `<TextView>` es la etiqueta de archivo de diseño XML que se usa para mostrar texto en la pantalla. Puede definir la propiedad `android:text` de `TextView` como una cadena de texto *raw* en el archivo de diseño, o una referencia a un recurso cadena.

A continuación puede ver un ejemplo de los dos métodos que puede utilizar para definir el atributo `android:text` de `TextView`. En el primer método se configura el atributo texto como una cadena *raw*, y en el segundo se emplea un recurso de cadena llamado `sample_text`, que deber ser definido en el archivo de recurso `strings.xml`:

```
<TextView
    android:id="@+id/TextView01"
    android:layout_width="wrap_content"
    android:layout_height="wrap_content"
    android:text="Some sample text here" />
<TextView
    android:id="@+id/TextView02"
    android:layout_width="wrap_content"
    android:layout_height="wrap_content"
    android:text="@string/sample_text" />
```

Para mostrar `TextView` en la pantalla, todo lo que necesita hacer su `Activity` es invocar al método `setContentView()` con el identificador de recurso donde definió el XML mostrado anteriormente. Puede cambiar el texto mostrado mediante programación invocando al método `setText()` del objeto `TextView`. Con el método `getText()` se recupera el texto. A continuación vamos a hablar sobre algunos de los atributos más comunes de los objetos `TextView`

Configurar el diseño y el tamaño

El control `TextView` incluye algunos atributos especiales que definen cómo se dibuja y cómo fluye el texto. Por ejemplo, puede configurar `TextView` para que tenga una línea de alto y un ancho fijo. Sin embargo, si introduce una cadena de texto larga que no cabe, el texto se truncará bruscamente. Afortunadamente existen algunos atributos que pueden arreglar este problema.

Truco

Cuando examina los atributos disponibles para los objetos `TextView`, debería tener en cuenta que la clase `TextView` contiene toda la funcionalidad que necesitan los controles que se pueden modificar. Esto quiere decir que muchos de los atributos solo se aplican a campos `input`, que son usados principalmente por el objeto de la subclase `EditText`. Por ejemplo, el atributo `autoText`, que ayuda al usuario a corregir errores de ortografía, es más adecuado para campos de texto modificable (`EditText`). Normalmente no es necesario utilizar este atributo cuando simplemente está mostrando texto en la pantalla.

Puede controlar el ancho de un `TextView` con la unidad de medida `ems` en lugar de píxeles. Un `em` es un término empleado en tipografía que se define en función del tamaño del punto en un tipo de letra determinado (por ejemplo, la medida en ems de una fuente de 12 puntos es 12 puntos). Esta medida proporciona un mejor control sobre la cantidad de texto visualizado, independientemente del tamaño de la fuente. A través del atributo `ems`, puede configurar el ancho de un `TextView`. Además, puede usar los atributos `maxEms` y `minEms` para definir al ancho máximo y mínimo, respectivamente, de `TextView` utilizando esta unidad de medida.

Puede definir la altura de un `TextView` en función del número de líneas de texto en lugar de píxeles. De nuevo, esto es útil para controlar la cantidad de texto visualizado independientemente del tamaño de la fuente. El atributo `lines` define el número de líneas que `TextView` puede mostrar. También puede emplear `maxLines` y `minLines` para controlar la altura máxima y mínima respectivamente que muestra `TexView`.

A continuación puede ver un ejemplo que combina los dos tipos de atributos para asignar dimensiones. `TextView` tiene dos líneas de texto de alto y 12 ems de ancho. La anchura y la altura del diseño están determinados por el tamaño de `TextView`, y los atributos necesarios en el esquema XML:

```
<TextView
    android:id="@+id/TextView04"
    android:layout_width="wrap_content"
```

```
android:layout_height="wrap_content"
android:lines="2"
android:ems="12"
android:text="@string/autolink_test" />
```

En lugar de tener que truncar el texto al final como ocurría en el ejemplo anterior, podemos activar el atributo `ellipsize` para sustituir los dos últimos caracteres con una elipsis para que el usuario sepa que no está viendo todo el texto.

Crear vínculos contextuales en el texto

Si su texto incluye referencias a direcciones de correo electrónico, páginas Web, números de teléfono o incluso direcciones de calles, podría usar el atributo `autoLink`, como puede ver en la figura 8.1. Este atributo tiene cuatro valores que puede utilizar combinándolos entre sí. Cuando está activado, los valores de estos atributos generan vínculos estándar tipo Web con la aplicación que puede actuar sobre dicho tipo de datos. Por ejemplo, cuando configura este atributo como `web`, automáticamente buscará y vinculará cualquier URL con páginas Web.

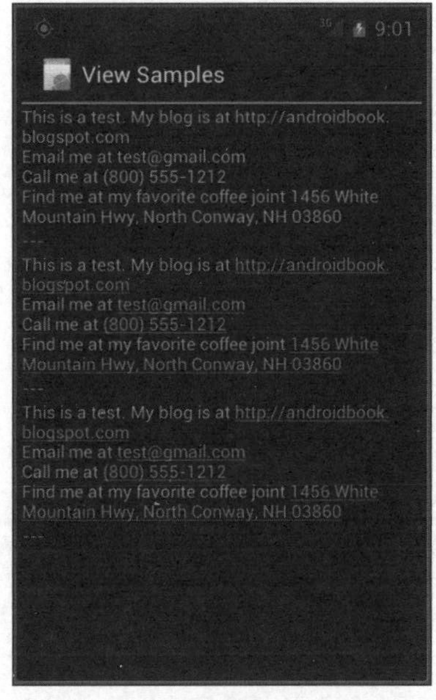

Figura 8.1. Tipos de TextView: Simple, AutoLink All sobre el que se puede hacer clic y AutoLink All sobre el que no se puede hacer clic.

Su texto puede incluir los siguientes valores para el atributo `AutoLink`:

- `none` (ninguno): Desactiva todos los vínculos.
- `web`: Activa los vínculos de URL con páginas Web.

- `email` (correo electrónico): Activa los vínculos de direcciones de correo electrónico con el cliente de correo, con el destinatario indicado.
- `phone` (teléfono): Activa los vínculos de números de teléfono con la aplicación del dial del teléfono, con el número indicado, preparado para ser marcado.
- `map` (mapa): Activa los vínculos de las direcciones de calles con la aplicación de mapas, para mostrar la localización.
- `all`: Activa todos los tipos de vínculos.

La activación de la característica `AutoLink` se basa en la detección de los diferentes tipos de vínculos dentro de Android SDK. En algunos casos, los vínculos pueden no ser correctos o crear un error.

A continuación tiene un ejemplo que vincula correo electrónico y páginas Web, que en nuestra opinión, son los más seguros y predecibles:

```
<TextView
    android:id="@+id/TextView02"
    android:layout_width="wrap_content"
    android:layout_height="wrap_content"
    android:text="@string/autolink_test"
    android:autoLink="web|email" />
```

También existen dos valores auxiliares para este atributo. Puede definirlo como `none` (ninguno) para asegurarse de que no se vincula ningún tipo de dato. También puede definirlo como `all` (todos), que vincula todos los tipos. En las figuras 8.2, 8.3 y 8.4 puede ver el resultado obtenido cuando hace clic en estos vínculos. Por defecto `TextView` no está vinculado con ningún tipo. Si quiere que el usuario vea los diferentes tipos de datos destacados, pero no quiere que pueda hacer clic sobre ellos, puede definir el atributo `linksClickable` como `false` (falso).

Obtener datos de usuarios con EditText

Android SDK incluye una serie de controles para obtener datos de usuarios. Uno de los tipos de datos que habitualmente las aplicaciones necesitan obtener de los usuarios es el texto. Dos controles usados frecuentemente para gestionar este tipo de tarea son `EditText` y `Spinner` (versión Android de un control desplegable).

Introducción de texto empleando controles EditText

Android SDK incluye un control muy útil llamado `EditText` para gestionar la introducción de texto por el usuario. La clase `EditText` se deriva de `TextView`. De hecho, la mayoría de su funcionalidad está incluida en `TextView`, pero se activa cuando se genera como un `EditText`. El objeto `EditText` incluye por defecto un conjunto de útiles características, muchas de las cuales las puede ver en la figura 8.5.

Figura 8.2. AutoLinks con clic: una URL inicia el navegador.

Figura 8.3. AutoLinks con clic: un número de teléfono inicia la aplicación de marcado.

No obstante, en primer lugar vamos ver cómo se define un control `EditText` en un archivo de diseño XML:

```
<EditText
   android:id="@+id/EditText01"
   android:layout_height="wrap_content"
```

```
android:hint="type here"
android:lines="4"
android:layout_width="match_parent" />
```

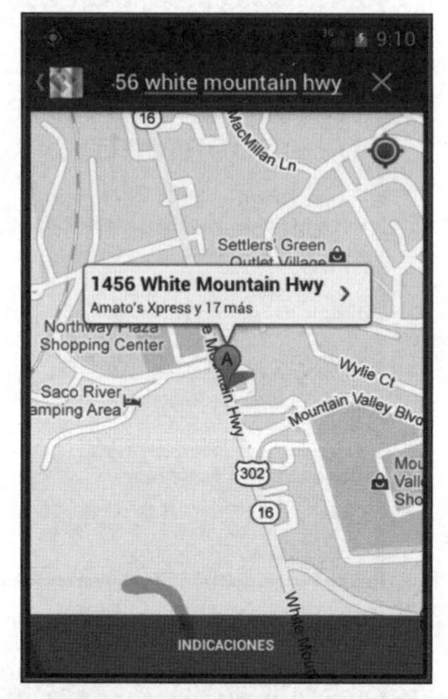

Figura 8.4. AutoLinks con clic: una dirección de una calle inicia Google Maps.

Figura 8.5. Varios estilos de los controles EditText, Spinner y Button.

Este código de un diseño muestra un elemento básico `EditText`. Hay una serie de aspectos que conviene destacar. En primer lugar, el atributo `hint` introduce algún texto en el cuadro de edición, que desaparece cuando el usuario empieza a introducir texto (ejecute el código de ejemplo para ver el atributo `hint` en acción). Básicamente este atributo da una pista al usuario sobre el tipo de texto que debería escribir. A continuación tiene el atributo `lines`, que define cuántas líneas de altura tiene el cuadro de edición. Si no se define, el campo de entrada va creciendo según el usuario va introduciendo texto. Sin embargo, cuando define un tamaño, permite al usuario que se desplace un tamaño fijo cuando introduzca texto. Esto también se aplica al ancho de la entrada. Por defecto, el usuario puede presionar el control durante algunos segundos para que se abra un menú contextual. Esto ofrece al usuario algunas operaciones básicas como copiar, cortar y pegar, así como la posibilidad de cambiar el método de entrada de datos y añadir una palabra al diccionario de palabras usadas con frecuencia del usuario, como puede ver en la figura 8.6. No necesita proporcionar un código adicional para beneficiar a sus usuarios con esta útil característica. También puede destacar un fragmento del texto desde el código, como puede ver en la figura 8.7. Esto se hace con una llamada a `setSelection()`, y si quiere destacar todo el campo de entrada de texto, con una llamada a `selectAll()`.

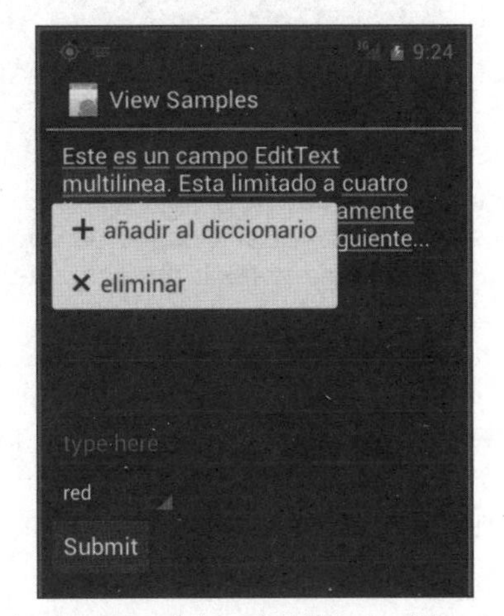

Figura 8.6. Si selecciona una palabra puede añadirla al diccionario o eliminarla.

El objeto `EditText` básicamente es un `TextView` modificable. Esto significa que puede leer texto del objeto de la misma forma que lo hacía en con `TextView`: utilizando el método `getText()`. También puede definir un texto inicial para que aparezca en el área de entrada de texto con el método `setText()`.

Restringir la entrada de datos del usuario con filtros de entrada

Hay ocasiones en las que no le interesa que el usuario pueda escribir cualquier cosa. Una forma de hacer esto es validar la entrada después de que el usuario haya introducido algo. Sin embargo, una forma mejor de evitar que el usuario malgaste su tiempo es filtrar la entrada. El control `EditText` incluye una forma de definir un `InputFilter` para esta tarea.

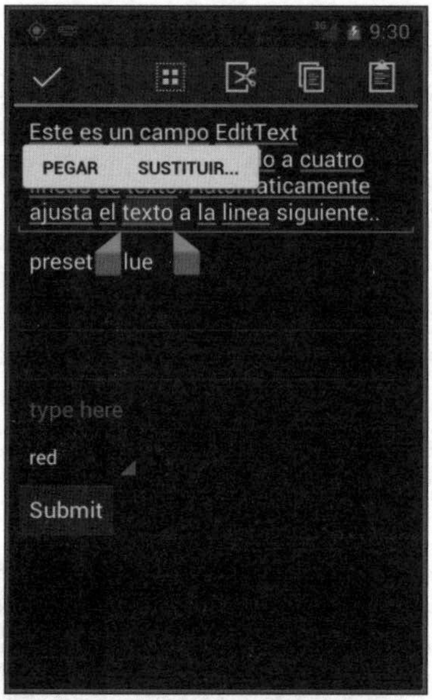

Figura 8.7. Una presión prolongada sobre el control EditText normalmente inicia un menú contextual para seleccionar, cortar y copiar (la opción de pegar aparece cuando haya copiado texto previamente).

Android SDK proporciona algunos objetos InputFilter. Estos objetos definen reglas como permitir solo el uso de mayúsculas o limitar la longitud del texto introducido. Puede crear filtros personalizados implementando la interfaz InputFilter, que contiene un único método llamado filter(). A continuación puede ver un ejemplo de un control EditText que incluye dos filtros que son apropiados para abreviaturas de dos letras:

```
final EditText text_filtered =
    (EditText) findViewById(R.id.input_filtered);
text_filtered.setFilters(new InputFilter[] {
    new InputFilter.AllCaps(),
    new InputFilter.LengthFilter(2)
});
```

El método setFilters() puede emplear un conjunto de objetos InputFilter. Como puede ver, esto resulta útil para combinar múltiples filtros. En este caso, convertimos todas las entradas en mayúsculas. Además, definimos la máxima longitud como dos caracteres. El control EditText tiene el mismo aspecto que los demás, pero si intenta escribir en minúsculas, el texto se convierte a mayúsculas, y por otro lado la cadena se limita a dos caracteres. Esto no significa que todas las posibles entradas sean válidas, pero ayuda a que los usuarios no tengan que preocuparse de si introducen entradas demasiado largas o si escriben mayúsculas o minúsculas. Esto también ayuda a su aplicación, garantizando que cualquier texto de esta entrada tendrá una longitud de dos caracteres. No obstante, no está restringido a solo letras.

Ayudando al usuario con autocompletar

Además de proporcionar un editor de texto básico con el control `EditText`, Android SDK también incluye una forma de ayudar al usuario cuando introduce datos usados con frecuencia en formularios. Esta funcionalidad se proporciona a través de la característica autocompletar. Se presenta de dos formas. Una es el estilo más estándar de completar la entrada de texto basado en lo que escribe el usuario. Si el usuario empieza a escribir una cadena que coincide con una palabra de una lista proporcionada por el desarrollador, se puede completar dicha palabra con un solo toque. Esto se consigue con el control `AutoCompleteTextView`, como puede ver en la figura 8.8. El segundo método permite al usuario introducir una lista de términos, cada uno de los cuales incluye la funcionalidad autocompletar, como puede ver en la figura 8.9. Estos elementos deben ser separados de alguna forma proporcionando un `Tokenizer` al objeto `MultiAutoCompleteTextView` que gestiona este método. Una forma común de implementar un `Tokenizer` es a través de una lista separada por comas, que se utiliza especificando el objeto `MultiAutoCompleteTextView.CommaTokenizer`. Esto puede ser útil para listas de etiquetas comunes y similares.

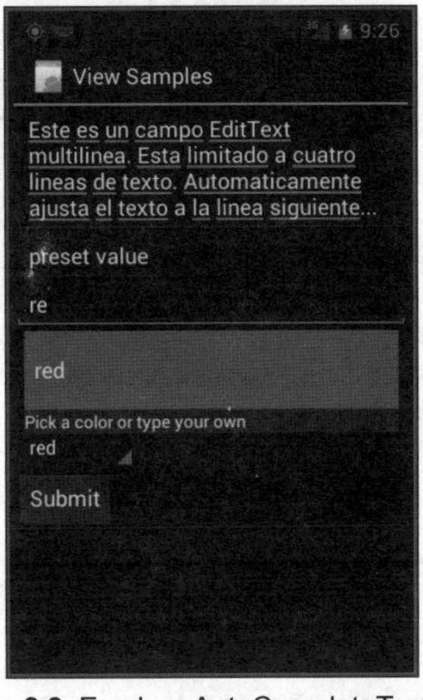

Figura 8.8. Emplear AutoCompleteTextView.

Ambas formas de autocompletar utilizan un adaptador para obtener la lista de texto que emplean para proporcionar texto para completar. El siguiente ejemplo muestra como proporcionar un `AutoCompleteTextView`, que puede ayudar a los usuarios a escribir en el código algunos de los colores básicos dentro de un conjunto:

```
final String[] COLORS = {
   "red", "green", "orange", "blue", "purple",
   "black", "yellow", "cyan", "magenta" };
```

```
ArrayAdapter<String> adapter =
   new ArrayAdapter<String>(this,
      android.R.layout.simple_dropdown_item_1line,
      COLORS);
AutoCompleteTextView text = (AutoCompleteTextView)
   findViewById(R.id.AutoCompleteTextView01);
text.setAdapter(adapter);
```

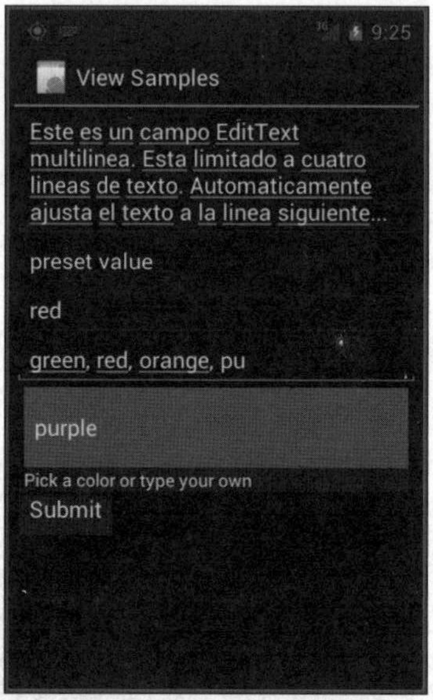

Figura 8.9. Usar MultiAutoCompleteTextView.

En este ejemplo, cuando el usuario empieza a escribir en el campo, si comienza con una de las letras del conjunto de los colores, se mostrará una lista desplegable con todas las posibilidades para autocompletar. Fíjese que nos está limitado lo que el usuario puede introducir, como por ejemplo cualquier otro color que no estuviera en la lista. El adaptador controla el aspecto de la lista desplegable. En este caso usamos un diseño que ya está incluido en Android, pensado para utilizarse en este tipo de opciones. A continuación puede ver la definición del recurso de diseño para este control `AutoCompleteTextView`:

```
<AutoCompleteTextView
   android:id="@+id/AutoCompleteTextView01"
   android:layout_width="match_parent"
   android:layout_height="wrap_content"
   android:completionHint="Pick a color or type your own"
   android:completionThreshold="1" />
```

Aquí hay que fijarse en un par de cosas más. En primer lugar, puede elegir cuándo se muestra la lista desplegable autocompletar, rellenando un valor para el atributo `completionTreshold`. En este caso, lo hemos definido como un único carácter, por lo que se mostrará inmediatamente después de que exista una coincidencia. El valor por defecto del número de caracteres que hay escribir antes de que se muestra la lista es 2. En segundo lugar, puede definir algún texto con el atributo `completionHint`. Éste se muestra al final de la lista desplegable y sirve de ayuda a los usuarios. Por último, la lista desplegable autocompletar tiene el tamaño de `TextView`. Esto significa que debería ser lo bastante ancha para mostrar el texto para autocompletar y el texto del atributo `completionHint`.

La característica `MultiAutoCompleteTextView` es básicamente igual que la opción normal, excepto que ahora debe asignar un `Tokenizer`, de forma que el control sabe dónde empieza cada texto a autocompletar. A continuación puede ver un ejemplo que emplea el mismo adaptador que el ejemplo anterior, pero ahora incluye un `Tokenizer` para una lista de colores como posibles respuestas del usuario, separados por comas:

```
MultiAutoCompleteTextView mtext =
    (MultiAutoCompleteTextView) findViewById(R.id.MultiAutoCompleteTextView01);
mtext.setAdapter(adapter);
mtext.setTokenizer(new MultiAutoCompleteTextView.CommaTokenizer());
```

Como puede observar, el único cambio es el `Tokenizer`. Aquí hemos usado el `Tokenizer` con comas incluido en Android SDK. En este caso, cuando un usuario seleccione un color de la lista, se autocompleta el nombre del color y se añade una coma automáticamente, de forma que el usuario puede empezar a escribir inmediatamente el próximo color.

Como antes, esto no limita lo que el usuario puede introducir. Si el usuario introduce un color que no está en la lista y escribe una coma después, la función autocompletar se inicia de nuevo en cuanto el usuario escriba otro color, independientemente de que no ayudara antes al usuario al escribir ese color que no estaba en la lista. Puede crear su propio `Tokenizer` implementando la interfaz `MultiAutoCompleteTextView.Tokenizer`. Puede hacer esto si prefiere entradas separadas por punto y coma o por otro separador más complejo.

Dar opciones al usuario con controles Spinner

A veces quiere limitar las opciones del usuario cuando introduce texto. Por ejemplo, si los usuarios van a introducir el nombre de un provincia, podría limitarles a que solo pudieran escribir las provincias válidas, ya que se trata de un conjunto conocido. Aunque podría hacer esto dejándoles escribir algo y a continuación bloqueando las entradas no válidas, también puede proporcionar una funcionalidad similar con un control `Spinner`. Como en el método autocompletar, las opciones posibles de un `Spinner` provienen de un adaptador. También puede definir las opciones disponibles en la definición del diseño, utilizando el atributo `entries` con un conjunto (concretamente un conjunto de cadenas referenciado como algo parecido a `@array/state-list`). El control `Spinner` realmente no es un `EditText`, aunque habitualmente se emplea del mismo modo. A continuación puede ver un ejemplo de la definición de un diseño XML de un control `Spinner`, para seleccionar un color:

```
<Spinner
    android:id="@+id/Spinner01"
    android:layout_width="wrap_content"
    android:layout_height="wrap_content"
    android:entries="@array/colors"
    android:prompt="@string/spin_prompt" />
```

Este código ubica un `Spinner` en la pantalla. En la parte inferior de la figura 8.8 puede ver un control `Spinner` cerrado, donde solo se muestra la primera opción, red. En la figura 8.10 puede ver un control `Spinner` abierto, que muestra toda la selección de colores disponible. Cuando el usuario selecciona este control, un menú desplegable muestra una lista de posibles opciones. Esta lista solo permite que se seleccione un elemento cada vez, y cuando se selecciona, el menú desplegable desaparece.

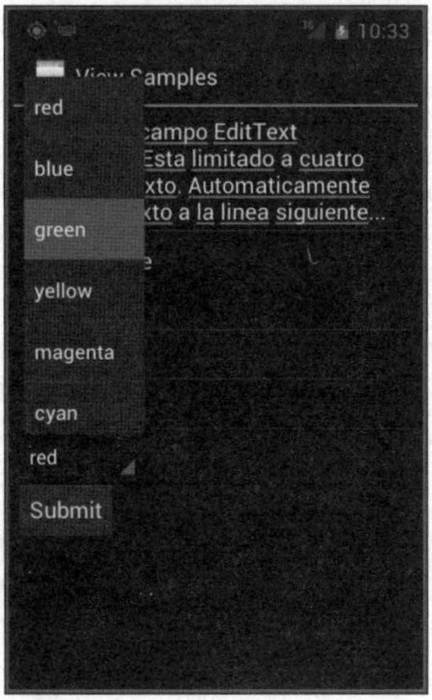

Figura 8.10. Filtrar opciones con un control Spinner.

Aquí hay que hacer un par de comentarios. En primer lugar, el atributo está definido con un valor de un recurso de conjunto de cadenas, referido aquí como `@array/colors`. En segundo lugar, el atributo `prompt` se define como un recurso de cadena. A diferencia de otros atributos de cadena, se requiere que éste sea un recurso de cadena. El `prompt` se muestra cuando se abre el control `Spinner` y puede ver todas las opciones. El `prompt` se puede usar para decirle al usuario qué tipos de valores puede seleccionar. Debido a que el control `Spinner` no es un `TextView`, sino una lista de objetos `TextView`, no puede solicitar directamente el texto al mismo. En lugar de eso, tiene que recuperar la opción seleccionada (cada una de las cuales es un control `TextView`) y obtener el texto directamente de ésta:

```
final Spinner spin = (Spinner) findViewById(R.id.Spinner01);
TextView text_sel = (TextView)spin. getSelectedView();
String selected_text = text_sel.getText().toString();
```

Alternativamente, podríamos haber llamado a los métodos `getSelectedItem()` o `getSelectedItemId()` para utilizar otros tipos de selección.

Permitir selecciones sencillas al usuario con botones, casillas de verificación, selectores y botones de opciones

Otro elemento de la interfaz del usuario muy común es el botón. En esta sección, estudiaremos los diferentes tipos de botones proporcionados por Android SDK, que incluyen los botones básicos: `Button`, `CheckBox`, `ToggleButton` y `RadioButton`.

- Un `button` básico con frecuencia se emplea para realizar algún tipo de acción, como enviar un formulario o confirmar una selección. Un control `Button` básico puede incluir texto o una etiqueta con una imagen.
- Un `Checkbox` es un botón con dos opciones, activado y desactivado. Este control se usa con frecuencia para activar o desactivar una característica, o para seleccionar múltiples elementos de una lista.
- Un `ToggleButton` es similar a un `Checkbox`, pero se utiliza para mostrar visualmente el estado. El comportamiento por defecto es como el de un botón encendido/apagado.
- Un `Switch` es similar a un `CheckBox` en que ambos son un control de dos estados. El comportamiento por defecto de este control es como el de un botón deslizador, que se puede mover entre dos posiciones, apagado y encendido. Este control se ha introducido en la API de nivel 14 (Android 4.0).
- Un `RadioButton` proporciona la selección de un elemento. Cuando agrupa los controles `RadioButton` en un contenedor llamado `RadioGroup`, el desarrollador tiene la posibilidad de establecer que solo se pueda seleccionar un `RadioButton` a la vez.

En la figura 8.11 puede ver ejemplos de cada uno de estos tipos de controles.

Emplear botones básicos

La clase `android.widget.Button` proporciona la implementación de un botón básico en Android SDK. Dentro de los recursos de diseño XML, los botones se definen usando el elemento `Button`.

El atributo principal de un botón básico es el campo texto, que es la etiqueta que aparece en el centro del botón. Con frecuencia utilizará estos controles para botones con texto como "Aceptar", "Cancelar" o "Enviar".

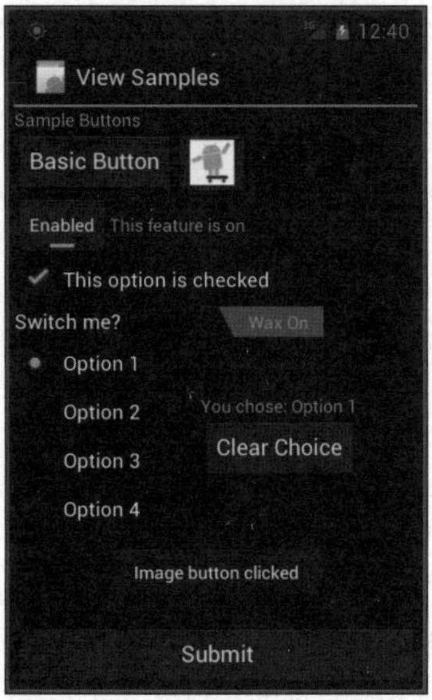

Figura 8.11. Varios tipos de controles botón.

> **Truco**
>
> Puede encontrar muchos valores de cadena comunes en aplicaciones, en los recursos de cadena del sistema Android, en `android.R.string`. Existen cadenas para botones comunes de texto como "si", "no", "aceptar", "cancelar" y "copiar". Para más información sobre recursos del sistema consulte el capítulo 7.

El siguiente recurso de diseño XML muestra una definición típica de un control `Button`:

```
<Button
    android:id="@+id/basic_button"
    android:layout_width="wrap_content"
    android:layout_height="wrap_content"
    android:text="Basic Button" />
```

Un control `Button` no hará nada más aparte de la animación, y tendrá algo de código para gestionar el evento clic. A continuación tiene un código de ejemplo que gestiona un clic para un botón básico y muestra un mensaje `Toast` en la pantalla:

```
setContentView(R.layout.buttons);
final Button basic_button = (Button) findViewById(R.id.basic_button);
basic_button.setOnClickListener(new View.OnClickListener() {
    public void onClick(View v) {
        Toast.makeText(ButtonsActivity.this,
            "Button clicked", Toast.LENGTH_SHORT).show();
    }
});
```

Truco

Un `toast` (`android.widget.Toast`) es un sencillo mensaje de tipo diálogo que se visualiza durante aproximadamente un segundo y luego desaparece. Los mensajes `Toast` son útiles para proporcionar al usuario mensajes de confirmación no esenciales. También son muy útiles para depurar. En la figura 8.11 se muestra un ejemplo de un mensaje `Toast` que muestra el texto "Image button clicked".

Para gestionar el evento clic cuando se hace clic sobre un control `Button`, en primer lugar se obtiene una referencia al `Button` por su identificador de recurso. A continuación se invoca al método `setOnClickListener()`, que requiere una instancia válida de la clase `View.OnClickListener`. Una forma sencilla de conseguirlo es definir la instancia justo en la llamada al método. Esto requiere la implementación del método `onClick()`. Dentro del método `onClick()` puede realizar las acciones que considere oportunas. Aquí, simplemente se muestra un mensaje a los usuarios que les informa de que realmente se ha hecho clic sobre el botón. `ImageButton` es un control tipo botón con una imagen como etiqueta principal. Un `imageButton` es, en la mayoría de las ocasiones, prácticamente como un botón básico. Las acciones que consisten en hacer clic se gestionan del mismo modo. La principal diferencia es que puede definir su atributo `src` como una imagen. A continuación puede ver un ejemplo de la definición de un `ImageButton` en un archivo de recurso de diseño XML:

```
<ImageButton
    android:layout_width="wrap_content"
    android:layout_height="wrap_content"
    android:id="@+id/image_button"
    android:src="@drawable/droid" />
```

En este caso se hace referencia a un recurso que consiste en un pequeño dibujo. En la figura 8.11 puede observar el aspecto de este botón "Android", que se encuentra a la derecha del botón **Basic Button**.

Truco

También puede emplear el atributo XML `onclick()` para definir el nombre su método clic dentro de la actividad `Activity`, e implementarlo de esta forma. Simplemente especifique el nombre del método clic de su clase `Activity` usando este atributo, y defina un método vacío `public` que obtenga un único parámetro `View` e implemente su gestión del clic.

Utilizar los controles CheckBox y ToggleButton

El control `CheckBox` se emplea con frecuencia en listas de elementos donde el usuario puede realizar selecciones múltiples. El `CheckBox` de Android incluye un atributo texto que aparece al lado de la casilla de verificación. Debido a que la clase `CheckBox` se deriva de las clases TextView y Button, muchos de los atributos y métodos se comportan de forma similar. A continuación tiene un ejemplo de la definición de un recurso de diseño XML para un control CheckBox sencillo, mostrando algún texto por defecto:

```
<CheckBox
    android:id="@+id/checkbox"
    android:layout_width="wrap_content"
    android:layout_height="wrap_content"
    android:text="Check me?" />
```

En este otro ejemplo puede ver cómo comprobar el estado del botón mediante programación y cambiar la etiqueta del texto para reflejar el cambio:

```
final CheckBox check_button = (CheckBox) findViewById(R.id.checkbox);
check_button.setOnClickListener(new View.OnClickListener() {
    public void onClick (View v) {
        CheckBox cb = (CheckBox)findViewById(R.id.checkbox);
        cb.setText(check_button.isChecked() ?
        "This option is checked" :
        "This option is not checked");
    }
});
```

Funciona de la misma forma que el control Button básico. Un control CheckBox muestra automáticamente el estado como activado o desactivado. Esto nos permite centrarnos en el comportamiento de nuestra aplicación, en lugar de tener que preocuparnos sobre cómo se debería comportar el botón. El diseño define que el texto empieza mostrando un texto determinado, pero después de que el usuario haga clic en el botón, el texto cambia a dos posibles opciones, dependiendo del estado que esté activado. En el centro de la figura 8.11 puede ver cómo se muestra CheckBox cuando ha hecho clic (y el texto se ha actualizado).

Un ToggleButton es similar a una casilla de verificación en cuanto al comportamiento, pero generalmente se usa para mostrar o alterar el estado activado/desactivado de algún elemento. Igual que CheckBox, tiene un estado (activado o no).

Del mismo modo que la casilla de verificación, el desarrollador gestiona lo que muestra el botón. A diferencia de CheckBox, no muestra texto junto al mismo. En vez de eso, tiene dos campos de texto. El primer atributo es textOn, que es el texto que se muestra en el botón cuando su estado es activado. El segundo atributo es textOff, que es el texto que se muestra en el botón cuando su estado es desactivado. El texto por defecto en estos dos casos es "ON" (activado) y "OFF" (desactivado), respectivamente.

El siguiente código es una definición de un control ToggleButton, que muestra el texto "Enabled" (activado) o "Disabled" (desactivado), según el estado del botón:

```
<ToggleButton
    android:id="@+id/toggle_button"
    android:layout_width="wrap_content"
    android:layout_height="wrap_content"
    android:text="Toggle"
    android:textOff="Disabled"
    android:textOn="Enabled" />
```

Este tipo de botón realmente no muestra el valor del atributo texto, aunque sea válido definir este atributo. Aquí, el único objetivo de este ejemplo es demostrar que no se visualiza. En la figura 8.11 puede ver el aspecto de este `ToggleButton`, con el estado "Enabled" (activado).

El control `Switch` (`android.widget.Switch`), que se introdujo en la API de nivel 14, proporciona un comportamiento de dos estados, similar al control `ToggleButton`, solo que en lugar de tener que hacer clic sobre el control para cambiar entre los dos estados, su comportamiento es como el de un control deslizante. El siguiente código muestra una definición de un control `Switch` con una sugerencia y dos estados: "Wax On" y "Wax Off".

```
<Switch android:id="@+id/switch1" android:layout_width="wrap_content"
    android:layout_height="wrap_content" android:text="Switch me?"
    android:textOn="Wax On" android:textOff="Wax Off" />
```

Utilizar RadioGroup y RadioButton

Con frecuencia empleará botones de opciones cuando a un usuario solo se le permita seleccionar una opción entre un pequeño conjunto de posibles opciones. Por ejemplo, una pregunta sobre el género podría dar lugar a tres opciones: masculino, femenino o indeterminado. Solo se puede seleccionar una de las tres. Los objetos `RadioButton` son similares a los `CheckBox`. Tiene etiquetas de texto junto a los mismos, definidas a través del atributo `text`, y tienen un estado (activado o desactivado). Sin embargo, puede agrupar objetos `RadioButton` en un `RadioGroup`, que apliquen la combinación de los estados de forma que solo un `RadioButton` puede ser activado simultáneamente. Si el usuario selecciona un `RadioButton` que ya está activado, no se desactiva. Sin embargo, puede ofrecer al usuario la posibilidad de borrar el estado de todo el `RadioGroup` de forma que ninguno de los botones esté activado.

A continuación puede ver un ejemplo de un recurso diseño XML con un `RadioGroup` que incluye cuatro objetos `RadioButton`, como puede ver en la parte inferior de la figura 8.11. Los objetos `RadioButton` tienen etiquetas de texto, "Option 1" (Opción 1), "Option 2" (Opción 2), etc. A continuación puede ver la definición del recurso de diseño XML:

```
<RadioGroup
    android:id="@+id/RadioGroup01"
    android:layout_width="wrap_content"
    android:layout_height="wrap_content">
    <RadioButton
        android:id="@+id/RadioButton01"
        android:layout_width="wrap_content"
        android:layout_height="wrap_content"
        android:text="Option 1" />
    <RadioButton
        android:id="@+id/RadioButton02"
        android:layout_width="wrap_content"
        android:layout_height="wrap_content"
        android:text="Option 2" />
    <RadioButton
```

```
        android:id="@+id/RadioButton03"
        android:layout_width="wrap_content"
        android:layout_height="wrap_content"
        android:text="Option 3" />
    <RadioButton
        android:id="@+id/RadioButton04"
        android:layout_width="wrap_content"
        android:layout_height="wrap_content"
        android:text="Option 4" />
</RadioGroup>
```

Puede manejar las acciones de estos objetos RadioButtons por medio del objeto RadioGroup. En el siguiente ejemplo se muestra la declaración de los clics sobre objetos RadioButton dentro del RadioGroup, y la definición del texto de un TextView llamado TextView01, que se define en otro lugar dentro del archivo de diseño:

```
final RadioGroup group = (RadioGroup)findViewById(R.id.RadioGroup01);
final TextView tv = (TextView)
    findViewById(R.id.TextView01);

group.setOnCheckedChangeListener(new
    RadioGroup.OnCheckedChangeListener() {
        public void onCheckedChanged(
            RadioGroup group, int checkedId) {
            if (checkedId != -1) {
                RadioButton rb = (RadioButton)
                    findViewById(checkedId);
                if (rb != null) {
                    tv.setText("You chose: " + rb.getText());
                }
            } else {
                tv.setText("Choose 1");
            }
        }
});
```

Como puede observar en este ejemplo, no necesita hacer nada especial para que los objetos RadioGroup y RadioButton funcionen adecuadamente. El código anterior muestra cómo declarar las acciones para recibir una notificación cuando la selección de RadioButton cambie.

El código demuestra que la notificación incluye el identificador de recurso del RadioButton específico seleccionado por el usuario, como se define en el archivo de recurso de diseño. Para hacer algo interesante con esto, necesita proporcionar un mapeo entre el identificador del recurso (o la etiqueta de texto) y la correspondiente funcionalidad de su código. En el ejemplo, realizamos una consulta sobre qué botón fue seleccionado, obtenemos su texto y lo asignamos a otro control TextView que tenemos en la pantalla.

Como ya hemos comentado, se puede borrar la selección de todo el RadioGroup de forma que no esté seleccionado ningún objeto RadioButton. En el siguiente ejemplo se muestra cómo hacer esto cuando se responde al clic de un botón fuera del RadioGroup:

```
final Button clear_choice = (Button) findViewById(R.id.Button01);
clear_choice.setOnClickListener(new View.OnClickListener() {
   public void onClick(View v) {
      RadioGroup group = (RadioGroup)
         findViewById(R.id.RadioGroup01);
      if (group != null) {
         group.clearCheck();
      }
   }
}
```

La acción de invocar al método `clearCheck()` inicia una llamada al método `onCheckedChangedListener()`. Esto se hace porque tenemos que asegurarnos que el identificador de recurso que recibimos es válido. Inmediatamente después la llamada al método `clearCheck()` no es un identificador válido, y se define con el valor -1 para indicar que actualmente no hay ningún `RadioButton` activado.

Truco

También puede gestionar los clics de `RadioButton` usando gestores de clics específicos en `RadioButton` individuales dentro de un `RadioGroup`. Esta implementación es similar a la de un control `Button` normal.

Obtener fecha y hora de usuarios

Android SDK proporciona un par de controles para obtener las entradas de fecha y hora de un usuario. El primero es el control `DatePicker`, que puede ver en la parte superior de la figura 8.12. Se puede utilizar para obtener el mes, el día y el año proporcionados por el usuario.

A continuación puede ver la definición del recurso de diseño XML de un `DatePicker` básico:

```
<DatePicker
   android:id="@+id/DatePicker01"
   android:layout_width="wrap_content"
   android:layout_height="wrap_content"
   android:calendarViewShown="false"
   android:spinnersShown="true" >
</DatePicker>
```

Como puede observar en este ejemplo, un par de atributos ayudan a controlar el aspecto del `DatePicker`. Si define el atributo `CalendarViewShow` como **true** (verdadero), cuando emplea una API de nivel 11 o superior, se mostrará un calendario completo, incluyendo el número de la semana, pero puede que ocupe más espacio del que tenga disponible. No obstante, pruebe el código de ejemplo para ver qué aspecto tendría. Como con muchos controles, su código puede declarar una llamada a un método cuando cambie la fecha. Esto lo hará implementando el método `onDateChanged()`:

```
final DatePicker date = (DatePicker)findViewById(R.id.DatePicker01);
date.init(2011, 9, 26,
   new DatePicker.OnDateChangedListener() {
      public void onDateChanged(DatePicker view, int year,
         int monthOfYear, int dayOfMonth) {
            Date dt = new Date(year-1900,
               monthOfYear, dayOfMonth, time.getCurrentHour(),
               time.getCurrentMinute());
            text.setText(dt.toString());
      }
   });
```

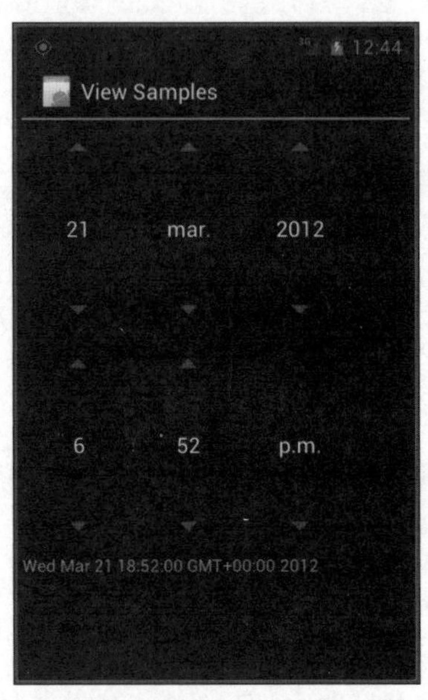

Figura 8.12. Controles fecha y hora.

En el código anterior se define `DatePicker.OnDateChangedListener` a través de una llamada al método `DatePicker.init()`. El control `DatePicker` se inicializa con una fecha específica (fíjese que el campo de los meses está referenciado a cero, por lo que octubre es el mes número 9, no el 10).

En nuestro ejemplo, un control `TextView` se define con el valor de la fecha introducido por el usuario en el control `DatePicker`. Hay que destacar que se resta el valor 1900 del parámetro del año, para hacer que su formato sea compatible con la clase `java.util.Date`.

Truco

¿Quiere inicializar su control `DatePicker` con la fecha actual? Puede usar el constructor por defecto de la clase `java.util.Date` para hallar la fecha actual del dispositivo.

El control `TimePicker`, que también puede ver en la parte inferior de la figura 8.12, es similar al control `DatePicker`. Tampoco tiene un solo atributo. Sin embargo, para declarar una llamada a un método cuando cambian los valores, tiene que invocar al método más tradicional `TimePicker.setOnTimeChangedListener()`, como se muestra a continuación:

```
time.setOnTimeChangedListener(new TimePicker.OnTimeChangedListener() {
    public void onTimeChanged(TimePicker view,
        int hourOfDay, int minute) {
            Date dt = new Date(date.getYear()-1900, date.getMonth(),
                date.getDayOfMonth(), hourOfDay, minute);
                text.setText(dt.toString());
    }
});
```

Como en el ejemplo anterior, este código también define un `TextView` con una cadena que muestra el valor del tiempo que el usuario ha introducido. Cuando utiliza los controles `DatePicker` y `TimePicker` juntos, el usuario puede definir tanto la fecha como la hora.

Emplear indicadores para mostrar datos a los usuarios

Android SDK proporciona una serie de controles que puede usar para mostrar visualmente algún tipo de información al usuario. Estos controles pueden ser barras de progreso, relojes u otros controles similares.

Indicar progreso con ProgressBar

Las aplicaciones usualmente realizan acciones que pueden tardar algún tiempo. Durante este intervalo es una buena práctica mostrar al usuario algún tipo de indicador del progreso que le informe de que la aplicación está haciendo algo. Las aplicaciones también pueden mostrar hasta qué punto se ha realizado una operación, como la reproducción de una canción o la visualización de un vídeo. Android SDK proporciona varios tipos de barras de progreso.

La barra de progreso estándar es un indicador circular con animación. No muestra qué parte de la acción se ha realizado. Sin embargo, puede mostrar que algo está ocurriendo. Esto es útil cuando se desconoce cuánto tiempo tarda una acción determinada en realizarse. En la figura 8.13 puede ver tres tipos de este indicador de progreso.

El segundo tipo es una barra de progreso horizontal que muestra el grado de finalización de una acción determinada (por ejemplo, puede ver qué parte de un archivo se ha descargado). Esta barra de progreso horizontal también puede incluir un indicador de progreso secundario, que puede utilizar por ejemplo para mostrar el grado de finalización de la descarga de un archivo multimedia mientras se está reproduciendo.

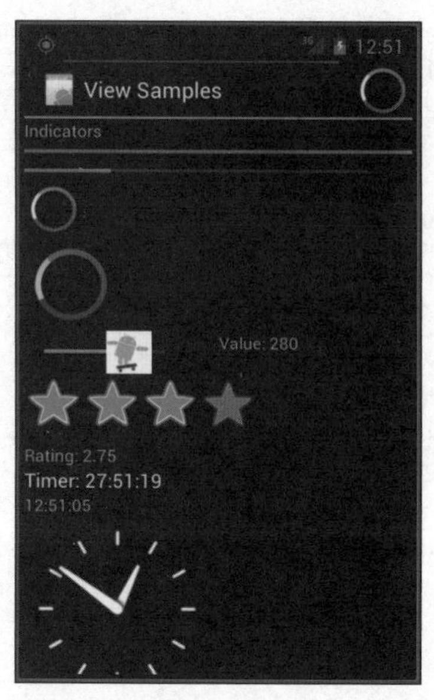

Figura 8.13. Varios tipos de indicadores de progreso y de evaluación.

A continuación puede ver un ejemplo de la definición de un recurso de diseño XML para una barra de progreso indefinida básica:

```
<ProgressBar
    android:id="@+id/progress_bar"
    android:layout_width="wrap_content"
    android:layout_height="wrap_content" />
```

El estilo por defecto es para un indicador de progreso circular de tamaño medio, que no se parece a una barra en absoluto. Los otros dos estilos para barras de progreso indefinidas son `progressBarStyleLarge` y `progressBarStyleSmall`. Este estilo está animado automáticamente. En el siguiente ejemplo se muestra la definición de un diseño para un indicador de progreso horizontal:

```
<ProgressBar
    android:id="@+id/progress_bar"
    style="?android:attr/progressBarStyleHorizontal"
    android:layout_width="match_parent"
    android:layout_height="wrap_content"
    android:max="100" />
```

En este ejemplo también hemos definido el valor del atributo max como 100. Esto puede ayudar a imitar el porcentaje de una barra de progreso. Es decir, si define este progreso como 75, el indicador se mostrará un 75 por 100 completado.

Podemos definir el estado de un indicador de progreso mediante programación como sigue:

```
mProgress = (ProgressBar) findViewById(R.id.progress_bar);
mProgress.setProgress(75);
```

También puede colocar estas barras de progreso en la barra de título de su aplicación, como puede ver en la figura 8.13. Esto puede ahorrar espacio en su pantalla, y también puede hacer que sea más fácil activar y desactivar un indicador de progreso indefinido, sin tener que cambiar el aspecto de la pantalla.

Los indicadores de progreso indeterminado generalmente se emplean para mostrar progreso en páginas donde haya que cargar los elementos, antes de que la página se haya terminado de dibujar. Esto se usa con frecuencia en pantallas de navegadores Web. El siguiente código muestra cómo ubicar este tipo de indicadores de progreso en su pantalla `Activity`:

```
requestWindowFeature(Window.FEATURE_INDETERMINATE_PROGRESS);
requestWindowFeature(Window.FEATURE_PROGRESS);
setContentView(R.layout.indicators);
setProgressBarIndeterminateVisibility(true);
setProgressBarVisibility(true);
setProgress(5000);
```

Para utilizar el indicador indefinido en su barra de título de `Activity`, tiene que solicitar la característica `Window.FEATURE_INDETERMINATE_PROGRESS`, como puede ver en el ejemplo anterior. En este ejemplo se mostrará un pequeño indicador circular en la parte derecha de la barra de título. En el caso de una barra de progreso de estilo horizontal que se muestra detrás del título, tiene que activar `Window.FEATURE_PROGRESS`. Estas características tienen que ser activadas antes de que su aplicación invoque al método `setContentView()`, como se muestra en el ejemplo anterior.

Necesita saber algún aspecto importante más sobre los comportamientos por defecto. En primer lugar, los indicadores son visibles por defecto. Cuando llama a los métodos de visibilidad mostrados en el ejemplo anterior, puede definir la visibilidad como activada o desactivada. En segundo lugar, la barra de progreso horizontal por defecto llega a un valor máximo de 10.000.

En el ejemplo anterior, lo hemos configurado como 5.000, que es equivalente al 50 por 100. Cuando el valor alcance su máximo, el indicador se desvanecerá, de forma que ya no será visible. Esto ocurrirá para ambos tipos de indicadores.

Ajustar el progreso con SeekBar

Hemos visto cómo mostrar progresos al usuario. Sin embargo, ¿Qué haría para proporcionarle la opción de mover el indicador, por ejemplo para configurar la posición actual del cursor en la reproducción de un archivo multimedia o cambiar un ajuste de volumen? Para hacer esto tiene que emplear el control `SeekBar` proporcionado en Android SDK. Es igual que la barra de progreso horizontal normal pero incluye un selector que puede ser arrastrado por el usuario. Se proporciona un selector por defecto, pero puede usar cualquier elemento `drawable`. En la parte central de la figura 8.13 hemos sustituido el selector por defecto por un pequeño gráfico de Android.

A continuación puede ver un ejemplo de la definición de un recurso diseño XML para una `Seekbar` sencilla:

```
<SeekBar
   android:id="@+id/seekbar1"
   android:layout_height="wrap_content"
   android:layout_width="240px"
   android:max="500" />
```

En este ejemplo, el usuario puede arrastrar el selector entre cualquier valor entre 0 y 500. Aunque se muestra visualmente, podría ser útil que se visualice el valor exacto que el usuario está seleccionando. Para hacer esto, puede crear una implementación del método `onProgressChanged()`, como sigue:

```
SeekBar seek = (SeekBar) findViewById(R.id.seekbar1);
seek.setOnSeekBarChangeListener(
   new SeekBar.OnSeekBarChangeListener() {
      public void onProgressChanged(
         SeekBar seekBar, int progress,boolean fromTouch) {
         ((TextView)findViewById(R.id.seek_text))
            .setText("Value: "+progress);
         seekBar.setSecondaryProgress(
            (progress+seekBar.getMax())/2);
      }
});
```

En este ejemplo es interesante destacar dos aspectos. El primero es que el parámetro `fromTouch` le dice al código si la modificación proviene de la entrada del usuario o de un cambio en la programación, como ocurría en el caso de los controles `ProgressBar` normales. El segundo punto interesante es que `SeekBar` le permite definir un valor de progreso secundario. En este ejemplo, hemos definido que el indicador secundario esté a medio camino entre el valor seleccionado por el usuario y el valor máximo de la barra de progreso. Podría utilizar esta característica para mostrar el progreso de un vídeo y el búfer del mismo.

Mostrar datos de evaluación con RatingBar

Aunque `SeekBar` es útil para permitir que el usuario defina un valor, como por ejemplo un volumen, `RatingBar` tiene un propósito más específico: mostrar u obtener evaluaciones de un usuario. Por defecto, esta barra de progreso muestra estrellas, siendo cinco su número por defecto. Un usuario puede arrastrar el cursor por estas estrellas para realizar una evaluación. Un programa también puede definir este valor. Sin embargo, no se puede emplear el indicador secundario porque este control lo está usando internamente.

A continuación tiene un ejemplo de la definición de un recurso diseño XML para un `RatingBar` con cuatro estrellas:

```
<RatingBar
   android:id="@+id/ratebar1"
   android:layout_width="wrap_content"
   android:layout_height="wrap_content"
   android:numStars="4"
   android:stepSize="0.25" />
```

Esta definición de `RatingBar` muestra cómo se define tanto el número de estrellas como el incremento entre cada valor de la evaluación. En la parte central de la figura 8.13 se muestra el comportamiento de `RatingBar`. En esta definición, un usuario puede seleccionar una evaluación entre 0 y 4.0, en incrementos de 0.25, que es el valor de `StepSize`. Por ejemplo, los usuarios podrían seleccionar un valor de 2.25. Por defecto, esto se muestra visualmente al usuario con estrellas rellenadas parcialmente.

Aunque el valor se indica visualmente al usuario, también podría querer mostrar una representación numérica. Puede hacer esto implementando el método `onRatingChanged()` de la clase `RatingBar.OnRatingBarChangeListener`, como se muestra a continuación:

```
RatingBar rate = (RatingBar) findViewById(R.id.ratebar1);
rate.setOnRatingBarChangeListener(new
   RatingBar.OnRatingBarChangeListener() {
   public void onRatingChanged(RatingBar ratingBar,
      float rating, boolean fromTouch) {
      ((TextView)findViewById(R.id.rating_text))
         .setText("Rating: "+ rating);
   }
});
```

El ejemplo anterior muestra cómo declarar el `listener`. Cuando el usuario selecciona una evaluación utilizando el control, se define un `TestView` con el valor numérico introducido por el usuario. Es interesante destacar que, a diferencia de `SeekBar`, la implementación del método `onRatingChange()` se invoca después de que haya finalizado la modificación, generalmente cuando el usuario levanta el dedo. Es decir, mientras el usuario arrastra el dedo entre las estrellas para realizar la evaluación, no se invoca al método, sino cuando el usuario termina de presionar el control.

Mostrar el tiempo transcurrido con el cronómetro

A veces querrá mostrar el tiempo transcurrido en lugar de un progreso incremental. En este caso, puede emplear el control `Chronometer` como un temporizador, como puede ver en la parte inferior de la figura 8.13. Esto puede ser útil si es el usuario el que usa cierto tiempo en realizar una tarea, o en un juego donde se necesita cronometrar alguna acción. El control `Chronometer` se puede formatear con texto, como se muestra en la siguiente definición de un recurso de diseño XML:

```
<Chronometer
   android:id="@+id/Chronometer01"
   android:layout_width="wrap_content"
   android:layout_height="wrap_content"
   android:format="Timer: %s" />
```

Puede utilizar el atributo de formato del objeto `Chronometer` para colocar texto alrededor del tiempo visualizado. Un `Chronometer` no mostrará el paso del tiempo hasta que se invoque el método `start()`. Para detenerlo, simplemente realice una llamada a su método `stop()`. Por último, también puede modificar el tiempo desde el cual el cronómetro empieza a contar. Es decir, puede configurarlo para que empiece a contar desde un tiempo del pasado determinado, en lugar desde el que comenzó. Para hacer esto invoque el método `setBase()`.

Truco

El `Chronometer` emplea como base de tiempos el método `elapsedRealtime()`.Si pasa `android.os.SystemClock.elapsedRealtime()` al método `setBase()`, el control `Chronometer` empieza a contar desde cero.

En el siguiente código de ejemplo se obtiene el temporizador de `View` a partir de su identificador de recurso. Podemos comprobar su valor base y reajustarlo a cero. Por último, iniciamos el temporizador para que cuente desde ese valor.

```
final Chronometer timer =
    (Chronometer)findViewById(R.id.Chronometer01);
long base = timer.getBase();
Log.d(ViewsMenu.debugTag, "base = "+ base);
timer.setBase(0);
timer.start();
```

Truco

Puede monitorizar cambios en `Chronometer` implementando la interfaz `Chronometer.OnChronometerTickListener`.

Mostrar el tiempo

Habitualmente no es necesario mostrar el tiempo en una aplicación, ya que los dispositivos Android incluyen una barra de estado donde se muestra el tiempo actual. Sin embargo, existen dos controles reloj para mostrar esta información: `DigitalClock` y `AnalogClock`.

Utilizar DigitalClock

El control `DigitalClock`, que puede ver en la parte inferior de la figura 8.13, consiste en una visualización compacta de texto del tiempo actual en un formato numérico estándar, basado en los ajustes del usuario. Se trata de un `TextView`, por lo que cualquier cosa que pueda hacer con un `TextView` lo podrá hacer con este control, excepto cambiar el texto. Por ejemplo, puede cambiar el color y el estilo del texto.

Por defecto, el control `DigitalClock` se actualiza automáticamente cada segundo. A continuación puede ver un ejemplo de una definición de un recurso de diseño XML para un control `DigitalClock`:

```
<DigitalClock
    android:id="@+id/DigitalClock01"
    android:layout_width="wrap_content"
    android:layout_height="wrap_content" />
```

Utilizar AnalogClock

El control `AnalogClock`, que puede ver en la parte inferior de la figura 8.13, consiste en un reloj basado en un dial, con el aspecto común de un reloj de dos manecillas. Se actualiza automáticamente cada minuto. La imagen del reloj se escala automáticamente al tamaño de su `View`.

A continuación puede ver un ejemplo de una definición de de recurso diseño XML para un control `AnalogClock`:

```
<AnalogClock
    android:id="@+id/AnalogClock01"
    android:layout_width="wrap_content"
    android:layout_height="wrap_content" />
```

La esfera del reloj de un control `AnalogClock` es sencilla. Sin embargo, puede configurar sus manecillas. También puede configurar la esfera del reloj como un recurso `drawable` específico, si quiere adornarlo. En ninguno de estos controles de reloj se puede mostrar un tiempo diferente o un tiempo estático. Solo pueden mostrar la hora actual en la zona horaria definida en el dispositivo, por lo que no son realmente muy útiles.

Resumen

Android SDK proporciona muchos componentes de la interfaz del usuario que los desarrolladores puede emplear para diseñar aplicaciones atractivas y fáciles de usar. En este capítulo hemos visto una introducción a muchos de los controles más útiles, y también hemos estudiado su comportamiento, cómo aplicarles un estilo y cómo gestionar los eventos del usuario.

Hemos aprendido a combinar los controles para crear formularios de entrada para el usuario. Entre los controles más importantes para formularios se encuentran `EditText`, `Spinner` y varios controles `Button`. También hemos estudiado los controles que pueden indicar al usuario progreso o paso del tiempo. Hemos hablado sobre muchos controles que puede encontrar habitualmente en una interfaz de usuario. Sin embargo, hay muchos más. En el próximo capítulo veremos cómo utilizar diferentes diseños y controles contenedor, para organizar fácilmente y con precisión diferentes tipos de controles en la pantalla.

Referencias y más información

- Referencia de Android SDK en relación con la clase de la aplicación `View`: `http://d.android.com/reference/android/view/View.html`.

- Referencia de Android SDK en relación con la clase de la aplicación `TextView`: `http://d.android.com/reference/android/widget/TextView.html`.
- Referencia de Android SDK en relación con la clase de la aplicación `EditText`: `http://d.android.com/reference/android/widget/EditText.html`.
- Referencia de Android SDK en relación con la clase de la aplicación `Button`: `http://d.android.com/reference/android/widget/Button.html`.
- Referencia de Android SDK en relación con la clase de la aplicación `CheckBox`: `http://d.android.com/reference/android/widget/CheckBox.html`.
- Referencia de Android SDK en relación con la clase de la aplicación `Switch`: `http://d.android.com/reference/android/widget/Switch.html`.
- Referencia de Android SDK en relación con la clase de la aplicación `RadioGroup`: `http://d.android.com/reference/android/widget/RadioGroup.html`.
- Guía de desarrollo Android para la interfaz de usuario: `http://d.android.com/guide/topics/ui/index.html`.

9
Diseño de interfaces de usuario

En este capítulo vamos a aprender a diseñar interfaces de usuario para aplicaciones Android. Nos vamos a centrar en los diversos controles que puede utilizar para organizar los elementos en la pantalla de diversas formas. También vamos a ver algunos de los controles `View` más complejos llamados contenedores, que consisten en controles `View` que pueden contener a su vez otros controles `View`.

Crear interfaces de usuario en Android

Las interfaces de usuario de las aplicaciones pueden ser sencillas o complejas, incluir muchas pantallas o tan solo una. Los diseños de los controles de la interfaz de usuario se pueden definir como recursos de la aplicación, o crear mediante programación en tiempo de ejecución. Aunque puede resultar un poco confuso, el término diseño se utiliza en la interfaz de usuario Android con dos propósitos diferentes, aunque relacionados entre sí:

- En relación a los recursos, el directorio `/res/layout/` incluye definiciones de recursos XML, llamados con frecuencia archivos de recursos de diseño. Estos archivo XML proporcionan una plantilla para dibujar controles en la pantalla. Los archivos de recursos de diseño pueden incluir cualquier número de controles.
- Este término también se utiliza para hacer referencia a un conjunto de clases `ViewGroup`, como `LinearLayout`, `FrameLayout`, `TableLayout`, `RelativeLayout` y `GridLayout`. Estos controles se utilizan para organizar otros controles `View`. Hablaremos sobre estas clases más adelante en este capítulo.

Crear diseños utilizando recursos XML

Como hemos visto en capítulos anteriores, Android proporciona una forma sencilla de crear archivos de recursos de diseño en XML. Los recursos se almacenan en el directorio del proyecto /res/layout. Esta es la forma más adecuada y habitual de crear interfaces de usuario en Android, y es especialmente útil para definir elementos de la pantalla y propiedades de controles por defecto, conocidas durante la compilación. A continuación estos recursos de diseño se utilizan como plantillas. Se cargan con atributos por defecto que se puede modificar mediante programación en tiempo de ejecución. Puede configurar prácticamente cualquier atributo ViewGroup o View (o subclase View) utilizando los archivos de recursos de diseño XML. Este método simplifica bastante el proceso de diseño de la interfaz del usuario, trasladando la mayor parte de los procesos estáticos de creación y diseño de controles de la interfaz del usuario y la definición básica de atributos de los controles a XML, en lugar de tener que programar un código extenso.

Los desarrolladores mantienen la posibilidad de modificar el diseño mediante programación si fuera necesario, pero pueden definir todos los valores por defecto en la plantilla XML. En el siguiente ejemplo puede ver un sencillo archivo de diseño con una clase LinearLayout y un único control TextView. Éste es el archivo de diseño por defecto incluido en cualquier proyecto nuevo en Eclipse, referido como /res/layout/main.xml:

```
<?xml version="1.0" encoding="utf-8"?>
<LinearLayout xmlns:android=
    "http://schemas.android.com/apk/res/android"
    android:orientation="vertical"
    android:layout_width="match_parent"
    android:layout_height="match_parent" >
<TextView
    android:layout_width="match_parent"
    android:layout_height="wrap_content"
    android:text="@string/hello" />
</LinearLayout>
```

Este bloque XML muestra un diseño básico con un control TextView. La primera línea, que habrá visto en la mayoría de archivos XML, es necesaria en el espacio de nombres de diseño de Android, como puede observar. Como esta línea es común en todos los archivos, no la mostraremos en el resto de ejemplos. A continuación tenemos el elemento LinearLayout, que es un ViewGroup que muestra cada View hijo en una única columna o fila. Cuando se aplica a toda la pantalla, simplemente significa que cada View hijo se dibuja bajo el View anterior si la orientación se define como vertical, o a la derecha del View anterior si la orientación se define como horizontal.

Por último hay un View hijo individual, en este caso un TextView. Un TextView es un control que también es un View. Este control dibuja texto en la pantalla. En este caso, dibuja el texto definido en el recurso cadena "@string/hello".

No obstante, si solo crea un archivo XML, realmente no dibujará nada en la pantalla. Un diseño concreto generalmente está asociado con una actividad determinada. En su proyecto Android por defecto solo hay una actividad, que define el diseño main.xml por defecto. Para asociar el diseño main.xml con la actividad, utilice el método SetContentView() con el identificador del diseño main.xml. El identificador del diseño coincide con el nombre del archivo XML sin la extensión. En este caso, el ejemplo anterior proviene de main.xml, por lo que el identificador del diseño sería simplemente main:

```
setContentView(R.layout.main);
```

Advertencia

El creador de diseños de Eclipse puede ser una herramienta muy útil para diseñar y obtener una vista previa del diseño. Sin embargo, la vista previa no es una réplica exacta del aspecto que tendrá el diseño cuando lo vean los usuarios finales. Por esta razón, debe probar su aplicación en un emulador correctamente configurado, y lo más importante, en dispositivos reales.

Crear diseños mediante programación

Puede crear componentes de la interfaz de usuario como diseños mediante programación en tiempo de ejecución, pero por razones de organización y mantenimiento, es mejor que utilice esta opción solo en casos excepcionales. El motivo principal es que la creación de diseños mediante programación es una tarea compleja y resulta difícil de mantener, mientras que los recursos XML son visuales, más organizados y pueden ser utilizados por otros diseñadores que no sean expertos en Java.

Nota

Los ejemplos de código de esta sección son de la aplicación SameLayout, que puede descargar desde la página Web de la editorial.

El siguiente ejemplo muestra una actividad que instancia mediante programación un LinearLayout, y ubica dos controles TextView como controles hijo. Estos dos recursos de cadena se utilizan como contenido de los controles, pero estas acciones se realizan en tiempo de ejecución.

```
public void onCreate(Bundle savedInstanceState) {
   super.onCreate(savedInstanceState);
   TextView text1 = new TextView(this);

   text1.setText(R.string.string1);
   TextView text2 = new TextView(this);

   text2.setText(R.string.string2);
   text2.setTextSize(TypedValue.COMPLEX_UNIT_SP, 60);

   LinearLayout ll = new LinearLayout(this);
   ll.setOrientation(LinearLayout.VERTICAL);
```

```
    ll.addView(text1);
    ll.addView(text2);

    setContentView(ll);
}
```

El método `onCreate()` se invoca cuando se crea la actividad. Lo primero que hace este método es algunas gestiones internas comunes, invocando al constructor de la clase base. A continuación se instancian dos controles `TextView()`. La propiedad `Text` de cada `TextView` se define con el método `setText()`. Todos los atributos de `TextView`, como `TextSize`, se definen realizando llamadas a métodos en el control `TextView`. Estas acciones tienen las mismas funciones que tenían antes, cuando definía las propiedades `Text` y `TextSize` en el creador de diseños de Eclipse, con la diferencia de que ahora estas propiedades se definen en tiempo de ejecución, en lugar de estar definidas en los archivos de diseño compilados en el paquete de su aplicación.

Truco

Los nombres de propiedades XML usualmente son similares a las llamadas para obtener y definir la misma propiedad del control mediante programación. Por ejemplo, `android:visibility` hace referencia a los métodos `setVisibility()` y `getVisibility()`. En el `TextView` del ejemplo anterior, los métodos para obtener y definir la propiedad `TextSize` son `getTextSize()` y `setTextSize()`.

Para mostrar adecuadamente los controles `TextView`, necesitamos encapsularlos dentro de algún tipo de contenedor (un diseño). En este caso, utilizamos un `LinearLayout` con la orientación definida como `VERTICAL`, de forma que el segundo `TextView` comienza debajo del primero, ambos alineados a la izquierda de la pantalla. Los dos controles `TextView` se añaden a `LinearLayout` en el mismo orden en el que queremos que se muestren. Por último invocamos al método `setContentView()`, que forma parte de su clase `Activity`, para dibujar el `LinearLayout` y su contenido en la pantalla. Como puede ver, el código puede hacerse muy largo rápidamente según añade más controles `View` y necesite más atributos para cada uno de ellos. A continuación puede ver el mismo diseño, ahora en un archivo XML:

```
<?xml version="1.0" encoding="utf-8"?>
<LinearLayout
    xmlns:android="http://schemas.android.com/apk/res/android"
    android:orientation="vertical"
    android:layout_width="match_parent"
    android:layout_height="match_parent">
    <TextView
        android:id="@+id/TextView1"
        android:layout_width="match_parent"
        android:layout_height="wrap_content"
        android:text="@string/string1" />
    <TextView
        android:id="@+id/TextView2"
        android:layout_width="match_parent"
```

```
        android:layout_height="wrap_content"
        android:textSize="60sp"
        android:text="@string/string2" />
</LinearLayout>
```

Se habrá dado cuenta de que no se trata de una traducción literal del código de ejemplo de la sección anterior, aunque la salida es idéntica, como puede ver en la figura 9.1.

Figura 9.1. Dos métodos diferentes de crear una pantalla con el mismo resultado.

En primer lugar, en los archivos de diseño XML, los atributos `layout_width` y `layout_height` son necesarios. A continuación, cada control `TextView` tiene una única propiedad `id` asignada, de forma que se puede acceder a la misma mediante programación en tiempo de ejecución. Por último, la propiedad `textSize` tiene que tener las unidades definidas. El atributo XML utiliza el tipo `dimension`.

El resultado final solo difiere ligeramente del método mediante programación. Sin embargo, es bastante más sencillo de leer y mantener. Ahora solo necesita una línea de código para mostrar esta vista del diseño. De nuevo, el recurso diseño se almacena en el archivo `/res/layout/resource_based_layout.xml`:

```
setContentView(R.layout.resource_based_layout);
```

Organizar su interfaz de usuario

En el capítulo 8 comentamos que la clase `View` era el bloque constructivo básico de las interfaces de usuario en Android. Todos los controles de la interfaz de usuario, como `Button`, `Spinner` y `EditText`, se derivan de la clase `View`.

Ahora vamos a hablar de un tipo especial de `View` llamado `ViewGroup`. Las clases derivadas de `ViewGroup` permiten a los desarrolladores mostrar en la pantalla controles `View`, como `TextView` y `Button`, de forma organizada.

Es importante entender la diferencia entre `View` y `ViewGroup`. Igual que otros controles `View`, incluyendo los que vimos en el capítulo anterior, los controles `ViewGroup` representan un rectángulo en el espacio de la pantalla. Lo que hace diferente a este control de otros es que los objetos `ViewGroup` contienen otros controles `View`. Un `View` que contiene otros controles `View` se llama `View` padre. Un `View` padre contiene controles `View`, llamados `View` hijo, o simplemente hijos.

Con el método `addView()` añade los controles `View` hijo mediante programación a `ViewGroup`. En XML, para añadir objetos hijo a un `ViewGroup`, hay que definir el control `View` hijo como un hijo nodo en XML (dentro del elemento XML padre, como hemos visto varias veces cuando hemos utilizado el `ViewGroup` `LinearGroup`).

Las subclases `ViewGroup` se dividen en dos categorías:

- Clases diseño.
- Controles `View` contenedor.

Utilizar subclases ViewGroup para crear diseños

Muchas de las subclases más importantes de `ViewGroup` que se utilizan para el diseño de la pantalla terminan en "`Layout`". Por ejemplo, las clases de diseño más utilizadas son `LinearLayout`, `RelativeLayout`, `TableLayout` y `FrameLayout`. Puede utilizar cada una de estas clases para ubicar controles `View` en la pantalla de diversas formas. Por ejemplo, hemos estado utilizado `LinearLayout` para organizar en una línea vertical varios controles `TextView` y `EditText` sobre la pantalla. Generalmente los usuarios no interactúan directamente con estas subclases, sino con los controles `View` que contienen.

Utilizar subclases ViewGroup como contenedores View

La segunda categoría de subclases `ViewGroup` son las subclases indirectas, algunas formalmente, otras informalmente. Estos controles `View` especiales actúan como contenedores `View`, igual que los objetos `Layout`, pero también proporcionan algún tipo de funcionalidad activa, que permite a los usuarios interactuar con los mismos como si se tratasen de cualquier otro control. Desafortunadamente, estas clases no tienen nombres prácticos, sino que son denominadas por el tipo de funcionalidad que proporcionan.

En esta categoría se incluyen clases como `Gallery`, `GridView`, `ImageSwitcher`, `ScrollView`, `TabHost` y `ListView`. Puede ser útil considerar estos objetos como diferentes tipos de exploradores `View`, o clases contenedor. Un `ListView` muestra cada control `View` como un elemento de una lista, y el usuario puede explorar los diferentes controles utilizando la característica de desplazamiento vertical. Una clase `Gallery` consiste en una lista con desplazamiento horizontal de controles `View`, con un elemento central "actual". El usuario puede explorar los controles `View` de `Gallery` desplazándose a derecha e izquierda. Una clase `TabHost` es un contenedor `View` más complejo, donde cada pestaña contiene un `View` (como por ejemplo un diseño), y el usuario selecciona una pestaña para ver su contenido.

Utilizar clases de diseño integradas

Hemos hablado extensamente de la clase `LinearLayout`, pero existen otros tipos de clases de diseño. Cada una de ellas tiene un objetivo diferente, y también es distinto el orden en el que se muestran en la pantalla sus controles `View` hijo. Las clases de diseño se derivan de `android.view.ViewGroup`.

En Android SDK se incluyen los siguientes tipos de clases de diseño:

- `FrameLayout`.
- `LinearLayout`.
- `RelativeLayout`.
- `TableLayout`.
- `GridLayout`.

Nota

Muchos de los ejemplos de código de esta sección son de la aplicación `SimpleLayout`, que puede descargar desde la página Web de la editorial.

Todas la clases de diseño, independientemente de su tipo, tienen atributos básicos de diseño. Estos atributos se aplican a cualquier control `View` hijo dentro del diseño. Puede definir los atributos del diseño mediante programación en tiempo de ejecución, pero lo ideal es que los defina en los archivos de diseño XML utilizando la siguiente sintaxis:

```
android:layout_attribute_name="value"
```

Todos los objetos `ViewGroup` comparten varios atributos de diseño, como el tamaño y los márgenes. En las clases `ViewGroup.LayoutParams` puede encontrar atributos básicos de diseño. Los atributos margen permiten a cada `View` hijo dentro de un diseño definir espacios a cada lado. Puede encontrar estos atributos en las clases `ViewGroup.MarginLayoutParams`. También existen una serie de atributos `ViewGroup` para definir los límites de dibujo y los ajustes de animación de `View` hijo.

En la tabla 9.1 puede ver algunos de los atributos más importantes compartidos por todos los subtipos `ViewGroup`.

Tabla 9.1. Atributos ViewGroup importantes.

Nombre del atributo (todos empiezan por android:)	Se aplica a	Descripción	Valor
`layout_height`	`View` padre, `View` hijo	Altura del `View`. Se utiliza como atributo de controles `View` hijo en diseños. En algunos diseños es obligatorio, en otros opcional	Valor de dimensión o `match_parent` o `wrap_content`
`layout_width`	`View` padre, `View` hijo	Ancho del `View`. Se utiliza como atributo de controles `View` hijo en diseños. En algunos diseños es obligatorio, en otros opcional	Valor de dimensión o `match_parent` o `wrap_content`
`layout_margin`	`View` padre, `View` hijo	Espacio añadido alrededor del `View`	Valor de dimensión. Si fuera necesario, utilice atributos de margen más específicos para controlar márgenes laterales individualmente

A continuación tiene un ejemplo de un recurso diseño XML de un `LinearLayout` definido con el tamaño de la pantalla, que contiene un `TextView` con la altura máxima, y el ancho de `LinearLayout` (y por lo tanto de la pantalla):

```
<LinearLayout xmlns:android=
   "http://schemas.android.com/apk/res/android"
   android:layout_width="match_parent"
   android:layout_height="match_parent">
   <TextView
      android:id="@+id/TextView01"
      android:layout_height="match_parent"
      android:layout_width="match_parent" />
</LinearLayout>
```

A continuación tiene otro ejemplo de un objeto `Button` que muestra algunos márgenes definidos a través de XML, que se utiliza en un archivo de recurso de diseño:

```
<Button
   android:id="@+id/Button01"
   android:layout_width="wrap_content"
   android:layout_height="wrap_content"
   android:text="Press Me"android:layout_marginRight="20px"
   android:layout_marginTop="60px" />
```

Recuerde que un elemento del diseño puede cubrir cualquier espacio rectangular de la pantalla, no tiene porqué cubrir la pantalla completa. Estos elementos pueden estar anidados, lo que proporciona gran flexibilidad cuando los desarrolladores necesitan organizar los elementos en la pantalla. Es bastante habitual empezar con un `FrameLayout` o un `LinearLayout` como diseño padre de toda la pantalla, y a continuación organizar los elementos individuales dentro del diseño padre, utilizando el tipo de diseño más adecuado.

Utilizar FrameLayout

`FrameLayout` está diseñado para mostrar una pila de elementos `View` hijo. Puede añadir múltiples `View` a un diseño, pero cada uno de ellos se dibujará desde la esquina superior izquierda del mismo. Puede utilizarlo para mostrar varias imágenes en la misma región, como puede ver en la figura 9.2, donde el diseño tiene el tamaño del `View` hijo más grande de la pila.

Figura 9.2. Ejemplo de utilización de FrameLayout.

En `android.widget.FrameLayout.LayoutParams` puede encontrar los atributos de diseño disponibles para los controles `View` hijo. En la tabla 9.2 se describen algunos de los atributos más importantes específicos para `FrameLayout`.

Tabla 9.2. Atributos importantes de FrameLayout.

Nombre del atributo (todos empiezan por android:)	Se aplica a	Descripción	Valor
`foreground`	`View` padre	Dibuja sobre el contenido	Recurso de dibujo

Nombre del atributo (todos empiezan por android:)	Se aplica a	Descripción	Valor
foregroundGravity	View padre	Gravedad del atributo foreground	Una o más constantes separadas por "|". Las constantes disponibles son top, bottom, left, right, center_vertical, fill_vertical, center_horizontal, fill_horizontal, center y fill
measureAllChildren	View padre	Limita el tamaño del diseño de todos los View hijo, o solo los que están definidos como VISIBLE (y no los que están definidos como INVISIBLE)	True (Verdadero) o False (Falso)
layout_gravity	View hijo	Constante de gravedad que describe cómo ubicar el View hijo dentro del padre	Una o más constantes separadas por "|". Las constantes disponibles son top, bottom, left, right, center_vertical, fill_vertical, center_horizontal, fill_horizontal, center y fill

A continuación tiene un ejemplo de un recurso de diseño XML con un FrameLayout y dos controles View hijo, ambos controles ImageView. Primero se dibuja el rectángulo verde y a continuación se dibuja el óvalo rojo encima de mismo. El rectángulo verde es más grande, por lo que define los límites de FrameLayout:

```
<FrameLayout xmlns:android=
  "http://schemas.android.com/apk/res/android"
  android:id="@+id/FrameLayout01"
  android:layout_width="wrap_content"
  android:layout_height="wrap_content"
  android:layout_gravity="center">
  <ImageView
      android:id="@+id/ImageView01"
      android:layout_width="wrap_content"
```

```
        android:layout_height="wrap_content"
        android:src="@drawable/green_rect"
        android:minHeight="200px"
        android:minWidth="200px" />
    <ImageView
        android:id="@+id/ImageView02"
        android:layout_width="wrap_content"
        android:layout_height="wrap_content"
        android:src="@drawable/red_oval"
        android:minHeight="100px"
        android:minWidth="100px"
        android:layout_gravity="center" />
</FrameLayout>
```

Utilizar LinearLayout

Un `LinearLayout` organiza sus controles `View` hijo en una sola fila, como puede ver en la figura 9.3, o en una sola columna, dependiendo de si su atributo orientación está definido como horizontal o vertical. Este es un método de diseño muy útil para crear formularios.

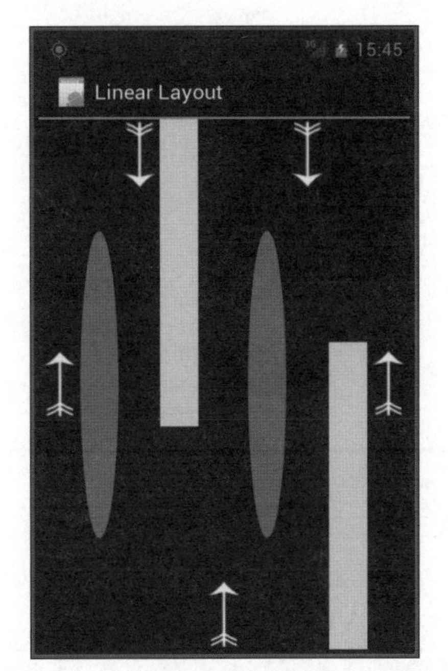

Figura 9.3. Ejemplo de LinearLayout (orientación horizontal).

En `android.widget.LinearLayout.LayoutParams` puede encontrar los atributos de diseño disponibles para los controles `View` hijo. En la tabla 9.3 se describen algunos de los atributos más importantes específicos para `LinearLayout`.

Tabla 9.3. Atributos importantes de LinearLayout.

Nombre del atributo (todos empiezan por android:)	Se aplica a	Descripción	Valor
`orientation`	`View` padre	El diseño está organizado en una única fila (horizontal) o columna (vertical)	`horizontal` o `vertical`
`gravity`	`View` padre	Gravedad de los `View` hijo en el diseño	Una o más constantes separadas por "|". Las constantes disponibles son `top`, `bottom`, `left`, `right`, `center_vertical`, `fill_vertical`, `center_horizontal`, `fill_horizontal`, `center` y `fill`
`weigthSum`	`View` padre	Suma de todos los pesos de los `View` hijo	Número que define la suma de todos pesos de los controles hijo. Por defecto es 1
`layout_gravity`	`View` hijo	Gravedad de un `View` hijo específico. Utilizado para ubicar los `View`	Una o más constantes separadas por "|". Las constantes disponibles son `top`, `bottom`, `left`, `right`, `center_vertical`, `fill_vertical`, `center_horizontal`, `fill_horizontal`, `center` y `fill`
`layout_weigth`	`View` hijo	Peso de un `View` hijo específico. Utilizado para definir la proporción del espacio utilizado de la pantalla dentro del control padre	La suma de de los valores de todos los `View` hijo debe ser igual al atributo `weightSum` del control `LinearLayout` padre. Por ejemplo, un control hijo podría tener un valor 0.3 y otro un valor de 0.7

Utilizar RelativeLayout

`RelativeLayout` le permite especificar dónde se encuentran los controles `View` hijo, unos respecto a otros. Por ejemplo, puede especificar que un `View` hijo se encuentre encima o debajo, a la izquierda o a la derecha de otro `View`, referido por su identificador único. También puede alinear un control `View` hijo en relación con otro, o con los límites del diseño padre. Combinar atributos `RelativeLayout` puede simplificar la creación de interfaces de usuario atractivas, sin tener que recurrir a múltiples grupos de diseños para conseguir el efecto deseado. En la figura 9.4 se muestra la ubicación de varios controles `Button`, unos respecto a otros.

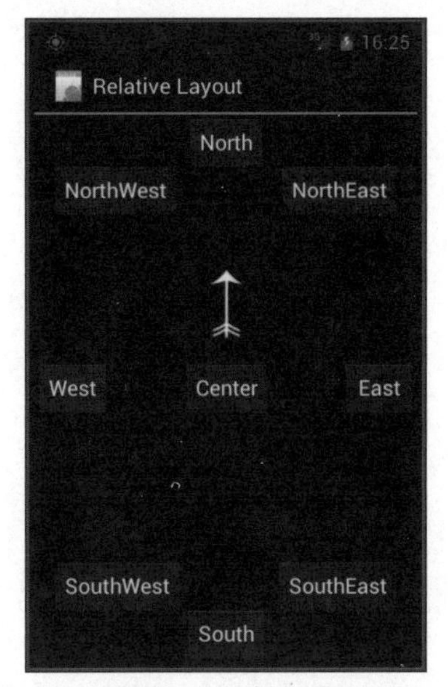

Figura 9.4. Ejemplo de RelativeLayout.

En `android.widget.RelativeLayout.LayoutParams` puede encontrar los atributos de diseño disponibles para los controles `RelativeLayout` hijo. En la tabla 9.4 se describen algunos de los atributos específicos para `RelativeLayout`.

Tabla 9.4. Atributos importantes de RelativeLayout.

Nombre del atributo (todos empiezan por android:)	Se aplica a	Descripción	Valor
`gravity`	`View` padre	Gravedad de `View` hijo dentro del diseño	Una o más constantes separadas por "|". Las constantes disponibles son `top`, `bottom`, `left`, `right`, `center_vertical`, `fill_vertical`, `center_horizontal`, `fill_horizontal`, `center` y `fill`
`layout_ centerInParent`	`View` hijo	Centra horizontalmente y verticalmente los `View` hijo dentro del `View` padre	`True` (Verdadero) o `False` (Falso)

Nombre del atributo (todos empiezan por android:)	Se aplica a	Descripción	Valor
layout_ centerHorizontal	View hijo	Centra horizontalmente los View hijo dentro del View padre	True (Verdadero) o False (Falso)
layout_ centerVertical	View hijo	Centra verticalmente los View hijo dentro del View padre	True (Verdadero) o False (Falso)
layout_ alignParentTop	View hijo	Alinea los View hijo en el borde superior del View padre	True (Verdadero) o False (Falso)
layout_ alignParentBottom	View hijo	Alinea los View hijo en el borde inferior del View padre	True (Verdadero) o False (Falso)
layout_ alignParentLeft	View hijo	Alinea los View hijo en el borde izquierdo del View padre	True (Verdadero) o False (Falso)
layout_ alignParentRight	View hijo	Alinea los View hijo en el borde derecho del View padre	True (Verdadero) o False (Falso)
layout_ alignRight	View hijo	Alinea el borde derecho de un View hijo con el borde derecho de otro View hijo, especificado por su identificador	Un identificador de View. Por ejemplo @id/Button1
layout_ alignLeft	View hijo	Alinea el borde izquierdo de un View hijo con el borde izquierdo de otro View hijo, especificado por su identificador	Un identificador de View. Por ejemplo @id/Button1
layout_ alignTop	View hijo	Alinea el borde superior de un View hijo con el borde superior de otro View hijo, especificado por su identificador	Un identificador de View. Por ejemplo @id/Button1
layout_ alignBottom	View hijo	Alinea el borde inferior de un View hijo con el borde inferior de otro View hijo, especificado por su identificador	Un identificador de View. Por ejemplo @id/Button1
layout_above	View hijo	Posiciona el borde inferior de un View hijo encima de otro View hijo, especificado por su identificador	Un identificador de View. Por ejemplo @id/Button1

Nombre del atributo (todos empiezan por android:)	Se aplica a	Descripción	Valor
`layout_below`	`View` hijo	Posiciona el borde superior de un `View` hijo debajo de otro `View` hijo, especificado por su identificador	Un identificador de `View`. Por ejemplo `@id/Button1`
`layout_toLeftOf`	`View` hijo	Posiciona el borde derecho de un `View` hijo a la izquierda de otro `View` hijo, especificado por su identificador	Un identificador de `View`. Por ejemplo `@id/Button1`
`layout_toRightOf`	`View` hijo	Posiciona el borde izquierdo de un `View` hijo a la derecha de otro `View` hijo, especificado por su identificador	Un identificador de `View`. Por ejemplo `@id/Button1`

A continuación puede ver un ejemplo de un recurso de diseño XML con un `RelativeLayout` y dos controles `View` hijo, un objeto `Button` alineado respecto a su padre y un `ImageView` alineado y posicionado respecto a `Button` (y su padre):

```
<?xml version="1.0" encoding="utf-8"?>
<RelativeLayout xmlns:android=
   "http://schemas.android.com/apk/res/android"
   android:id="@+id/RelativeLayout01"
   android:layout_height="match_parent"
   android:layout_width="match_parent">
   <Button
      android:id="@+id/ButtonCenter"
      android:text="Center"
      android:layout_width="wrap_content"
      android:layout_height="wrap_content"
      android:layout_centerInParent="true" />
   <ImageView
      android:id="@+id/ImageView01"
      android:layout_width="wrap_content"
      android:layout_height="wrap_content"
      android:layout_above="@id/ButtonCenter"
      android:layout_centerHorizontal="true"
      android:src="@drawable/arrow" />
</RelativeLayout>
```

Advertencia

La clase `AbsoluteLayout` está obsoleta. Esta clase utiliza coordenadas x e y específicas para ubicar los `View` hijo. Este diseño puede ser útil cuando se necesita una ubicación con pixel-perfecto. Sin embargo, es menos flexible ya que no se adapta correctamente a otras configuraciones de dispositivos, con tamaños de pantalla y resoluciones diferentes. En la mayoría de los casos, utilizar otros tipos de diseños bien conocidos, como `FrameLayout` o `RelativeLayout`, en lugar de `AbsoluteLayout` es suficiente, por lo que le animamos a que utilice estos dos diseños como sustitutos cuando sea posible.

Utilizar TableLayout

Un `TableLayout` organiza sus hijos en filas, como puede ver en la figura 9.5. Para añadir controles `View` individuales dentro de cada fila de la tabla se utilizan diseños `TableRow` (que básicamente es un `LinearLayout` orientado horizontalmente). Cada columna de `TableRow` puede contener un `View` (o un diseño con controles `View` hijo). Los elementos `View` se añaden a las columnas de `TableRow` en el mismo orden en el que son introducidos. Puede especificar números de columna (con referencia a cero) para omitir las columnas que necesite (como puede ver en la columna inferior de la figura 9.5). Si no lo hace así, el control `View` se coloca en la siguiente columna de la derecha. Las columnas se escalan con el tamaño del `View` más grande de dicha columna. También puede incluir controles normales `View` en lugar de elementos `TableRow`, si quiere que `View` ocupe una fila completa.

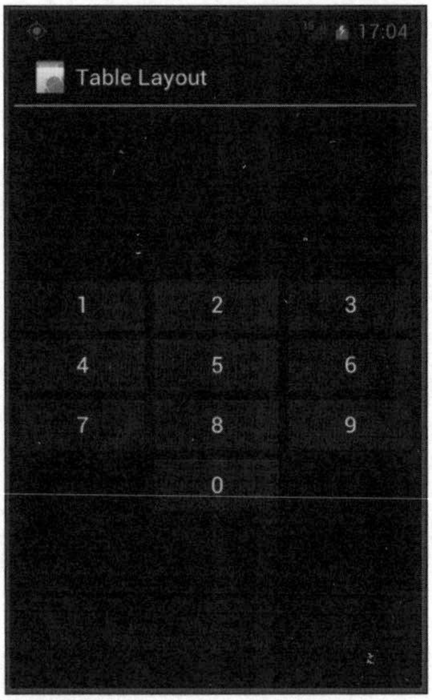

Figura 9.5. Ejemplo de TableLayout.

En `android.widget.TableLayout.LayoutParams` puede encontrar los atributos de diseño disponibles para los controles `View` hijo de `TableLayout`, y los de los controles `View` hijo de `TableRow`, en `android.widget.TableRow.LayoutParams`. En la tabla 9.5 se describen algunos de los atributos más importantes específicos de los controles `TableLayout`.

Tabla 9.5. Atributos importantes de TableLayout y TableRow.

Nombre del atributo (todos empiezan por android:)	Se aplica a	Descripción	Valor
`collapseColumns`	`TableLayout`	Lista plegable de índices de columnas delimitados por comas (con referencia a cero)	Cadena o recurso cadena. Por ejemplo "0, 1, 3, 5"
`shrinkColumns`	`TableLayout`	Lista de índices de columnas delimitados por comas que se reduce (con referencia a cero)	Cadena o recurso cadena. Utilice "*" para todas las columnas. Por ejemplo "0, 1, 3, 5"
`stretchColumns`	`TableLayout`	Lista de índices de columnas delimitados por comas que se extiende (con referencia a cero)	Cadena o recurso cadena. Utilice "*" para todas las columnas. Por ejemplo "0, 1, 3, 5"
`layout_column`	`View` hijo `TableRow`	Índice de la columna en la que un `View` hijo se debería mostrar (con referencia a cero)	Entero o recurso entero. Por ejemplo, 1
`layout_span`	`View` hijo `TableRow`	Número de columnas sobre las que un `View` hijo se debería extender	Entero o recurso entero mayor o igual a 1. Por ejemplo, 3

A continuación puede ver un ejemplo de un recurso diseño XML con un `TablelLayout` de dos filas (dos objetos `TableRow` hijo). `TableLayout` se define para que las columnas se estiren hasta ocupar el ancho de la pantalla. El primer `TableRow` tiene tres columnas, y cada celda incluye un objeto `Button`. El segundo `TableRow` coloca explícitamente solo un control `Button` en la segunda columna.

```
<TableLayout xmlns:android=
   "http://schemas.android.com/apk/res/android"
   android:id="@+id/TableLayout01"
   android:layout_width="match_parent"
   android:layout_height="match_parent"
   android:stretchColumns="*">
   <TableRow
      android:id="@+id/TableRow01">
      <Button
         android:id="@+id/ButtonLeft"
         android:text="Left Door" />
      <Button
         android:id="@+id/ButtonMiddle"
```

```
            android:text="Middle Door" />
        <Button
            android:id="@+id/ButtonRight"
            android:text="Right Door" />
    </TableRow>
    <TableRow
        android:id="@+id/TableRow02">
        <Button
            android:id="@+id/ButtonBack"
            android:text="Go Back"
            android:layout_column="1" />
    </TableRow>
</TableLayout>
```

Utilizar GridLayout

Introducido en Android 4.0 (Nivel 14 de API), GridLayout organiza sus hijos en una cuadrícula. Pero no lo confunda con GridView, que consiste en una cuadrícula que se crea dinámicamente. A diferencia de TableLayout, los controles View hijo de GridLayout pueden abarcar filas y columnas, y son más eficientes en relación con el renderizado del diseño. De hecho, los controles View hijo de GridLayout son los que le dicen al diseño dónde quieren ser ubicados. En la figura 9.6 se muestra un ejemplo de un GridLayout con cinco controles hijo.

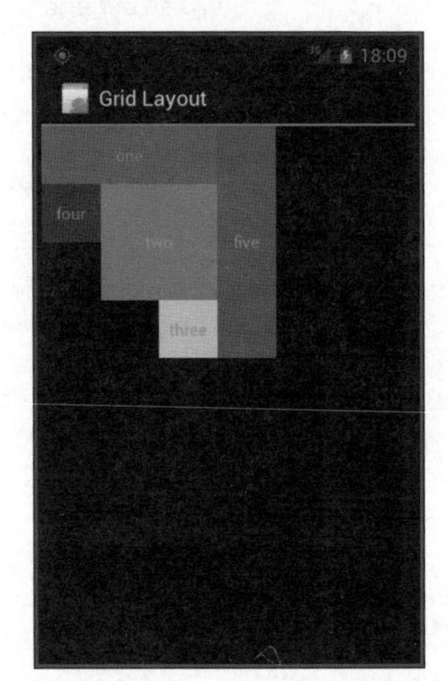

Figura 9.6. Ejemplo de GridLayout.

En android.widget.GridLayout.LayoutParams puede encontrar los atributos de diseño disponibles para los controles View hijo. En la tabla 9.6 se describen algunos de los atributos más importantes específicos de GridLayout.

Tabla 9.6. Atributos importantes de GridLayout.

Nombre del atributo (todos empiezan por android:)	Se aplica a	Descripción	Valor
`columnCount`	`GridLayout`	Define un número fijo de columnas de la cuadrícula	Número entero, por ejemplo, "4"
`rowCount`	`GridLayout`	Define un número fijo de filas de la cuadrícula	Número entero, por ejemplo, "3"
`orientation`	`GridLayout`	Cuando no se especifica un valor fila o columna en un hijo, este atributo se utiliza para determinar si el próximo hijo se ubica sobre una fila o sobre una columna	Puede ser `vertical` (sobre una fila) u `horizontal` (sobre una columna)
`layout_column`	`View` hijo o `GridLayout`	Índice de la columna en el que se debería mostrar un `View` hijo (con referencia a cero)	Entero o recurso entero. Por ejemplo, 1
`layout_columnSpan`	`View` hijo o `GridLayout`	Número de columnas sobre los que un `View` hijo se debería extender	Entero o recurso entero mayor o igual a 1. Por ejemplo, 3
`layout_row`	`View` hijo o `GridLayout`	Índice de la fila en la que se debería mostrar un `View` hijo (con referencia a cero)	Entero o recurso entero. Por ejemplo, 1
`layout_rowSpan`	`View` hijo o `GridLayout`	Número de filas sobre los que un `View` hijo se debería extender	Entero o recurso entero mayor o igual a 1. Por ejemplo, 3
`layout_gravity`	`View` hijo o `GridLayout`	Especifica la "dirección" en la que se debería mostrar `View`, dentro de las celdas de la cuadrícula que ocupa	Una o más constantes separadas por "|". Las constantes disponibles son `baseline`, `top`, `bottom`, `left`, `right`, `center_vertical`, `fill_vertical`, `center_horizontal`, `fill_horizontal`, `center` y `fill`. Los valores por defecto son `baseline`, `left`

A continuación puede ver un ejemplo de un recurso de diseño XML con una vista GridLayout que genera cuatro filas y cuatro columnas. Cada control hijo ocupa un número determinado de filas y columnas. Debido a que el atributo de expansión por defecto es 1, solo lo especificamos cuando el elemento va a ocupar más de una fila o una columna. Por ejemplo, el primer TextView tiene una fila de alto y tres columnas de ancho. La altura y anchura de cada control View se define para controlar el aspecto del resultado. Si no lo hace así, el control GridLayout asignará automáticamente el tamaño.

```
 <?xml version="1.0" encoding="utf-8"?>
<GridLayout xmlns:android="http://schemas.android.com/apk/res/android"
   android:id="@+id/gridLayout1"
   android:layout_width="match_parent"
   android:layout_height="match_parent"
   android:columnCount="4"
   android:rowCount="4" >

   <TextView
      android:layout_width="150dp"
      android:layout_height="50dp"
      android:layout_column="0"
      android:layout_columnSpan="3"
      android:layout_row="0"
      android:background="#ff0000"
      android:gravity="center"
      android:text="one" />

   <TextView
      android:layout_width="100dp"
      android:layout_height="100dp"
      android:layout_column="1"
      android:layout_columnSpan="2"
      android:layout_row="1"
      android:layout_rowSpan="2"
      android:background="#ff7700"
      android:gravity="center"
      android:text="two" />

   <TextView
      android:layout_width="50dp"
      android:layout_height="50dp"
      android:layout_column="2"
      android:layout_row="3"
      android:background="#00ff00"
      android:gravity="center"
      android:text="three" />

   <TextView
      android:layout_width="50dp"
      android:layout_height="50dp"
      android:layout_column="0"
      android:layout_row="1"
      android:background="#0000ff"
      android:gravity="center"
      android:text="four" />
```

```
    <TextView
        android:layout_width="50dp"
        android:layout_height="200dp"
        android:layout_column="3"
        android:layout_row="0"
        android:layout_rowSpan="4"
        android:background="#0077ff"
        android:gravity="center"
        android:text="five" />

</GridLayout>
```

Utilizar múltiples diseños en una pantalla

Si combina diferentes métodos de diseño en una única pantalla puede crear diseños más complejos. Recuerde que debido a que un diseño contiene controles `View` y, por ser en sí mismo un control `View`, puede contener otros diseños.

Truco

¿Quiere tener determinado espacio entre controles `View` sin utilizar diseños anidados? Eche un vistazo al nuevo control `Space` (`android.widget.Space`) añadido en Android 4.0 ICS.

En la figura 9.7 puede ver una combinación de diseños, que unidos crean una pantalla más compleja e interesante.

Figura 9.7. Ejemplo de uso de múltiples diseños en una pantalla.

Advertencia

Tenga en cuenta que las pantallas individuales de las aplicaciones móviles deberían tener cierta elegancia y ser relativamente sencillas. Esto no es solo porque estos diseños aporten una mejor experiencia al usuario. Saturar su pantalla con jerarquías `View` complejas (y con muchos niveles) puede dar lugar a problemas de rendimiento. Utilice la herramienta Hierarchy Viewer para inspeccionar los diseños de sus aplicaciones. También puede utilizar la herramienta en línea de comandos `layoutopt` para ayudarle a optimizar sus diseños e identificar componentes innecesarios. Esta herramienta con frecuencia le ayudará a identificar las ocasiones en las que puede utilizar técnicas de optimización de diseños, como las etiquetas `<merge>` y `<include>`.

Utilizar clases de control contenedor

Los diseños no son los únicos controles que pueden contener otros controles `View`. Aunque los diseños son útiles para ubicar otros controles `View` en la pantalla, no son interactivos. A continuación vamos a hablar sobre otro tipo de `ViewGroup`: los contenedores. Estos controles `View` encapsulan otros tipos `View` más sencillos, y proporcionan al usuario la posibilidad de explorar interactivamente los controles `View` hijo de forma estándar. Al igual que los diseños, cada uno de estos controles tiene un objetivo especial bien definido. Los tipos de contenedores `ViewGroup` incluidos en Android SDK incluyen:

- Listas, cuadrículas y galerías.
- Pestañas con `TabHost` y `TabControl`.
- `ScrollView` y `HorizontalScrollView` para desplazarse verticalmente.
- `ViewFlipper`, `ImageSwitcher` y `TextSwitcher` para realizar cambios.
- `SlidingDrawer` para ocultar y mostrar contenido.

Nota

Los ejemplos de código de esta sección son de la aplicación `AdvancedLayouts`, que puede descargar desde la página Web de la editorial.

Utilizar contenedores basados en datos

Algunos de los controles `View` contenedor están diseñados para mostrar controles `View` de forma repetida de una manera determinada. `ListView`, `GridView` y `GalleryView` son ejemplos de este tipo de controles `View` contenedor.

- `ListView`: Contiene una lista de controles `View` que se rellena horizontalmente, con desplazamiento vertical, cada uno de los cuales contiene normalmente una fila de datos. El usuario puede elegir un elemento para realizar alguna acción sobre el mismo.
- `GridView`: Contiene una cuadrícula de controles `View` con un número determinado de columnas. Este contenedor se utiliza con frecuencia con iconos de imágenes. El usuario puede elegir un elemento para realizar alguna acción sobre el mismo.
- `GalleryView`: Contiene una lista de controles `View` con desplazamiento horizontal, generalmente utilizado con iconos de imágenes. El usuario puede elegir un elemento para realizar alguna acción sobre el mismo.

Estos contenedores consisten en diferentes tipos de controles `AdapterView`. Un control `AdapterView` contiene un conjunto de controles `View` hijo que muestran datos de alguna fuente. Un `adapter` genera estos controles `View` hijo a partir de una fuente de datos. Debido a que ésta es una parte importante de estos controles contenedor, en primer lugar vamos a hablar de estos objetos `Adapter`.

En esta sección vamos a aprender a vincular datos con controles `View` utilizando objetos `Adapter`. En Android SDK, un `adapter` lee datos de alguna fuente y genera datos para el control `View` basándose en algunas reglas, dependiendo del tipo de `Adapter` utilizado. Este `View` se utiliza para completar los controles `View` hijo de un `AdapterView` en particular. Las clases `Adapter` más comunes son `CursorAdapter` y `ArrayAdapter`. `CursorAdapter` obtiene datos de un `Cursor`, mientras que `ArrayAdapter` los obtiene de un conjunto. `CursorAdapter` es una buena opción cuando utiliza bases de datos. En cambio, `ArrayAdapter` es una buena opción cuando solo tiene una columna de datos, o cuando los datos provienen de un conjunto.

Debería conocer los elementos más comunes de los objetos `Adapter`. Cuando crea un `Adapter`, está proporcionando un identificador de diseño. Este diseño es la plantilla que se utiliza para completar cada fila de datos. La plantilla creada contiene identificadores para controles determinados a los que `Adapter` asigna datos. Un diseño sencillo puede incluir tan solo un control `TextView`. Cuando crea un `Adapter`, está haciendo referencia tanto al recurso de diseño como al identificador del control `TextView`. Android SDK proporciona algunos recursos de diseño comunes para su uso en aplicaciones.

Utilizar ArrayAdapter

Un `ArrayAdapter` asocia cada elemento del conjunto con un único control `View` dentro del recurso de diseño. A continuación puede ver un ejemplo de creación de un `ArrayAdapter`:

```
private String[] items = {
   "Item 1", "Item 2", "Item 3" };
ArrayAdapter adapt =
   new ArrayAdapter<String>
      (this, R.layout.textview, items);
```

En este ejemplo tenemos un conjunto `String` llamado `items`. Este es el conjunto utilizado por `ArrayAdapter` como fuente de datos. También utilizamos un recurso de diseño, que es el `View` repetido para cada elemento del conjunto, que se define del siguiente modo:

```
<TextView xmlns:android=
   "http://schemas.android.com/apk/res/android"
   android:layout_width="match_parent"
   android:layout_height="wrap_content"
   android:textSize="20px" />
```

Este recurso de diseño solo contiene un `TextView`. Sin embargo, puede utilizar un diseño más complejo con constructores que también utilicen el identificador de un `TextView` dentro del diseño. Cada `View` hijo dentro de `AdapterView` que utiliza este `Adapter`, obtiene una instancia `TextView` con una de las cadenas del conjunto `String`.

Si ya tiene definido un recurso conjunto, también puede definir directamente el atributo `entries` de un `AdapterView` con el identificador del conjunto, para proporcionar automáticamente el `ArrayAdapter`.

Utilizar CursorAdapter

`CursorAdapter` asocia una o más columnas de datos a uno o más controles `View` dentro del recurso de diseño proporcionado. Esto se entiende mejor con un ejemplo. Veremos con más detalle los objetos `Cursor` más adelante en este capítulo, cuando veamos las bases de datos y los proveedores de contenidos.

El siguiente ejemplo muestra la creación de un objeto `CursorAdapter` consultando al proveedor de contenidos `Contacts`. `CursorAdapter` requiere el uso de un `Cursor`:

```
Cursor names = managedQuery(
   Contacts.Phones.CONTENT_URI, null, null, null, null);
startManagingCursor(names);
ListAdapter adapter = new SimpleCursorAdapter(
   this, R.layout.two_text,
   names, new String[] {
      Contacts.Phones.NAME,
      Contacts.Phones.NUMBER
   }, new int[] {
      R.id.scratch_text1,
      R.id.scratch_text2
   });
```

En este ejemplo hemos presentado un par de conceptos nuevos. En primer lugar, necesita saber que `Cursor` debe contener un campo llamado `_id`. En este caso, sabemos que el proveedor de contenidos `Contacts` incluye este campo, el cual se utilizará más adelante cuando gestionemos la selección de un elemento determinado por parte del usuario.

Nota

Aunque la clase `Contacts` se ha quedado obsoleta después de la introducción de la clase `ContactsContract`, introducida en Android 2.0, `Contacts` es el único método para acceder a la información de contactos que funciona en versiones antiguas y nuevas de Android sin modificaciones. En el capítulo 14 hablaremos más sobre `Contacts` y proveedores de contenidos.

Para obtener `Cursor` realizamos una llamada a `managedQuery()`. A continuación instanciamos un `SimpleCursorAdapter` como `ListenerAdapter`. Nuestro diseño `R_layout.two_text` incluye dos controles `TextView` que se utilizan en el último parámetro. `SimpleCursorAdapter` nos permite asociar columnas de la base de datos con controles determinados de nuestro diseño. Por cada fila que se obtiene de la consulta, conseguimos una instancia del diseño dentro de nuestro `AdapterView`.

Enlazar datos a AdapterView

Ahora que ya tiene un objeto `Adapter`, puede aplicarlo a uno de los controles `AdapterView`. Cualquiera de ellos funcionará. Aunque `Gallery` técnicamente utiliza un `SpinnerAdapter`, la instancia de `SimpleCursorAdapter` también devuelve un `SpinnerAdapter`. A continuación puede ver un ejemplo con una `ListView`, continuando con el código del ejemplo anterior:

```
((ListView)findViewById(R.id.list)).setAdapter(adapter);
```

La llamada al método `setAdapter()` de `AdapterView`, en este caso un `ListView`, debería ubicarse después de la llamada a `SetContentView()`. Esto es todo lo que necesita hacer para enlazar datos a `AdapterView`. En la figura 9.8, 9.9 y 9.10 se muestran los mismos datos en `ListView`, `Gallery` y `GridView` respectivamente.

Gestionar eventos de selección

Con frecuencia utilizará los controles `AdapterView` para presentar datos sobre los que el usuario tendría que realizar una selección. Los tres controles que acabamos de ver (`ListView`, `GridView` y `Gallery`) permiten que su aplicación observe eventos clic del mismo modo. Necesitará invocar a `setOnItemClickListener()` en su `AdapterView` y pasarle una implementación de la clase `AdapterView.OnItemClickListener`. A continuación puede ver una implementación de ejemplo de esta clase:

```
av.setOnItemClickListener(
    new AdapterView.OnItemClickListener() {
    public void onItemClick(
        AdapterView<?> parent, View view,
        int position, long id) {
        Toast.makeText(Scratch.this, "Clicked _id="+id,
            Toast.LENGTH_SHORT).show();
    }
});
```

Figura 9.8. Datos enlazados en ListView.

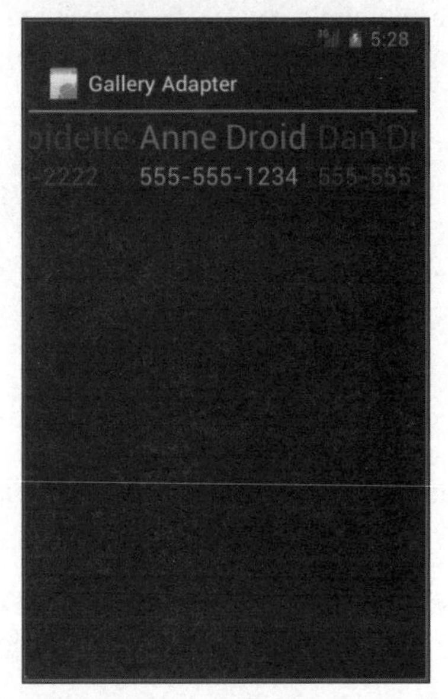

Figura 9.9. Datos enlazados en Gallery.

En este ejemplo, `av` es nuestro `AdapterView`. En la implementación del método `onClick()` es donde ocurren cosas interesantes. El parámetro `parent` es el `AdapterView` donde se hizo clic sobre el elemento. Esto le resultará útil si su pantalla contiene más de un `AdapterView`. El parámetro `View` es el `View` específico dentro del elemento sobre el que se hizo clic. Su posición está basada en cero dentro de la lista de elementos que selecciona el usuario. Por último, el parámetro `id` es el valor de la columna `_id` del elemento concreto que selecciona el usuario. Esto es útil cuando se solicita más información sobre la fila de datos determinada que representa el elemento.

Figura 9.10. Datos enlazados en GridGallery.

Su aplicación también puede monitorizar eventos clics de larga duración en elementos determinados. Adicionalmente, su aplicación puede monitorizar elementos seleccionados. Aunque los parámetros son los mismos, si aplicación recibe una llamada cuando el elemento destacado cambia. Esto puede ser una respuesta a un desplazamiento del cursor con las flechas de dirección, sin que el usuario haya seleccionado una acción sobre un elemento determinado.

Utilizar ListActivity

El control `ListView` generalmente se utiliza para menús a pantalla completa, o en listas de elementos donde el usuario realiza una selección. Podría considerar el uso de `ListActivity` como la clase base para dichas pantallas. Utilizar `ListActivity` puede simplificar estos tipos de diseños.

En primer lugar, para gestionar eventos en elementos, necesita proporcionar una implementación en su `ListActivity`. Por ejemplo, el equivalente de `onListItemClickListener` es la implementación del método `onListItemClick()` dentro de su `Listactivity`.

En segundo lugar, para asignar un `Adapter`, necesita invocar al método `setListAdapter()`. Esto lo hará después de llamar al método `setContentActivity()`. Sin embargo, esto da un indicio de las limitaciones que tiene cuando utiliza `ListActivity`.

Para utilizar `ListActivity`, el diseño definido con el método `setContentView()` debe contener un `ListView` con el identificador definido como `android:list`, y esto no se puede cambiar. En segundo lugar, también puede tener un `View` con un identificador definido como `android:empty`, para tener un `View` en la visualización cuando no se devuelven datos desde el `Adapter`. Por último, esto solo funciona con controles `ListView`, por lo que tiene un uso limitado. Sin embargo, cuando sirve para su aplicación, le puede ahorrar algún código.

Truco

Puede crear encabezados y pies de página `ListView` utilizando `ListView.FixedViewInfo` con los métodos `addHeaderView()` y `addFooterView()` de `ListView`.

Organizar pantallas con pestañas

Android SDK incluye un sistema muy flexible para proporcionar al usuario una interfaz con pestañas. Igual que con `ListView` y `ListActivity`, hay dos formas de crear pestañas en la plataforma Android. Puede utilizar `TabActivity`, que crea una pantalla sencilla con pestañas, o puede crear desde cero sus propias pantallas con pestañas. Ambos métodos utilizan el control `TabHost`.

Advertencia

El editor de diseños de Eclipse no muestra los controles `TabHost` correctamente en el modo diseño. Para crear este tipo de pantallas, debería utilizar el modo de diseño XML. Para poder ver las pestañas tendrá que utilizar el emulador de Android o un dispositivo Android real.

Utilizar TabActivity

Una pantalla con pestañas está formada por una `TabActivity` y una `TabHost`. La `TabHost` está formada por `TabSpecs`, una clase anidada de `TabHost`, que contiene la información de la pestaña, incluyendo el título y el contenido de la misma. El contenido de una pestaña puede ser un `View` predefinido, una `Activity` iniciada a través de un objeto `Intent` o un `View` de fábrica utilizando la interfaz `TabContentFactory`.

Las pestañas no son tan complejas como en un principio pueda parecer. Cada pestaña realmente es un contenedor de un `View`. Este `View` puede provenir de cualquier `View` que esté listo para ser visualizado, como un archivo de diseño XML. Alternativamente, dicho `View` puede provenir del inicio de una actividad. En el siguiente ejemplo se muestra cada uno de estos métodos utilizando controles `View` y objetos `Activity` creados en los ejemplos anteriores de este capítulo:

```
public class TabLayout
   extends TabActivity
   implements android.widget.TabHost.TabContentFactory {
   protected void onCreate(Bundle savedInstanceState) {
      super.onCreate(savedInstanceState);
      TabHost tabHost = getTabHost();
      LayoutInflater.from(this).inflate(
         R.layout.example_layout,
         tabHost.getTabContentView(), true);
      tabHost.addTab(tabHost.newTabSpec("tab1")
         .setIndicator("Grid").setContent(
            new Intent(this, GridLayout.class)));
      tabHost.addTab(tabHost.newTabSpec("tab2")
         .setIndicator("List").setContent(
            new Intent(this, List.class)));
      tabHost.addTab(tabHost.newTabSpec("tab3")
         .setIndicator("Basic").setContent(
            R.id.two_texts));
      tabHost.addTab(tabHost.newTabSpec("tab4")
         .setIndicator("Factory").setContent(
            this));
   }

   public View createTabContent(String tag) {
      if (tag.compareTo("tab4") == 0) {
         TextView tv = new TextView(this);
         Date now = new Date();
         tv.setText("I'm from a factory. Created: "
            + now.toString());
         tv.setTextSize((float) 24);
         return (tv);
      } else {
         return null;
      }

   }

}
```

Este ejemplo crea un diseño con cuatro pestañas, como puede ver en la figura 9.11. La primera proviene del ejemplo anterior `GridView`. La segunda es del ejemplo `ListView` anterior a este último. La tercera es el diseño básico con dos controles `TextView`, totalmente definido en el archivo de diseño XML, como se vio anteriormente. Por último, la cuarta pestaña está creada con controles de fábrica.

La primera acción es conseguir la instancia `TabHost`. Este es el objeto que nos permite añadir objetos `Intent` e identificadores `View` para dibujar en la pantalla. Una `TabActivity` proporciona un método para obtener el objeto `TabHost` actual.

La siguiente acción está poco relacionada con las pestañas. El `LayoutInflater` se utiliza para cambiar la definición XML de un `View` por el control `View` real. Esto es lo que ocurriría normalmente cuando se llama a `setContentView()`, pero no es lo que estamos haciendo. Es necesario utilizar `LayoutInflater` para referenciar los controles `View` por su identificador, como se hace en la tercera pestaña.

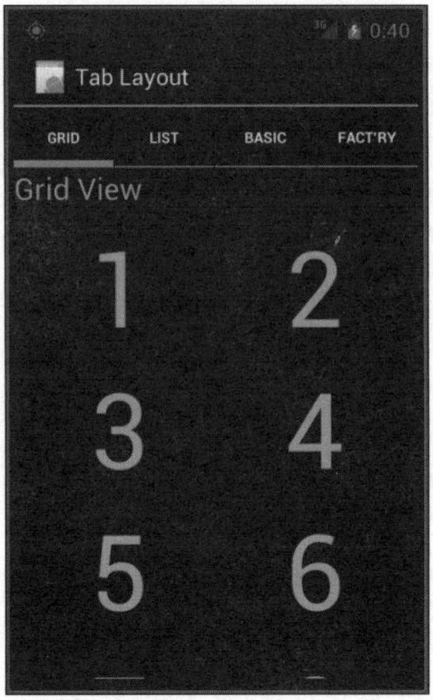

Figura 9.11. Diseño con cuatro pestañas.

El código finaliza añadiendo las cuatro pestañas a `TabHost` en el orden en el que se quieren mostrar. Esto se consigue realizando múltiples llamadas al método `addTab()` de `TabHost`. Las dos primeras llamadas esencialmente son iguales. Cada una crea un objeto `Intent` con el nombre de una `Activity` que se inicia dentro de la pestaña. Son las mismas clases `Activity` que se utilizaron anteriormente para la visualización en pantalla completa. Aunque `Activity` no se haya diseñado para ser utilizada a pantalla completa, esto debería funcionar sin ningún problema.

A continuación se añade una pestaña como la clase `TabActivity` que hace referencia al contenido. Esto es posible porque la propia clase implementa `TabHost.TabContentFactory`, que requiere la implementación del método `createTabContent()`. Esta vista se crea la primera vez que el usuario selecciona la pestaña, por lo que no se necesita más información. Sin embargo, debe realizarse un seguimiento de la etiqueta que crea esta pestaña, ya que de esta forma es como las pestañas se identifican en `TabHost`.

Por último, se implementa el método `createTabContent()` para la cuarta pestaña. Lo primero que hay que hacer es comprobar la etiqueta para ver si es la correspondiente a esta cuarta pestaña. Cuando se confirma esto, se crea una instancia del control `TextView` y se le asigna una cadena, que contiene el tiempo actual. El tamaño del texto se define como 24 píxeles. La marca de tiempo utilizada en esta cadena se puede utilizar para ver cuándo se ha creado la vista, y que no se crea de nuevo cuando simplemente cambia las pestañas.

La flexibilidad proporcionada por Android en el uso de pestañas es muy apropiada para añadir navegación a una aplicación que ya tiene varios objetos `View` definidos. Habrá que realizar pocos cambios, o ninguno, a los objetos `View` y `Activity` existentes para que funcionen adecuadamente dentro del contexto de un `TabHost`.

Nota

Se pueden crear diseños con pestañas sin utilizar la clase `TabActivity`. Sin embargo, esto requiere ciertos conocimientos sobre los fundamentos de los controles `TabHost` y `TabWidget`. Para definir un conjunto de pestañas en un archivo de diseño XML sin utilizar `TabActivity`, empiece con un `TabHost` (por ejemplo, `TabHost1`), que debe tener el identificador `@android:id/tabhost`. Dentro de `TabHost`, incluya un `LinearLayout` orientado verticalmente que contenga un `TabWidget` (que debe tener el identificador `@android:id/tabs`), y un `FrameLayout` (que debe tener el identificador `@android:id/tabcontent`). A continuación el contenido de cada pestaña se define en `FrameLayout`. Después de definir adecuadamente `TabHost` en XML, debe cargarlo e inicializarlo utilizando el método `setup()` de `TabHost`, en el método `onCreate()` de su actividad. En primer lugar tiene que crear un `TabSpec` para cada pestaña, definiendo el indicador de la pestaña con el método `setIndicator()`, y su contenido con el método `setContent()`. A continuación, añada cada pestaña utilizando el método `addTab()` de `TabHost`. Por último, debería definir la pestaña por defecto de `TabHost`, con un método como `setCurrentTabByTag()`.

Nota

Desde Android 3.0 hasta ICS, la última versión de la plataforma, el control `ActionBar` también permite definir pestañas. En lugar de cargar `Views`, estas pestañas permiten la carga de fragmentos. Para más información consulte la Web `http://goo.gl/ZRR5j`.

Añadir soporte de desplazamiento

Una de las formas más sencillas de proporcionar desplazamiento vertical en una pantalla, es utilizar los controles `ScrollView` (desplazamiento vertical) y `HorizontalScrollView` (desplazamiento horizontal). Ambos se pueden utilizar como un contenedor envoltorio, haciendo que todos los controles `View` hijo tengan una barra de desplazamiento continua. Sin embargo, estos dos solo pueden tener un hijo, por lo que es habitual que dicho hijo sea un diseño, como `LinearLayout`, que contiene todos los controles hijo "reales" sobre los que poder desplazarse.

Nota

Los ejemplos de código de esta sección son de la aplicación `SimpleScrolling`, que puede descargar desde la página Web de la editorial.

En la figuras 9.12 puede ver un ejemplo de una pantalla sin el control `ScrollView`, y en la 9.13 con este control incluido.

Figura 9.12. Pantalla sin control ScrollView.

Figura 9.13. Pantalla con control ScrollView.

Explorar otros contenedores View

En Android SDK hay disponibles muchos otros controles para la interfaz de usuario. A continuación se listan algunos:

- **Interruptores:** Un control `ViewSwitcher` contiene solo dos controles `View` hijo, y solo se muestra uno de ellos a la vez. Alterna entre los dos, creando un efecto de animación según realiza este cambio. Fundamentalmente se utilizan objetos `ImageSwitcher` y `TextSwitcher`. Cada uno de ellos proporciona una forma de definir un nuevo `View` hijo, como un recurso `Drawable` o una cadena de texto, y a continuación crea una animación cambiando al nuevo contenido.
- **Cajón deslizante:** Otro contenedor `View` es el control `SlidingDrawer`. Este control tiene dos partes: un controlador y un contenedor `View`. El usuario arrastra el controlador de apertura y se muestra su contenido, a continuación el usuario puede arrastrar el controlador de cierre y el contenido desaparecerá. `SlidingDrawer` se puede utilizar horizontalmente o verticalmente, y siempre se usa desde un diseño donde se representa la pantalla más grande posible. Esto hace especialmente útil a este control para configuraciones de aplicaciones como controles en juegos. Un usuario puede abrir el cajón deslizante, pausar el juego, cambiar algunas opciones, y a continuación cerrarlo para reanudar el juego.

Resumen

Android SDK proporciona una serie de potentes métodos para diseñar pantallas útiles y atractivas. En este capítulo hemos hablado de estos métodos. En primer lugar hemos visto los controles de diseño en Android que puede utilizar para ubicar controles sobre la pantalla. En muchas ocasiones, esto le permitirá tener un diseño de una única pantalla que funcione correctamente con la mayoría de tamaños de pantalla y relaciones de aspecto.

A continuación vimos otros objetos que contenían `Views`, y aprendimos a agruparlos y a ubicarlos de una forma determinada en la pantalla. Esto incluye estándares como las pestañas, que se utilizan normalmente de la misma forma que las pestañas de una carpeta real, además de una gran variedad de controles para presentar datos en la pantalla que se puedan leer con facilidad, y sobre los que se pueda navegar. Ahora tiene todas las herramientas necesarias para desarrollar aplicaciones con interfaces de usuario útiles e interesantes.

Referencias y más información

- Referencia de Android SDK en relación con la clase `ViewGroup`: `http://d.android.com/reference/android/view/ViewGroup.html`.
- Referencia de Android SDK en relación con la clase `LinearLayout`: `http://d.android.com/reference/android/widget/LinearLayout.html`.
- Referencia de Android SDK en relación con la clase `RelativeLayout`: `http://d.android.com/reference/android/widget/RelativeLayout.html`.

- Referencia de Android SDK en relación con la clase `FrameLayout`: `http://d.android.com/reference/android/widget/FrameLayout.html`.
- Referencia de Android SDK en relación con la clase `TableLayout`: `http://d.android.com/reference/android/widget/TableLayout.html`.
- Referencia de Android SDK en relación con la clase `GridLayout`: `http://d.android.com/reference/android/widget/GridLayout.html`.
- Referencia de Android SDK en relación con la clase `ListView`: `http://d.android.com/reference/android/widget/ListView.html`.
- Referencia de Android SDK en relación con la clase `ListActivity`: `http://d.android.com/reference/android/app/ListActivity.html`.
- Referencia de Android SDK en relación con la clase `Gallery`: `http://d.android.com/reference/android/widget/Gallery.html`.
- Referencia de Android SDK en relación con la clase `GridView`: `http://d.android.com/reference/android/widget/GridView.html`.
- Referencia de Android SDK en relación con la clase `TabHost`: `http://d.android.com/reference/android/widget/TabHost.html`.
- Referencia de Android SDK en relación con la clase `TabActivity`: `http://d.android.com/reference/android/app/TabActivity.html`.
- Guía de desarrollo Android sobre declaración de diseños: `http://d.android.com/guide/topics/ui/declaring-layout.html`.

10 Trabajar con fragmentos

Tradicionalmente cada pantalla de una aplicación Android se asociaba con una clase `Activity` específica. Sin embargo, en Android 3.0 (Honeycomb) se introdujo el concepto de fragmento, un componente de la interfaz del usuario. A continuación se incluyó en las librerías de soporte Android para poder utilizarlo desde la versión Android 1.6 (API nivel 4) en adelante. Los fragmentos desacoplan el comportamiento de la interfaz del usuario del ciclo de vida de una determinada actividad. De este modo, las clases `Activity` pueden mezclar y asociar componentes de la interfaz del usuario para que sean más flexibles en los dispositivos Android futuros.

Entender los fragmentos

Los fragmentos se añadieron a Android SDK en un momento crucial, en el que los consumidores de Android estaban experimentando una explosión de diferentes dispositivos en el mercado. Actualmente podemos ver que esta plataforma se ejecuta no solo en smartphones, sino también en dispositivos con pantallas grandes, como tabletas o televisiones, los cuales tienen más espacio de pantalla disponible para los desarrolladores. La elegante y sencilla interfaz de usuario de su smartphone puede parecer muy simple cuando se compara con una tableta, por ejemplo. Si incorpora fragmentos a su diseño de la interfaz de usuario, podrá escribir una aplicación que se puede adaptar a diferentes opciones y orientaciones de pantalla, en lugar de tener diferentes aplicaciones para cada tipo de dispositivo. Esto mejora en gran medida la reutilización del código, simplifica las pruebas y hace que la gestión de los paquetes de la aplicación y de publicación sea menos compleja.

Como hemos comentado en la introducción de este capítulo, una regla de diseño usada habitualmente para desarrollar aplicaciones Android era tener una actividad por pantalla en cada aplicación. Esto vinculaba las tareas de la clase `Activity` muy directamente con la interfaz del usuario. Sin embargo, según fueron apareciendo los dispositivos con pantallas más grandes, esta técnica tuvo que enfrentarse a varios problemas. Cuando existía más espacio en una única pantalla para hacer más cosas, tenía que implementar clases `Activity` por separado, con funcionalidades muy similares, para gestionar los casos en los que quería proporcionar más funcionalidad a una pantalla en particular. Los fragmentos le ayudan a gestionar este problema, encapsulando funcionalidades de pantalla en componentes reutilizables que se pueden mezclar y asociar dentro de las clases `Activity`.

Vamos a ver un ejemplo teórico. Supongamos que tiene una aplicación tradicional para un smartphone con dos pantallas, por ejemplo una aplicación de noticias *online*. La primera pantalla contiene una `ListActivity` con un control `ListView`. Cada elemento de `ListView` representa un artículo disponible en el periódico que podría leer. Cuando hace clic en un artículo en concreto, es redirigido a una nueva pantalla que muestra el contenido del artículo en un control `WebView`. En la figura 10.1 puede ver el flujo de trabajo de una pantalla tradicional.

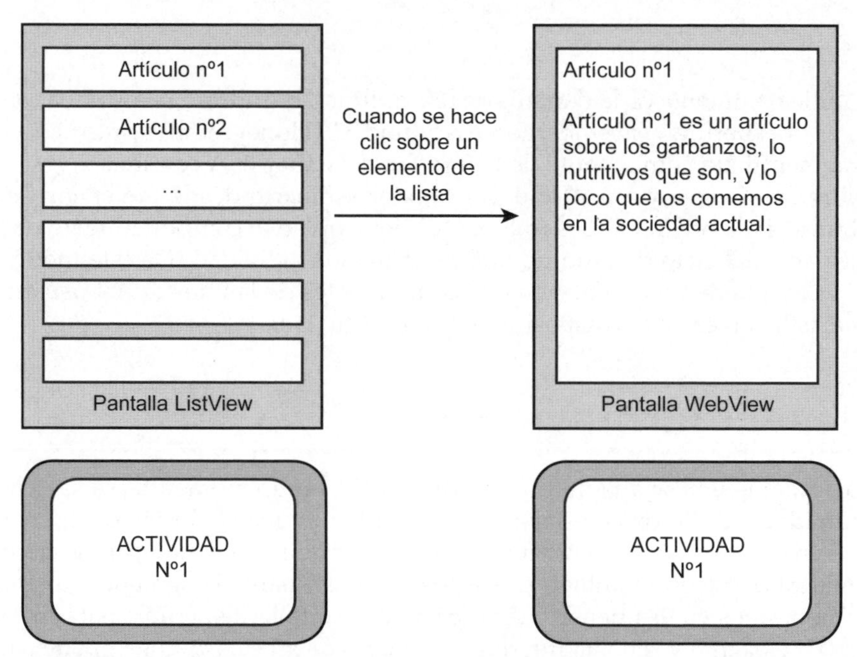

Figura 10.1. Flujo de trabajo de una pantalla tradicional sin fragmentos.

Este flujo de trabajo funciona correctamente para un smartphone con pantalla pequeña, pero supone una pérdida de espacio en una tableta o en una televisión. En estos casos sería interesante poder explorar detenidamente la lista de artículos y leer el artículo o tener una vista previa en la misma pantalla. Si organizamos las funcionalidades de pantalla

ListView y WebView en dos componentes Fragment independientes, a continuación podremos crear con facilidad un diseño que incluya ambos en la misma pantalla en el espacio que tengamos disponible, como puede observar en la figura 10.2

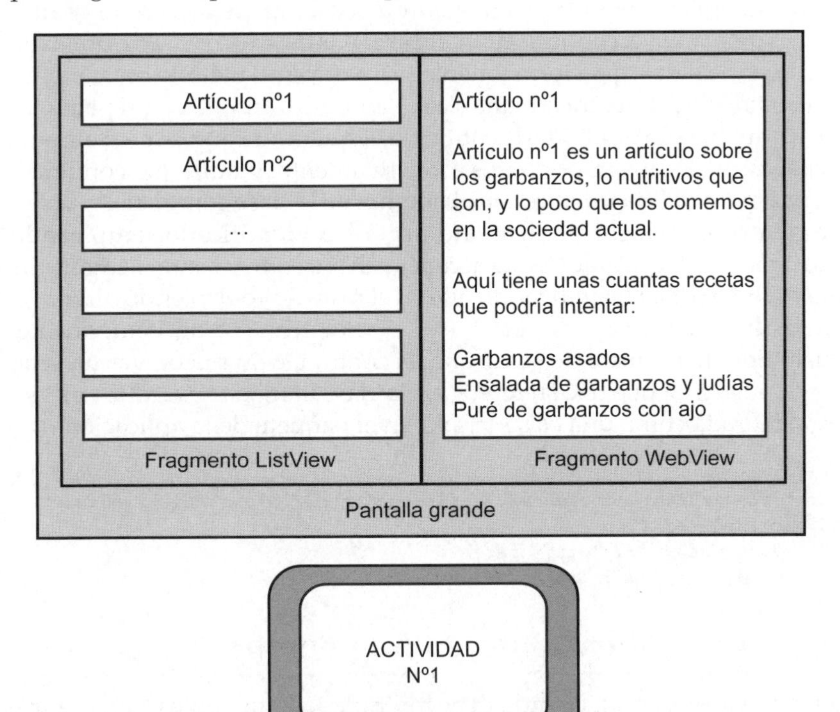

Figura 10.2. Flujo de trabajo de una pantalla, mejorado con fragmentos.

Entender el ciclo de vida de los fragmentos

En el capítulo 5 estudiamos el ciclo de vida de una actividad. Ahora vamos a ver cómo encajan los fragmentos en esta mezcla. En primer lugar un fragmento se debe alojar dentro de una clase Activity. Tiene su propio ciclo de vida, pero no es un componente independiente que pueda existir fuera del contexto de una actividad.

Las responsabilidades de la gestión de la clase Activity se simplifican bastante cuando el estado completo de la interfaz del usuario se divide en fragmentos individuales. Las clases Activity que solo tienen fragmentos en sus diseños no necesitan emplear mucho tiempo guardando y recuperando sus estados, ya que ahora el objeto Activity controla automáticamente cualquier fragmento que se asocie. Los componentes Fragment controlan su propio estado empleando su ciclo de vida. Naturalmente, puede mezclar fragmentos con controles View directamente en una clase Activity. Como siempre, esta clase será responsable de gestionar los controles View.

Definir fragmentos

Las implementaciones de fragmentos que se hayan definido como clases normales dentro de su aplicación se pueden añadir a sus archivos de diseño usando la etiqueta XML `<fragment>`, y a continuación ser cargadas en su `Activity` utilizando el método `setContentView()`, que normalmente se invoca en el método `onCreate()` de su actividad. Cuando hace referencia a una clase `Fragment` definida en el paquete de su aplicación en un archivo de diseño XML, utilice la etiqueta `<fragment>`. Esta etiqueta incluye unos cuantos atributos importantes. Concretamente, tendrá que configurar el atributo `android:name` del fragmento, con el nombre de la clase completa `Fragment`. También tendrá que proporcionar al elemento un único identificador empleando el atributo `android:id`, de forma que pueda acceder a dicho componente mediante programación si fuera necesario. Del mismo modo que en el resto de controles de diseño XML, necesita definir los atributos `layout_weight` y `layout_height` del componente, como haría con cualquier otro control de su diseño. A continuación puede ver un sencillo ejemplo de un `<fragment>` que hace referencia a la clase llamada `FieldNoteListFragment`, que está definida como una clase `.java` en el paquete de la aplicación.

```
<fragment
    android:name="com.androidbook.simplefragments.FieldNoteListFragment"
    android:id="@+id/list"
    android:layout_width="match_parent"
    android:layout_height="match_parent" />
```

Gestionar modificaciones en fragmentos

Como puede observar, cuando tiene múltiples componentes `Fragment` en una única pantalla dentro de una única actividad, con frecuencia obtiene la interacción de un `Fragment` (como nuestro fragmento `ListView` de noticias) haciendo que `Activity` actualice otro `Fragment` (como nuestro fragmento `WebView` de artículo). Para realizar una actualización o modificación de un `Fragment` se usa un `FragmentTransaction` (`android.app.FragmentTransaction`). Se pueden realizar diferentes acciones sobre un `Fragment` utilizando un `FragmenTransaction`, como las siguientes:

- Se puede agregar, o volver a agregar, un `Fragment` con la `Activity` padre.
- Se puede ocultar o mostrar un `Fragment` en un `View`.

Quizás en este punto se está preguntando cómo encaja el botón **Volver** en este nuevo diseño de interfaz de usuario basado en fragmentos. Bien, ahora la clase `Activity` padre tiene su propia pila de retroceso. Como desarrollador, puede decidir qué operaciones de `FragmentTransactions` merece la pena almacenar en esta pila y cuáles no, empleando el método `addToBackStack()` del objeto `FragmentManager`. Por ejemplo, en nuestro ejemplo de noticias, podríamos querer que cada uno de los artículos mostrados en el fragmento `WebView` se añadieran a esta pila de retroceso de la clase `Activity` padre, de forma que si el usuario hace clic en el botón **Volver**, pase por los artículos que ya ha leído, antes de salir completamente de la actividad.

Adjuntar y separar fragmentos en actividades

Cuando tenga un fragmento que quiera incluir dentro de su clase `Activity`, entra el juego el ciclo de vida del fragmento. Las siguientes llamadas a métodos son importantes para gestionar el ciclo de vida de un fragmento, en la creación del mismo y en la posterior destrucción cuando ya no se va a usar más. Muchos de estos eventos de este ciclo de vida son análogos a los del de una actividad:

- El método `onAttach()` se invoca cada vez que un fragmento se adjunta por primera vez a una clase `Activity` determinada.
- El método `onCreate()` se invoca cuando un fragmento se crea por primera vez.
- El método `onCreateView()` se invoca cuando debería crearse el diseño de la interfaz del usuario o la jerarquía asociada con el fragmento.
- La llamada al método `onActivityCreated()` informará al fragmento de la finalización del método `onCreate()` de la clase `Activity` padre.
- El método `onStart()` se invoca cuando la interfaz del usuario del fragmento se hace visible, aunque todavía no esté activada.
- La llamada al método `onResume()` activa la interfaz de usuario del fragmento, para que interactúe después de que la actividad se haya reanudado, o el fragmento se haya actualizado utilizando un `FragmentTransaction`.
- El método `onPause()` se invoca cuando se produce una pausa en la `Activity` padre, o el fragmento esté siendo actualizado mediante un `FragmentTransaction`. Indica que el fragmento ya no está activo o que se encuentra en segundo plano.
- El método `onStop()` se invoca cuando se detiene la `Activity` padre, o el fragmento esté siendo actualizado por un `FragmentTransaction`. Indica que el fragmento ya no es visible.
- El método `onDestroyView()` se invoca para eliminar cualquier diseño de interfaz de usuario o jerarquías asociadas con el fragmento.
- El método `onDestroy()` se invoca para eliminar cualquier recurso asociado con el fragmento.
- El método `onDetach()` se invoca justo antes de que el fragmento se separe de la clase `Activity`.

Trabajar con tipos especiales de fragmentos

En el capítulo 9 comentamos que existían una serie de clases `Activity` especiales para gestionar determinados tipos comunes de interfaces de usuario. Por ejemplo, la clase `ListActivity` simplifica la creación de una `Activity` que gestiona un control `ListView`. De forma similar, la clase `PreferencesActivity` simplifica la creación de una `Activity` para gestionar preferencias compartidas. Y como hemos visto en nuestro ejemplo teórico sobre una aplicación lectora de noticias, emplearemos con frecuencia controles de la interfaz de usuario como `ListView` y `WebView` en nuestros componentes fragmentos.

Debido a que los fragmentos están pensados para separar la funcionalidad de la interfaz del usuario de la clase `Activity`, ahora necesitaría las subclases `Fragment` equivalentes que realizan esta funcionalidad. A continuación puede ver algunas de las clases `Fragment` especiales con las que sería bueno que estuviera familiarizado:

- `ListFragment` (`android.app.ListFragment`): Igual que una `ListActivity`, esta clase `Fragment` aloja un control `ListView`.
- `PreferenceFragment` (`android.preference.PreferenceFragment`): Como una `PreferenceActivity`, esta clase `Fragment` le permite gestionar fácilmente preferencias del usuario.
- `WebViewFragment` (`android.wekit.WebViewFragment`): Este tipo de `Fragment` aloja un control `WebView` para representar fácilmente contenido Web. Su aplicación necesitará el permiso `android.permission.INTERNET` para acceder a Internet.
- `DialogFragment` (`android.app.DialogFragment`): Cuando separa la funcionalidad de la interfaz del usuario de sus clases `Activity`, esto implica que no necesitará que sus diálogos estén gestionados por dicha clase `Activity`. En lugar de eso, puede usar esta clase para alojar y gestionar controles `Dialog` como `Fragments`. Los diálogos pueden ser ventanas emergentes tradicionales o estar embebidos. En el capítulo 11 veremos con detalle los diálogos.

Nota

Se habrá dado cuenta que `TabActivity`, una clase muy útil para trabajar con el control `TabHost`, no aparece en la lista como una clase `Fragment`. Si simplemente está utilizando `TabHost` sin la clase `TabActivity`, puede moverla fácilmente a un fragmento. Sin embargo, si está empleando `TabActivity`, cuando usa el diseño de una aplicación basada en fragmentos, querrá examinar cómo funcionan las barras de acciones que le permiten añadir pestañas. Para más información consulte la documentación de Android SDK sobre las clases `TabActivity` (`android.app.TabActivity`), `ActionBar` (`android.app.ActionBar`) y `ActionBar.Tab` (`android.app.ActionBar.Tab`).

Diseñar aplicaciones basadas en fragmentos

Al final, las aplicaciones basadas en fragmentos se entienden mejor con ejemplos. Por lo tanto, vamos a ver uno sencillo para ayudarle a fijar los conceptos que hemos visto hasta ahora en este capítulo. Para no complicarlo en exceso, utilizaremos como implementación de destino una versión específica de la plataforma Android, la 3.2. Sin embargo, se dará cuenta enseguida que también puede crear aplicaciones basadas en fragmentos para prácticamente cualquier dispositivo, empleando el paquete de soporte de Android.

Nota

Muchos de los ejemplos de código de esta sección son de la aplicación `SimpleFragments`, que puede descargar desde la página Web de la editorial.

Nosotros, los autores, hemos viajado mucho. Cuando estuvimos en África, hicimos muchas fotos y escribimos en nuestro blog muchos datos sobre los diferentes animales que vimos en su hábitat natural. Lo llamamos "African Field Notes" (Apuntes sobre África) (`http://goo.gl/hA0fh`). Vamos a diseñar una aplicación sencilla con un `ListView` de nombres de animales salvajes. Cuando hagamos clic sobre un elemento de `ListView`, se cargará un control `WebView` y se mostrará la entrada del blog específica asociada con dicho animal. Para hacerlo de forma sencilla, almacenaremos nuestra lista de animales y la URL del blog en recursos de conjunto de cadenas (consulte el código de ejemplo para una implementación completa).

¿Cómo van a funcionar nuestros fragmentos? Vamos a usar un `ListFragment` para la lista de animales y un `WebViewFragment` para mostrar cada entrada del blog. En modo vertical, mostraremos un fragmento por pantalla, necesitando dos clases `Activity`, como puede ver en las figuras 10.3 y 10.4.

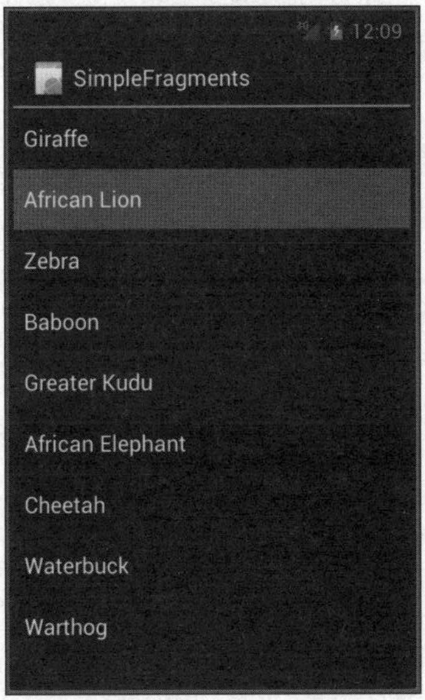

Figura 10.3. Un fragmento por actividad/pantalla (Elementos de ListView).

Figura 10.4. Un fragmento por actividad/pantalla (Entrada del blog).

En modo apaisado, mostraremos ambos fragmentos en la misma pantalla, dentro de la misma clase `Activity`, como puede ver en la figura 10.5.

Figura 10.5. Ambos fragmentos en una única actividad/pantalla.

Implementar un ListFragment

Vamos a empezar definiendo una clase personalizada `ListFragment` llamada `FieldNoteListFragment`, para ubicar los nombres de los animales salvajes. Esta clase necesitará determinar si el segundo fragmento, `FieldNoteWebViewFragment`, debería cargarse o si al hacer clic sobre `ListView` debería simplemente iniciar `FieldNoteViewActivity`:

```
public class FieldNoteListFragment extends ListFragment implements
      FragmentManager.OnBackStackChangedListener {

   private static final String DEBUG_TAG = "FieldNoteListFragment";
   int mCurPosition = -1;
   boolean mShowTwoFragments;

   @Override
   public void onActivityCreated(Bundle savedInstanceState) {
      super.onActivityCreated(savedInstanceState);

      getListView().setChoiceMode(ListView.CHOICE_MODE_SINGLE);

      String[] fieldNotes = getResources().getStringArray(
         R.array.fieldnotes_array);
      setListAdapter(new ArrayAdapter<String>(getActivity(),
         android.R.layout.simple_list_item_activated_1, fieldNotes));
      View detailsFrame = getActivity().findViewById(R.id.fieldentry);
      mShowTwoFragments = detailsFrame != null
         && detailsFrame.getVisibility() == View.VISIBLE;

      if (savedInstanceState != null) {
         mCurPosition = savedInstanceState.getInt("curChoice", 0);
      }

      if (mShowTwoFragments == true || mCurPosition != -1) {
         viewAnimalInfo(mCurPosition);
      }

      getFragmentManager().addOnBackStackChangedListener(this);
   }

   @Override
   public void onBackStackChanged() {
      FieldNoteWebViewFragment details =
         (FieldNoteWebViewFragment) getFragmentManager()
            .findFragmentById(R.id.fieldentry);
      if (details != null) {
         mCurPosition = details.getShownIndex();
         getListView().setItemChecked(mCurPosition, true);

         if (!mShowTwoFragments) {
            viewAnimalInfo(mCurPosition);
         }
      }
   }
```

```
    @Override
    public void onSaveInstanceState(Bundle outState) {
        super.onSaveInstanceState(outState);
        outState.putInt("curChoice", mCurPosition);
    }

    @Override
    public void onListItemClick(ListView l, View v, int position, long id) {
        viewAnimalInfo(position);
    }

    void viewAnimalInfo(int index) {
        mCurPosition = index;
        if (mShowTwoFragments == true) {
            // Comprobar qué fragmento se muestra actualmente,
            // y sustituirlo si es necesario.
            FieldNoteWebViewFragment details =
            (FieldNoteWebViewFragment) getFragmentManager()
                .findFragmentById(R.id.fieldentry);
        if (details == null || details.getShownIndex() != index) {

            FieldNoteWebViewFragment newDetails = FieldNoteWebViewFragment
                .newInstance(index);

            FragmentManager fm = getFragmentManager();
            FragmentTransaction ft = fm.beginTransaction();
            ft.replace(R.id.fieldentry, newDetails);
            if (index != -1) {
                String[] fieldNotes = getResources().getStringArray(
                    R.array.fieldnotes_array);
                String strBackStackTagName = fieldNotes[index];
                ft.addToBackStack(strBackStackTagName);
            }

            ft.setTransition(FragmentTransaction.TRANSIT_FRAGMENT_FADE);
            ft.commit();
        }

        } else {
            Intent intent = new Intent();
            intent.setClass(getActivity(), FieldNoteViewActivity.class);
            intent.putExtra("index", index);
            startActivity(intent);

        }
    }
}
```

La mayor parte de la inicialización del control `Fragment` tiene lugar en la invocación al método `onActivityCreate()`, de forma que `ListView` solo se inicie una vez. A continuación comprobamos el modo de visualización que queremos utilizar, observando si nuestro segundo componente está definido en el diseño. Por último, dejamos los detalles de la visualización al método llamado `viewAnimation()`, que también se invoca siempre que se haga clic sobre un elemento del control `ListView`.

La lógica del método `viewAnimalInfo()` tiene en cuenta ambos modos de visualización. Si el dispositivo está en modo vertical, `FieldNoteViewActivity` se inicia a través de un `Intent`. Sin embargo, si el dispositivo está en modo apaisado, lo hará algún `Fragment`. Concretamente, se emplea `FragmentManager` para encontrar el `FieldNoteWebViewFragment` existente, a través de su identificador único (`R.id.fieldentry`, tal y como se definió en el archivo de diseño). A continuación, se crea una nueva instancia `FieldNoteWebViewFragment` para la nueva entrada del blog que está siendo solicitada. Después se inicia un `FragmentTransaction`, en el que el `FieldNoteWebViewFragment` existente se sustituye por el nuevo. Ubicamos el antiguo en la pila de retroceso, de forma que el botón **Volver** funcione adecuadamente, definimos la animación de transición de desvanecimiento entre las entradas del blog, y realizamos la transacción, haciendo que la pantalla se actualice de forma asíncrona.

Por último, podemos monitorizar la pila de retroceso con una llamada al método `addOnBackStackChangedListener()`, la cual actualiza la lista con el elemento seleccionado en ese momento. Esto proporciona una forma robusta de mantener la selección del elemento `ListView` sincronizada con el `Fragment` visualizado actualmente, tanto cuando se añade un nuevo fragmento a la pila de retroceso y se elimina, como cuando el usuario hace clic sobre el botón **Volver**.

Implementar un WebViewFragment

A continuación creamos una clase personalizada `WebViewFragment` llamada `FieldNoteWebViewFragment` que alojará las entradas del blog relacionadas con cada animal salvaje. Esta clase `Fragment` hace poco más que determinar qué entrada URL del blog hay que cargar, y a continuación la carga en el control `WebView`.

```
public class FieldNoteWebViewFragment extends WebViewFragment {

   private static final String DEBUG_TAG = "FieldNoteWebViewFragment";

   public static FieldNoteWebViewFragment newInstance(int index) {
      Log.v(DEBUG_TAG, "Creating new instance: " + index);
      FieldNoteWebViewFragment fragment =
         new FieldNoteWebViewFragment();

      Bundle args = new Bundle();
      args.putInt("index", index);
      fragment.setArguments(args);
      return fragment;
   }

   public int getShownIndex() {
      int index = -1;
      Bundle args = getArguments();
      if (args != null) {
         index = args.getInt("index", -1);
      }
      if (index == -1) {
         Log.e(DEBUG_TAG, "Not an array index.");
```

```
        }

        return index;
    }

    @Override
    public void onActivityCreated(Bundle savedInstanceState) {
        super.onActivityCreated(savedInstanceState);

        String[] fieldNoteUrls = getResources().getStringArray(
            R.array.fieldnoteurls_array);
        int fieldNoteUrlIndex = getShownIndex();

        WebView webview = getWebView();
        webview.setPadding(0, 0, 0, 0);
        webview.getSettings().setLoadWithOverviewMode(true);
        webview.getSettings().setUseWideViewPort(true);

        if (fieldNoteUrlIndex != -1) {
            String fieldNoteUrl = fieldNoteUrls[fieldNoteUrlIndex];
            webview.loadUrl(fieldNoteUrl);
        }
        else
        {
            webview.loadUrl("http://www.perlgurl.org/archives/photography/
                             special_assignments/african_field_notes/");
        }
    }
}
```

La mayor parte de la inicialización del control `Fragment` tiene lugar en la invocación al método `onActivityCreate()`, para que `WebView` solo se inicie una vez. La configuración por defecto del control `WebView` no tiene un aspecto muy atractivo, por lo que vamos a realizar algunos cambios en la configuración, eliminar el relleno alrededor del control y definir algunos ajustes para hacer que el navegador encaje adecuadamente en la pantalla proporcionada. Cuando recibamos una petición de carga de un determinado animal, buscaremos la URL y la cargaremos. Si no recibimos esta petición, cargaremos la página de inicio "por defecto" del blog Apuntes de África.

Definir los archivos de diseño

Ahora que ya hemos implementado las clases `Fragment`, podemos ubicarlas en los archivos de diseño apropiados. Necesitará crear dos archivos de diseño. En el modo apaisado, tendrá un único archivo de diseño `main.xml` que alojará ambos componentes `Fragment`. En el modo vertical, necesitará un archivo de diseño similar que solo aloje la `ListFragments` que ha implementado. El `WebViewFragment` implementado tendrá una interfaz de usuario generada en tiempo de ejecución.

Vamos a empezar con el archivo de diseño en modo apaisado, llamado `/res/layout-land/main.xml`. Fíjese que almacenaremos este archivo `main.xml` en un directorio de recursos especial, solo para el uso del modo apaisado. En el capítulo

15 hablaremos con detalle sobre cómo almacenar recursos alternativos de esta forma. Por ahora, es suficiente comentar que este diseño se cargará automáticamente siempre que el dispositivo esté en modo apaisado.

```
<?xml version="1.0" encoding="utf-8"?>
<LinearLayout
   xmlns:android="http://schemas.android.com/apk/res/android"
   android:orientation="horizontal"
   android:layout_width="match_parent"
   android:layout_height="match_parent">
   <fragment
      android:name="com.androidbook.simplefragments.FieldNote ListFragment"
   android:id="@+id/list"
   android:layout_weight="1"
   android:layout_width="0dp"
   android:layout_height="match_parent" />
<FrameLayout
   android:id="@+id/fieldentry"
   android:layout_weight="4"
   android:layout_width="0dp"
   android:layout_height="match_parent" />
</LinearLayout>
```

Aquí podemos observar dos controles `LinearLayout` muy sencillos con dos controles hijo. Uno es un componente `Fragment` estático que hace referencia a la clase personalizada `ListFragment` que implementó. En relación con la segunda región donde queremos ubicar el `WebViewFragment`, incluiremos una región `FrameLayout`, que será sustituida por nuestra instancia específica `FieldNoteWebViewFragment` mediante programación en tiempo de ejecución.

Truco

Cuando trabaje con componentes `Fragment` que se van a actualizar añadiéndose o remplazándose (dinámicamente), no los mezcle con componentes `Fragment` instanciados a través del diseño (estáticamente). En lugar de eso, utilice un elemento de sustitución como `FrameLayout`, como en el código de ejemplo. Los componentes `Fragment` dinámicos y los estáticos definidos usando `<fragment>` desde el diseño, no combinan bien con el gestor de transacciones de fragmentos o con la pila de retroceso.

Los recursos almacenados en el directorio de diseño normal se utilizarán siempre que el dispositivo no esté en modo apaisado (es decir, cuando esté en modo vertical). Aquí necesitamos definir dos archivos de diseño. En primer lugar, vamos a definir nuestro `ListFragment` estático en su propio archivo `/res/layout/main.xml`. Es bastante parecido a la versión anterior, sin el segundo control `FrameLayout`:

```
<?xml version="1.0" encoding="utf-8"?>
<LinearLayout
   xmlns:android="http://schemas.android.com/apk/res/android"
   android:orientation="horizontal"
```

```
    android:layout_width="match_parent"
    android:layout_height="match_parent">
    <fragment
        android:name="com.androidbook.simplefragments.FieldNoteListFragment"
        android:id="@+id/list"
        android:layout_weight="1"
        android:layout_width="0dp"
        android:layout_height="match_parent" />
</LinearLayout>
```

Definir la clases Activity

Casi hemos terminado. Ahora necesita definir sus clases `Activity` para alojar sus componentes `Fragment`. Necesitará dos: una clase principal y otra secundaria, que solo se empleará para mostrar el `FieldNoteWebViewFragment` en modo vertical. Vamos a llamar a la clase principal `SimpleFragmentsActivity` y a la secundaria `FieldNoteViewActivity`. Como dijimos anteriormente, desplazar toda su lógica de la interfaz del usuario a componentes `Fragment` simplifica en gran medida la implementación de su clase `Activity`. Como ejemplo, a continuación puede ver la implementación completa de la clase `SimpleFragmentsActivity`:

```
public class SimpleFragmentsActivity extends Activity {
    @Override
    public void onCreate(Bundle savedInstanceState) {
        super.onCreate(savedInstanceState);
        setContentView(R.layout.main);
    }
}
```

Ya está. La clase `FieldNoteViewActivity` es solo ligeramente más interesante:

```
public class FieldNoteViewActivity extends Activity {
    @Override
    public void onCreate(Bundle savedInstanceState) {
        super.onCreate(savedInstanceState);

        if (getResources().getConfiguration().orientation ==
            Configuration.ORIENTATION_LANDSCAPE) {
            finish();
            return;
        }

        if (savedInstanceState == null) {
            FieldNoteWebViewFragment details = new FieldNoteWebViewFragment();
            details.setArguments(getIntent().getExtras());

            FragmentManager fm = getFragmentManager();
            FragmentTransaction ft = fm.beginTransaction();
            ft.add(android.R.id.content, details);
            ft.commit();
        }
    }
}
```

Usando esta `Activity` comprobaremos que estamos en la orientación adecuada. A continuación creamos una instancia de `FieldNoteWebViewFragment` y mediante programación la añadimos a `Activity`, generando la interfaz de usuario en tiempo de ejecución añadiéndola al `View android.R.id.content`, que es el `View` raíz de cualquier clase `Activity`. Esto es todo lo que necesitamos hacer para implementar esta sencilla aplicación de ejemplo con componentes `Fragment`.

Utilizar el paquete de soporte Android

Los fragmentos son tan importantes para el futuro de la plataforma Android que el equipo de Android proporciona una librería de compatibilidad para que los desarrolladores, si quieren, puedan actualizar sus aplicaciones de versiones anteriores, hasta la 1.6 como la más antigua. Esta librería inicialmente se llamó Paquete de compatibilidad, y actualmente es conocida como Paquete de soporte Android.

Añadir soporte de fragmentos a aplicaciones antiguas

La elección de si actualizar o no aplicaciones antiguas es una decisión personal en un equipo de desarrollo. Las aplicaciones sin fragmentos deberían seguir funcionando en el futuro sin errores, en su mayor parte debido a la política del equipo de Android de seguir dando el soporte más amplio posible a aplicaciones antiguas en las nuevas versiones de la plataforma. A continuación puede ver unas cuantas ideas para los desarrolladores que tengan aplicaciones en versiones anteriores, que están considerando la opción de revisar su código existente:

- Deje sus aplicaciones antiguas como están, y las consecuencias no serán catastróficas. Su aplicación no empleará las características más recientes que la plataforma Android ofrece (y los usuarios se darán cuenta de esto), pero su aplicación debería seguir funcionando tan bien como siempre, sin que tenga que realizar ningún trabajo adicional. Si no tiene planeado actualizar sus aplicaciones antiguas, ésta podría ser una opción razonable. El uso ineficiente del espacio de pantalla podría ser problemático, pero no causar nuevos errores.
- Si su aplicación tiene mucho éxito en el mercado y ha continuado actualizándola según la plataforma Android se ha ido desarrollando, es probable que tenga que considerar el uso del paquete de soporte de Android. Sus usuarios puede que lo demanden. Por supuesto, puede continuar dando soporte a su aplicación en versiones anteriores y crear una versión aparte, nueva y mejorada, que utilice las últimas características de la plataforma. No obstante, esto implica organizar y gestionar diferentes ramificaciones del código fuente y diferentes paquetes de la aplicación, y complica la publicación y los informes, sin mencionar el mantenimiento. Es mejor que modifique su aplicación con el paquete de soporte Android

y haga todo lo posible para mantener su código base manejable. El tamaño y los recursos de su organización pueden ser un factor importante a la hora de tomar la decisión.

- Solo porque utilice el paquete de soporte Android en su aplicación no significa que tenga que implementar inmediatamente todas las características nuevas (fragmentos, cargadores, etc.). Simplemente puede seleccionar las características que tengan más sentido para su aplicación y añadir otras a través de actualizaciones de la aplicación, cuando su equipo de desarrollo tenga los recursos adecuados y tomen la decisión de hacerlo.
- Si no actualiza su código con nuevos controles, sus aplicaciones para versiones anteriores podrían parecer anticuadas comparadas con otras. Si su aplicación ya está totalmente personalizada y no usa controles de serie (con frecuencia es el caso de juegos u otras aplicaciones con gráficos complejos), entonces puede que no necesite actualizarla. Sin embargo, si su aplicación se ciñe al aspecto de los controles de serie del sistema, puede que sea importante crear una nueva fachada.

Utilizar fragmentos en nuevas aplicaciones para su implementación en plataformas antiguas

Si está empezando a desarrollar una nueva aplicación y tiene planeado implementarla en alguna de las versiones anteriores de la plataforma, incorporar fragmentos en su diseño es una decisión más sencilla. Si está empezando con un proyecto, no existe ninguna razón para no emplearlos y muchas por las que debería hacerlo:

- Independientemente de los dispositivos y plataformas en las que implementa actualmente, en el futuro aparecerán nuevas que ahora mismo no conoce. Los fragmentos le proporcionan la flexibilidad de ajustar fácilmente el flujo de trabajo de su pantalla de interfaz de usuario, sin tener que reescribir o probar de nuevo todo el código de la aplicación.
- Incorporar anticipadamente el paquete de soporte Android en sus aplicaciones, lo que significa que si más adelante se añaden características importantes en la plataforma, podrá actualizar fácilmente las librerías y comenzar a usarlas.
- Si utiliza el paquete de soporte Android, su aplicación no se quedará nunca anticuada, ya que estará incorporando las últimas características de la plataforma y proporcionándolas a usuarios de plataformas antiguas.

Vincular el paquete de soporte Android a su proyecto

El paquete de soporte Android consiste simplemente en un conjunto de librerías de soporte estáticas (disponibles como archivos `.jar`), que puede vincular con su aplicación Android y emplear a continuación. Puede descargar este paquete usando Android SDK

Manager, y a continuación añadirlo a los proyectos que seleccione. Es un paquete opcional y no está vinculado por defecto. De vez en cuando aparecen versiones del paquete de soporte Android, como si se tratase de cualquier otro software, y a veces son actualizados con nuevas características, y lo más importante, con correcciones de errores.

Nota

Para más información sobre la última versión del paquete consulte el sitio Web de desarrolladores Android: `http://d.android.com/sdk/compatibility-library.html`.

En este momento realmente existen dos paquetes de soporte Android: v4 y v13. El paquete v4 tiene como objetivo proporcionar nuevas clases introducidas en Honeycomb, hasta versiones de la plataforma tan antiguas como la API de nivel 4 (Android 1.6). Éste es el paquete que utilizará cuando quiera dar soporte a versiones anteriores. El paquete v13 proporciona una implementación más eficaz de algunos elementos, como `FragmentPagerAdapter`, cuando se ejecutan en las API nivel 13 o posteriores. Si quiere implementar en estas API, utilice este paquete.

Tiene que tener en cuenta que las partes del paquete que ya forman parte de la plataforma no están disponibles en el propio paquete, ya que no son necesarias.

Para emplear el paquete de soporte Android en su aplicación, siga estos pasos:

1. Utilice Android SDK Manager para descargar el paquete de soporte Android (anteriormente conocido como paquete de compatibilidad).
2. Localice su proyecto en el Explorador de paquetes o en el Explorador de proyectos.
3. Haga clic con el botón derecho sobre el proyecto y seleccione Android Tools>Add Compatibility Library (Herramientas Android>Añadir librería de compatibilidad). Se descargará la librería más actualizada, y los ajustes de su proyecto se modificarán para usarla.
4. Empiece utilizando las API que forman parte del paquete de soporte Android. Por ejemplo, para crear una clase extendida `FragmentActivity`, necesita importar `android.support.v4.app.FragmentActivity`.

Nota

Existen unas cuantas diferencias entre las API empleadas por el paquete de soporte Android y las que se encuentran en las últimas versiones de Android SDK. Sin embargo, se han renombrado algunas clases para evitar la colisión de nombres, y actualmente no todas las clases y características están incorporadas en el paquete de soporte Android.

Resumen

Los fragmentos se introdujeron en Android SDK para ayudar a gestionar los diferentes tipos de pantallas de dispositivos sobre las que los desarrolladores de aplicaciones implementan actualmente e implementarán en el futuro. Un fragmento es simplemente una sección de la interfaz del usuario, con su propio ciclo de vida, que puede ser independiente de una clase `Activity` específica. Los fragmentos deben ser alojados dentro de las clases `Activity`, pero proporcionan al desarrollador más flexibilidad cuando hay que dividir el flujo de trabajo de la pantalla en componentes, que se pueden mezclar y asociar de formas diferentes, dependiendo del espacio de pantalla disponible en el dispositivo. Los fragmentos se introdujeron en Android 3.0, pero las aplicaciones de versiones anteriores los pueden usar si usan el paquete de soporte Android, que permite que las aplicaciones que se implementen en las API nivel 4 (Android 1.6) y superiores, utilicen los complementos más recientes de Android SDK.

Referencias y más información

- Referencia de Android SDK en relación con la clase `Fragment`: `http://d.android.com/reference/android/app/Fragment.html`.
- Referencia de Android SDK en relación con la clase `ListFragment`: `http://d.android.com/reference/android/app/ListFragment.html`.
- Referencia de Android SDK en relación con la clase `PreferenceFragment`: `http://d.android.com/reference/android/preference/PreferenceFragment.html`.
- Referencia de Android SDK en relación con la clase `WebViewFragment`: `http://d.android.com/reference/android/webkit/WebViewFragment.html`.
- Referencia de Android SDK en relación con la clase `DialogFragment`: `http://d.android.com/reference/android/app/DialogFragment.html`.
- Guía de desarrollo Android sobre fragmentos: `http://d.android.com/guide/topics/fundamentals/fragments.html`.
- Blog de desarrolladores Android:"The Android 3.0 Fragments API" (Fragmentos de la API Android 3.0): `http://android-developers.blogspot.com/2011/02/android-30-fragments-api.html`.
- Developer.com: "Create Flexible Android UIs with Fragments" (Crear interfaces de usuario flexibles en Android con fragmentos): `http://www.developer.com/ws/create-flexible-android-uis-with-fragments.html`.

11 Trabajar con diálogos

Las interfaces de usuario de las aplicaciones Android tiene que ser elegantes y fáciles de usar. Una técnica importante que los desarrolladores pueden utilizar es implementar diálogos para informar o permitir al usuario realizar acciones como modificaciones, sin tener que redibujar la pantalla principal. En este capítulo vamos a ver cómo incorporar diálogos a nuestras aplicaciones.

Seleccionar la implementación de diálogos

La plataforma Android crece y cambia rápidamente. Con frecuencia aparecen nuevas revisiones de la misma. Esto significa que los desarrolladores siempre se están esforzando en estar al día sobre las últimas novedades que Android puede ofrecer. En este momento la plataforma Android está en un periodo de transición desde una plataforma tradicional tipo smartphone a otra "inteligente" que soportará una gran variedad de dispositivos, como tabletas, televisiones o *toasters*. Para ello, uno de los complementos más importantes de la plataforma es el concepto de fragmentos. En el capítulo anterior los hemos visto en detalle, pero tienen muchas ramificaciones en lo relacionado con el diseño de la interfaz de usuario de aplicaciones Android. Un área del diseño de aplicaciones que ha experimentado una revisión durante esta transición es la forma en la que se implementan los diálogos.

¿Qué implicaciones tiene esto para los desarrolladores? Esto quiere decir que ahora existen dos métodos para incluir diálogos en su aplicación; el basado en las versiones anteriores y el recomendado para que los desarrolladores progresen:

- En el método clásico, que ha existido desde que apareció la primera versión de Android, una clase `Activity` gestiona sus diálogos en una pila. Los diálogos se crean, inician y destruyen utilizando llamadas a métodos de la clase `Activity`. Los diálogos no se comparten entre actividades. Este tipo de implementación de diálogos funciona para todas las versiones de la plataforma Android. Sin embargo, muchos de los métodos empleados en este tipo de solución han quedado obsoletos desde la API nivel 13 (Android 3.2). Si las clases `Activity` de su aplicación no están usando, o no tienen pensado emplear, la API `Fragment`, este método puede ser el más fácil de implementar, a pesar de que quede obsoleto y que quizás no reciba soporte en el futuro, no se corrijan errores y no se hagan pruebas exhaustivas.
- En el nuevo método basado en fragmentos, que se introdujo en la API nivel 11 (Android 3.0), los diálogos se gestionan utilizando la clase `FragmentManager` (`android.app.FragmentManager`). Los diálogos se convierten en un tipo especial de fragmento, que aún debe emplearse dentro del ámbito de una clase `Activity`, pero su ciclo de vida se gestiona igual que cualquier otro fragmento. Este tipo de implementación de diálogos funciona en las últimas versiones de la plataforma Android, pero no es compatible con dispositivos antiguos, a no ser que incorpore a su aplicación el último paquete de soporte Android, para tener acceso a estas nuevas clases, y poder usarlas con versiones antiguas de Android SDK. Sin embargo, esta es probablemente la mejor opción para progresar en la plataforma Android.

Nota

A diferencia de otras plataformas que eliminan con regularidad los métodos obsoletos después de que aparezcan unas cuantas versiones, en Android SDK normalmente los métodos obsoletos se puede utilizar con seguridad dentro de un futuro previsible, si es necesario. Dicho esto, los desarrolladores deberían entender las consecuencias de emplear métodos y técnicas obsoletas, que pueden añadir dificultades en la actualización de funcionalidades de aplicaciones que vayan a usar más adelante las últimas características de SDK, tener un rendimiento inferior según se van mejorando las últimas características y las antiguas se dejan como están, y la posibilidad de que se "note la edad" de una aplicación. También es poco probable que los métodos obsoletos reciban cualquier tipo de correcciones o actualizaciones.

En este capítulo vamos a estudiar los dos métodos, debido a que la mayoría de las aplicaciones que actualmente puede encontrar en Google play todavía utilizan el método clásico. Si está proporcionando mantenimiento a aplicaciones antiguas, necesita entender este método. Sin embargo, si está desarrollando nuevas aplicaciones o actualizando la existentes para que puedan emplear las últimas tecnologías que ofrece Android SDK, le recomendamos que implemente el nuevo método basado en fragmentos, usando el paquete de soporte Android, que puede utilizar con las antiguas versiones de la plataforma Android.

Tipos de diálogos

Independientemente del método que utilice para implementarlos, existen diferentes tipos de diálogos disponibles en Android SDK. Cada uno de ellos tiene una función especial con la que la mayoría de los usuarios estarán familiarizados de una u otra forma. Los tipos de diálogos disponibles en Android SDK son los siguientes:

- `Dialog`: Clase básica para todos los tipos de diálogos. En la figura 11.1 puede ver un `Dialog` básico (`android.app.Dialog`).

Figura 11.1. Ejemplo de Dialog básico.

- `AlertDialog`: Diálogo con uno, dos o tres controles `Button`. En la figura 11.2 puede ver un `AlertDialog` (`android.app.AlertDialog`).

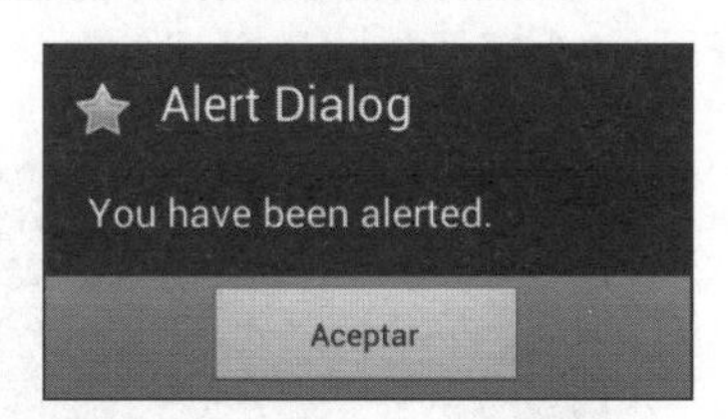

Figura 11.2. Ejemplo de AlertDialog.

- `CharacterPickerDialog`: Diálogo para seleccionar un carácter remarcado asociado con un carácter base. En la figura 11.3 puede ver un `CharacterPickerDialog` (`android.text.method.CharacterPickerDialog`).

Figura 11.3. Ejemplo de CharacterPickerDialog.

- `DatePickerDialog`: Diálogo con un control `DatePicker`. En la figura 11.4 puede ver un `DatePickerDialog` (`android.app.DatePickerDialog`).
- `ProgressDialog`: Diálogo con un control `ProgressBar` determinado o indeterminado. En la figura 11.5 puede ver un `ProgressDialog` indeterminado (`android.app.ProgressDialog`).
- `TimePickerDialog`: Diálogo con un control `TimePicker`. En la figura 11.6 puede ver un `TimePickerDialog` (`android.app.TimePickerDialog`).

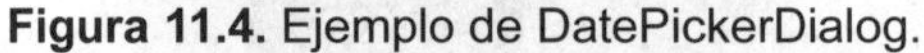
Figura 11.4. Ejemplo de DatePickerDialog.

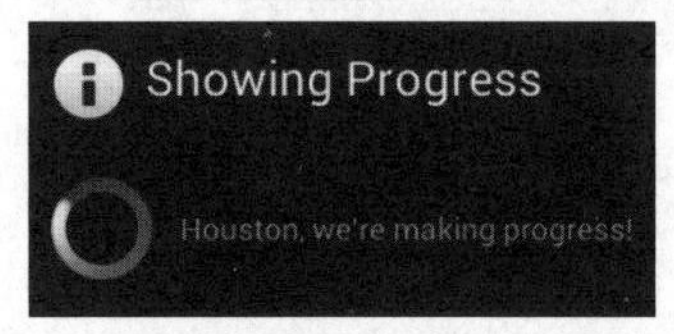

Figura 11.5. Ejemplo de ProgressDialog.

Figura 11.6. Ejemplo de TimePickerDialog.

Si ninguno de los diálogos existentes encaja en sus requerimientos, puede crear ventanas `Dialog` personalizadas, con requisitos específicos de diseño.

Trabajar con diálogos: método clásico

Una actividad puede emplear diálogos para organizar información y reaccionar frente a eventos generados por el usuario. Por ejemplo, una actividad podría mostrar un diálogo que informe al usuario de un problema, o que solicite al usuario que confirme una acción, como por ejemplo eliminar un registro de datos. Usar diálogos para tareas sencillas ayuda a mantener un número no excesivo de actividades de la aplicación.

> **Nota**
>
> Muchos de los ejemplos de código de esta sección son de la aplicación `SimpleDialogs`, que puede descargar desde la página Web de la editorial.

Controlar el ciclo de vida de un diálogo

Cada diálogo se debe definir dentro de la actividad en la que se va a utilizar. Un diálogo se puede iniciar una vez, o repetidamente. Es importante entender cómo una actividad gestiona el ciclo de vida de un diálogo para poder implementarlo correctamente. Vamos a echar un vistazo a los métodos clave que una actividad debe emplear para gestionar un diálogo:

- `showDialog()`: Este método se usa para mostrar un diálogo.
- `dismissDialog()`: Este método se utiliza para detener la visualización de un diálogo. El diálogo se conserva en la pila de diálogos de la actividad. Si el diálogo se muestra de nuevo empleando `showDialog()`, la versión almacenada en caché se visualiza otra vez.
- `removeDialog()`: Este método se usa para eliminar una diálogo de la pila de diálogos de la actividad. No se podrá volver a utilizar este diálogo en el futuro. Si vuelve a invocar a `showDialog()`, el diálogo debe ser creado de nuevo.

Para añadir un diálogo a una actividad debe seguir estos pasos:

1. Definir un identificador único del diálogo dentro de la actividad.
2. Implementar el método `onCreateDialog()` de la actividad para obtener un diálogo del tipo adecuado, cuando es proporcionado a través de un único identificador.
3. Implementar el método `onPrepareDialog()` de la actividad, para inicializar el diálogo adecuado.
4. Iniciar el diálogo empleando el método `showDialog()` a través de su identificador único.

Definir un diálogo

El diálogo usado y gestionado por una actividad debe ser definido previamente. Cada diálogo tiene un identificador especial (un entero). Cuando se invoca al método `showDialog()`, se pasa este identificador. En este momento, se invoca al método `onCreateDialog()`, que debe devolver un diálogo del tipo adecuado. El desarrollador es responsable de cancelar el método `onCreateDialog()` de la actividad, y devolver el diálogo adecuado en función de su identificador. Si una actividad incluye múltiples ventanas de diálogo, el método `onCreateDialog()` normalmente incluirá una sentencia `switch` para obtener el diálogo adecuado, basada en el parámetro de entrada, el identificador del diálogo.

Inicializar un diálogo

Debido a que la actividad normalmente mantiene los diálogos en la pila de diálogos, podría ser importante reinicializar el diálogo cada vez que se muestre, y no solo la primera vez que se crea. Para hacer esto, puede cancelar el método `onPrepareDialog()` de la actividad. Mientras que el método `onCreateDialog()` solo es invocado una vez para la creación inicial del diálogo, el método `onPrepareDialog()` se invoca cada vez que se llama al método `showDialog()`, dando a la actividad una oportunidad de modificar dicho diálogo antes de que se muestre al usuario.

Iniciar un diálogo

Puede mostrar cualquier diálogo definido dentro de una actividad invocando al método `showDialog()` de la clase `Activity`, y pasándole un identificador de objeto `Dialog` válido, que será reconocido por el método `onCreateDialog()`.

Descartar un diálogo

La mayoría de los diferentes tipos de diálogo incluyen circunstancias que hacen que se descarten automáticamente. Sin embargo, si quiere forzar a que un diálogo sea descartado, simplemente tiene que invocar al método `dismissDialog()` y pasarle el identificador de dicho diálogo.

Eliminar un diálogo

Descartar un diálogo no es destruirlo. Si el diálogo se muestra otra vez, se vuelve a mostrar su contenido almacenado en la caché. Si quiere forzar a una actividad a eliminar un diálogo de su pila para que no se pueda volver a utilizar, puede invocar al método `removeDialog()`, pasándole un identificador válido de dicho diálogo. Aunque generalmente no es necesario, puede ser útil eliminar un diálogo de un solo uso pero que consuma muchos recursos. A continuación puede ver un ejemplo de una clase sencilla llamada `SimpleDialogsActivity`, que muestra cómo implementar un control `Dialog` que se inicia cuando se hace clic en un botón llamado `Button_AlertDialog` (definido en un recurso de diseño):

```
public class SimpleDialogsActivity extends Activity {
    static final int ALERT_DIALOG_ID = 1;

    @Override
    public void onCreate(Bundle savedInstanceState) {
        super.onCreate(savedInstanceState);
        setContentView(R.layout.main);
```

```
        // Botón de aviso de diálogo
        Button launchAlertDialog = (Button) findViewById(
            R.id.Button_AlertDialog);
        launchAlertDialog.setOnClickListener(new View.OnClickListener() {
            public void onClick(View v) {
                showDialog(ALERT_DIALOG_ID);
            }
        });
    }
    @Override
    protected Dialog onCreateDialog(int id) {
        switch (id) {

            case ALERT_DIALOG_ID:
            AlertDialog.Builder alertDialog = new
                AlertDialog.Builder(this);
            alertDialog.setTitle("Alert Dialog");
                alertDialog.setMessage("You have been alerted.");
                alertDialog.setIcon(android.R.drawable.btn_star);
            alertDialog.setPositiveButton(android.R.string.ok,
                new DialogInterface.OnClickListener() {
                public void onClick(DialogInterface dialog,
                int which) {
                    Toast.makeText(getApplicationContext(),
                        "Clicked OK!", Toast.LENGTH_SHORT).show();
                    return;
                }
            });
                return alertDialog.create();
            }
        return null;
    }
    @Override
    protected void onPrepareDialog(int id, Dialog dialog) {
        super.onPrepareDialog(id, dialog);
        switch (id) {
        case ALERT_DIALOG_ID:
            // No se necesita configuración adicional
            return;
        }
    }
}
```

En el código de ejemplo proporcionado en la página Web de la editorial puede encontrar la implementación completa de este `AlertDialog`, así como de muchos otros tipos de diálogos.

Trabajar con diálogos personalizados

Cuando los tipos existentes de diálogos no encajan exactamente con lo que necesita, puede crear diálogos personalizados. Una forma fácil de hacer esto es empezar con un `AlertDialog` y emplear una clase `AlertDialog.Builder` para anular su diseño por defecto. Para crear un diálogo personalizado de esta forma, siga estos pasos:

1. Diseñe un recurso diseño personalizado que se va a mostrar en el `AlertDialog`.
2. Defina el identificador del diálogo personalizado en la actividad.
3. Actualice el método `onCreateDialog()` de la actividad, para crear y devolver el `AlertDialog` personalizado apropiado. Debería usar un `LayoutInflater` para añadir el diálogo al recurso de diseño personalizado.
4. Inicie el diálogo utilizando el método `showDialog()`.

Trabajar con diálogos: Método con fragmentos

De aquí en adelante la mayoría de sus clases `Activity` deberían considerar el uso de fragmentos. Esto significa que separará la gestión de los diálogos de su actividad y la ubicará en el dominio de los fragmentos. Existe una subclase especial de fragmentos llamada `DialogFragment` (`android.app.DialogFragment`) que puede emplear con este objetivo.

Nota

Muchos de los ejemplos de código de esta sección son de la aplicación `SimpleFragDialog`, que puede descargar desde la página Web de la editorial.

Vamos a ver un ejemplo sobre cómo se debería implementar un sencillo `AlertDialog`, que se comporta de forma similar al que hemos visto anteriormente en este capítulo. Para mostrar las ventajas de usar la nueva técnica de diálogos basada en fragmentos, vamos a pasar algunos datos al diálogo, que mostrará instancias múltiples de la clase `DialogFragment` ejecutándose dentro de una única actividad. Para empezar, necesita implementar su propia clase `DialogFragment`. Este clase solo necesita ser capaz de devolver una instancia del objeto totalmente configurado, e implementar el método `onCreateDialog()`, que devuelve el `AlertDialog` totalmente configurado, como ocurría en el método clásico. El siguiente código es una implementación completa de un sencillo `DialogFragment` que gestiona un `AlertDialog`:

```
public class MyAlertDialogFragment extends DialogFragment {

    public static MyAlertDialogFragment
        newInstance(String fragmentNumber) {
        MyAlertDialogFragment newInstance = new MyAlertDialogFragment();
        Bundle args = new Bundle();
        args.putString("fragnum", fragmentNumber);
        newInstance.setArguments(args);
        return newInstance;
    }

    @Override
```

```
    public Dialog onCreateDialog(Bundle savedInstanceState) {

        final String fragNum = getArguments().getString("fragnum");
        AlertDialog.Builder alertDialog = new AlertDialog.Builder(
            getActivity());
        alertDialog.setTitle("Alert Dialog");
        alertDialog.setMessage("This alert brought to you by "
            + fragNum );
        alertDialog.setIcon(android.R.drawable.btn_star);
        alertDialog.setPositiveButton(android.R.string.ok,
            new DialogInterface.OnClickListener() {
            public void onClick(DialogInterface dialog, int which) {
                ((SimpleFragDialogActivity) getActivity())
                    .doPositiveClick(fragNum);
                return;
            }
        });
        return alertDialog.create();
    }
}
```

Ahora que ya ha definido su `DialogFragment`, puede utilizarlo dentro de su actividad tantas veces como haría con cualquier fragmento, empleando `FragmentManager`. La siguiente clase `Activity`, llamada `SimpleFragDialogActivity`, incluye un recurso de diseño que contiene dos controles `Button`, cada uno de los cuales inicia una nueva instancia de `MyAlertDialogFragment`, para generarlo y mostrarlo. El método `show()` de `DialogFragment` se usa para mostrar el diálogo, añadiendo el fragmento a `FragmentManager`, y pasándole alguna información para configurar la instancia específica de `DialogFragment` y su `AlertDialog` interno.

```
public class SimpleFragDialogActivity extends Activity {
    @Override
    public void onCreate(Bundle savedInstanceState) {
        super.onCreate(savedInstanceState);
        setContentView(R.layout.main);

        // Botón de aviso de diálogo
        Button launchAlertDialog = (Button) findViewById(
            R.id.Button_AlertDialog);
        launchAlertDialog.setOnClickListener(new View.OnClickListener() {
            public void onClick(View v) {
                showDialogFragment("Fragment Instance One");
            }
        });

        // Botón de aviso de diálogo 2
        Button launchAlertDialog2 = (Button) findViewById(
            R.id.Button_AlertDialog2);
        launchAlertDialog2.setOnClickListener(new View.OnClickListener() {
            public void onClick(View v) {
                showDialogFragment("Fragment Instance Two");
            }
        });
    }
```

```
    void showDialogFragment(String strFragmentNumber) {
        DialogFragment newFragment = MyAlertDialogFragment
            .newInstance(strFragmentNumber);
        newFragment.show(getFragmentManager(), strFragmentNumber);
    }

    public void doPositiveClick(String strFragmentNumber) {
        Toast.makeText(getApplicationContext(),
            "Clicked OK! (" + strFragmentNumber + ")",
            Toast.LENGTH_SHORT).show();
    }
}
```

En la figura 11.7 puede ver un `DialogFragment` tal y como se muestra al usuario.

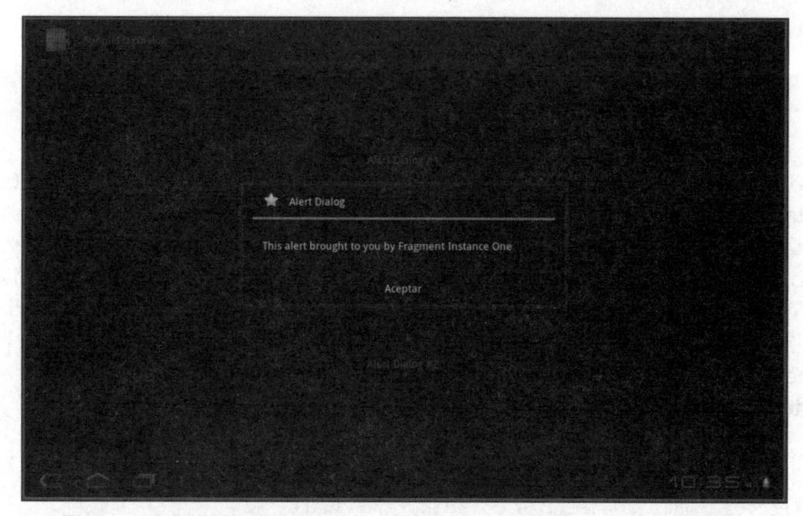

Figura 11.7. Utilizar instancias DialogFragment en una actividad.

Hemos visto cómo crear controles `Dialog` gestionados por un `Fragment`, pero cuando empiece a pensar en los diálogos como fragmentos, se dará cuenta que esto hace mucho más potentes a sus diálogos. Por ejemplo, sus controles `Dialog` ahora pueden ser empleados por diferentes actividades, ya que su ciclo de vida se gestiona dentro del fragmento, no de la actividad.

Además, las instancias `DialogFragment` pueden ser ventanas emergentes tradicionales (como se muestra en el ejemplo anterior), o estar embebidas como cualquier otro fragmento. ¿Cuándo le podría interesar embeber un diálogo? Considere el siguiente ejemplo: suponga que ha creado una aplicación galería de imágenes e ha implementado un diálogo personalizado que muestra una imagen de mayor tamaño cuando hace clic en una imagen en miniatura. En dispositivos de pantallas pequeñas, le interesará que el diálogo sea una ventana emergente, pero en una tableta o en una televisión, sería mejor que usara el espacio de la pantalla para mostrar una imagen de mayor tamaño, a la derecha o bajo las imágenes en miniatura. Ésta sería una buena oportunidad para aprovechar la reutilización del código y sencillamente embeber su diálogo.

Resumen

Los diálogos son controles útiles para que sus interfaces de usuario de aplicaciones Android no estén muy recargadas y sean fáciles de usar. En Android SDK puede encontrar muchos tipos de controles `Dialog`, pero si ninguno de ellos le convence, puede crear diálogos personalizados.

Los desarrolladores deberían tener en cuenta que existen dos aproximaciones diferentes para implementar controles `Dialog` en aplicaciones. En el método clásico, la clase `Activity` gestiona sus controles `Dialog` a través de una serie de sencillas llamadas a métodos. Este método no presenta ningún problema en cuanto a la compatibilidad con versiones anteriores, pero no funciona bien con el nuevo estándar de diseño de interfaces de usuario orientado a fragmentos, que se emplea en las versiones Honeycomb y posteriores. El segundo método implica el uso de un tipo de especial de fragmento llamado `DialogFragment`. Este método separa sus diálogos de la actividad y los trata como fragmentos. También estos pueden ser usados por otras instancias `Fragment`.

Referencias y más información

- Referencia de Android SDK en relación con la clase `Dialog`: `http://d.android.com/reference/android/app/Dialog.html`.
- Referencia de Android SDK en relación con la clase `AlertDialog`: `http://d.android.com/reference/android/app/AlertDialog.html`.
- Referencia de Android SDK en relación con la clase `DatePickerDialog`: `http://d.android.com/reference/android/app/DatePickerDialog.html`.
- Referencia de Android SDK en relación con la clase `TimePickerDialog`: `http://d.android.com/reference/android/app/TimePickerDialog.html`.
- Referencia de Android SDK en relación con la clase `ProgressDialog`: `http://d.android.com/reference/android/app/ProgressDialog.html`.
- Referencia de Android SDK en relación con la clase `CharacterPickerDialog`: `http://d.android.com/reference/android/text/method/CharacterPickerDialog.html`.
- Referencia de Android SDK en relación con la clase `DialogFragment`: `http://d.android.com/reference/android/app/DialogFragment.html`.
- Guía de desarrollo Android sobre creación de diálogos: `http://d.android.com/guide/topics/ui/dialogs.html`.
- Referencia de Android sobre DialogFragment en cuanto a la selección entre diálogos o embebidos: `http://d.android.com/reference/android/app/DialogFragment.html#DialogOrEmbed`.

Parte IV.

Fundamentos de diseño de aplicaciones en Android

12
Preferencias de Android

Las aplicaciones tienen que ver con la funcionalidad y los datos. En este capítulo, vamos a ver la forma más sencilla de almacenar, gestionar y compartir datos de aplicaciones permanentemente en Android: empleando preferencias compartidas. Android SDK incluye una serie de útiles API para almacenar y recuperar preferencias de aplicaciones de diferentes formas. Las preferencias se almacenan como parejas clave/valor, para que la aplicación las pueda utilizar. Las preferencias compartidas son más adecuadas para almacenar tipos de datos sencillos de forma permanente, como el estado de la aplicación o los ajustes del usuario.

Trabajar con preferencias de aplicaciones

Muchas aplicaciones necesitan un mecanismo sencillo de almacenamiento de datos llamado preferencias compartidas, para almacenar el estado de la aplicación, información del usuario, opciones de configuración y otra información similar. Android SDK proporciona un sencillo sistema de preferencias para almacenar datos básicos de la aplicación a nivel de la actividad, y preferencias compartidas para todas las actividades de la aplicación.

Nota

Muchos de los ejemplos de código de esta sección son de la aplicación `SimplePreferences`, que puede descargar desde la página Web de la editorial.

Determinar cuándo es adecuado el uso de preferencias

Las preferencias de la aplicación son conjuntos de valores de datos que se almacenan de forma permanente, lo que quiere decir que estos datos permanecen a lo largo de los eventos del ciclo de vida de la aplicación. Dicho de otro modo, la aplicación o el dispositivo se pueden iniciar o detener, apagar o encender, sin perder los datos.

Se pueden almacenar muchos datos sencillos como preferencias de una aplicación. Por ejemplo, podría ser interesante que su aplicación almacenara el nombre del usuario. La aplicación podría utilizar una única preferencia para guardar esta información:

- El tipo de datos de la preferencia es una cadena.
- La clave para el valor almacenado es una cadena llamada "NombreUsuario".
- El valor del dato es el nombre de usuario "PedroGarcia1926".

Almacenar diferentes tipos de valores de preferencias

Las preferencias se almacenan en grupos de parejas clave/valor. Los siguientes tipos de datos se soportan como valores de preferencias:

- Valores booleanos.
- Valores en coma flotante.
- Valores enteros.
- Valores enteros largos.
- Valores cadena.
- Un conjunto de múltiples valores cadena (a partir de API nivel 11).

Puede encontrar la funcionalidad de las preferencias en la interfaz `SharedPreferences` del paquete `android.content.package`. Para añadir soporte de preferencias a su aplicación, debe realizar estos pasos:

1. Obtenga una instancia de un objeto `SharedPreferences`.
2. Cree un `SharedPreferences.Editor` para modificar las preferencias.
3. Realice modificaciones en las preferencias empleando el editor.
4. Ejecute los cambios.

Crear preferencias privadas para utilizarlas en una única actividad

Las actividades individuales puede tener sus propias preferencias privadas, aunque siguen estando representadas por la clase `SharedPreferences`. Estas preferencias son solo para una actividad en particular, y no se comparten con otras actividades de la aplicación. La actividad utiliza solo un grupo de preferencias privadas, que simplemente se nombran después de la clase `Activity`. El siguiente código obtiene las preferencias privadas de una clase `Activity`, invocada desde la propia `Activity`:

```
import android.content.SharedPreferences;
...
SharedPreferences settingsActivity = getPreferences(MODE_PRIVATE);
```

De esta forma, recupera las preferencias privadas de dicha clase `Activity` en particular. Debido a que el nombre está basado en la clase `Activity`, cualquier modificación de esta clase cambiará las preferencias leídas.

Crear preferencias compartidas para emplearlas en múltiples actividades

Crear preferencias compartidas es un proceso similar. Las únicas dos diferencias son que debemos nombrar nuestro conjunto de preferencias y usar una llamada diferente para recuperar la instancia preferencia:

```
import android.content.SharedPreferences;
...
SharedPreferences settings =
    getSharedPreferences("MyCustomSharedPreferences", MODE_PRIVATE);
```

Ya ha recuperado las preferencias compartidas de la aplicación. Puede acceder a dichas preferencias por su nombre, desde cualquier actividad de la aplicación. No hay límite en el número de preferencias compartidas que puede crear. Por ejemplo, podría tener algunas llamadas "PreferenciasUsuariosRed" y otras denominadas "PreferenciasVisualizaciónAplicación". La forma de organizar estas preferencias depende del usuario. Sin embargo, debería declarar el nombre de sus preferencias como una variable, de forma que pueda volver a utilizar este nombre consistentemente entre varias actividades. A continuación tiene un ejemplo:

```
public static final String PREFERENCE_FILENAME = "AppPrefs";
```

Leer preferencias es muy sencillo. Simplemente tiene que recuperar la instancia `SharedPreferences` que quiere leer. Puede buscar una preferencia por su nombre, recuperar referencias fuertemente tipadas y realizar una declaración para monitorizar cambios en dichas preferencias. En la tabla 12.1 se describen algunos métodos muy útiles de la interfaz `SharedPreferences`:

Tabla 12.1. Métodos importantes de android.content.SharedPreferences.

Método	Objetivo
`SharedPreferences.contains()`	Comprueba si una preferencia específica existe por su nombre.

Método	Objetivo
`SharedPreferences.edit()`	Recupera el editor para cambiar las preferencias.
`SharedPreferences.getAll()`	Recupera una mapa de todas las parejas clave/valor de preferencias.
`SharedPreferences.getBoolean()`	Recupera una preferencia específica de tipo booleano por su nombre.
`SharedPreferences.getFloat()`	Recupera una preferencia específica de tipo coma flotante por su nombre.
`SharedPreferences.getInt()`	Recupera una preferencia específica de tipo entero por su nombre.
`SharedPreferences.getLong()`	Recupera una preferencia específica de tipo entero largo por su nombre.
`SharedPreferences.getString()`	Recupera una preferencia específica de tipo cadena por su nombre.
`SharedPreferences.getStringSet()`	Recupera un conjunto específico de preferencias tipo cadena por su nombre (a partir de API nivel 11).

Añadir, actualizar y eliminar preferencias

Para modificar preferencias, necesita abrir el editor de preferencias, realizar los cambios y a continuación ejecutarlos. En la tabla 12.2 se describen algunos métodos muy útiles de la interfaz `SharedPreferences.Editor`.

Tabla 12.2. Métodos importantes de android.content.SharedPreferences.Editor.

Método	Objetivo
`SharedPreferences.Editor.clear()`	Elimina todas las preferencias. Esta operación tiene lugar antes de cualquier operación `put`, independientemente de cuándo sea invocada dentro de una sesión de edición. A continuación se realizan el resto de cambios.
`SharedPreferences.Editor.remove()`	Elimina una preferencia determinada por su nombre. Esta operación tiene lugar antes de cualquier operación `put`, independientemente de cuándo sea invocada dentro de una sesión de edición. A continuación se realizan el resto de cambios.

Método	Objetivo
SharedPreferences.Editor.putBoolean()	Define una preferencia específica de tipo booleano por su nombre.
SharedPreferences.Editor.putFloat()	Define una preferencia específica de tipo coma flotante por su nombre.
SharedPreferences.Editor.putInt()	Define una preferencia específica de tipo entero por su nombre.
SharedPreferences.Editor.putLong()	Define una preferencia específica de tipo entero largo por su nombre.
SharePreferences.Editor.putString()	Define una preferencia específica de tipo cadena por su nombre.
SharedPreferences.Editor.putStringSet()	Define un conjunto específico de preferencias tipo cadena por su nombre (a partir de API nivel 11).
SharedPreferences.Editor.commit()	Ejecuta todos los cambios de esta sesión de edición.
SharedPreferences.Editor.apply()	Parecido al método `commit()`, ejecuta todas las modificaciones en las preferencias en la sesión de edición actual. Sin embargo, este método ejecuta las modificaciones de `SharedPreferences` en memoria inmediatamente, mientras que las modificaciones en disco las realiza de forma asíncrona dentro del ciclo de vida de la aplicación (método añadido en API nivel 9).

El siguiente bloque de código recupera las preferencias privadas de una clase `Activity`, abre el editor de preferencias, añade una preferencia de tipo entero largo llamada `SomeLong` y guarda los cambios:

```
import android.content.SharedPreferences;
...
SharedPreferences settingsActivity = getPreferences(MODE_PRIVATE);
SharedPreferences.Editor prefEditor = settingsActivity.edit();
prefEditor.putLong("SomeLong", java.lang.Long.MIN_VALUE);
prefEditor.commit();
```

Fíjese que si quiere implementar en dispositivos que ejecutan al menos API nivel 9 (Android 2.3 y superiores), se podría beneficiar del uso del método `apply` en lugar de `commit()` en el código anterior. Sin embargo, si necesita soporte en versiones anteriores de Android, que constituyen una buena parte del mercado, tendrá que emplear el método `commit()` o comprobarlo en tiempo de ejecución antes de llamar al método más adecuado. Aunque tan solo escriba una preferencia, si usa `apply` podría suavizar la operación, porque cualquier llamada al sistema de archivos se podría bloquear durante un tiempo considerable (y por lo tanto sería inaceptable).

Reaccionar ante modificaciones en las preferencias

Su aplicación puede monitorizar cambios en preferencias compartidas y reaccionar en consecuencia, implementando un `listener` y declarándolo con el objeto `SharedPreferences` específico, utilizando los métodos `registerOnSharedPreferenceChangeListener()` y `unregisterOnSharedPreferenceChangeListener()`. Esta clase de la interfaz solo incluye una llamada que pasa a su código el objeto de preferencias compartidas, y el nombre específico de clave modificados.

Encontrar datos de preferencias en el sistema de archivos Android

Internamente, las preferencias de una aplicación se almacenan como archivos XML. Puede acceder al archivo de preferencias empleando el explorador de archivos a través de DDMS. Podrá encontrar estos archivos en el sistema de archivos de Android en el siguiente directorio:

```
data/data/<package name>/shared_prefs/<preferences filename>.xml.
```

El nombre del archivo de preferencias es el nombre de la clase `Activity` para preferencias privadas, o el nombre específico que da a las preferencias compartidas. A continuación puede ver un ejemplo del contenido de un archivo XML de un archivo de preferencias, con algunos valores sencillos:

```
<?xml version="1.0" encoding="utf-8" standalone="yes" ?>
<map>
   <string name="String_Pref">Test String</string>
   <int name="Int_Pref" value="-2147483648" />
   <float name="Float_Pref" value="-Infinity" />
   <long name="Long_Pref" value="9223372036854775807" />
   <boolean name="Boolean_Pref" value="false" />
</map>
```

Entender el formato del archivo de preferencias de la aplicación puede ser útil a la hora de realizar pruebas. Puede usar DDMS para copiar los archivos de preferencias hacia y desde el dispositivo. Debido a que las preferencias compartidas son tan solo un archivo, se pueden aplicar permisos normales de archivos. Cuando cree el archivo, tiene que especificar el modo (permiso) del mismo. Esto determina si se puede leer fuera del paquete existente.

Nota

Para más información sobre el uso de DDMS y del explorador de archivos, por favor consulte el apéndice B.

Crear preferencias de usuario manejables

Ahora sabe cómo almacenar y recuperar preferencias compartidas mediante programación. Esto funciona muy bien para guardar el estado de la aplicación y parámetros similares, pero tiene que plantearse el caso de que tenga un conjunto de ajustes del usuario y quiera definir una forma sencilla, consistente y estándar en la que el usuario pueda editarlos. En este caso puede utilizar la clase `PreferenceActivity` (`android.preference.PreferenceActivity`) para conseguir fácilmente este objetivo.

Nota

Muchos de los ejemplos de código de esta sección son de la aplicación `UserPrefs`, que puede descargar desde la página Web de la editorial.

Para implementar una solución basada en `PreferenceActivity` tiene que seguir estos pasos:

1. Defina el conjunto de preferencias en un archivo de recurso de preferencias.
2. Implemente una clase `PreferenceActivity` y asóciela con el archivo de recurso de preferencias.
3. Enlace la actividad dentro de su aplicación como haría normalmente. Por ejemplo, declárela en el archivo `manifest`, inicie la actividad como siempre, etc.

A continuación vamos a ver estos más pasos más detalladamente.

Crear un archivo de recurso de preferencias

En primer lugar, tiene que crear un archivo de recurso XML para definir las preferencias que sus usuarios podrán modificar. Un archivo de preferencias incluye una etiqueta `<PreferencesScreen>` a nivel raíz, seguido de varios tipos de preferencias. Estos tipos de preferencias estarán basados en la clase `Preference` (`android.preference.Preference`) y en sus subclases, como `CheckBoxPreference`, `EditTextPreference`, `ListePreference`, `MultiSelectListPreference`, etc. Algunas preferencias existen desde que apareció la primera versión de Android SDK, mientras que otras, como la clase `MultiSelectListPreference`, se han introducido recientemente y mantienen la compatibilidad con dispositivos antiguos.

Cada preferencia debería tener algunos metadatos, como un título y algún texto de resumen, que se mostrará al usuario. También puede definir valores por defecto, y para las preferencias que inician diálogos, las sugerencias de dichos diálogos. Para los metadatos específicos asociados con un tipo de preferencia determinada, eche un vistazo a sus atributos de la subclase en la documentación de Android SDK. A continuación puede ver algunos atributos comunes de `Preference`, que la mayoría de las preferencias deberían definir:

- El atributo `android:key` se emplea para definir el nombre clave para la preferencia compartida.
- El atributo `android:summary` se usa para proporcionar más detalles sobre la preferencia, tal y como se muestra en la pantalla de edición.
- El atributo `android:defaultValue` se utiliza para definir un valor por defecto de la preferencia.

Como cualquier archivo de recurso, los archivos de preferencias puede emplear cadenas *raw*, o recursos de cadena de referencia. El siguiente ejemplo de archivo de preferencias incluye un poco de cada uno (los recursos conjuntos de cadenas se definen en otro sitio dentro del archivo de recurso `strings.xml`):

```
<?xml version="1.0" encoding="utf-8"?>
<PreferenceScreen
   xmlns:android="http://schemas.android.com/apk/res/android">
   <EditTextPreference
      android:key="username"
      android:title="Username"
      android:summary="This is your ACME Service username"
      android:defaultValue=""
      android:dialogTitle="Enter your ACME Service username:" />
   <PreferenceCategory
      android:title="Game Settings">
      <CheckBoxPreference
         android:key="bSoundOn"
         android:title="Enable Sound"
         android:summary="Turn sound on and off in the game"
         android:defaultValue="true" />
      <CheckBoxPreference
         android:key="bAllowCheats"
         android:title="Enable Cheating"
         android:summary="Turn the ability to cheat on and off in the game"
         android:defaultValue="false" />
   </PreferenceCategory>
   <PreferenceCategory
      android:title="Game Character Settings">
      <ListPreference
         android:key="gender"
         android:title="Game Character Gender"
         android:summary="This is the gender of your game character"
         android:entries="@array/char_gender_types"
         android:entryValues="@array/char_genders"
         android:dialogTitle="Choose a gender for your character:" />
```

```
        <ListPreference
            android:key="race"
            android:title="Game Character Race"
            android:summary="This is the race of your game character"
            android:entries="@array/char_race_types"
            android:entryValues="@array/char_races"
            android:dialogTitle="Choose a race for your character:" />
    </PreferenceCategory>
</PreferenceScreen>
```

Este archivo de preferencias XML se divide en dos categorías, y define campos para almacenar varios fragmentos de información, incluyendo un nombre de usuario (`String`), ajustes de sonido (`boolean`), ajustes de trucos (`boolean`), género del personaje (`String` fija) y raza del personaje (`String` fija).

Por ejemplo, este ejemplo usa el tipo `CheckBoxPreference` para gestionar valores de preferencias compartidas booleanos, como ajustes de un juego, consistentes en activar o desactivar el sonido, o si se permite o no utilizar trucos. Los valores booleanos son activados o desactivados desde la pantalla directamente. Se emplea el tipo `EditTextPreference` para gestionar el nombre de usuario, y los tipos `ListPreference` para permitir que el usuario elija entre las opciones de una lista. Por último, los ajustes se dividen en dos categorías usando las etiquetas `<PreferenceCategory>`.

A continuación tiene que conectar su clase `PreferenceActivity` con su archivo de preferencias.

Utilizar la clase PreferenceActivity

La clase `PreferenceActivity` (`android.preference.PreferenceActivity`) es una clase muy útil que puede cargar su archivo XML de preferencias y transformarlo en una pantalla de ajustes estándar, similar a la de los ajustes de un dispositivo Android. En la figura 12.1 se muestra el aspecto de la pantalla correspondiente al archivo de preferencias que hemos visto en la sección anterior cuando se carga en una clase `PreferenceActivity`.

Para conectar su nuevo archivo de preferencias, cree una nueva clase que amplíe la clase `PreferenceActivity` dentro de su aplicación. A continuación, cancele el método `onCreate()` de su clase. Vincule el archivo de preferencias con la clase empleando el método `addPreferencesFromResource()`. Ahora también le interesará recuperar una instancia de `PreferenceManager` (`android.preference.PreferenceManager`) y definir el nombre de dichas preferencias para usarlas en el resto de su aplicación, si está utilizando otro nombre distinto del nombre por defecto. A continuación puede ver la implementación completa de la clase `UserPrefsActivity`, que ejecuta los pasos anteriores:

```
import android.os.Bundle;
import android.preference.PreferenceActivity;
import android.preference.PreferenceManager;

public class UserPrefsActivity extends PreferenceActivity {
```

```
    @Override
    public void onCreate(Bundle savedInstanceState) {
        super.onCreate(savedInstanceState);
        PreferenceManager manager = getPreferenceManager();
        manager.setSharedPreferencesName("user_prefs");
        addPreferencesFromResource(R.xml.userprefs);
    }
}
```

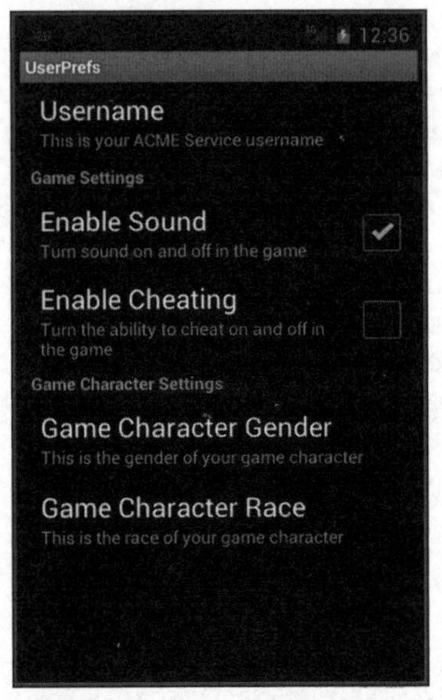

Figura 12.1. Ajustes de un juego gestionados por PreferenceActivity.

Ahora simplemente puede conectar la actividad como haría normalmente. No olvide declararla dentro del archivo `manifest` de su aplicación Android. Cuando ejecute su aplicación e inicie la `UserPrefsActivity`, debería ver una pantalla con el aspecto de la de la figura 12.1. Cuando intente modificar el resto de preferencias se iniciará un diálogo con el tipo de sugerencia adecuada (`EditText` o control `Spinner`), como puede ver en las figuras 12.2 y 12.3. Utilice el tipo `EditTextPreference` para gestionar valores cadena de preferencias compartidas, como nombres de usuario, como puede ver en la figura 12.2. Utilice el tipo `ListPreference` para forzar al usuario a elegir entre una lista de opciones, como puede ver en la figura 12.3.

Truco

Hemos mostrado el método para emplear la clase `PreferenceActivity`, que es compatible con todas las versiones de la plataforma Android. Sin embargo, si solo quiere implementar en dispositivos que ejecutan API nivel 11 (Android 3.0) o posteriores, es mejor que utilice las llamadas a métodos basadas en fragmentos, asociadas con su nueva y rediseñada clase `PreferenceActivity`, como vimos en el capítulo 10. En la documentación de la clase `PreferenceActivity` puede encontrar un ejemplo completo sobre el uso de estos métodos (que implica la carga de encabezados en lugar del archivo de recurso entero).

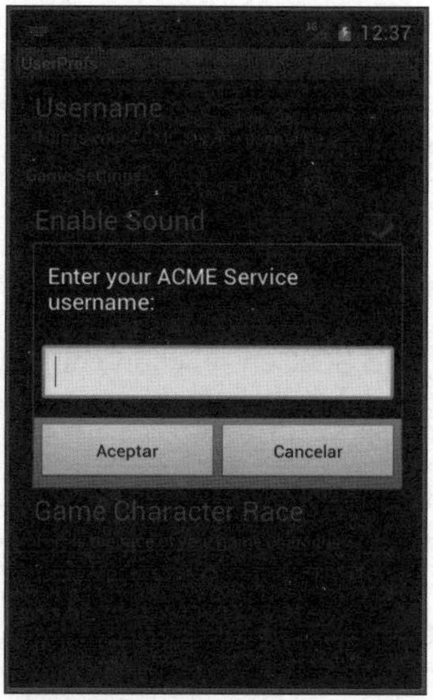

Figura 12.2. Editar una preferencia EditText (String).

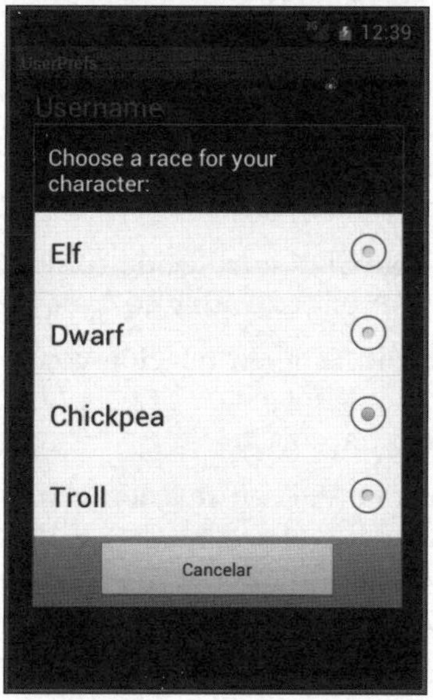

Figura 12.3. Editar una preferencia ListPreference (conjunto String).

Resumen

En la plataforma Android existen diferentes formas de almacenar y gestionar datos de aplicaciones. El método que utilice dependerá de tipo de datos que necesite almacenar. Con esta técnica, está en el camino correcto para apoyarse en una de las características únicas y más potentes de Android, el uso de preferencias compartidas para almacenar de forma permanente datos sencillos de la aplicación, como cadenas o números. También puede usar la clase `PreferenceActivity` para simplificar la creación de pantallas de preferencias de usuario dentro de su aplicación, que utilizarán el aspecto estándar de la plataforma en la que su aplicación se esté ejecutando.

Referencias y más información

- Referencia de Android SDK en relación con la interfaz `SharedPreferences`: `http://d.android.com/reference/android/content/SharedPreferences.html`.
- Referencia de Android SDK en relación con la interfaz `SharedPreferences.Editor`: `http://d.android.com/reference/android/content/SharedPreferences.Editor.html`.
- Referencia de Android SDK en relación con la clase `PreferenceActivity`: `http://d.android.com/reference/android/preference/PreferenceActivity.html`.
- Referencia de Android SDK en relación con la clase `PreferenceScreen`: `http://d.android.com/reference/android/preference/PreferenceScreen.html`.
- Referencia de Android SDK en relación con la clase `PreferenceCategory`: `http://d.android.com/reference/android/preference/PreferenceCategory.html`.
- Referencia de Android SDK en relación con la clase `Preference`: `http://d.android.com/reference/android/preference/Preference.html`.
- Referencia de Android SDK en relación con la clase `CheckBoxPreference`: `http://d.android.com/reference/android/preference/CheckBoxPreference.html`.
- Referencia de Android SDK en relación con la clase `EditTextPreference`: `http://d.android.com/reference/android/preference/EditTextPreference.html`.
- Referencia de Android SDK en relación con la clase `ListPreference`: `http://d.android.com/reference/android/preference/ListPreference.html`.

13 Trabajar con archivos y directorios

Las aplicaciones Android puede almacenar archivos *raw* en el dispositivo utilizando varios métodos. Android SDK incluye un serie de útiles API para trabajar con aplicaciones privadas y archivos en caché, así como para acceder a archivos en dispositivos de almacenamiento extraíble externos, como tarjetas SD. Los desarrolladores que necesiten almacenar información permanente de forma segura verán que las API de gestión de archivos son comunes y fáciles de usar.

Trabajar con datos de la aplicación en el dispositivo

Como vimos en el capítulo anterior, las preferencias compartidas proporcionan un sencillo mecanismo para almacenar de forma permanente datos de la aplicación. Sin embargo, muchas aplicaciones requieren una solución más robusta que permita almacenar cualquier tipo de datos, y acceder a los mismos de forma continuada. A continuación puede ver algunos tipos de datos que la aplicación podría almacenar:

- **Contenido multimedia, como imágenes, audio, vídeo o cualquier otra información compleja:** Estos tipos de estructuras de datos no se soportan como preferencias compartidas. Sin embargo, podría almacenar una preferencia compartida que incluyera la ruta del archivo o el URI de un archivo multimedia, y almacenar la información multimedia en el sistema de archivos del dispositivo, o descargarlo cuando lo necesite.

- **Contenido descargado de una red:** Como dispositivos móviles, los dispositivos Android no tienen garantizada conexiones permanentes a redes. En el caso ideal, una aplicación descargaría contenido de la red una vez, y la mantendría el tiempo que fuera necesario. A veces el contenido se debería conservar siempre, mientras que en otras ocasiones solo se necesita que el contenido se conserve en la caché durante algún tiempo.
- **Contenido complejo generado por la aplicación:** Los dispositivos Android funcionan bajo restricciones de memoria y de almacenamiento más estrictas que en el caso de los ordenadores de sobremesa o servidores. Por lo tanto, si su aplicación ha tardado mucho tiempo en procesar los datos y obtener algún resultado, dicho resultado debería almacenarse para ser utilizado más adelante, el lugar de tener que crearlo de nuevo bajo demanda.

Las aplicaciones Android pueden crear y emplear directorios y archivos para almacenar sus datos de diferentes formas. Las más habituales son las siguientes:

- Almacenar datos privados de la aplicación en el directorio de dicha aplicación.
- Almacenar datos temporales en el directorio de la caché de la aplicación.
- Almacenar datos compartidos de la aplicación en dispositivos externos o en directorios compartidos por dispositivos.

Nota

Puede usar DDMS para copiar ficheros hacia y desde el dispositivo. Para más información sobre el uso de DDMS y el explorador de archivos, por favor consulte el apéndice B.

Gestión óptima de archivos

Debería seguir una serie de reglas prácticas cuando trabaje con archivos del sistema Android. A continuación puede ver algunas de las más importantes:

- Leer o escribir datos en disco es una tarea que afecta al rendimiento, bloqueando operaciones y utilizando recursos útiles del dispositivo. Por lo tanto, en la mayoría de los casos, no debería realizar accesos a archivos en el hilo principal de la interfaz de usuario de la aplicación. En lugar de eso, estas operaciones deberían gestionarse asíncronamente con hilos, objetos `AsyncTask` y otros métodos asíncronos. Incluso el trabajo con pequeños archivos puede ralentizar el hilo de la interfaz de usuario, debido a la naturaleza del sistema de archivos y del hardware subyacente.
- Los dispositivos Android tiene una capacidad de almacenamiento limitada. Por lo tanto, guarde solo cuando necesite guardar, y borre datos antiguos cuando no los necesite más para liberar espacio en el dispositivo. Utilice almacenamiento externo siempre que sea apropiado, para dar al usuario más flexibilidad.

- Sea un buen "ciudadano" con el dispositivo: asegúrese de comprobar la disponibilidad de recursos como el espacio en disco y el almacenamiento externo, antes de emplearlos y provocar errores o bloqueos. Tampoco olvide definir los permisos apropiados en los nuevos archivos y libere recursos cuando no los vaya a usar (dicho de otro modo, si los abre, ciérrelos, etc.).
- Implemente algoritmos eficientes de acceso a archivos para leer, escribir y analizar el contenido de archivos. Utilice las numerosas herramientas de análisis del comportamiento que forman parte de Android SDK para identificar y mejorar el rendimiento de su código. Una buena forma de empezar es con la API `StrictMode` (`android.os.StrictMode`).
- Si los datos que su aplicación necesita almacenar están bien estructurados, puede considerar el uso de una base de datos SQLite para almacenarlos.
- Pruebe su aplicación en dispositivos reales. Diferentes dispositivos tienen diferentes velocidades de procesamiento. No asuma que porque su aplicación se ejecuta correctamente en el emulador, pasará lo mismo en dispositivos reales. Si está utilizando el almacenamiento externo, realice pruebas cuando no esté disponible.

Vamos a ver cómo se realiza la gestión de archivos en la plataforma Android.

Permisos de archivos en Android

Quizás recuerde del capítulo 1 que cada aplicación Android es su propio usuario en el sistema operativo Linux subyacente. Tiene su propio directorio y archivos de la aplicación. Los archivos creados en el directorio de la aplicación por defecto son privados para su uso por dicha aplicación. Se pueden crear archivos en el sistema Android con diferentes permisos, los cuales definen quién puede acceder al archivo en cuestión. Normalmente se emplean tres tipos de permisos cuando se crean archivos, que se definen en la clase `Context` (`android.content.Context`):

- `MODE_PRIVATE` (por defecto) se usa para crear un archivo al que solo pueda acceder el "propietario" de la aplicación. Desde la perspectiva Linux, esto significa el identificador de usuario específico. El valor de `MODE_PRIVATE` es 0, por lo que puede que vea esta opción en código antiguo.
- `MODE_WORLD_READABLE` se utiliza para crear un archivo que pueda ser leído por el resto de aplicaciones, o identificadores de usuario, del sistema de archivos del dispositivo. Sin embargo, el archivo solo puede ser modificado por el "propietario" de la aplicación.
- `MODE_WORLD_WRITEABLE` se emplea para crear un archivo que pueda ser modificado o escrito por el resto de aplicaciones, o identificadores de usuario, en el sistema de archivos del dispositivo.

Truco

Si su aplicación quiere crear un archivo y conceder acceso de lectura y escritura a otras aplicaciones, sería interesante que usase la operación O lógica entre los tipos de permiso adecuados, del siguiente modo: `MODE_WORLD_READABLE|MODE_WORLD_WRITEABLE`.

Una aplicación no necesita ningún tipo de permiso especial en el archivo `manifest` de Android para acceder al área de su propio sistema de archivos privado. Sin embargo, si su aplicación quiere acceder a almacenamiento externo, tendrá que declarar el permiso `WRITE_EXTERNAL_STORAGE`.

Trabajar con archivos y directorios

Dentro de Android SDK puede encontrar diferentes clases de utilidades con archivos Java (como `java.io`) para gestionar diferentes tipos de archivos, como archivos de texto, binarios o XML. En el capítulo 7 vimos que las aplicaciones Android también pueden incluir archivos *raw* y XML como recursos.

El proceso para recuperar el gestor para un archivo de recurso se realiza de forma ligeramente diferente que cuando accede a archivos del dispositivo, pero cuando ya lo ha recuperado, cualquier método le permite realizar operaciones de lectura o similares del mismo modo. Después de todo, un archivo es un archivo.

Sin duda, los archivos de aplicaciones Android son parte del paquete de la aplicación, y por lo tanto solo son accesibles por la propia aplicación. ¿Pero qué pasa con los archivos del sistema? Los archivos de una aplicación Android se almacenan en una jerarquía de directorios estándar en el sistema de archivos de Android.

En general, las aplicaciones acceden al sistema de archivos del dispositivo Android utilizando métodos dentro de la clase `Context` (`android.content.Context`). La aplicación, o cualquier clase `Activity`, puede emplear el `Context` para acceder a su directorio de archivos privado. Desde aquí, puede añadir, eliminar y acceder a archivos asociados con su aplicación. Por defecto, estos archivos son de uso privado para la aplicación, y no pueden acceder a los mismos otras aplicaciones o el usuario.

Truco

Muchos de los ejemplos de código de esta sección son de las aplicaciones `SimpleFiles` y `FileStreamOfConsciouness`. La aplicación `SimpleFiles` muestra operaciones básicas con archivos y directorios, y no incluye una interfaz de usuario (tan solo la salida `LogCat`). La aplicación `FileStreamOfConsciouness` muestra cómo registrar cadenas en un archivo como un *stream* de chat. Se trata de una aplicación multihilos. Puede descargar el código fuente de estas aplicaciones desde la página Web de la editorial.

Explorar los directorios de la aplicación Android

Los datos de una aplicación Android se almacenan en el sistema de archivos de Android, en el siguiente directorio de alto nivel:

```
/data/data/<package name>/
```

Se crean varios directorios por defecto para almacenar bases de datos, preferencias y archivos, según lo que se necesite. La ubicación actual de estos directorios varía entre dispositivos.

También puede crear otros directorios personalizados. Todas las operaciones con archivos empiezan interactuando con el objeto `Context` de la aplicación. En la tabla 13.1 puede ver listados algunos métodos importantes para la gestión de archivos de la aplicación. Puede usar las utilidades del paquete estándar `java.io` para trabajar con objetos `FileStream` y similares.

Tabla 13.1. Métodos importantes para la gestión de archivos de android.content.Context.

Método	Objetivo
`Context.deleteFile()`	Elimina un archivo privado de una aplicación por su nombre. Nota: también puede utilizar los métodos de la clase `File`.
`Context.fileList()`	Obtiene una lista de todos los archivos del subdirectorio `/files`.
`Context.getCacheDir()`	Obtiene el subdirectorio `/cache` de la aplicación.
`Context.getDir()`	Crea u obtiene un subdirectorio de la aplicación por su nombre.
`Context.getExternalCacheDir()`	Recupera el subdirectorio `/cache` en el sistema de archivos externo (API nivel 8).
`Context.getExternalFilesDir()`	Recupera el subdirectorio `/files` en el sistema de archivos externo (API nivel 8).
`Context.getFilesDir()`	Recupera el subdirectorio `/files` de la aplicación.
`Context.getFileStreamPatch()`	Devuelve la ruta completa del archivo al subdirectorio `/files` de la aplicación.
`Context.openFileInput()`	Abre un archivo privado de la aplicación para lectura.
`Context.openFileOutput()`	Abre un archivo privado de la aplicación para escritura.

Crear y escribir archivos en el directorio por defecto de la aplicación

Las aplicaciones Android que solo requieren la creación de un archivo ocasionalmente, deberían emplear un método de la clase `Context` llamado `openFileOutput()`. Utilice este método para crear archivos en la ubicación por defecto, bajo el directorio de datos de la aplicación:

```
/data/data/<package name>/files/
```

El siguiente fragmento de código crea y abre un archivo llamado `Filename.txt`. Escribiremos una línea de texto en el archivo y a continuación lo cerraremos:

```
import java.io.FileOutputStream;
...
FileOutputStream fos;
String strFileContents = "Some text to write to the file.";
fos = openFileOutput("Filename.txt", MODE_PRIVATE);
fos.write(strFileContents.getBytes());
fos.close();
```

Podemos añadir datos al archivo abriéndolo con el modo `MODE_APPEND`:

```
import java.io.FileOutputStream;
...
FileOutputStream fos;
String strFileContents = "More text to write to the file.";
fos = openFileOutput("Filename.txt", MODE_APPEND);
fos.write(strFileContents.getBytes());
fos.close();
```

El archivo creado tiene la siguiente ruta en el sistema de archivos de Android:

```
/data/data/<package name>/files/Filename.txt
```

Leer archivos del directorio por defecto de la aplicación

De nuevo disponemos de una atajo para leer archivos almacenados en el subdirectorio por defecto `/files`. El siguiente fragmento de código abre un archivo llamado `Filename.txt` para operaciones de lectura:

```
import java.io.FileInputStream;
...
String strFileName = "Filename.txt";
FileInputStream fis = openFileInput(strFileName);
```

Leer archivo *raw* byte a byte

Para gestionar operaciones de lectura y escritura con archivos usará métodos Java estándar. Compruebe las subclases de `java.io.InputStream` para leer bytes de diferentes tipos de primitivas de archivos. Por ejemplo, `DataInputStream` es útil para leer una línea cada vez.

A continuación puede ver un sencillo ejemplo sobre cómo leer un archivo de texto, línea a línea, y almacenarlo en un `StringBuffer`:

```
FileInputStream fis = openFileInput(filename);
StringBuffer sBuffer = new StringBuffer();
DataInputStream dataIO = new DataInputStream(fis);
String strLine = null;

while ((strLine = dataIO.readLine()) != null) {
   sBuffer.append(strLine + "\n");
}

dataIO.close();
fis.close();
```

Leer archivos XML

Android SDK incluye varias utilidades para trabajar con archivos XML, incluyendo SAX, un analizador XML, y soporte limitado para DOM, de nivel 2. En la tabla 13.2 se listan los paquetes que pueden ser útiles para el análisis XML en la plataforma Android:

Tabla 13.2. Utilidades XML importantes.

Paquete o clase	Objetivo
`android.sax.*`	Entorno para crear gestores estándar de SAX.
`android.util.Xml`	Utilidades XML, incluyendo el creador `XMLPullParser`.
`org.xml.sax.*`	Funcionalidad del núcleo SAX. Proyecto: `www.saxproject.org/`.
`java.xml.*`	Soporte SAX y DOM limitado, nivel 2.
`org.w3c.dom`	Interfaces para DOM, nivel 2.
`org.xmlpull.*`	Interfaces `XmlPullParser` y `XMLSerializer` así como una clase del driver SAX2. Proyecto: `www.xmlpull.org/`.

Su implementación del análisis XML dependerá del analizador que seleccione. En el capítulo 7 hablamos sobre la inclusión de archivos *raw* XML en el paquete de su aplicación. A continuación puede ver un sencillo ejemplo sobre cómo cargar un archivo XML y analizarlo utilizando un `XmlPullParser`.

El contenido del archivo XML, según se define en `/res/xml/my_pets.xml`, es el siguiente:

```
<?xml version="1.0" encoding="UTF-8"?>
<!-- Our pet list -->
<pets>
   <pet type="Bunny" name="Bit"/>
   <pet type="Bunny" name="Nibble"/>
   <pet type="Bunny" name="Stack"/>
```

```
    <pet type="Bunny" name="Queue"/>
    <pet type="Bunny" name="Heap"/>
    <pet type="Bunny" name="Null"/>
    <pet type="Fish" name="Nigiri"/>
    <pet type="Fish" name="Sashimi II"/>
    <pet type="Lovebird" name="Kiwi"/>
</pets>
```

El siguiente código muestra cómo analizar el XML anterior, empleando un analizador especial diseñado para archivos XML:

```
XmlResourceParser myPets = getResources().getXml(R.xml.my_pets);
int eventType = -1;
while (eventType != XmlResourceParser.END_DOCUMENT) {
    if(eventType == XmlResourceParser.START_DOCUMENT) {
        Log.d(DEBUG_TAG, "Document Start");
    } else if(eventType == XmlResourceParser.START_TAG) {

        String strName = myPets.getName();
        if(strName.equals("pet")) {
            Log.d(DEBUG_TAG, "Found a PET");
            Log.d(DEBUG_TAG,
                "Name: "+myPets.getAttributeValue(null, "name"));
            Log.d(DEBUG_TAG,
                "Species: "+myPets.
                getAttributeValue(null, "type"));
        }
    }
    eventType = myPets.next();
}
Log.d(DEBUG_TAG, "Document End");
```

Truco

Puede revisar la implementación completa de este analizador en el proyecto ResourceRoundup del código de ejemplo del capítulo 7.

Trabajar con otros directorios y archivos en el sistema de archivos Android

Usar llamadas a métodos `Context.openFileOutput()` y `Context.openFileInput()` está muy bien si tiene pocos archivos y los quiere almacenar en el subdirectorio privado `/files` de la aplicación, pero si tiene que gestionar una estructura de archivos más compleja, necesita definir su propia estructura de directorios. Para hacer esto, debe interactuar con el sistema de archivos de Android utilizando métodos de la clase estándar `java.io.File`.

El siguiente código recupera el objeto `File` del subdirectorio `/files` de la aplicación, y obtiene una lista de nombres de archivos en dicho directorio:

```
import java.io.File;
...
File pathForAppFiles = getFilesDir();
String[] fileList = pathForAppFiles.list();
```

A continuación puede ver un método más general para crear un archivo en el sistema. Este método funciona en cualquier ubicación del sistema de archivos de Android a la que tenga permiso para acceder, no solo en el directorio `/files`:

```
import java.io.File;
import java.io.FileOutputStream;
...
File fileDir = getFilesDir();
String strNewFileName = "myFile.dat";
String strFileContents = "Some data for our file";

File newFile = new File(fileDir, strNewFileName);
newFile.createNewFile();

FileOutputStream fo =
   new FileOutputStream(newFile.getAbsolutePath());
fo.write(strFileContents.getBytes());
fo.close();
```

Puede emplear objetos `File` para gestionar archivos dentro del directorio seleccionado y crear subdirectorios. Por ejemplo, podría almacenar archivos "pista" dentro de directorios "album". O quizás podría crear un archivo en un directorio que no sea el directorio por defecto.

Supongamos que quiere almacenar algunos datos en la caché para mejorar el rendimiento de su aplicación, y la frecuencia con la que accede a una red. En este ejemplo, podría crear un archivo caché. También hay un directorio especial de la aplicación para almacenar archivos caché. Estos archivos se almacenan en la siguiente ubicación del sistema de archivos de Android, que se pueden recuperar con una llamada al método `getCacheDir()`:

```
/data/data/<package name>/cache/
```

El directorio de caché externo, que se puede localizar por medio de una llamada al método `getExternalCacheDir()`, no se trata del mismo modo, y dichos archivos no se eliminan automáticamente de este directorio.

Advertencia

Las aplicaciones son responsables de gestionar su propio directorio caché y mantenerlo en un tamaño razonable (generalmente se recomienda 1MB). El sistema no establece un límite en la cantidad de archivos del directorio caché. El sistema de archivos de Android elimina los archivos caché del directorio interno de la caché (`getCacheDir()`), cuando el espacio de almacenamiento interno sea pequeño, o cuando el usuario desinstala la aplicación.

El siguiente código obtiene un objeto File para el subdirectorio /cache de la aplicación, crea un nuevo archivo en dicho subdirectorio, escribe algunos datos al archivo, lo cierra, y por último lo elimina:

```
File pathCacheDir = getCacheDir();
String strCacheFileName = "myCacheFile.cache";
String strFileContents = "Some data for our file";

File newCacheFile = new File(pathCacheDir, strCacheFileName);
newCacheFile.createNewFile();

FileOutputStream foCache =
   new FileOutputStream(newCacheFile.getAbsolutePath());
foCache.write(strFileContents.getBytes());
foCache.close();

newCacheFile.delete();
```

Crear y escribir archivos a almacenamiento externo

Cuando hay que almacenar muchos datos, las aplicaciones deberían usar almacenamiento externo (utilizando la tarjeta SD), y no en el limitado almacenamiento interno. También puede acceder al almacenamiento externo de archivos, como por ejemplo a la tarjeta SD, desde su aplicación. Es algo más complicado que trabajar dentro de los límites del directorio de la aplicación, ya que las tarjetas SD son extraíbles, y por lo tanto necesitará comprobar si el almacenamiento está montado antes de poder emplearlo.

Truco

Puede controlar la actividad de archivos y directorios del sistema de archivos de Android usando la clase FileObserver (android.os.FileObserver). Puede monitorizar la capacidad de almacenamiento utilizando la clase StatFs (android.os.StatFs).

Puede acceder al almacenamiento externo del dispositivo empleando la clase Environment (android.os.Environment). Empiece usando el método getExternalStorageState() para comprobar si el almacenamiento externo está montado. Puede almacenar archivos privados de la aplicación en almacenamiento externo, o también puede almacenar archivos compartidos públicos, como archivos multimedia. Si quiere almacenar archivos privados de la aplicación, utilice el método getExternalFilesDir() de la clase Context, ya que dichos archivos serán eliminados si la aplicación se desinstala posteriormente. Para acceder a la caché externa se utiliza un método similar, getExternalCacheDir(). Sin embargo, si quiere almacenar archivos compartidos como imágenes, películas, música, tonos de llamada o *podcasts* en almacenamiento externo, puede emplear el método getExternalStoragePublicDirectory() de la clase Environment, para obtener el directorio de nivel alto usado para almacenar un tipo de archivo determinado.

Truco

Las aplicaciones que utilizan almacenamiento externo se prueban mejor en hardware real, y no en el emulador. Tendrá que realizar pruebas exhaustivas en su aplicación con varios estados del almacenamiento externo, incluyendo los modos montado, desmontado y solo lectura. Cada dispositivo puede tener diferentes rutas físicas, por lo que los nombres de directorios no deberían estar codificados.

Resumen

Puede emplear diferentes formas para almacenar y gestionar datos de aplicaciones en la plataforma Android. El método que utilice dependerá del tipo de de datos que necesite almacenar. Las aplicaciones tienen acceso al sistema de archivos subyacente de Android, donde pueden almacenar sus propios archivos privados, así como acceso limitado al sistema de archivos en general. Es importante seguir una serie de reglas prácticas cuando trabaja con el sistema de archivos de Android, como realizar operaciones de disco de forma asíncrona, ya que los dispositivos móviles tienen almacenamiento y potencia de procesamiento limitadas.

Referencias y más información

- Referencia de Android SDK en relación con el paquete `java.io`: `http://d.android.com/reference/java/io/package-summary.html`.
- Referencia de Android SDK en relación con la interfaz Context: `http://d.android.com/reference/android/content/Context.html`.
- Referencia de Android SDK en relación con la clase File: `http://d.android.com/reference/java/io/File.html`.
- Referencia de Android SDK en relación con la clase Environment: `http://d.android.com/reference/android/os/Environment.html`.
- Guía de desarrollo Android sobre el uso de almacenamiento interno: `http://d.android.com/guide/topics/data/data-storage.html#filesInternal`.
- Guía de desarrollo Android sobre el uso de almacenamiento externo: `http://d.android.com/guide/topics/data/data-storage.html#filesExternal`.

14
Usar proveedores de contenidos

Las aplicaciones pueden acceder a datos de otras aplicaciones del sistema Android a través de interfaces de proveedores de contenidos, y exponer sus datos internos a otras aplicaciones convirtiéndose en proveedores de contenidos. Ésta es la forma en la que las aplicaciones pueden acceder a la información del usuario, incluyendo datos de contactos, imágenes, audio y vídeo del dispositivo, y mucho más. En este capítulo vamos a ver algunos de los proveedores de contenidos disponibles en la plataforma Android, y para qué los puede usar.

Advertencia

Ejecute siempre el código de proveedores de contenido en dispositivos de pruebas, no en sus dispositivos personales. Es muy fácil borrar accidentalmente todas las bases de datos de contactos, sus favoritos de navegación, u otros tipos de datos en sus dispositivos. Considérelo como una advertencia razonable, ya que en este capítulo veremos operaciones como realizar consultas (generalmente seguras) y modificar (no tan seguro) diferentes tipos de datos del dispositivo.

Proveedores de contenidos de Android

Los dispositivos Android incluyen originalmente una serie de aplicaciones, muchas de las cuales muestran sus datos como proveedores de contenidos. Su aplicación puede acceder a los datos de proveedores de contenidos de diferentes orígenes. En el paquete `android.provider` puede encontrar los proveedores de contenidos incluidos en Android. En la tabla 14.1 puede ver un listado de los proveedores de contenidos más útiles de este paquete.

Tabla 14.1. Proveedores de contenidos incluidos en Android.

Proveedor	Objetivo
`AlarmClock`	Define alarmas dentro de la aplicación alarmas del reloj (API nivel 9).
`Browser`	Historial de navegación y favoritos.
`CalendarContract`	Calendario e información de eventos (API nivel 14).
`CallLog`	Llamadas entrantes y salientes.
`ContactContract`	Base de datos de contactos del teléfono o agenda.
`MediaStore`	Datos de audio/video del teléfono y del almacenamiento externo.
`SearchRecentSuggestions`	Crea sugerencias de búsqueda apropiadas para una aplicación.
`Settings`	Ajustes de todo el sistema y preferencias.
`UserDictionary`	Diccionario de palabras definidas por el usuario que se utilizan en la entrada de texto predictivo.
`VoicemailContract`	Ubicación exclusiva donde el usuario puede gestionar el contenido del correo de voz de diversas fuentes (API nivel 14).

A continuación vamos a ver en detalle algunos de los proveedores de contenidos oficiales más populares.

Nota

Muchos de los ejemplos de código de este capítulo usan métodos de la clase `Activity` para realizar consultas gestionadas usando el método `managedQuery()`. Este método es todavía muy popular y funciona correctamente, pero oficialmente está obsoleto. Si está implementando en dispositivos Honeycomb o posteriores, sería interesante que considerara el uso de los nuevos cargadores disponibles en las últimas versiones de Android SDK (así como el paquete de soporte Android), en lugar de que su `Activity` gestione `Cursor`.

Tenga en cuenta que acceder a proveedores de contenidos tiene consecuencias en la capacidad de respuesta y en el rendimiento de la aplicación, igual que cuando accedía al almacenamiento del dispositivo, a una base de datos o a la red. Por lo tanto, en aplicaciones comerciales, debería realizar las consultas a proveedores de contenidos y las operaciones de forma asíncrona, fuera del hilo principal de la interfaz de usuario, independientemente de lo rápido que puedan mostrarse, debido a la naturaleza interna del sistema de archivos y del hardware.

Usar el proveedor de contenidos MediaStore

Puede utilizar el proveedor de contenidos MediaStore para acceder a datos multimedia del teléfono y de dispositivos de almacenamiento externo. Los principales tipos de contenidos multimedia a los que puede acceder son audio, imágenes y vídeo. Puede acceder a estos contenidos a través de sus respectivas clases proveedor, en `android.provider.MediaStore`.

La mayoría de las clases `MediaStore` permiten una completa interacción con los datos. Puede recuperar, añadir y eliminar archivos multimedia del dispositivo. También existen una serie de útiles clases que definen las columnas de datos más habituales que se pueden solicitar.

En la tabla 14.2 puede ver un listado de algunas de las clases usadas con más frecuencia, que puede encontrar en `android.provider.MediaStore`.

Tabla 14.2. Clases comunes de MediaStore.

Clase	Objetivo
`Audio.Albums`	Gestiona archivos de audio organizados por álbum.
`Audio.Artists`	Gestiona archivos de audio según el artista que los creó.
`Audio.Genres`	Gestiona archivos de audio que pertenecen a un género determinado.
`Audio.Media`	Gestiona archivos de audio en el dispositivo.
`Audio.Playlists`	Gestiona archivos de audio que forman parte de una lista de reproducción determinada
`Files`	Lista todos los archivos multimedia (API nivel 11)
`Images.Media`	Gestiona archivos de imágenes del dispositivo
`Images.Thumbnails`	Recupera imágenes en miniatura de archivos de imágenes
`Video.Media`	Gestiona archivos de vídeo del dispositivo
`Video.Thumbnails`	Recupera imágenes en miniatura de archivos de vídeo

Nota

Muchos de los ejemplos de código de esta sección son de la aplicación `SimpleContentProvider`, que puede descargar desde la página Web de la editorial.

El siguiente código muestra como solicitar datos a un proveedor de contenidos. Se realiza una consulta a `MediaStore` para recuperar los títulos de todos los archivos de audio de la tarjeta SD de un terminal, y sus duraciones respectivas. Este código requiere que cargue algunos archivos de audio en la tarjeta SD virtual del emulador.

```
String[] requestedColumns = {
    MediaStore.Audio.Media.TITLE,
    MediaStore.Audio.Media.DURATION
};

Cursor cur = managedQuery(
    MediaStore.Audio.Media.EXTERNAL_CONTENT_URI,
    requestedColumns, null, null, null);

Log.d(DEBUG_TAG, "Audio files: " + cur.getCount());
Log.d(DEBUG_TAG, "Columns: " + cur.getColumnCount());

int name = cur.getColumnIndex(MediaStore.Audio.Media.TITLE);
int length = cur.getColumnIndex(MediaStore.Audio.Media.DURATION);

cur.moveToFirst();
while (!cur.isAfterLast()) {
    Log.d(DEBUG_TAG, "Title" + cur.getString(name));
    Log.d(DEBUG_TAG, "Length: " +
        cur.getInt(length) / 1000 + " seconds");
    cur.moveToNext();
}
```

La clase `MediaStore.Audio.Media` incluye cadenas predefinidas para cada campo de datos (o columna) mostrado por el proveedor de contenidos. Puede limitar el número de campos de datos de archivos de audio solicitados como parte de la petición, definiendo un conjunto de cadenas con los nombres de las columnas requeridas. En este caso, limitamos el resultado solo al título de la pista y a la duración de cada archivo de audio.

A continuación invocamos al método `managedQuery()`. Este segundo parámetro es la lista de columnas que se van a devolver (títulos de los archivos de audio y sus duraciones). Los parámetros tercero y cuarto controlan los argumentos de filtrado, y el quinto parámetro proporciona un método de ordenación de los resultados. Lo dejamos con el valor `null` (nulo) porque queremos que todos los archivos de audio se encuentren en esta ubicación. Usando el método `managedQuery()`, obtenemos como resultado un `Cursor` gestionado. Por último examinamos el `Cursor` para ver los resultados.

Emplear el proveedor de contenidos CallLog

Android proporciona un proveedor de contenidos para acceder al registro de llamadas del terminal, a través de la clase `android.provider.CallLog`. A primera vista, puede parecer que `CallLog` no es un proveedor de contenidos útil para desarrolladores, pero tiene algunas características muy interesantes. Puede usar `CallLog` para filtrar llamadas realizadas, recibidas y perdidas recientemente. Se registra la fecha y la duración de cada llamada, y se vincula con la aplicación de contactos para identificar a los remitentes de las llamadas. `CallLog` es un útil proveedor de contenidos para aplicaciones de gestión de relación con el cliente (CMR). El usuario también puede etiquetar números de teléfono específicos con etiquetas personalizadas dentro de la aplicación de contactos.

Para mostrar cómo funciona el proveedor de contenidos `CallLog`, vamos a suponer que queremos generar un informe de todas las llamadas a un número con la etiqueta personalizada `HourlyClient123`. Android permite usar etiquetas personalizadas en estos números, en las que nos apoyamos en este ejemplo.

```
String[] requestedColumns = {
    CallLog.Calls.CACHED_NUMBER_LABEL,
    CallLog.Calls.DURATION
};

Cursor calls = managedQuery(
    CallLog.Calls.CONTENT_URI, requestedColumns,
    CallLog.Calls.CACHED_NUMBER_LABEL
    + " = ?", new String[] { "HourlyClient123" } , null);

Log.d(DEBUG_TAG, "Call count: " + calls.getCount());

int durIdx = calls.getColumnIndex(CallLog.Calls.DURATION);
int totalDuration = 0;
calls.moveToFirst();
while (!calls.isAfterLast()) {
    Log.d(DEBUG_TAG, "Duration: " + calls.getInt(durIdx));
    totalDuration += calls.getInt(durIdx);
    calls.moveToNext();
}

Log.d(DEBUG_TAG, "HourlyClient123 Total Call Duration: " + totalDuration);
```

Este código es similar al mostrado para los archivos de audio de `MediaStore`. De nuevo, empezamos con el listado de las columnas solicitadas: la etiqueta llamada y la duración de cada llamada. Sin embargo, esta vez no queremos recuperar todas las llamadas del registro, sino tan solo las que tienen la etiqueta `HourlyClient123`. Para filtrar los resultados de la búsqueda por esta etiqueta específica, es necesario definir los parámetros tercero y cuarto de la llamada a `managedQuery()`. Estos dos parámetros juntos equivalen al parámetro `WHERE` de la base de datos. El tercer parámetro define el formato del parámetro `WHERE` con el nombre de la columna, con parámetro de selección (mostrados como `?`) para cada valor seleccionado del argumento. El cuarto parámetro, el conjunto `String`, proporciona los valores para sustituir cada argumento seleccionado (`?`) en orden, como haría en el caso de una sencilla consulta a un base de datos SQLite.

Como antes, `Activity` gestiona el ciclo de vida del objeto `Cursor`. Empleamos el mismo método para iterar en los registros de `Cursor` y añadir la duración de las llamadas.

Acceder a proveedores de contenidos que requieren permisos

Su aplicación necesita permisos especiales para acceder a la información proporcionada por el proveedor de contenidos `CallLog`. Puede declarar la etiqueta `uses-permission` utilizando el asistente de Eclipse, o puede añadir el siguiente código a su archivo `AndroidManifest.xml`:

```
<uses-permission
   android:name="android.permission.READ_CONTACTS">
</uses-permission>
```

Aunque pueda parecer un poco confuso, no existe un permiso para el proveedor `CallLog`. En lugar de eso, las aplicaciones que acceden a `CallLog` usan el permiso `READ_CONTACTS`. Aunque los valores se almacenan en la caché dentro de este proveedor de contenidos, los datos son similares a los que podría encontrar en el proveedor de contactos.

Nota

Puede encontrar todos los permisos disponibles en la clase `android.Manifest.permission`.

Emplear el proveedor de contenidos Browser

Otro proveedor de contenidos muy útil que viene ya instalado originalmente es `Browser`. Muestra el historial de navegación del usuario y sus sitios Web favoritos. Para acceder a este proveedor de contenidos se usa la clase `android.provider.Browser`. Del mismo modo que en la clase `CallLog`, puede usar la información proporcionada por este proveedor de contenidos para generar estadísticas y tener funcionalidad entre aplicaciones. Puede emplear `Browser` para añadir un marcador del sitio Web de soporte de su aplicación. En el siguiente ejemplo, realizamos una consulta a este proveedor de contenidos para encontrar los cinco sitios Web más visitados entre los favoritos.

```
String[] requestedColumns = {
   Browser.BookmarkColumns.TITLE,
   Browser.BookmarkColumns.VISITS,
   Browser.BookmarkColumns.BOOKMARK
};

Cursor faves = managedQuery(Browser.BOOKMARKS_URI, requestedColumns,
   Browser.BookmarkColumns.BOOKMARK + "=1", null,
   Browser.BookmarkColumns.VISITS + " DESC LIMIT 5");

Log.d(DEBUG_TAG, "Bookmarks count: " + faves.getCount());

int titleIdx = faves.getColumnIndex(Browser.BookmarkColumns.TITLE);
```

```
int visitsIdx = faves.getColumnIndex(Browser.BookmarkColumns.VISITS);
int bmIdx = faves.getColumnIndex(Browser.BookmarkColumns.BOOKMARK);

faves.moveToFirst();

while (!faves.isAfterLast()) {
    Log.d("SimpleBookmarks", faves.getString(titleIdx) + " visited "
        + faves.getInt(visitsIdx) + " times : "
        + (faves.getInt(bmIdx) != 0 ? "true" : "false"));
    faves.moveToNext();
}
```

De nuevo, se definen las columnas solicitadas, se realiza la consulta y el cursor itera entre los resultados.

Fíjese que la llamada a `managedQuery()` se ha complicado considerablemente. Vamos a ver con más detalle los parámetros de este método. El primer parámetro, `Browser.BOOKMARKS_URI`, es un URI para todo el historial de navegación, no solo para los elementos favoritos. El segundo parámetro define las columnas solicitadas para los resultados de la consulta. El tercer parámetro especifica que la propiedad `bookmark` debe tener el valor `true` (verdadero). Este parámetro se necesita para filtrar la consulta. Ahora los resultados solo incluyen las entradas del historial de navegación que se han añadido a los favoritos. El cuarto parámetro, argumentos de selección, se utiliza solo cuando se van a usar valores de sustitución. En este caso no se usan, por lo que este valor se define como `null` (nulo). Por último, el quinto parámetro define un orden para los resultados (los más visitados en orden decreciente). Para obtener información del historial de navegación, se necesita definir el permiso `READ_HISTORY_BOOKMARKS`.

Truco

Fíjese que también hemos fijado una sentencia `LIMIT` al quinto parámetro de `managedQuery()`. Aunque esta opción no está documentada específicamente, nos hemos dado cuenta que limitar los resultados de la consulta de esta forma funciona correctamente, e incluso puede mejorar el rendimiento de la aplicación en algunas situaciones en las que los resultados de la consulta son extensos. Tenga en cuenta que si la implementación interna de un proveedor de contenidos verifica que el último parámetro solo era una sentencia válida `ORDER BY`, esto puede que no funcione. También estamos aprovechando el hecho de que la mayoría de proveedores de contenidos se apoyan en SQLite, aunque este no es el caso.

Emplear el proveedor de contenidos CalendarContract

Introducido oficialmente en Android 4.0 (API nivel 14), `CalendarContract` le permite gestionar e interactuar con los datos del calendario del usuario en el dispositivo. Puede usar este proveedor de contenidos para crear eventos únicos o recurrentes en un calendario de usuario, establecer recordatorios, y más opciones, suponiendo que el usuario del dispositivo ha configurado adecuadamente una cuenta en el calendario (por ejemplo, Microsoft Exchange). Además de poder usar todas las características del proveedor de contenidos, también puede añadir rápidamente un nuevo evento al calendario del usuario empleando un Intent, del siguiente modo:

```
Intent calIntent = new Intent(Intent.ACTION_INSERT);
calIntent.setData(CalendarContract.Events.CONTENT_URI);
calIntent.putExtra(Events.TITLE, "My Winter Holiday Party");
calIntent.putExtra(Events.EVENT_LOCATION, "My Ski Cabin at Tahoe");
calIntent.putExtra(Events.DESCRIPTION, "Hot chocolate, eggnog and sledding.");
startActivity(calIntent);
```

En este ejemplo, proporcionamos el título, la ubicación y la descripción del calendario utilizando los parámetros `Extra` adecuados del Intent. Estos campos se definirán en un formulario que podrá ver el usuario, que a continuación tendrá que confirmar el evento en la aplicación del calendario. Para más información sobre el uso del Intent `CalendarContract`, puede consultar el artículo *online* "Android Essentials: Adding Events to the User´s Calendar" (Fundamentos de Android: Añadir eventos al calendario del usuario) en la página Web `http://goo.gl/ZDbH5`.

Usar el proveedor de contenidos UserDictionary

Otro proveedor de contenidos muy útil es `UserDictionary`. Puede emplearlo para introducir texto predictivo en campos de texto y otros mecanismos de entrada del usuario. Las palabras individuales almacenadas en el diccionario son evaluadas según su frecuencia, y organizadas por su configuración regional. Puede usar el método `addWord()` dentro de la clase `UserDictionary.Words` para añadir palabras al diccionario personalizado del usuario.

Usar el proveedor de contenidos VoicemailContract

Este proveedor de contenidos se introdujo en la API nivel 14. Puede emplearlo para añadir nuevo contenido de correo de voz al proveedor compartido para que todos estos contenidos sean accesibles en un único lugar. Se necesitan permisos de la aplicación, como `ADD_VOICEMAIL`, para acceder a este proveedor. Para más información consulte la documentación de Android SDK en relación con la clase `VoicemailContract` en `http://d.android.com/reference/android/provider/VoicemailContract.html`.

Utilizar el proveedor de contenidos Settings

Otro proveedor de contenidos muy útil es `Settings`. Puede usarlo para acceder a los ajustes del dispositivo y a las preferencias del usuario. Los ajustes están organizados de forma similar a los del apartado `Settings` de la aplicación, por categorías. Puede encontrar información sobre este proveedor de contenidos en la clase android.provider.Settings. Si su aplicación necesita modificar ajustes del sistema, tendrá que definir los permisos WRITE_SETTINGS o WRITE_SECURE_SETTINGS en el archivo manifest de su aplicación Android.

Emplear el proveedor de contenidos Contacts

La base de datos Contacts es una de las aplicaciones más usadas de un teléfono móvil. La gente siempre quiere tener a mano los números de teléfono de amigos, familia, compañeros de trabajo y clientes. Además, la mayoría de los teléfonos muestran la identidad de las llamadas basándose en esta aplicación, incluyendo seudónimos, fotos o iconos. Android incluye originalmente una aplicación de contactos, donde sus datos están disponibles para otras aplicaciones Android usando la interfaz del proveedor de contenidos. Como desarrollador de aplicaciones, esto quiere decir que se puede apoyar en los datos de contactos de usuarios dentro de su aplicación para proporcionar una experiencia de usuario más robusta.

El proveedor de contenidos para acceder a los contactos del usuario se denominó originalmente Contacts. Android 2.0 (API nivel 5) introdujo una clase proveedor de contenidos de gestión de contactos mejorada, para gestionar los datos disponibles de los contactos del usuario. Este proveedor, llamado ContactsContract, incluía una subclase llamada ContactsContract.Contacts. Este es actualmente el proveedor de contenidos de contactos preferido para estar al día en Android. Sin embargo, debido a que los contactos son una característica empleada comúnmente en todas las versiones de la plataforma Android, vamos a presentar algunos ejemplos utilizando tanto el proveedor de contenidos Contacts, por motivos de compatibilidad con versiones anteriores, como el proveedor ContactsContract, para los que vayan a implementar en dispositivos con una plataforma más reciente.

Independientemente del método que utilice, su aplicación necesita permisos especiales para acceder a la información privada del usuario. Debe declarar una etiqueta uses-permission usando el permiso READ_CONTACTS para leer esta información. Si su aplicación modifica la base de datos Contacts, también tendrá que definir el permiso WRITE_CONTACTS.

Truco

Algunos de los ejemplos de código de este capítulo se han obtenido a partir de la aplicación SimpleContacts, que puede descargar desde el sitio el sitio Web de la editorial.

Trabajar con el proveedor de contenidos Contacts

En primer lugar vamos a ver cómo acceder al proveedor de contactos antiguo, que funciona debido a la tradición de Android de mantener la compatibilidad con versiones anteriores, pero muchas de las clases y métodos empleados están obsoletos actualmente en la última versión de Android SDK. En este ejemplo vamos a realizar una consulta sencilla a la base de datos de los contactos. Este corto ejemplo simplemente muestra la petición de un único contacto:

```
Cursor oneContact = managedQuery( People.CONTENT_URI, null, null, null,
   People.NAME + " DESC LIMIT 1");

Log.d(DEBUG_TAG, "Count: " + oneContact.getCount());
```

Usamos `LIMIT` para recuperar el registro de un contacto. Si observa las columnas de datos devueltas, podrá ver que realmente existe más de un nombre de contactos y algunos índices. Los campos de datos no son devueltos explícitamente. En lugar de eso, los resultados incluyen valores necesarios para crear URI específicos para dichos fragmentos de datos. Necesitamos solicitar los datos de los contactos usando dichos índices.

Concretamente, para obtener el correo electrónico y el número de teléfono principales de un determinado contacto haremos lo siguiente:

```
int nameIdx = oneContact.getColumnIndex(Contacts.People.NAME);
int emailIDIdx = oneContact
   .getColumnIndex(Contacts.People.PRIMARY_EMAIL_ID);

int phoneIDIdx = oneContact
   .getColumnIndex(Contacts.People.PRIMARY_PHONE_ID);

if(oneContact.getCount() == 1) {
   oneContact.moveToFirst();
   int emailID = oneContact.getInt(emailIDIdx);
   int phoneID = oneContact.getInt(phoneIDIdx);
}
```

Ahora que tenemos los valores de los índices de la columnas nombre del contacto, dirección de correo electrónico principal y número de teléfono principal, tenemos que crear los objetos URI asociados con dichos fragmentos de información, y consultar el correo electrónico principal y el número de teléfono principal:

```
Uri emailUri = ContentUris.withAppendedId(
   Contacts.ContactMethods.CONTENT_URI,
   emailID);

Uri phoneUri = ContentUris.withAppendedId(
   Contacts.Phones.CONTENT_URI, phoneID);

Cursor primaryEmail = managedQuery(emailUri,
   new String[] {
      Contacts.ContactMethods.DATA
   },
   null, null, null);

Cursor primaryNumber = managedQuery(phoneUri,
   new String[] {
      Contacts.Phones.NUMBER
   },
   null, null, null);
```

Después de obtener los índices de las columnas apropiadas, correspondientes al correo electrónico y al número de teléfono de un contacto en particular, invocamos al método `ContentUris.withAppendId()` para crear los nuevos objetos `Uri` a partir de los existentes y de los identificadores que ya tenemos. Este método permite la selección directa de una fila determinada de la tabla cuando se conoce el índice de dicha fila. También puede emplear un parámetro de selección para hacer esto. Por último, utilizamos los dos nuevos objetos `Uri` para realizar dos llamadas a `managedQuery()`.

Ahora vamos a tomar un atajo con un conjunto `String` de las columnas solicitadas, ya que cada consulta solo ocupa una columna:

```
String name = oneContact.getString(nameIdx);
primaryEmail.moveToFirst();
String email = primaryEmail.getString(0);
primaryNumber.moveToFirst();
String number = primaryNumber.getString(0);
```

Si no existe un determinado correo electrónico o teléfono, se genera un error llamado `android.database.CursorIndexOutOfBoundsException`. Puede detectar este error, o también podría comprobar antes si realmente se ha obtenido un resultado en `Cursor`.

Consultar un contacto específico

Si le ha parecido que para obtener un número de teléfono hemos usado mucho código, no es el único. Hay una forma más rápida de obtener un fragmento de datos. El siguiente bloque de código muestra cómo podemos obtener el número de teléfono y el nombre de un contacto:

```
String[] requestedColumns = {
   Contacts.Phones.NAME,
   Contacts.Phones.NUMBER,
};

Cursor contacts = managedQuery(
   Contacts.Phones.CONTENT_URI,
   requestedColumns,
   null,
   null, People.NAME + " DESC LIMIT 1");

int recordCount = contacts.getCount();
Log.d(DEBUG_TAG, "Contacts count: "
   + recordCount);

if (recordCount > 0) {

   int nameIdx = contacts
      .getColumnIndex(Contacts.Phones.NAME);
   int phoneIdx = contacts
      .getColumnIndex(Contacts.Phones.NUMBER);

   contacts.moveToFirst();
```

```
    Log.d(DEBUG_TAG, "Name: " + contacts.getString(nameIdx));
    Log.d(DEBUG_TAG, "Phone: " + contacts.getString(phoneIdx));
}
```

Este bloque de código debería resultarle más familiar, ya que se trata de un método mucho más corto y más sencillo para obtener números de teléfono por el nombre del contacto. `Contacts.Phones.CONTENT_URI` incluye números de teléfono, pero además también incluye el nombre del contacto, por lo que es similar al proveedor de contenidos `CallLog`.

Trabajar con el proveedor de contenidos ContactsContract

Ahora vamos a centrar nuestra atención en el proveedor de contenidos más reciente: `ContactsContract.Contacts`. Este proveedor, introducido en la API nivel 5 (Android 2.0), proporciona un sistema robusto que encaja mejor con la evolución que la aplicación `Contacts` ha experimentado en la plataforma Android. El procedimiento para acceder a este proveedor de contenidos es muy similar al anterior.

Truco

El proveedor de contenidos `ContactsContract` ha sido mejorado en Android 4.0 (Ice Cream Sandwich, API nivel 14), incorporando características de redes sociales. Algunas de las nuevas características incluyen la gestión de la identidad del usuario del dispositivo, métodos favoritos de comunicación con contactos específicos, así como un nuevo tipo de Intent, `INVITE_CONTACT`, para que las aplicaciones utilicen las conexiones para crear contactos. El perfil personal del usuario del dispositivo es accesible a través de la clase `ContactsContract.Profile` (que requiere el permiso de la aplicación `READ_PROFILE`). Los métodos preferidos del usuario del dispositivo para comunicarse con contactos específicos, pueden ser accedidos a través de la nueva clase `ContactsContract.DataUsageFeedback`. Para más información consulte la documentación de Android SDK sobre la clase `android.provider.ContactContract`.

Por ejemplo, el siguiente código realiza la misma función que el del ejemplo anterior, que empleaba el proveedor de contenidos `Contacts` antiguo, pero ahora se usa el nuevo proveedor `ContactsContract`:

```
String[] requestedColumns = {
    ContactsContract.Contacts.DISPLAY_NAME,
    ContactsContract.CommonDataKinds.Phone.NUMBER,
};

Cursor contacts = managedQuery(ContactsContract.Data.CONTENT_URI,
    requestedColumns, null, null,
    ContactsContract.Contacts.DISPLAY_NAME + " DESC limit 1");

int recordCount = contacts.getCount();
```

```
Log.d(DEBUG_TAG, "Contacts count: " + recordCount);

if (recordCount > 0) {
    int nameIdx = contacts
        .getColumnIndex(ContactsContract.Contacts.DISPLAY_NAME);
    int phoneIdx = contacts
        .getColumnIndex(ContactsContract.CommonDataKinds.Phone.NUMBER);

    contacts.moveToFirst();
    Log.d(DEBUG_TAG, "Name: " + contacts.getString(nameIdx));
    Log.d(DEBUG_TAG, "Phone: " + contacts.getString(phoneIdx));
}
```

Existen dos diferencias principales entre este código y el del método antiguo. En primer lugar, está usando el URI de una consulta del proveedor `ContactsContract` llamado `ContactsContract.Data.CONTENT_URI`. En segundo lugar, está solicitando nombres de columnas diferentes. Los nombres de columnas del proveedor `ContactsContract` están mejor organizados para permitir una configuración más dinámica de los contactos. Esto puede complicar ligeramente sus consultas. Afortunadamente, la clase `ContactsContract.CommonData Kinds` incluye una serie de columnas empleadas con frecuencia, que se definen conjuntamente. En la tabla 14.3 puede ver algunas de las clases más comunes, que le pueden ayudar en su trabajo con el proveedor de contenidos `ContactsContract`.

Tabla 14.3. Clases utilizadas habitualmente con las columnas de datos de ContactContract.

Clase	Objetivo
`ContactsContract.CommonDataKinds`	Define una serie de columnas de contactos usadas frecuentemente, como correo electrónico, seudónimo, teléfono y foto.
`ContactsContract.Contacts`	Define los datos asociados con un contacto. Se pueden añadir algunos elementos.
`ContactsContract.Data`	Define los datos *raw* asociados con un contacto.
`ContactsContract.PhoneLookup`	Define las columnas del teléfono, y se puede emplear para localizar rápidamente un teléfono, con el objeto de identificar la llamada.
`ContactsContract.StatysUpdates`	Define las columnas de redes sociales, y se puede usar para comprobar el estado de un contacto en una aplicación de mensajería instantánea.

Para más información sobre el proveedor `ContactsContract`, consulte la documentación de Android SDK en `http://d.android.com/reference/android/provider/ContactsContract.html`.

Modificar datos de proveedores de contenidos

Los proveedores de contenidos no son solo fuentes de datos estáticas. También se pueden utilizar para añadir, actualizar y eliminar datos, si dicho proveedor tiene implementada dicha funcionalidad. Su aplicación debe tener los permisos adecuados (es decir, WRITE_CONTACTS y no READ_CONTACTS si está empleando el proveedor Contacts) para poder realizar algunas de estas acciones. Vamos a volver al proveedor Contacts viendo algunos ejemplos sobre cómo modificar la base de datos de los contactos.

Añadir registros

Usando el proveedor de contenidos Contacts, podríamos por ejemplo añadir un nuevo registro a la base de datos mediante programación, como se muestra a continuación:

```
ContentValues values = new ContentValues();

values.put(Contacts.People.NAME, "Sample User");

Uri uri = getContentResolver().insert(
   Contacts.People.CONTENT_URI, values);

Uri phoneUri = Uri.withAppendedPath(uri,
   Contacts.People.Phones.CONTENT_DIRECTORY);

values.clear();

values.put(Contacts.Phones.NUMBER, "2125551212");
values.put(Contacts.Phones.TYPE, Contacts.Phones.TYPE_WORK);

getContentResolver().insert(phoneUri, values);

values.clear();

values.put(Contacts.Phones.NUMBER, "3135551212");
values.put(Contacts.Phones.TYPE, Contacts.Phones.TYPE_MOBILE);

getContentResolver().insert(phoneUri, values);
```

En este caso estamos utilizando la clase ContentValues para insertar registros en la base de datos de contactos del dispositivo. La primera acción que realizamos es proporcionar un nombre para la columna Contacts.People.NAME. Necesitamos crear el contacto con un nombre, antes de que podamos asignarle información, como su número de teléfono. Piense en esta acción como crear una fila en una tabla, que proporciona una relación uno a varios en una tabla de números de teléfono. A continuación, insertamos los datos en la base de datos que se encuentra en la ruta Contacts.People.CONTENT_URI. Empleamos una llamada a getContentResolver() para recuperar el ContentResolver asociado con nuestra Activity. El valor devuelto es el Uri de nuestro nuevo contacto.

Tenemos que usarlo para añadir números de teléfono a nuestro nuevo contacto. A continuación volvemos a utilizar la instancia `ContentValues`, borrándola y añadiendo `Contacts.Phones.NUMBER` y `Contacts.Phones.TYPE`. Con el `ContentResolver`, insertamos estos datos en el `Uri` recién creado.

> **Truco**
>
> En este punto, se estará preguntado cómo se puede determinar la estructura de los datos. La mejor forma es examinar a fondo la documentación del proveedor de contenidos determinado que quiere integrar en su aplicación.

Actualizar registros

Insertar datos no es el único cambio que puede realizar. También puede actualizar una o más filas. El siguiente bloque de código muestra cómo actualizar datos dentro de un proveedor de contenidos. En este caso, actualizamos el campo de notas de un contacto determinado, empleando su identificador único (`rowID`).

```
ContentValues values = new ContentValues();
values.put(People.NOTES, "This is my boss");
Uri updateUri = ContentUris.withAppendedId(People.CONTENT_URI, rowId);
int rows = getContentResolver().update(updateUri, values, null, null);
Log.d(debugTag, "Rows updated: " + rows);
```

Usamos una instancia del objeto `ContentValues` para localizar el campo de datos que queremos actualizar con un valor, en este caso, el campo `Notes`. Esto sustituye cualquier nota que actualmente se encuentre en este campo del contacto. A continuación creamos el `Uri` para este contacto específico que estamos actualizando. Para completar esta modificación, realizamos una simple llamada al método `update()` de `ContentResolver`. A continuación podemos confirmar que solo se ha actualizado una fila.

> **Truco**
>
> Puede utilizar valores de filtrado cuando actualiza filas. Esto le permite realizar cambios en los valores de varias filas simultáneamente. No obstante, el proveedor de contenidos debe soportar esta característica. Hemos notado que el proveedor de contactos bloquea `this` en la URI `People`, evitando que los desarrolladores puedan realizar cambios globales o generalizados en los contactos.

Eliminar registros

Ahora que ya ha llenado su aplicación con datos de contactos de usuarios de ejemplo, podría necesitar eliminar algunos, que es una tarea muy sencilla.

Eliminar todos los registros

El siguiente código elimina todas las filas de un `Uri` determinado. Tiene que tener precaución cuando realice este tipo de operaciones.

```
int rows = getContentResolver().delete(People.CONTENT_URI, null, null);
Log.d(debugTag, "Rows: "+ rows);
```

El método `delete()` elimina todas las filas de una `Uri` determinada, filtradas por parámetros de selección, que en este caso incluye todas las filas de la ubicación `People.CONTENT_URI` (dicho de otro modo, todas las entradas de contactos).

Eliminar contactos específicos

Con frecuencia necesitará eliminar filas específicas, lo que podrá hacer añadiendo el índice del identificador único al final del `Uri`, o eliminando las filas que coincidan con un determinado patrón. Por ejemplo, en la siguiente operación, se eliminan todos los registros de contactos con el nombre "Sample User", que empleamos anteriormente en este capítulo, cuando creamos contactos de ejemplo.

```
int rows = getContentResolver().delete(People.CONTENT_URI,
    People.NAME + "=?",
    new String[] {"Sample User"});
Log.d(debugTag, "Rows: "+ rows);
```

Usar proveedores de contenidos de terceros

Cualquier aplicación puede implementar un proveedor de contenidos para compartir su información sin peligro y con seguridad en el dispositivo. Algunas aplicaciones utilizan proveedores de contenidos solo para compartir información internamente, por ejemplo con su propia marca. Otras publican las especificaciones de sus proveedores, de forma que cualquier otra aplicación que quiere integrarlas pueda. Si explora el código fuente de Android o localiza el proveedor de contenidos a emplear, tenga en cuenta lo siguiente: en la plataforma Android dispone de otros proveedores de contenidos, especialmente los usados por alguna de las aplicaciones que vienen instaladas normalmente (Calendario, Mensajería, etc.). No obstante, tiene que saber que utilizar proveedores de contenidos que no están documentados, simplemente porque sabe cómo funcionan o ha hecho ingeniería inversa con ellos, no es una buena idea. El uso de proveedores de contenidos no documentados y que no son públicos puede hacer que su aplicación sea inestable. La siguiente entrada del blog de desarrolladores de Android es un buen ejemplo de porqué este tipo de técnicas se deberían evitar en aplicaciones comerciales: `http://android-developers.blogspot.com/2010/05/be-careful-with-content-providers.html`.

Resumen

Su aplicación se puede apoyar en los datos disponibles en otras aplicaciones Android, si muestran sus datos como proveedores de contenidos. `MediaStore`, `Browser`, `CallLog` y `Contacts` pueden ser empleados por otras aplicaciones Android, creando una experiencia robusta y envolvente para el usuario. Las aplicaciones también pueden compartir datos entre ellas, convirtiéndose en proveedores de contenidos. Convertirse en proveedor de contenidos implica la implementación de un conjunto de métodos que gestionan cómo y qué datos muestran a otras aplicaciones.

Referencias y más información

- Referencia de Android SDK en relación con el paquete `android.provider`: `http://d.android.com/reference/android/provider/package-summary.html`.
- Referencia de Android SDK en relación con el proveedor de contenidos `AlarmClock`: `http://d.android.com/reference/android/provider/AlarmClock.html`.
- Referencia de Android SDK en relación con el proveedor de contenidos `Browser`: `http://d.android.com/reference/android/provider/Browser.html`.
- Referencia de Android SDK en relación con el proveedor de contenidos `CallLog`: `http://d.android.com/reference/android/provider/CallLog.html`.
- Referencia de Android SDK en relación con el proveedor de contenidos `Contacts`: `http://d.android.com/reference/android/provider/Contacts.html`.
- Referencia de Android SDK en relación con el proveedor de contenidos `ContactsContract`: `http://d.android.com/reference/android/provider/ContactsContract.html`.
- Referencia de Android SDK en relación con el proveedor de contenidos `MediaStore`: `http://d.android.com/reference/android/provider/MediaStore.html`.
- Referencia de Android SDK en relación con el proveedor de contenidos `Settings`: `http://d.android.com/reference/android/provider/Settings.html`.
- Referencia de Android SDK en relación con el proveedor de contenidos `SearchRecentSuggestions`: `http://d.android.com/reference/android/provider/SearchRecentSuggestions.html`.
- Referencia de Android SDK en relación con el proveedor de contenidos `UserDictionary`: `http://d.android.com/reference/android/provider/UserDictionary.html`.
- Guía de desarrollo Android sobre proveedores de contenidos: `http://d.android.com/guide/topics/providers/content-providers.html`.
- Guía de desarrollo Android sobre el uso de la API Contactos: `http://d.android.com/resources/articles/contacts.html`.

15 Diseñar aplicaciones compatibles

Actualmente existen cientos de dispositivos Android diferentes en todo el mundo, desde smartphone hasta tabletas y televisiones. En este capítulo, aprenderemos a diseñar y desarrollar aplicaciones Android compatibles en diversos dispositivos, independientemente del tamaño de pantalla, el hardware o la versión de la plataforma. Veremos muchos consejos para diseñar y desarrollar aplicaciones compatibles con muchos tipos de dispositivos. Por último, aprenderemos a internacionalizar aplicaciones para mercados extranjeros.

Maximizar la compatibilidad en aplicaciones

Con muchos fabricantes desarrollando dispositivos Android, hemos visto una explosión de diferentes tipos de dispositivos, cada uno con sus propias diferencias en el mercado y características únicas. Los usuarios ahora tienen opciones, aunque estas opciones tienen un precio a cambio. La proliferación de dispositivos ha conducido a lo que algunos desarrolladores llaman fragmentación y otros problemas de compatibilidad. Independientemente de la terminología, desarrollar aplicaciones Android soportadas por un amplio rango de dispositivos se ha convertido en un reto. Los desarrolladores se deben enfrentar con dispositivos que soportan diferentes versiones de la plataforma (véase la figura 15.1), diferentes configuraciones (incluyendo hardware opcional), como por ejemplo versiones de OpenGL (véase la figura 15.2), y variaciones en los tamaños de pantalla y en las densidades (véase la figura 15.3). La lista de diferencias en dispositivos es larga, y crece con la aparición de cada nuevo dispositivo.

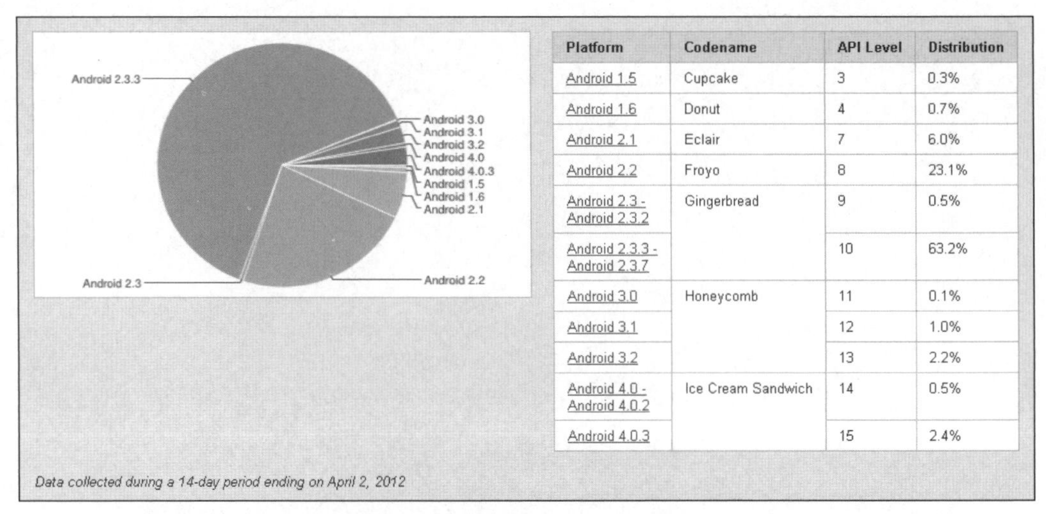

Platform	Codename	API Level	Distribution
Android 1.5	Cupcake	3	0.3%
Android 1.6	Donut	4	0.7%
Android 2.1	Eclair	7	6.0%
Android 2.2	Froyo	8	23.1%
Android 2.3 - Android 2.3.2	Gingerbread	9	0.5%
Android 2.3.3 - Android 2.3.7		10	63.2%
Android 3.0	Honeycomb	11	0.1%
Android 3.1		12	1.0%
Android 3.2		13	2.2%
Android 4.0 - Android 4.0.2	Ice Cream Sandwich	14	0.5%
Android 4.0.3		15	2.4%

Figura 15.1. Estadísticas de dispositivos Android según la versión de la plataforma (fuente: http://goo.gl/7HxNH).

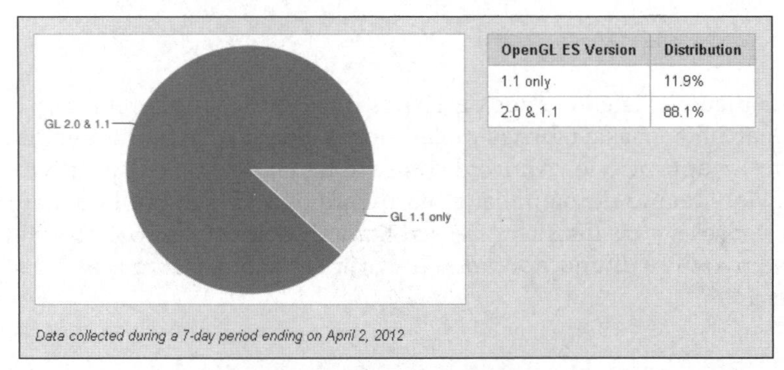

OpenGL ES Version	Distribution
1.1 only	11.9%
2.0 & 1.1	88.1%

Figura 15.2. Estadísticas de dispositivos Android según la versión de OpenGL (fuente: http://goo.gl/22LxY).

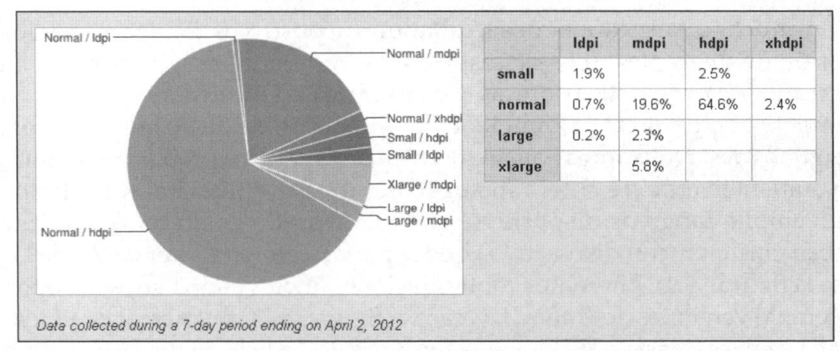

	ldpi	mdpi	hdpi	xhdpi
small	1.9%		2.5%	
normal	0.7%	19.6%	64.6%	2.4%
large	0.2%	2.3%		
xlarge		5.8%		

Figura 15.3. Estadísticas de dispositivos Android según diferentes tamaños de pantalla y densidades (fuente: http://goo.gl/ngt8W).

Aunque la fragmentación complica la vida del desarrollador, es posible desarrollar y dar soporte en diferentes dispositivos, incluso en todos los dispositivos, para una sola aplicación. Cuando llegue el momento de maximizar la compatibilidad, se debe plantear el uso de las siguientes estrategias:

- Siempre que sea posible, elija la opción de desarrollo soportada por la mayoría de los dispositivos. En muchos casos, puede detectar diferencias entre dispositivos en tiempo de ejecución, y proporcionar diferentes rutas en el código para soportar diferentes configuraciones. Asegúrese de informar a su equipo de calidad de este tipo de lógica en su aplicación, para que se entienda y pruebe a fondo.
- Cuando una decisión en el desarrollo limite la compatibilidad de su aplicación (por ejemplo, utilizar una API que se introdujo en un nivel de API superior, o introducir un requisito hardware como soporte para una cámara), evalúe el riesgo y documente esta limitación. Defina si va a proporcionar una solución alternativa para dispositivos que no soporten este requisito.
- Tenga en cuenta los diferentes tamaños de pantalla y resoluciones cuando diseñe interfaces de usuario de aplicaciones. Con frecuencia podrá crear diseños muy flexibles que tendrán un aspecto adecuado tanto en el modo vertical como apaisado, así como diferentes resoluciones y tamaños de pantalla. Sin embargo, si no considera esto previamente, probablemente más adelante tendrá que realizar cambios (algunos muy complejos) para tener en cuenta estas diferencias.
- Realice pruebas iniciales en un amplio rango de dispositivos durante el proceso de desarrollo, para evitar desagradables sorpresas posteriormente. Asegúrese de que los dispositivos tienen hardware y software diferente, incluyendo diferentes versiones de la plataforma Android, tamaños de pantalla y características hardware.
- Cuando sea necesario, proporcione recursos alternativos para ayudar a suavizar las diferencias entre características de dispositivos (hablaremos extensamente sobre recursos alternativos más adelante en este capítulo).
- Si introduce requisitos hardware y software a su aplicación, asegúrese de declarar esta información en el archivo `manifest` de Android, empleando las etiquetas apropiadas. Estas etiquetas, utilizadas tanto por la plataforma Android como por terceros, como Google play, ayudan a garantizar que su aplicación solo se instalará en dispositivos que cumplan los requisitos de su aplicación.

A continuación vamos a ver algunas de las estrategias que puede usar para implementar en configuraciones de dispositivos e idiomas diferentes.

Diseñar interfaces de usuario teniendo en cuenta la compatibilidad

Antes de que veamos las diferentes formas en las que puede proporcionar recursos personalizados en una aplicación, y código que sea soportado en configuraciones específicas de dispositivos, en primer lugar es importante recordar que con frecuencia puede que no los necesite. La idea es diseñar su solución inicial por defecto lo suficientemente flexible para abarcar cualquier variación. Cuando hablamos de interfaces de usuario, diséñelas sencillas y sin emplear demasiados elementos. Además, puede aprovechar las potentes herramientas que tiene a su disposición:

- Como regla práctica, diseñe para tamaños de pantalla medianos a grandes y resoluciones medias. Con el tiempo, los dispositivos tienden a utilizar pantallas más grandes con mayores resoluciones.
- Utilice fragmentos para mantener independientes sus diseños de pantalla de las clases `Activity` de su aplicación y proporcionar flujos de trabajo flexibles. Utilice el paquete de soporte Android para proporcionar las librerías de soporte más recientes en versiones antiguas de la plataforma.
- Para los atributos ancho y alto de los controles `View` y `Layout`, utilice `match_parent` (también conocido como el obsoleto `fill_parent`) y `wrap_content`, de forma que los controles se escalen para diferentes tamaños de pantallas y cambios en la orientación, en lugar de usar tamaños con un número fijo de píxeles.
- Para las dimensiones, utilice unidades flexibles, como `dp` y `sp`, y no los tipos de unidades fijas, como `px`, `mm` e `in`.
- Evite el uso de `AbsoluteLayout` y otros atributos y ajustes de píxel perfecto.
- Utilice controles flexibles de diseño como `RelativeLayout`, `LinearLayout`, `TableLayout` y `FrameLayout`, para que los diseños tengan un buen aspecto en los modos vertical y apaisado, con diferentes tamaños de pantalla y resoluciones. Intente aplicar el principio del entorno de trabajo para organizar el contenido de la pantalla (hablaremos más sobre esto en breve).
- Encapsule el contenido de la pantalla en controles contenedor escalables como `ScrollView` y `ListView`. En general, debería escalar y aumentar las pantallas en una sola dirección (vertical u horizontal), y no en ambas.
- No defina valores exactos de las posiciones de elementos de la pantalla, tamaños y dimensiones. En lugar de eso, utilice posiciones, pesos y gravedades relativas. Si hace este trabajo por adelantado, podrá ahorrar tiempo posteriormente.
- Defina gráficos de calidad razonable en la aplicación, y conserve siempre los tamaños originales (más grandes), por si necesitara diferente versiones con diferentes resoluciones más adelante. Existe siempre un balance entre calidad gráfica y el tamaño del archivo. Encuentro el punto adecuado en el que el gráfico se escala razonablemente bien frente a cambios en las características de la pantalla, sin que a su aplicación le cueste muchos recursos, o le lleve mucho tiempo mostrar en pantalla. Siempre que sea posible, utilice gráficos extensibles, como 9-Patch, que permiten cambiar el tamaño de un gráfico basándose en el área en la cual se visualiza.

Truco

¿Está buscando información sobre la pantalla del dispositivo? Eche un vistazo a la clase `DisplayMetrics`, que empleada junto con el gestor de ventanas, puede determinar todo tipo de información sobre las características de la pantalla en tiempo de ejecución:

```
DisplayMetrics currentMetrics = new DisplayMetrics();
WindowManager wm = getWindowManager();
wm.getDefaultDisplay().getMetrics(currentMetrics);
```

Trabajar con fragmentos

En el capítulo 10 estudiamos los fragmentos en detalle, pero aquí merece la pena mencionarlos otra vez en lo que se refiere al diseño de aplicaciones compatibles. Todas las aplicaciones se pueden beneficiar del flujo de trabajo flexible proporcionado por los diseños basados en fragmentos. Separando la funcionalidad de la pantalla de clases `Activity` específicas, tiene la opción de emparejar dicha funcionalidad de varias formas, dependiendo del tamaño de la pantalla, la orientación y otras opciones de configuración del hardware. Según aparezcan nuevos dispositivos Android en el mercado, estará bien posicionado para darles soporte si hace este trabajo por anticipado; en resumen, estará preparando sus interfaces de usuario para el futuro.

Truco

Hay muy pocas razones por las que no deba utilizar fragmentos, aunque esté dando soporte a aplicaciones antiguas de Android hasta la versión 1.6 (99 por 100 del mercado). Simplemente utilice el paquete de soporte de Android para incluir estas características en su código de versiones anteriores. Solo tiene que hacer un clic en Eclipse. Debido a que la mayoría de las API no basadas en fragmentos están obsoletas, este es claramente el camino por el que los diseñadores de la plataforma están conduciendo a los desarrolladores.

Usar el paquete de soporte de Android

Los fragmentos y otras características nuevas de Android SDK (como los *loaders*) son tan importantes para la compatibilidad con dispositivos futuros que actualmente existen paquetes de soporte de Android para poder emplear estas API en versiones antiguas del dispositivo, llegando hasta la versión 1.6 de Android. Para utilizar el paquete de soporte de Android en su aplicación siga estos pasos:

1. Utilice Android SDK Manager para descargar el paquete de soporte de Android.
2. Localice su proyecto en el explorador de paquetes o en el explorador de proyectos.

3. Haga clic con el botón derecho sobre el proyecto y seleccione Android Tools>Add Compatibility Library (Herramientas Android>Añadir librería de compatibilidad). Se descargará la librería más actualizada y los ajustes de su proyecto se modificarán para poder usar la librería más reciente.
4. Empiece a emplear las API disponibles que forman parte del paquete de soporte de Android. Por ejemplo, para crear una extensión de la clase `FragmentActivity`, necesitaría importar `android.support.v4.app.FragmentActivity`.

Soporte de tipos específicos de pantallas

Aunque generalmente tratará de desarrollar sus aplicaciones independientemente de la pantalla (soportando todos los tipos de pantallas, pequeñas y grandes, de alta y baja densidad), cuando sea necesario puede especificar explícitamente los tipos de pantalla que su aplicación soporta en el archivo `manifest` de Android. A continuación puede ver algunos de los conceptos básicos para el soporte de diferentes tipos de pantallas en su aplicación:

- Indique explícitamente los tamaños de pantalla soportados por su aplicación utilizando la etiqueta `<supports-screens>` del archivo `manifest` de Android. Para más información sobre esta etiqueta consulte la página Web `http://d.android.com/guide/topics/manifest/supports-screens-element.html`.
- Cree diseños flexibles que funcionen en diferentes tamaños de pantalla.
- Proporcione por defecto los recursos más flexibles que pueda, y añada diseños alternativos adecuados y recursos `drawable` para diferentes tamaños de pantalla, densidades, relaciones de aspecto y orientaciones, según las que necesite.
- Realice pruebas exhaustivas. Asegúrese de que comprueba el comportamiento de su aplicación en dispositivos con diferentes tamaños de pantalla, densidad, relación de aspecto y orientación, de forma regular, como parte de su ciclo de pruebas de control de calidad.

Truco

Para un examen detallado sobre el soporte de diferentes tipos de pantallas, desde el smartphone más pequeño hasta las tabletas y televisiones más grandes, consulte el sitio Web de desarrolladores Android `http://d.android.com/guide/practices/screens_support.html`.

También es útil entender cómo se escalan automáticamente las aplicaciones antiguas en los recientes dispositivos más grandes, usando el denominado modo de compatibilidad de pantalla. Dependiendo de la versión de Android SDK en la que su aplicación se implementa originalmente, el comportamiento en las nuevas versiones de la plataforma puede ser ligeramente diferente. Este modo está activado por defecto, pero puede ser desactivado por su aplicación. Para más información sobre este modo consulte la página Web de desarrolladores Android `http://d.android.com/guide/practices/screen-compatmode.html`.

Trabajar con gráficos extensibles 9-Patch

Las pantallas de los teléfonos tiene diversos tamaños. Puede ser útil emplear gráficos extensibles para permitir que gráficos sencillos se puedan escalar adecuadamente en diferentes tamaños de pantallas y orientaciones o diferentes longitudes de texto. Esto le puede ahorrar mucho tiempo cuando crea gráficos para diferentes tamaños de pantalla. Android soporta gráficos extensibles 9-Patch con este propósito, que consisten en sencillos gráficos PNG que incluyen parches, o regiones de la imagen, que se pueden escalar adecuadamente, en lugar de tener que escalar toda la imagen como una unidad. En el capítulo 4 vimos cómo crear gráficos extensibles.

Utilizar el principio del entorno de trabajo

Otra forma de diseñar para diferentes orientaciones de pantalla es intentar mantener un área "entorno de trabajo", donde tiene lugar la mayor parte de la actividad del usuario en la aplicación (es decir, donde mira y hace clic en la pantalla). Cuando la orientación de la pantalla cambia, no se producen cambios en esta área (o muy pocos cambios aparte de la rotación). Solo la funcionalidad que se muestra fuera del "entorno de trabajo" cambia significativamente cuando cambia la orientación de la pantalla (véase la figura 15.4).

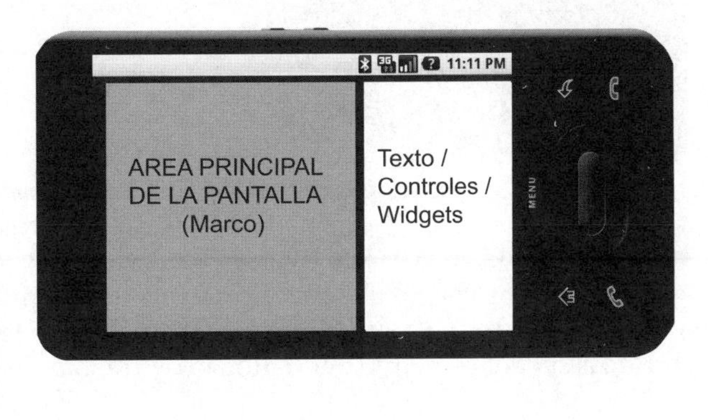

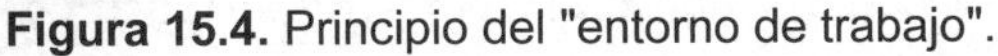

Figura 15.4. Principio del "entorno de trabajo".

Una ejemplo muy claro del "entorno de trabajo", que le puede ayudar a entender este concepto, es el de la aplicación Cámara en el HTC Evo 4G. En el modo vertical, los controles de la cámara se encuentran en la parte inferior del visor (como puede ver en la parte izquierda de la figura 15.5). Cuando se gira en el sentido de las agujas del reloj al modo apaisado, los controles de la cámara permanecen en el mismo lugar, pero ahora están a la izquierda del visor (como puede ver en la parte derecha de la figura 15.5). El área del visor se podría considerar el "entorno de trabajo", que es el área que permanece sin controles. Los controles y el menú deslizante con ajustes se mantienen fuera del área, para que el usuario pueda realizar cómodamente sus fotos o vídeos.

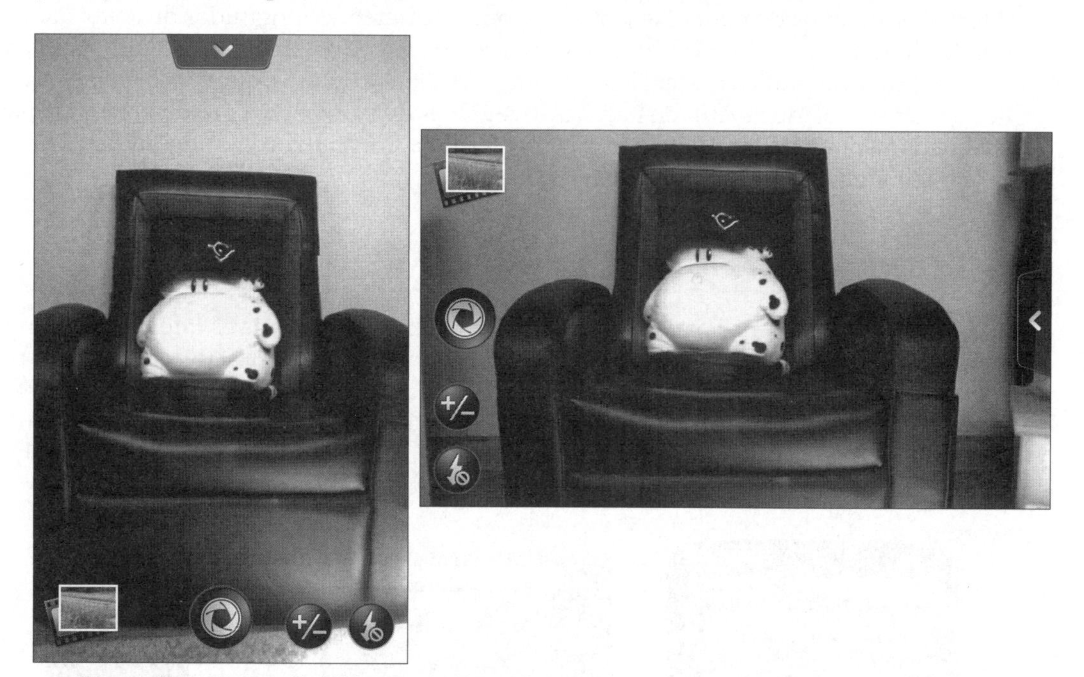

Figura 15.5. Aplicación Cámara de Evo 4G usando el principio del "entorno de trabajo".

Cuando está empleando esta aplicación, parece que la rotación influye poco visualmente, solo los controles que se mueven de la parte inferior a la parte izquierda del visor. De esta forma, permanecen en la misma posición de la pantalla. Este es parte de la elegancia del principio del "entorno de trabajo".

Proporcionar recursos alternativos de la aplicación

Muy pocas interfaces de usuario de aplicaciones tienen un aspecto perfecto en cada dispositivo. La mayoría requieren ajustes y algún tipo de gestión especial. La plataforma Android le permite organizar los recursos de su proyecto de forma que pueda personalizar sus aplicaciones según el dispositivo específico de que se trate. Puede ser útil pensar en los recursos almacenados en la parte superior de la jerarquía de recursos, denominada esquema, como recursos por defecto, y las versiones especiales de dichos recursos como los recursos alternativos.

A continuación puede ver una serie de motivos por los que le podría resultar interesante incluir recursos alternativos en su aplicación:

- Para soportar diferentes idiomas y configuraciones locales del usuario.
- Para soportar diferentes tamaños de pantalla, densidades, dimensiones, orientaciones y relaciones de aspecto.
- Para soportar diferentes modos de acoplamiento de dispositivos.
- Para soportar diferentes métodos de entrada en el dispositivo.
- Para proporcionar diferentes recursos dependiendo de la versión de la plataforma Android.

Entender cómo funcionan los recursos

A continuación vamos a ver cómo funcionan los recursos. Cada vez que se solicita un recurso desde una aplicación, el sistema operativo Android intenta asociarle el mejor posible para la tarea en cuestión.

En muchos casos, las aplicaciones solo proporcionan un conjunto de recursos. Los desarrolladores pueden incluir versiones alternativas, formando parte de los paquetes de su aplicación. El sistema operativo Android siempre intenta cargar los recursos más específicos disponibles, de forma que el desarrollador no se tenga que preocupar de determinar cuáles cargar, ya que el sistema operativo se encargar de esta tarea.

Hay que recordar cuatro reglas importantes cuando se crean recursos alternativos:

1. La plataforma Android siempre carga el recurso más específico y apropiado disponible. Si no existe, se utiliza el recurso por defecto. Por lo tanto, es importante conocer los dispositivos en los que quiere implementar, diseñar para los recursos por defecto y añadir recursos alternativos con prudencia, para mantener los proyectos manejables.
2. Los recursos alternativos siempre deben ser nombrados exactamente igual que los recursos por defecto, y almacenados en un directorio denominado adecuadamente, indicado por un calificador especial de recurso alternativo. Si una cadena se llama `strHelpText` en el archivo `/res/values/strings.xml`, entonces los archivos cadena `res/values-fr/strings.xml` (francés) y `/res/values-zh/strings.xml` (chino) tienen que ser definidos con el mismo nombre. Lo mismo se aplica para el resto de los recursos, como gráficos o archivos de diseño.
3. El buen diseño de una aplicación dicta que los recursos alternativos deberían casi siempre tener un recurso análogo por defecto, de forma que independientemente de la configuración del dispositivo, siempre se cargue alguna de las versiones

del recurso. La única vez en la que podría evitar tener que definir un recurso por defecto es cuando proporciona todos los tipos de recursos alternativos. Uno de los primeros pasos que el sistema sigue cuando encuentra el mejor recurso asociado es eliminar recursos contradictorios con la configuración actual. Por ejemplo, en el modo vertical, el sistema ni siquiera intentará usar el recurso del modo apaisado, aunque sea el único disponible. Tenga en cuenta que según pasa el tiempo se van añadiendo nuevos calificadores de recursos alternativos, por lo que aunque ahora piense que su aplicación proporciona cobertura completa en todas las alternativas posibles, puede que no sea así en el futuro.

4. No abuse de los recursos alternativos, ya que incrementan el tamaño del paquete de su aplicación, y esto puede influir en el rendimiento. En vez de eso, intente diseñar sus recursos por defecto de forma flexible y escalable. Por ejemplo, con frecuencia un buen diseño soportará correctamente los modos vertical y apaisado, si emplea diseños, controles de la interfaz de usuario y recursos gráficos escalables de forma apropiada.

Organizar recursos alternativos con calificadores

Los recursos alternativos se pueden crear bajo diferentes criterios, incluyendo, aunque no limitándose, a características de pantalla, métodos de entrada en el dispositivo, diferentes idiomas y configuraciones regionales. Estos recursos alternativos se organizan jerárquicamente dentro del directorio de recursos `/res` del proyecto. Para definir un recurso alternativo, que se cargará en determinadas situaciones, se utilizan calificadores del directorio (en forma de sufijos en el nombre del directorio).

Un ejemplo muy sencillo le puede ayudar a entender este concepto. El caso más común de uso de recursos alternativos tiene que ver con los recursos del icono por defecto de la aplicación, que forman parte de un proyecto nuevo en Eclipse. Una aplicación simplemente podría proporcionar un recurso de icono gráfico de la misma, almacenado en el directorio `/res/drawable`. Sin embargo, diferentes dispositivos Android tienen diferentes resoluciones de pantalla. Por lo tanto, se usan en su lugar recursos alternativos: `/res/drawable-hdpi/icon.png` es un icono de aplicación adecuado para pantallas de alta densidad, `/res/drawable-ldpi/icon.png` es un icono de la aplicación adecuado para pantallas de baja densidad, y así sucesivamente. Fíjese que en cada caso, el recurso alternativo tiene el mismo nombre que el recurso por defecto. Esto es importante. Los unos deben emplear los mismos nombres que los otros. De esta forma el sistema Android puede encontrar el recurso apropiado que debe cargar mediante su nombre. A continuación puede ver algunos conceptos más importantes sobre recursos alternativos:

- Los calificadores del directorio de recursos alternativos siempre se aplican al nombre del directorio del recurso por defecto. Por ejemplo, `/res/drawable-qualifier`, `/res/values-qualifier`, `/res/layout-qualifier`.
- Los calificadores del directorio de recursos alternativos (y los nombres de archivos de recursos) siempre deben estar en minúsculas, con una excepción, los calificadores regionales.

- Solo se puede incluir un calificador de directorio de un tipo determinado en el nombre de un directorio de recurso. A veces esto tiene consecuencias desafortunadas, ya que podría verse obligado a incluir el mismo recurso en múltiples directorios. Por ejemplo, no puede crear un directorio de un recurso alternativo llamado `/res/drawable-ldpi-mdpi` para compartir el mismo icono gráfico. En lugar de eso, debe crear dos directorios: `/res/drawable-ldpi` y `/res/drawable-mdpi`. Realmente, cuando quiere tener diferentes calificadores para compartir recursos, en lugar de proporcionar dos copias del mismo recurso, con frecuencia es mejor que haga que estos sean sus recursos por defecto, y que a continuación proporcione recursos alternativos para los que no encajan en las categorías `ldpi` o `mdpi` (es decir, `hdpi`). Como ya hemos comentado, el desarrollador es el encargado de organizar sus recursos, esto son solo sugerencias para mantener las cosas bajo control.

- Los calificadores del directorio de recursos alternativos pueden combinarse o encadenarse, separando los calificadores con guiones. Esto permite a los desarrolladores crear nombres de directorios muy específicos, y por lo tanto recursos alternativos muy especializados. Estos calificadores se deben aplicar en un orden determinado, y el sistema operativo Android siempre intentará cargar el recurso más específico (es decir, el recurso con la ruta más larga). Por ejemplo, puede crear un directorio de recurso alternativo para los recursos cadena (almacenados en el directorio de valores) del idioma francés (calificador `fr`) y en la región canadiense (calificador `rCA`, que es un calificador regional, y por lo tanto se usa en mayúsculas) del siguiente modo: `/res/values-fr-rCA/strings.xml`.

- Solo necesita crear recursos alternativos para los recursos específicos que necesite, no para todos los recursos de un determinado archivo. Si solo necesita traducir la mitad de las cadenas del archivo por defecto `strings.xml`, solo tendrá que proporcionar cadenas alternativas para dichos recursos de cadena específicos. Dicho de otro modo, el archivo de recurso por defecto `strings.xml` podría incluir un gran conjunto de recursos de cadena, donde los archivos de recursos de cadena alternativos incluyeran un subconjunto formado tan solo por las cadenas que requieren traducción. Ejemplos habituales de cadenas que no se incluyen son nombres de empresas o marcas.

- No se permite el uso de nombres de directorios o calificadores personalizados. Solo puede utilizar los calificadores definidos en Android SDK. En la tabla 15.1 puede ver el listado de estos calificadores.

- Intente siempre incluir recursos por defecto, es decir, recursos guardados en directorios sin calificadores. Estos son los recursos a los que el sistema operativo Android recurrirá cuando ningún recurso alternativo cumpla el criterio. Si no lo hace así, el sistema recurrirá a los recursos que mejor encajen, basándose en los calificadores del directorio, y alguno de ellos puede que no tuviera sentido aplicarlo.

Tabla 15.1. Calificadores de recursos alternativos importantes.

Calificador del directorio	Valores de ejemplo	Descripción
Código del país y código de red del operador de telefonía móvil	`mcc310` (EE. UU.), `mcc310-mnc004` (EE. UU., Verizon), `mcc208-mnc00` (Francia, Orange)	MCC (*Mobile Country Code*, Código del país del operador de telefonía móvil), seguido opcionalmente de un guión, y MNC (*Mobile Network Code*, Código de red del operador de telefonía móvil) de la tarjeta SIM del dispositivo
Idioma y código de región	`en` (inglés), `ja` (japonés), `de` (alemán), `en-rUS` (inglés americano), `en-rGB` (inglés británico)	Código del idioma (código del idioma de dos letras según ISO 639-1), seguido opcionalmente por un guión, y código regional (una "r" minúscula seguida del código regional tal y como se define en ISO 3166-1-alpha-2).
Dimensiones de la pantalla en píxeles. Varios calificadores para dimensiones específicas de pantallas, incluyendo ancho mínimo, ancho disponible y altura disponible	`sw<N>dp` (ancho mínimo), `w<N>dp` (ancho disponible), `h<N>dp` (altura disponible). Ejemplos: `sw320dp`, `sw480dp`, `sw600dp`, `sw720dp`, `h320dp`, `h540dp`, `h800dp`, `w480dp`, `w720dp`, `w1080dp`	Requisitos de la pantalla de su aplicación en píxeles. `swXXXdp`: indica el ancho mínimo que este calificador de recurso soporta. `wYYYdp`: indica el ancho mínimo. `hZZZdp`: indica la altura mínima. El valor numérico del ancho puede ser el que quiera el desarrollador, en unidades `dp`. Añadido en la API nivel 13.

Calificador del directorio	Valores de ejemplo	Descripción
Tamaño de la pantalla	`small`, `normal`, `large`, `xlarge` (añadido en API nivel 9)	Tamaño global de la pantalla. Una pantalla `small` generalmente es QVGA de baja densidad o VGA de mayor densidad. Una pantalla `normal` generalmente es una pantalla HVGA de densidad media o similar. Una pantalla `large` es como mínimo una VGA de densidad media u otra pantalla con más píxeles que una pantalla HVGA. Una pantalla `xlarge` es al menos una pantalla HVGA de densidad media y generalmente tiene el tamaño de una tableta o mayor. Añadido en API nivel 4.
Relación de aspecto de la pantalla	`long`, `notlong`	Define si el dispositivo es o no es un dispositivo de pantalla ancha. Las pantallas WQGA, WVGA y FWVGA son pantallas `long`. QVGA, HVGA y VGA son pantallas `notlong`. Añadido en API nivel 4.
Orientación de la pantalla	`port`, `and`	Cuando un dispositivo esté en modo vertical, se cargarán los recursos `port`. Cuando el dispositivo esté en modo apaisado, se cargarán los recursos `land`.
Modo de acoplamiento	`car`, `desk`	Carga recursos específicos cuando el dispositivo está en un estación de acoplamiento `car` o `desk`. Añadido en API nivel 8.
Modo nocturno	`night`, `notnight`	Carga recursos específicos cuando el dispositivo está o no está en modo `night`. Añadido en API nivel 8.

Calificador del directorio	Valores de ejemplo	Descripción
Densidad de pantalla en píxeles	`ldpi`, `mdpi`, `hdpi`, `xhdpi` (añadido en API nivel 8), `tvdpi` (añadido en API nivel 13), `nodpi`	Pantallas de baja densidad (aprox. 120dpi) deberían usar `ldpi`. Pantallas de densidad media (aprox. 160dpi) deberían emplear `mdpi`. Pantallas de densidad alta (aprox. 240dpi) deberían utilizar `hdpi`. Pantallas de densidad muy alta (aprox. 320dpi) deberían usar `xhdpi`. Pantallas de televisión (aprox. 213dpi, entre `mdpi` y `hdpi`) deberían emplear `tvdpi`. Utilice la opción `nodpi` para definir recursos que no quiere que se escalen, para que encajen en la densidad de pantalla del dispositivo. Añadido en API nivel 4.
Tipo de pantalla táctil	`notouch`, `stylus`, `finger`	Recursos para dispositivos sin pantalla táctil deberían utilizar la opción `notouch`. Recursos para dispositivos con pantalla táctil tipo *stylus* (resistiva) deberían usar la opción `stylus`. Recursos para dispositivos con pantalla táctil que se usa con el dedo (capacitiva) deberían emplear la opción `finger`.
Tipo de teclado y disponibilidad	`keysexposed`, `keyshidden`, `keyssoft`	Utilice la opción `keysexposed` cuando tenga disponible un teclado (hardware o software). Utilice la opción `keyshidden` cuando no esté disponible ningún tipo de teclado. Utilice la opción `keyssoft` cuando tenga disponible un teclado software.

Calificador del directorio	Valores de ejemplo	Descripción
Método de introducción de texto	`nokeys`, `qwerty`, `12key`	Utilice la opción `nokeys` cuando el dispositivo no tenga teclado físico para introducir texto. Utilice la opción `qwerty` cuando el dispositivo incluya un teclado físico QWERTY para introducir texto. Utilice la opción `12key` cuando el dispositivo incluya un teclado numérico de 12 teclas para introducir texto.
Disponibilidad de botones de navegación	`navexposed`, `navhidden`	Utilice `navexposed` cuando el usuario tenga disponible botones físicos para navegación. Utilice `navhidden` cuando el usuario no disponga de botones físicos para navegación (como el caso de que el teléfono tenga un cierre deslizante).
Método de navegación	`nonav`, `dpad`, `trackball`, `wheel`	Utilice `nonav` si el dispositivo no tiene botones de navegación aparte de la pantalla táctil. Utilice `dpad` cuando el método principal de navegación sea el teclado direccional. Utilice `trackball` cuando el método principal de navegación sea una rueda de desplazamiento. Utilice `wheel` cuando el método principal de navegación sea una rueda direccional.
Plataforma Android	`v3` (Android 1.5), `v4` (Android 1.6), `v7` (Android 2.1.X), `v8` (Android 2.2.X), `v9` (Android 2.3-2.3.2), `v10` (Android 2.3.3-2.3.4), `v12` (Android 3.1.X), `v13` (Android 3.2.X), `v14` (Android 4.0.X)	Carga recursos basados en la versión de la plataforma Android, tal y como se define por el nivel de la API. Este calificador cargará recursos de la API del nivel especificado o superior. Nota: Este calificador presenta algunos problemas conocidos. Consulte la documentación de Android para más detalles.

Ahora que ya sabe cómo funcionan los recursos alternativos, vamos a ver algunos de los calificadores de directorios que puede utilizar para almacenar recursos alternativos con diferentes objetivos. Los calificadores están asociados con los nombres de los directorios de recursos existentes en un orden determinado, que en la tabla 15.1 puede ver en orden descendente.

A continuación puede ver algunos ejemplos con nombres correctos de directorios de recursos alternativos con calificadores.

- `/res/values-en-rUS-port-finger`.
- `/res/drawables-en-rUS-land-mdpi`.
- `/res/values-en-qwerty`.

Y a continuación puede ver algunos ejemplos de nombres incorrectos de directorios de recursos alternativos con calificadores.

- `/res/values-en-rUS-rGB`.
- `/res/values-en-rUS-port-FINGER-wheel`.
- `/res/values-en-rUS-port-finger-custom`.
- `/res/drawables-rUS-en`.

El primer ejemplo de mal uso de directorios con calificadores no es válido, ya que solo puede incluir un calificador de un tipo determinado, y en este caso se viola esta regla, incluyendo tanto `rUS` como `rGB`. El segundo ejemplo viola la regla que dicta que todos los nombres de calificadores deben estar en minúsculas (excepto los regionales). En el tercero se incluye un atributo personalizado definido por el desarrollador, que actualmente no se soporta. Y en el último ejemplo se viola el orden en el que hay que situar los calificadores: primero idioma, después región, etc.

Proporcionar recursos para diferentes orientaciones

Vamos a ver una sencilla aplicación que usa recursos alternativos para personalizar el contenido de la pantalla según diferentes orientaciones. La aplicación `SimpleAltResources` (véase el código de ejemplo del libro para una implementación completa) no tiene código real del que poder hablar, eche un vistazo a la clase `Activity` si no nos cree. En su lugar, toda la funcionalidad interesante depende de los calificadores del directorio de recursos. Estos recursos son:

- Los recursos por defecto de esta aplicación incluyen el icono de la aplicación y un gráfico que se almacenan en el directorio `/res/drawable`, el archivo de diseño que se guarda en el directorio `/res/layout` y los recursos color y cadena que se almacenan en el directorio `/res/values`. Estos recursos se guardan siempre que no exista un recurso más específico a cargar, lo que podría ser un inconveniente.

- Existe un gráfico alternativo en el modo vertical en el directorio `/res/drawable/-port`. También existen recursos específicos de color y cadena en modo vertical almacenados en el directorio `/res/values-port`. Si el dispositivo está en orientación vertical, estos recursos (la imagen vertical, las cadenas, y los colores) son cargados y empleados por el diseño por defecto.
- Existe un gráfico alternativo en el modo apaisado almacenado en el directorio `/res/drawable-land`. También existen recursos específicos color y cadena en modo apaisado almacenados en el directorio `/res/values-land` (básicamente los colores del primer plano y de fondo invertidos). Si el dispositivo está en modo apaisado, estos recursos (la imagen apaisada, las cadenas y los colores) son cargados y utilizados por el diseño por defecto.

En las figuras 15.6 a 15.8 se muestra cómo la aplicación carga los diferentes recursos, basándose en la orientación del dispositivo en tiempo de ejecución. Esta figura 15.6 muestra el diseño del proyecto en función de los recursos, en la 15.7 el aspecto de la pantalla con orientación vertical, y en la 15.8 con orientación apaisada.

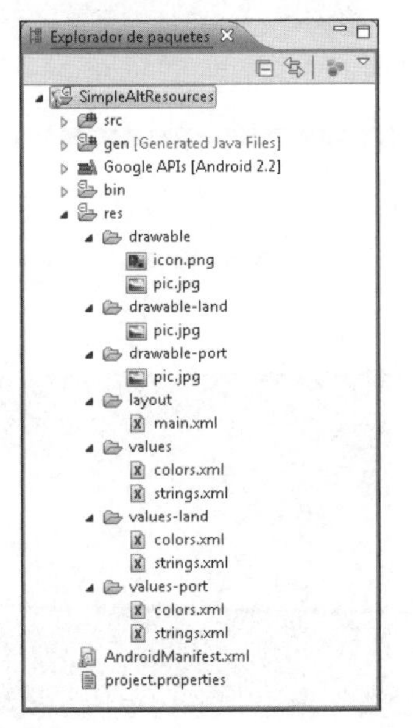

Figura 15.6. Diseño del proyecto con recursos alternativos.

Utilizar recursos alternativos mediante programación

Actualmente no hay una forma sencilla de solicitar recursos de una configuración específica mediante programación. Por ejemplo, el desarrollador no puede solicitar mediante programación la versión francesa o inglesa del recurso de cadena. En lugar de esto, el sistema Android define recursos en tiempo de ejecución, y los desarrolladores hacen referencia tan solo al nombre de la variable de recurso general.

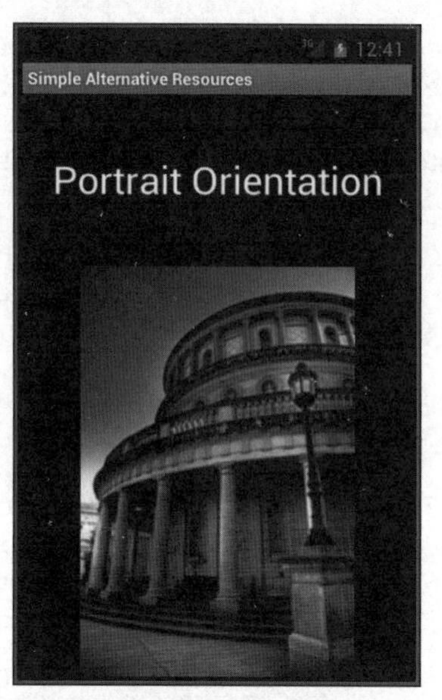

Figura 15.7. Usar recursos alternativos para la orientación vertical.

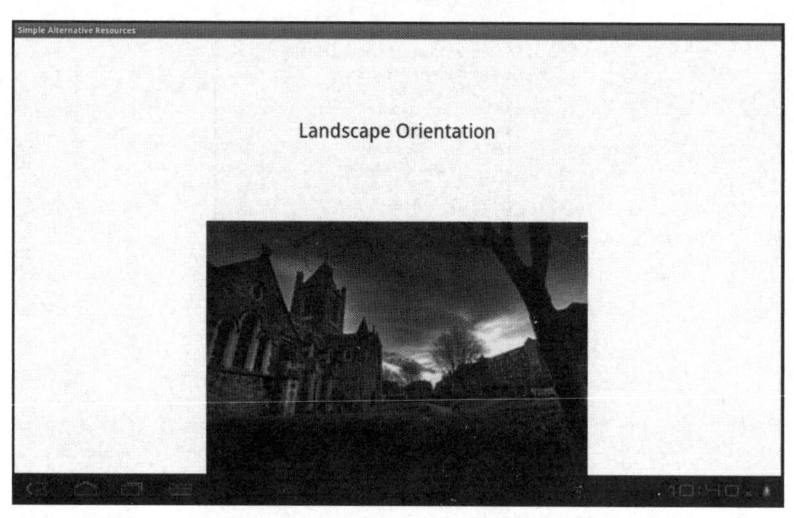

Figura 15.8. Emplear recursos alternativos para la orientación apaisada.

Organizar recursos de aplicaciones de forma eficiente

Es fácil abusar de los recursos alternativos. Podría proporcionar gráficos personalizados para cada variación de la pantalla del dispositivo, idioma o método de entrada. Sin embargo, cada vez que incluye un recurso de la aplicación en su proyecto, el tamaño de paquete de su aplicación crece. También existen problemas de rendimiento cuando intercambia recursos con mucha frecuencia, generalmente en las transiciones de la configuración en tiempo de ejecución. Cada vez que ocurre un evento en tiempo de ejecución, como un cambio de estado en la orientación o en el teclado, el sistema operativo Android reinicia la actividad subyacente y recarga los recursos. Si su aplicación está cargando muchos recursos y contenido, estos cambios influirán negativamente en el rendimiento y en la capacidad de respuesta de la aplicación. Elija cuidadosamente el esquema de organización de sus recursos. En general, debería definir como recursos por defecto los que utilice más habitualmente, y a continuación añadir recursos alternativos con precaución solo cuando los necesite. Por ejemplo, si está escribiendo una aplicación que muestra videos de forma repetida o una pantalla de un juego, sería interesante que usara por defecto los recursos en modo apaisado y proporcionara recursos alternativos en modo vertical, ya que estos últimos probablemente no se emplearán.

Conservar datos entre cambios de configuración

Una actividad puede conservar datos entre estas transiciones utilizando el método `onRetainNonConfigurationInstance()` para guardar datos, y el método `getLastNonConfigurationInstance()` para recuperar estos datos después de la transición. Esta característica puede ser especialmente útil cuando su actividad tiene que realizar muchas tareas de configuración o de precarga.

Gestionar cambios en la configuración

En los casos en los que su actividad no necesite recargar recursos alternativos en una transición determinada, podría dejar que la clase `Activity` gestionara la transición, para evitar que se tenga que reiniciar. La aplicación `Cámara` mencionada anteriormente podría usar esta técnica para gestionar cambios en la orientación sin tener que reiniciar el hardware interno de la cámara, volver a mostrar la ventana del visor o los controles de la cámara (los controles `Button` simplemente rotan en el mismo lugar donde se encuentran en la nueva orientación, muy ingenioso). Para que una clase `Activity` gestione sus propios cambios en la configuración, su aplicación debe:

- Actualizar la etiqueta `<activity>` en el archivo `manifest` de Android en dicha determinada clase `Activity` incluyendo el atributo `android:configChanges`. Este atributo debe especificar los tipos de cambios gestionados por la propia clase `Activity`.
- Implementar el método `onConfigurationChanged()` de la clase `Activity` para que gestione los cambios específicos (según su tipo).

Implementar en tabletas, televisiones y otros dispositivos nuevos

Durante el año pasado se ha experimentado un gran crecimiento en los tipos de dispositivos soportados por la plataforma Android. Independientemente de que hablemos de tabletas, televisiones o *toasters*, hay dispositivos para todo el mundo. Estos nuevos dispositivos hacen que esta época sea muy emocionante para los desarrolladores de aplicaciones. La existencia de nuevos dispositivos implica que nuevos grupos y segmentos de población van a emplear la plataforma. Estos nuevos tipos de dispositivos Android plantean grandes retos para los desarrolladores de Android.

Implementar en tabletas

Las tabletas son el dispositivo Android de moda actualmente. Se venden en una gran variedad de tamaños y orientaciones por defecto, por diferentes fabricantes y operadoras de telefonía. Afortunadamente, desde la perspectiva del desarrollador, las tabletas se pueden considerar como cualquier otro dispositivo Android, suponiendo que no haya hecho algunas asunciones poco afortunadas en la etapa de desarrollo.

Las tabletas Android ejecutan las mismas versiones de la plataforma que los smartphone, es decir, no existe nada especial. Actualmente la mayoría de las tabletas ejecutan Android 2.0 o versiones superiores. La última generación de las tabletas más populares ejecuta principalmente Gingerbread y Honeycomb, que incluyen características novedosas para gestionar diferentes tamaños de pantalla, resoluciones y mecanismos de navegación. Ice Cream Sandwich combina las características de los SDK Froyo y Gingerbread enfocados a smartphone, con las últimas características de Honeycomb, de forma que disponemos de un SDK que realmente abarca todos los dispositivos Android del futuro. A continuación puede ver algunos consejos para diseñar, desarrollar y publicar aplicaciones Android para tabletas:

- **Diseño flexible de la interfaz del usuario:** Independientemente de los dispositivos en los que va a implementar sus aplicaciones, utilice diseños flexibles. Utilice `RelativeLayout` para organizar sus interfaces de usuario. Asimismo, use valores relativos de dimensiones como `dp` el lugar de específicos como `px`. Utilice gráficos extensibles como 9-Patch.
- **Utilice fragmentos:** Los fragmentos hacen que la navegación en la interfaz del usuario sea mucho más flexible, separando la funcionalidad de la pantalla de actividades específicas.
- **Use recursos alternativos:** Proporcione recursos alternativos según diferentes tamaños y necesidades de la pantalla.
- **Orientaciones de la pantalla:** Las tabletas con frecuencia tienen definido por defecto el modo apaisado, aunque no en todos los casos. Algunas tabletas, especialmente las pequeñas, utilizan el modo vertical por defecto.
- **Limitaciones en el modo de introducción de datos:** Habitualmente las tabletas solo usan como modo de introducción de datos la pantalla táctil. Algunas configuraciones también incluyen unos cuantos botones físicos, pero esto es poco habitual, ya que Honeycomb, la primera versión de la plataforma que realmente soporta tabletas, desplazó los típicos botones hardware (**Volver**, **Inicio**, **Buscar** y **Menú**) a la pantalla táctil.

- **Diferencias de navegación en la interfaz del usuario:** Los usuarios tocan las tabletas de forma diferente que sus smartphone. En los modos vertical y apaisado, las tabletas son significativamente más grandes que sus equivalentes en smartphone. Aplicaciones como juegos que requieren que el usuario sostenga el dispositivo entre sus manos como un controlador de juegos tradicional, puede suponer un problema dado el espacio extra de una tableta. Los dedos del usuario pueden llegar fácilmente a las dos mitades de la pantalla de un smartphone, pero quizá no puedan hacer lo mismo en una tableta.
- **Soporte de características:** Algunas características hardware y software generalmente no están disponibles en las tabletas. Por ejemplo, la telefonía. Esto tiene consecuencias en los identificadores únicos de dispositivos, ya que muchos de ellos se apoyan en el identificador de telefonía, que puede no estar presente. La idea es que las diferencias en el hardware pueden tener consecuencias no tan obvias.

Implementar en dispositivos Google TV

Google TV es un tipo de dispositivo relativamente nuevo en el que los desarrolladores Android ahora pueden implementar. Los usuarios pueden buscar aplicaciones compatibles en Google play y descargarlas de la misma forma que harían en otros dispositivos Android. Para desarrollar aplicaciones en Google TV, los desarrolladores emplean Android SDK así como el complemento Google TV, que se puede descargar utilizando Android SDK Manager. Existen algunas diferencias entre el desarrollo para dispositivos Google TV y el desarrollo para smartphone o tabletas. Vamos a ver algunos consejos de desarrollo para implementar en dispositivos Google TV:

- **Densidad de pantalla y resolución:** Los dispositivos Google TV actualmente se ejecutan en dos resoluciones. La primera es 720p (también conocida como "HD" o `tvdpi`), o 1280 x 720 píxeles. La segunda es 1080p (también conocida como "Full HD" o `xhdpi`), o 1920 x 1080 píxeles. Estos se corresponden con tamaños de pantalla `large`.
- **Orientación de la pantalla:** Los dispositivos Google TV solo necesitan diseños en orientación apaisada.
- **No píxel perfecto:** Una advertencia que se da cuando se desarrolla en Google TV es la de no apoyarse en el número exacto de píxeles en la pantalla. Las televisiones no muestran siempre todos los píxeles. Por lo tanto, sus diseños deberían ser lo suficientemente flexibles para admitir pequeños ajustes cuando haya tenido la oportunidad de probar sus aplicaciones en dispositivos Google TV reales. Se recomienda encarecidamente el uso de `RelativeLayout`. Para más información sobre este asunto consulte la página Web `http://goo.gl/fgNFF`.
- **Limitaciones en el modo de introducción de datos:** A diferencia de las tabletas y los smartphone, los dispositivos Google TV no están al alcance de la mano y no tienen pantallas táctiles. Esto significa que no se pueden usar movimientos o la

característica multi-táctil, etc. La interfaz de Google TV emplea un teclado direccional (o d-pad), es decir, botones **Flecha arriba, Flecha abajo, Flecha izquierda** y **Flecha derecha**, junto con los botones **Seleccionar** y los botones multimedia (**Reproducir, Pausa**, etc.). Algunas configuraciones también incluyen un ratón o un teclado.

- **Diferencias en la navegación por la interfaz del usuario:** Las limitaciones en la introducción de datos en dispositivos Google TV implican que tendrá que realizar algunos cambios en la navegación por la pantalla de su aplicación. Por ejemplo, si su interfaz de usuario incluye una fila de elementos, con los dos más comunes situados a la izquierda y a la derecha para que pueda acceder fácilmente con toques del dedo, puede que estos elementos estén demasiado separados para el usuario medio de Google TV.
- **Ajustes del archivo** `manifest` **de Android:** Existen una serie de ajustes del archivo `manifest` de Android que debería ser configurados adecuadamente para Google TV. Para más información consulte la documentación que podrá encontrar en: `http://code.google.com/tv/android/docs/gtv_androidmanifest.html`.
- **Filtros de Google play:** Google play utiliza los ajustes del archivo `manifest` de Android para filtrar aplicaciones y proporcionarlas a los dispositivos apropiados. Determinadas características, como las definidas con la etiqueta `<uses-feature>`, puede excluir su aplicación de su uso en dispositivos Google TV. Un ejemplo de este caso es cuando las aplicaciones requieren características como la pantalla táctil, una cámara o telefonía. Para ver un listado completo de las características soportadas y no soportadas por Google TV, consulte la página Web: `http://code.google.com/tv/android/docs/gtv_android_features.html`.
- **Soporte de características:** Determinadas características hardware y software (sensores, cámaras, telefonía, etc.) no están disponibles en dispositivos Google TV.
- **Kit de desarrollo no nativo:** Actualmente no existe soporte en NDK para Google TV.
- **Formatos multimedia soportados:** Existen algunas diferencias entre los formatos multimedia soportados por la plataforma Android (`http://d.android.com/guide/appendix/media-formats.html`) y los soportados por la plataforma Google TV (`http://code.google.com/tv/android/docs/gtv_media_formats.html`).

Truco

Para más información sobre el desarrollo en dispositivos Google TV, consulte la guía para desarrolladores Android sobre Google TV en la página Web `http://code.google.com/tv/android/`.

Resumen

La compatibilidad es un tema muy amplio, y aquí le hemos ofrecido mucho material en el que pensar. Durante el diseño y la implementación, considere siempre si sus decisiones podrían generar problemas relacionados con la compatibilidad de dispositivos. El personal de control de calidad debería siempre probar en el mayor número posible de dispositivos, y por supuesto no apoyarse únicamente en las configuraciones del emulador. Siga una serie de reglas prácticas para promover la compatibilidad, y haga todo lo posible para mantener recursos relacionados con la compatibilidad y conservar su código compacto y manejable.

Si tuviera que quedarse con dos ideas de este capítulo, una de ellas debería ser que el uso de recursos alternativos y fragmentos puede ser muy eficaz. Permiten una flexibilidad que hace mucho por la compatibilidad, tanto si es para diferencias en la pantalla o la internacionalización.

La otra sería que determinadas etiquetas del archivo `manifest` de Android pueden ayudarle a garantizar que sus aplicaciones solo se van a instalar en dispositivos que cumplan determinados prerrequisitos, como determinadas versiones de OpenGL ES, o la disponibilidad de una cámara.

Referencias y más información

- Referencia de Android SDK en relación con la clase `Dialog`: `http://d.android.com/reference/android/app/Dialog.html`.
- Referencia de Android SDK en relación con el paquete de soporte de Android: `http://d.android.com/sdk/compatibility-library.html`.
- Guía de desarrollo Android en relación con el modo de compatibilidad de pantalla: `http://d.android.com/guide/practices/screen-compat-mode.html`.
- Guía de desarrollo Android sobre recursos alternativos: `http://d.android.com/guide/topics/resources/providing-resources.html#AlternativeResources`
- Guía de desarrollo Android sobre cómo encontrar el recurso más adecuado: `http://d.android.com/guide/topics/resources/providing-resources.html#BestMatch`.
- Guía de desarrollo Android sobre la gestión de cambios en tiempo de ejecución: `http://d.android.com/guide/topics/resources/runtime-changes.html`.
- Buenas prácticas en Android en relación con la compatibilidad: `http://d.android.com/guide/practices/compatibility.html`.

- Buenas prácticas en Android en relación con el soporte de múltiples pantallas: `http://developer.android.com/guide/practices/screens_support.html`.
- Idiomas ISO 639-1: `http://www.loc.gov/standards/iso639-2/php/code_list.php`.
- Regiones ISO 3166-1-alpha-2: `http://www.iso.org/iso/country_codes/iso_3166_code_lists`.

Parte V.
Publicar y distribuir aplicaciones Android

16 Proceso de desarrollo del software Android

El proceso de desarrollo en tecnología móvil es similar al del desarrollo de software de sobremesa tradicional, excepto por un par de diferencias. Entender cómo afectan estas diferencias al equipo de desarrollo de tecnología móvil es crítico para llevar a cabo un proyecto con éxito. Conocer a fondo el proceso de desarrollo en tecnología móvil es muy útil tanto para los desarrolladores novatos como para los veteranos, los que se dedican a la gestión y planificación, así como para los desarrolladores y proveedores que se encuentran en primera línea. En este capítulo vamos a ver las peculiaridades del desarrollo móvil en cada una de las etapas del proceso de desarrollo software.

Visión general del proceso de desarrollo móvil

Los equipos de desarrollo móvil con frecuencia son reducidos, y las planificaciones de los proyectos cortas. El ciclo de vida de un proyecto completo con frecuencia se condensa, y tanto si su equipo de desarrollo está formado por 1 o por 100 integrantes, entender las peculiaridades del desarrollo móvil en cada una de las etapas del proceso de desarrollo, puede ahorrarle mucho tiempo y esfuerzo. Algunos de los obstáculos con los que se debe enfrentar un equipo de desarrollo son:

- Seleccionar una metodología software adecuada para su proyecto móvil.
- Entender cómo la implementación en el dispositivo define la funcionalidad de su aplicación.
- Realizar un análisis de viabilidad continuo, profundo y preciso.

- Reducir los riesgos asociados con los dispositivos en preproducción.
- Diseñar una aplicación estable y con capacidad de respuesta en un sistema con memoria limitada.
- Diseñar interfaces de usuario en diferentes dispositivos para crear diferentes experiencias del usuario.
- Probar a fondo la aplicación en los dispositivos a implementar.
- Incluir requisitos de terceros que influyen en el lugar donde puede vender su aplicación.
- Mantener una aplicación móvil.

Elegir una metodología software

Los desarrolladores pueden utilizar sin problema la mayoría de las metodologías software actuales en el desarrollo móvil. Tanto si su equipo opta por RAD (*Rapid Application Development*, Desarrollo rápido de aplicaciones), como por variantes más modernas y veloces de desarrollo software, como Scrum, las aplicaciones móviles tienen requisitos específicos.

Peligros de la solución tipo cascada

El corto ciclo de desarrollo disponible podría tentar a algunos a utilizar una solución tipo cascada, pero los desarrolladores deberían ser conscientes de la poca flexibilidad ofrecida por esta opción. En general es una mala idea diseñar y desarrollar una aplicación móvil completa, sin tener en cuenta los cambios que suelen aparecer durante el ciclo de desarrollo (véase la figura 16.1).

Los cambios en los dispositivos a implementar (especialmente en los modelos en preproducción, aunque también a veces los dispositivos en el mercado pueden sufrir cambios significativos en su software), la viabilidad continuada, los problemas de rendimiento y la necesidad de un control de calidad para realizar pruebas rápidamente y con frecuencia en los dispositivos reales (no solo en el emulador), hacen difícil que las soluciones estrictas tipo cascada tengan éxito en proyectos de tecnología móvil.

Importancia de la interacción

Debido a la velocidad a la cual suelen transcurrir los proyectos de tecnología móvil, los métodos iterativos han sido las estrategias con más éxito en este tipo de desarrollo. Conseguir prototipos rápidamente permite a los desarrolladores y al personal de control de calidad tener muchas oportunidades para evaluar la viabilidad y el rendimiento de una aplicación móvil en los dispositivos a implementar, y adaptarse según sea necesario a los cambios que tienen lugar inevitablemente en el transcurso de un proyecto.

Figura 16.1. Peligros del desarrollo en cascada. (Imagen cortesía de Amy Tam Badger).

Recopilar requisitos de la aplicación

Aparte de la relativa simplicidad del conjunto de características de un aplicación móvil en comparación con un aplicación tradicional de escritorio, el análisis de los requisitos de un aplicación móvil puede ser más complejo. La interfaz del usuario móvil debe ser elegante y la aplicación debe ser tolerante a fallos, sin mencionar la capacidad de respuesta que debe tener en un entorno con recursos restringidos. Con frecuencia tendrá que personalizar los requisitos para que se adapten a varios tipos de dispositivos, que pueden tener muchas diferencias en las interfaces de usuario y en los métodos de entrada. La existencia de grandes variaciones en las plataformas a implementar puede hacer difíciles las suposiciones en el desarrollo. No es poco habitual que diferentes desarrolladores Web necesiten adaptarse cuando desarrollen en diferentes navegadores Web (y diferentes versiones de estos navegadores).

Definir los requisitos del proyecto

Cuando se utilizan múltiples dispositivos (que es lo que casi siempre ocurre en Android), hemos encontrado varias aproximaciones que pueden ser útiles para definir los requisitos del proyecto. Cada aproximación tiene sus ventajas e inconvenientes. Estas aproximaciones son:

- Método del mínimo común denominador.
- Método de personalización.

Método del mínimo común denominador

En este método, se diseña la aplicación para que se ejecute correctamente en una serie de dispositivos. En este caso, el destino de desarrollo principal es la configuración del dispositivo con menos características, básicamente, el dispositivo de menor rendimiento. Solo se incluyen en la especificación los requisitos que puedan cumplir todos los dispositivos para abarcar el mayor rango posible de los mismos (requisitos como métodos de entrada, resolución de la pantalla y versión de la plataforma). Con este método, se afianzará en un nivel determinado de la API de Android y a continuación personalizará más detalladamente su aplicación empleando los ajustes del archivo `manifest` de Android y los filtros del mercado.

Nota

El método del mínimo común denominador es aproximadamente equivalente a desarrollar una aplicación de escritorio con los siguientes requisitos mínimos del sistema: (1) Windows 2000 y (2) 128 MB de RAM, suponiendo que la aplicación será compatible con la última versión de Windows (y con cada versión intermedia). No es la solución ideal, pero en algunos casos las desventajas son aceptables.

Realizar alguna personalización sencilla, como recursos o el archivo binario final compilado (e información de la versión), habitualmente es compatible con el método del mínimo común denominador. La principal ventaja de este método es que solo existe un árbol de código fuente con el que trabajar, y de esta forma los errores están ubicados en un solo lugar y se aplican a todos los dispositivos. También puede añadir fácilmente otros dispositivos sin cambiar demasiado el código, suponiendo que estos también cumplen los mínimos requisitos hardware. Entre las desventajas se encuentra el hecho de que la aplicación resultante en general no maximiza las características del dispositivo determinado, por lo que no puede aprovechar las ventajas en las características de la nueva plataforma. Además, si surge un problema en un dispositivo determinado o se equivoca al seleccionar el mínimo común denominador, el equipo se podría ver obligado a implementar una solución provisional (un parche) o a bifurcar el código posteriormente, perdiendo los beneficios iniciales de este método, a la vez que se mantienen las desventajas.

Truco

Android SDK facilita a los desarrolladores la implementación en múltiples versiones de la plataforma dentro de un único paquete de la aplicación. Los desarrolladores deben identificar anticipadamente las plataformas en las que se va a desarrollar en la fase de diseño. Dicho esto, debido a que las actualizaciones inalámbricas son usadas con frecuencia por los usuarios, es probable que la versión de la plataforma en un determinado dispositivo cambie con el tiempo. Diseñe siempre sus aplicaciones teniendo en cuenta la compatibilidad con versiones posteriores, y realice planes de contingencia para distribuir actualizaciones de la aplicación cuando sea necesario.

Método de personalización

Cuando utiliza este método, la aplicación se personaliza para determinados dispositivos o para una clase de dispositivos (como por ejemplo los dispositivos que admiten OpenGL ES). Este método funciona bien en aplicaciones especializadas con un pequeño número de dispositivos a implementar, pero no se puede escalar fácilmente, desde la perspectiva de la gestión de un producto finalizado.

En general, los desarrolladores obtendrán un entorno principal de la aplicación (clases o paquetes) que se compartirá en todas las versiones. Todas las versiones de un aplicación cliente/servidor probablemente compartirán el mismo servidor, e interactuarán con éste de la misma forma, pero la implementación del cliente se personalizará para aprovechar las ventajas de dispositivos específicos, cuando estén disponibles.

El principal beneficio de esta técnica es que los usuarios reciben una aplicación que aprovecha todas las características (o nivel de API) que ofrece su dispositivo. Entre las desventajas se encuentran la fragmentación del código fuente (muchas bifurcaciones del mismo código), más requisitos a la hora de realizar pruebas y el hecho de que puede ser más difícil añadir dispositivos en el futuro. Solo recientemente Google play ha permitido que los desarrolladores asocien múltiples archivos del paquete bajo un único nombre del producto.

Antes de esta modificación, los desarrolladores tenían que crear nombres de productos diferentes para cada paquete, por ejemplo, Mi Juego para tabletas, Mi Juego para *smartphone* y Mi Juego para Google TV se gestionaban separadamente, independientemente del código que compartieran. Esto permite a los desarrolladores crear paquetes óptimos que no incluyen los recursos que no se necesitan en cada dispositivo. Por ejemplo, un paquete para una pantalla pequeña no necesitaría los recursos para tabletas o televisiones.

Empleando lo mejor de ambos métodos

En realidad, los equipos de desarrollo móvil usan una aproximación híbrida que incorpora aspectos de ambos métodos. Es bastante habitual que los desarrolladores definen clases de dispositivos basándose en la funcionalidad. Por ejemplo, un juego podría agrupar dispositivos basándose en el rendimiento de los gráficos, la resolución de la pantalla o en diferentes métodos de entrada. Una aplicación basada en localización (LBS) podría agrupar los dispositivos basándose en los sensores internos disponibles.

Otras aplicaciones podrían desarrollar una versión para dispositivos con cámaras incluidas en la parte frontal, y otra versión sin ellas. Estos agrupamientos son arbitrarios y están definidos por el desarrollador para mantener el código y las pruebas manejables. En gran medida, estas aplicaciones están gestionadas por los detalles de una determinada aplicación y los requisitos soportados. En muchas ocasiones estas características también pueden ser detectadas en tiempo de ejecución, pero si añade mucho de ambas, el código se puede volver bastante complejo, mientras que si tuviera dos o tres aplicaciones realmente sería más sencillo.

Truco

Soportar una única versión unificada de una aplicación es más barato que tener múltiples versiones. Sin embargo, un juego podría venderse mejor con versiones personalizadas que aprovechen las diferentes ventajas y características de un tipo determinado de dispositivos. Una aplicación basada en un negocio vertical probablemente genere más beneficios desde una perspectiva unificada que funciona como una unidad. Asimismo, es más sencillo formar a usuarios en múltiples dispositivos, y por lo tanto se incurre en menores costes de soporte en el negocio.

Desarrollar casos de uso de aplicaciones móviles

En primer lugar debería escribir casos de uso del aplicación en términos generales, antes de adaptarlos a clases de dispositivos específicos, que imponen sus propias limitaciones. Por ejemplo, un caso de uso de alto nivel de una aplicación podría ser "introducir datos en formulario", pero los dispositivos individuales podían utilizar diferentes métodos de entrada, como teclados hardware o software, etc.

Truco

Desarrollar una aplicación para múltiples dispositivos es muy parecido a hacerlo para diferentes sistemas operativos y dispositivos de entrada (como gestionar atajos de teclado de Mac frente a los de Windows); debe tener en cuenta diferencias sutiles y no tan sutiles. Estas diferencias pueden ser obvias, como no tener un teclado para la introducción de datos, o no tan obvias, como errores específicos del dispositivo o diferentes convenciones en los botones de funciones. Consulte el capítulo 15 para ver con más detalle la compatibilidad de dispositivos.

Incluir requisitos de terceros

Además de los requisitos impuestos por su análisis interno, su equipo necesita incluir cualquier requisito impuesto por terceros. Estos pueden provenir de diferentes orígenes, incluyendo:

- Requisitos del acuerdo de licencia de Android SDK.
- Requisitos del acuerdo de licencia de la API Google Maps (si es aplicable).
- Requisitos de licencia de otros complementos de Google (si es aplicable).
- Requisitos de otras API de terceros (si es aplicable).
- Requisitos de Google play (si es aplicable).

- Requisitos de otras aplicaciones de ventas (si es aplicable).
- Requisitos de operadoras de telefonía móvil (si es aplicable).
- Requisitos de certificados de la aplicación (si es aplicable).

Incorporar anticipadamente estos requisitos en la planificación de su proyecto es esencial, no solo que su proyecto se desarrolle según lo previsto, sino también porque de esta forma los requisitos se incluyen en su aplicación desde el principio, en lugar de aplicarlos en el último momento, que puede ser arriesgado.

Gestionar una base de datos de dispositivos

Según su equipo de desarrollo crea aplicaciones para un mayor rango de dispositivos, se vuelve más importante controlar los dispositivos en los que se implementa, con el objetivo de tener una estimación de los beneficios y un sencillo mantenimiento. Crear una base de datos de dispositivos es una buena forma de controlar los detalles de ventas y de especificaciones de los dispositivos para la implementación. Cuando decimos "base de datos", nos referimos a cualquier sistema desde una hoja de cálculo de Excel, hasta una pequeña base de datos SQL. La idea es que la información se comparta en el equipo o en la empresa, y que se mantenga actualizada. También puede ser interesante clasificar los dispositivos por clases, como por ejemplo los que soportan OpenGL ES 2.0, o los que tienen una cámara hardware. Es mejor crear la base de datos al principio, cuando se acaban de definir los requisitos del proyecto y los dispositivos en los que se va a implementar. En la figura 16.2 puede ver cómo se puede controlar la información de los dispositivos, y la forma en la que los diferentes miembros del equipo de desarrollo de aplicaciones pueden emplear estos datos.

Truco

Los lectores nos han preguntado sobre el uso de dispositivos personales para realizar pruebas. ¿Es seguro? ¿Es útil? La respuesta rápida es que puede usar su dispositivo personal para realizar pruebas de forma segura en la mayoría de los casos. Es muy improbable que rompa o bloquee su dispositivo hasta un punto en el que un reinicio de los valores de fábrica no lo arregle. Sin embargo, proteger sus datos es un problema totalmente distinto. Por ejemplo, si su aplicación es una base de datos de contactos, pueden aparecer errores o fallos de programación en su listado de contactos. A veces utilizar dispositivos personales es conveniente, especialmente en equipos de desarrollo sin gran presupuesto para hardware. Asegúrese de que entiende las consecuencias.

Definir los dispositivos a controlar

Algunas empresas solo controlan los dispositivos para los que desarrollan, mientras que otras también controlan dispositivos que quieren incluir en el futuro, o dispositivos con una prioridad inferior. Puede incluir dispositivos en la base de datos durante la fase de definición de los requisitos del proyecto, pero también puede hacerlo más tarde formando parte de un cambio del ámbito del proyecto. También puede añadir dispositivos según vayan apareciendo proyectos de portabilidad más adelante.

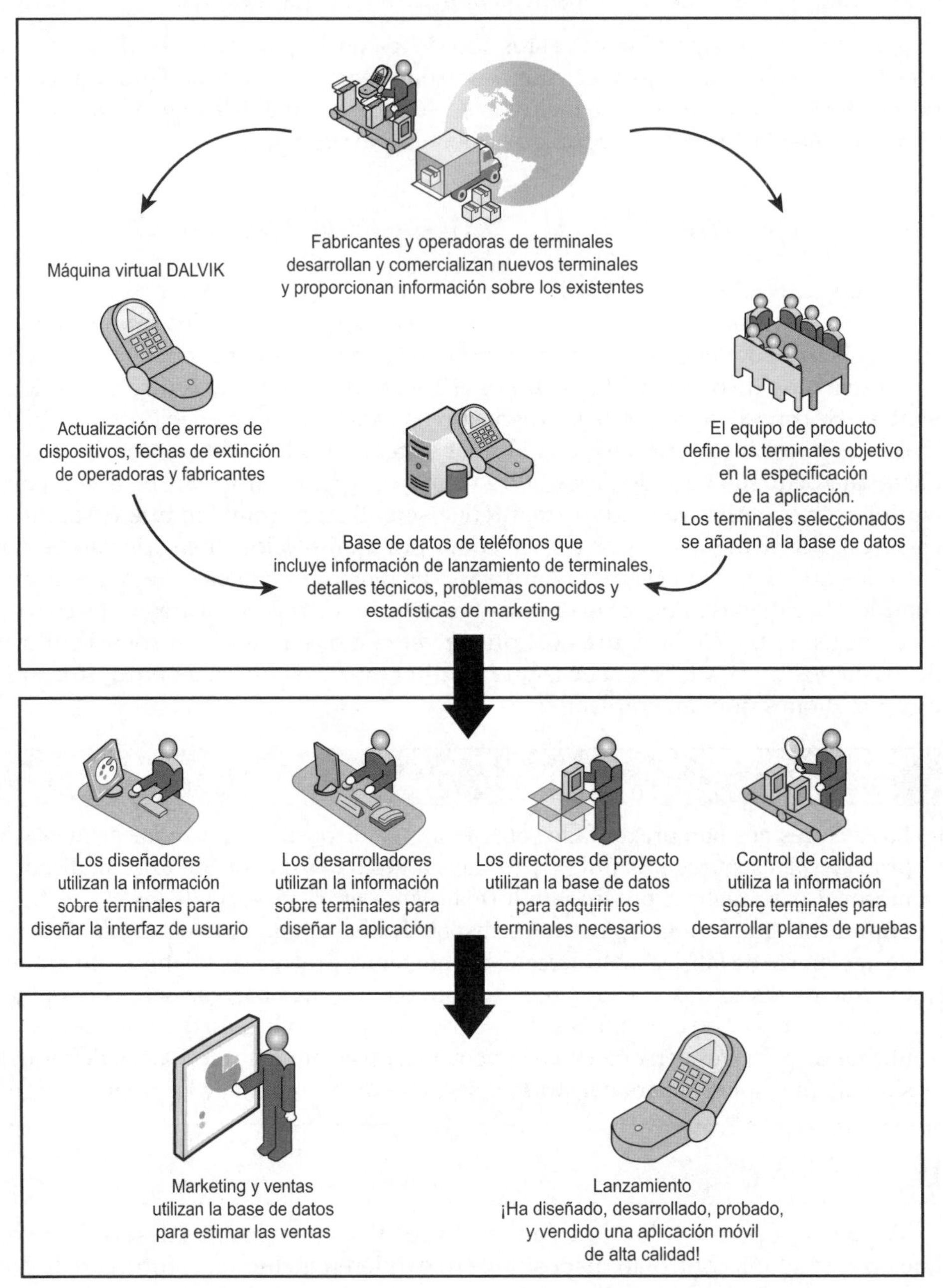

Figura 16.2. Uso de la base de datos por un equipo de desarrollo.

Almacenar datos de dispositivos

Debería diseñar la base de datos de dispositivos de forma que incluyera toda la información de un determinado dispositivo, que pudiera ser útil para desarrollar y vender aplicaciones. Esto podría implicar que alguien tuviera la tarea de realizar un seguimiento continuo de la información desde las operadoras de telefonía hasta los fabricantes. De todas formas esta información puede ser útil para todos los proyectos de tecnología móvil en una empresa. Estos datos deberían incluir:

- Detalles importantes sobre especificaciones técnicas de dispositivos (resolución de pantalla, detalles de hardware, formatos multimedia soportados, métodos de introducción de datos, localización).
- Cualquier problema conocido con los dispositivos (errores y limitaciones).
- Información sobre operadoras de dispositivos (cualquier personalización de *firmware*, fecha de lanzamiento y de finalización, estadísticas previstas de usuarios, como por ejemplo si se espera vender muchos terminales de un tipo determinado, si es bien recibido en mercados verticales, etc.).
- Información de actualizaciones del *firmware* y datos a nivel de API (cuando la información está disponible, puede que los cambios no influyan en dicha aplicación o que no justifiquen una entrada independiente del dispositivo en la base de datos; tenga en cuenta que las diferentes operadoras publican las actualizaciones en fechas diferentes, por lo que puede que no sea factible realizar un seguimiento muy detallado de esta información).
- Información sobre pruebas reales en el dispositivo (que dispositivos han sido comprados o cedidos a través de programas de préstamos por fabricantes u operadoras, cuántos hay disponibles, etc.).

También puede contrastar la información de la operadora del dispositivo con sus cifras de ventas, mercado de la aplicación y parámetros internos.

La información sobre pruebas reales en el dispositivo con frecuencia se implementa más adecuadamente como un sistema de verificación de librerías. Los miembros del equipo pueden reservar dispositivos para pruebas y desarrollo. Cuando hay que devolver a un fabricante un dispositivo prestado, es fácil realizar el seguimiento. Esto también facilita la compartición de dispositivos entre equipos.

Emplear datos del dispositivo

Recuerde que la base de datos se puede usar en múltiples proyectos de desarrollo móvil. Los dispositivos se pueden compartir y se pueden comparar las estadísticas para ver en qué dispositivos sus aplicaciones se ejecutan mejor. Diferentes miembros del equipo (o roles) pueden utilizar la base de datos de dispositivos de formas diferentes:

- Los diseñadores de productos para desarrollar la interfaz de usuario de la aplicación más apropiada para los dispositivos a implementar.

- Los diseñadores multimedia para generar elementos de la aplicación como gráficos, videos y audio en formatos multimedia soportados, y resoluciones adecuadas para los dispositivos a implementar.
- Los directores de proyecto para determinar los dispositivos que deben adquirir para desarrollo y pruebas en el proyecto, y las prioridades en el desarrollo.
- Los desarrolladores software para diseñar y desarrollar aplicaciones compatibles con las especificaciones de los dispositivos en los que se va a implementar.
- El personal de control de calidad para diseñar y desarrollar las especificaciones de dispositivos, con el objetivo de crear planes de pruebas sobre aplicaciones.
- Los profesionales de marketing y ventas para estimar las cifras de ventas en las aplicaciones a publicar. Por ejemplo, es importante saber que las ventas de las aplicaciones caerán cuando disminuya la disponibilidad de un determinado dispositivo.

La información de la base de datos también puede ser útil para determinar los dispositivos más prometedores a la hora de implementar en un futuro y en cuanto a la portabilidad.

Emplear bases de datos de dispositivos de terceros

Existen bases de datos de terceros con información de dispositivos, incluyendo tamaños de pantalla, detalles internos del dispositivo y de soporte de operadoras, pero registrarse para obtener dicha información puede ser caro para una empresa pequeña. En lugar de eso, muchos desarrolladores de tecnología móvil crean una base de datos de dispositivos personalizada, que incluye solo aquellos en los que están interesados, y los datos específicos que necesitan de cada dispositivo, que con frecuencia no se encuentran en las bases de datos gratuitas y abiertas. WURFL (`http://wurfl.sourceforge.net`), por ejemplo, es mejor para el desarrollo Web móvil que para el desarrollo de aplicaciones.

Evaluar riesgos en los proyectos

Además de los riesgos habituales que se deben identificar en cualquier proyecto software, los proyectos de tecnología móvil deben tener en cuenta las influencias externas que pueden afectar a la programación del proyecto, y si se pueden cumplir los requisitos del mismo. Algunos de los factores de riesgo implican tener que identificar y adquirir dispositivos, y evaluar de forma continuada la viabilidad de las aplicaciones.

Identificar los dispositivos en los que se va a implementar

Del mismo modo que los desarrolladores de software sensatos no escribirían una aplicación de escritorio sin decidir en primer lugar los sistemas operativos (y sus versiones) en los que se va a ejecutar, los desarrolladores de tecnología móvil deben considerar los dispositivos en los que se van a ejecutar las aplicaciones. Cada uno tiene diferentes características, interfaces de usuario y limitaciones. Para decidir en qué dispositivos se va a implementar se puede usar alguno de estos criterios:

- Existe un dispositivo puntero en el que quiere desarrollar.
- Quiere desarrollar una aplicación con la máxima cobertura.

En el primer caso, ya tiene pensado el dispositivo (o la clase de dispositivos) en el que va a implementar. En el segundo caso, tendrá que echar un vistazo a los dispositivos del mercado disponibles (o que van a estar disponibles en breve) y adaptar las especificaciones de su aplicación para abarcar el mayor número posible, dentro de lo razonable.

Truco

En la plataforma Android, normalmente no se implementa en dispositivos específicos individualmente, sino en características o clases de dispositivos (por ejemplo, los que ejecuten una determinada versión de la plataforma o los que tengan una configuración hardware determinada). Puede limitar los dispositivos en los que su aplicación se va a implementar utilizando etiquetas del archivo `manifest` de Android, que actúan como filtros en el mercado.

Función de los fabricantes y las operadoras

También es importante darse cuenta que existen líneas de productos populares, como la línea Droid de dispositivos Android, que se personalizan por una serie de fabricantes. Una operadora de telefonía móvil generalmente lanza al mercado una versión personalizada de un dispositivo, aportando diferentes experiencias del usuario y diseños, así como grandes paquetes personalizados de aplicaciones (ocupando mucho espacio en el dispositivo). Es posible que la operadora también desactive características específicas del dispositivo (como Bluetooth o Wi-Fi), que podría impedir que su aplicación se ejecutase. Debe tener todos estos factores en cuenta cuando considere los requisitos y características de su aplicación. Los requisitos de ejecución de su aplicación deben ser comunes para todas las características compartidas de los dispositivos en los que se va a implementar, y deben gestionar adecuadamente todos los casos de uso de características opcionales.

Entender cómo los dispositivos aparecen y desaparecen con el tiempo

Todo el tiempo se están desarrollando nuevos dispositivos. Las operadoras y los fabricantes retiran dispositivos constantemente. Diferentes operadoras pueden trabajar con el mismo dispositivo (o similar) pero retirarlo en momentos diferentes.

Truco

Los desarrolladores deberían definir una política clara para los usuarios sobre el tiempo que se dará soporte a una aplicación después de que la operadora o el fabricante dejen de dar soporte a un dispositivo específico. Esta política puede que tenga que ser diferente según la operadora, ya que cada una de ellas establece sus propios requisitos.

Los desarrolladores necesitan entender cómo los diferentes modelos de dispositivos se pueden mover en el mercado a nivel mundial. Algunos están disponibles (o se hacen populares) solo en determinadas regiones geográficas. A veces se lanzan a nivel mundial, pero lo más habitual es que se haga localmente. Por ejemplo, el T-Mobile G1 se lanzó inicialmente en EE. UU. y posteriormente apareció en el resto del mundo. Del mismo modo, el Motorola Droid solo estaba disponible en EE. UU., mientras que el modelo similar Motorola Milestone solo estaba disponible fuera de este país.

Históricamente, es habitual que un dispositivo (o una nueva generación de dispositivos) inicialmente esté disponible en regiones del este asiático, como Corea del Sur y Japón, y a continuación aparezca en Europa, Norteamérica y Australia, donde los usuarios realizan actualizaciones habitualmente cada uno o dos años y pagan tarifas superiores por las aplicaciones. Por último, los mismos dispositivos aparecerán en América Central y Sudamérica, China e India, donde los suscriptores generalmente no tienen teléfono fijo ni los mismos niveles de ingresos que en otros países. Regiones como China e India deben ser tratadas generalmente como mercados diferentes, donde dispositivos más asequibles requieren modelos de negocios totalmente diferentes. Aquí las aplicaciones se venden a menor coste, pero en cambio los beneficios se derivan a partir de la inmensa y creciente base de suscriptores.

Adquirir dispositivos para implementar

Cuanto antes tenga en sus manos los dispositivos en los que va a implementar, más ventajas tendrá. A veces es tan sencillo como ir a la tienda y comprar un nuevo dispositivo. Otras veces necesitará adquirirlo por otros medios.

Es bastante habitual que los desarrolladores de aplicaciones implementen para los dispositivos que van a aparecer, algunos que todavía no han salido al mercado y no están disponibles para los consumidores. Es una gran ventaja frente a la competencia tener su aplicación lista para ejecutarse en el momento en el que los consumidores tengan el dispositivo en sus manos por primera vez. Para dispositivos en preproducción, puede unirse a programas de desarrollo del fabricante o de la operadora de telefonía móvil.

Estos programas le ayudan a mantenerse al día respecto a los cambios en las líneas del dispositivo (modelos que van a aparecer, modelos obsoletos). Muchos de estos programas incluyen también el préstamo de dispositivos en preproducción, permitiendo a los desarrolladores acceder a los dispositivos físicamente antes de que lo hagan los consumidores.

Truco

Si está empezando a adquirir dispositivos Android, considere el uso de un dispositivo Google Experience, como Galaxy Nexus. Consulte `http://www.google.com/nexus/` para más información. En el momento de escribir este libro, ya no se encontraban disponibles los teléfonos exclusivos para desarrollo.

Existen riesgos para los desarrolladores que escriben aplicaciones para dispositivos en preproducción específicos, debido a que las fechas de lanzamiento cambian con frecuencia y la plataforma podría ser inestable o propensa a errores en el *firmware*. A veces se retrasa el lanzamiento de dispositivos o incluso se cancela. Las características de los dispositivos (especialmente de los más nuevos e interesantes) no están totalmente definidas hasta que han salido al mercado, y el desarrollador pueda verificar que dichas características funcionan de la forma esperada. Todo el tiempo se anuncian nuevos dispositivos muy atractivos en los que le gustaría que su aplicación fuera soportada. La planificación de su proyecto debe ser lo suficientemente flexible para cambiar y adaptarse al mercado cuando sea necesario.

Truco

A veces no necesita adquirir dispositivos específicos para poder probarlos. Existen servicios *online* que le permiten instalar y probar remotamente sobre dispositivos reales accesibles y controlables a través de servicios remotos. La mayoría de estos servicios tienen asociados algún coste que debería ser comparado con el coste de disponer del dispositivo real.

Determinar la viabilidad de los requisitos de una aplicación

Los desarrolladores de tecnología móvil se encuentran a merced de las limitaciones de los dispositivos, que varían en memoria y en potencia de procesamiento, tipos de pantalla y versiones de la plataforma. Estos desarrolladores no tienen el lujo que se pueden permitir los desarrolladores de aplicaciones tradicionales de escritorio de poder decir que una aplicación necesita "más memoria" o "más espacio". Las limitaciones del dispositivo están bastante fijas, y si una aplicación del dispositivo se tiene que ejecutar, se deberá ejecutar dentro de esas limitaciones, o no se ejecutará. Técnicamente hablando, la mayoría de los dispositivos Android tienen alguna flexibilidad en el hardware, como la posibilidad de emplear dispositivos de almacenamiento externo como tarjetas SD, pero aún así estamos hablando de recursos limitados. Solo puede realizar una auténtica evaluación de la viabilidad sobre el dispositivo físico y no en el emulador software. Su aplicación podría ejecutarse correctamente en el emulador pero generar errores en el dispositivo real. Los desarrolladores de tecnología móvil tienen que revisar la viabilidad constantemente, la capacidad de respuesta de la aplicación y el rendimiento durante todo el proceso de desarrollo.

Riesgos en la garantía de calidad

El equipo de garantía de calidad tiene ciertas limitaciones en sus funciones, ya que el entorno de pruebas dista de ser el ideal.

Realizar pruebas anticipadamente y con frecuencia

Consiga el dispositivo de pruebas lo antes posible. En dispositivos en preproducción, se pueden tardar meses en conseguir el hardware del fabricante. Participar en programas de préstamo de dispositivos de operadoras o comprar dispositivos en tiendas al por menor puede ser frustrante, pero a veces es necesario. No espere hasta el último minuto para obtener el hardware de prueba.

Realizar pruebas en el dispositivo

Nunca está de más repetirlo: realizar pruebas en el emulador es útil, pero en el dispositivo real es esencial. En realidad, no tiene importancia si la aplicación funciona o no en el emulador, nadie lo usa en el mundo real.

Aunque puede realizar reinicios de fábrica en dispositivos y eliminar los datos del usuario, generalmente no existe una manera fácil de "limpiar" por completo un dispositivo y devolverlo a su estado inicial, por lo que el equipo de garantía de calidad necesita definir y seguir una política de pruebas sobre lo que se puede considerar el estado inicial de un dispositivo. Los probadores puede que necesiten aprender a programar dispositivos con diferentes versiones del *firmware*, y conocer las sutiles diferencias entre diferentes versiones de la plataforma, así como la forma en la que se almacenan los datos de la aplicación en el dispositivo (por ejemplo, bases de datos SQLite, archivos privados de aplicación y uso de la caché).

Disminuir el riesgo de tener opciones limitadas de pruebas en el mundo real

De alguna forma, los que se encargan del control de calidad trabajan en un entorno seguro. Esto se cumple doblemente para los probadores de móviles. Con frecuencia trabajan con dispositivos que no están en redes reales y que también están en preproducción, por lo que puede que no sean iguales que los que se encuentran en el campo. Además de esto, debido a que las pruebas generalmente se realizan en un laboratorio, la ubicación (incluyendo la torre celular primaria, potencia de la señal de los satélites y dispositivos relacionados estables, disponibilidad de servicios de datos, información LBS e información regional) es fija. El equipo de control de calidad necesita ser creativo y reducir los riesgos que conlleva realizar pruebas demasiado restringidas en cuanto a estos factores. Por ejemplo, es esencial probar todas las aplicaciones cuando el dispositivo no tiene señal (en modo avión o semejante), para asegurarse de que no se bloquea en dichas condiciones, que todos experimentamos en algún momento. Existen una serie de herramientas de pruebas, algunas más adecuadas para desarrolladores y para pruebas en caja blanca, como ayuda para el desarrollo de aplicaciones. Algunas de estas herramientas son Exerciser Monkey, monkeyrunner y JUnit.

Probar aplicaciones cliente/servidor y preparadas para la nube

Asegúrese de que el equipo de control de calidad entiende sus responsabilidades. Las aplicaciones móviles con frecuencia incluyen componentes de red y funcionalidad en el lado del servidor. Incluya pruebas completas de redes y servicios en su plan de trabajo, no solo en la parte del cliente de la solución implementada en el dispositivo. Esto puede que requiera el desarrollo de aplicaciones de escritorio o aplicaciones Web para probar las partes de red que forman parte de la solución global.

Escribir documentación esencial del proyecto

Podría pensar que con planificaciones cortas, equipos pequeños o funcionalidades sencillas, la documentación de un proyecto software móvil es más sencilla. Desafortunadamente, este no es el caso, sino más bien lo contrario. Además de los beneficios tradicionales que aporta a cualquier proyecto software, disponer de una buena documentación cumple varios objetivos en el desarrollo móvil. En un proyecto debería considerar incluir los siguientes aspectos en la documentación:

- Análisis y priorización de requisitos.
- Evaluación y gestión de requisitos.
- Arquitectura y diseño de la aplicación.
- Estudios de viabilidad, incluyendo pruebas de rendimiento.
- Especificaciones técnicas (completas, servidor, cliente según dispositivo).
- Especificaciones detalladas de la interfaz de usuario (generales, específicas según dispositivo).
- Planes de pruebas, código de prueba, casos de prueba (generales, específicos según dispositivo).
- Documentación de cambio de ámbito.

La mayoría de esta documentación es común en un proyecto de desarrollo software medio. Pero quizás su equipo piense que en el pasado ha sido posible prescindir de ciertos aspectos de la documentación. Antes de pensar en reducirla en un proyecto software, mejor considere en cumplir algunos requisitos para realizar un proyecto con éxito. Alguna documentación del proyecto podría ser más simple que la de proyectos software a gran escala, pero se debería profundizar con detalle en algunos aspectos, especialmente en la interfaz del usuario y en los estudios de viabilidad.

Desarrollar planes de pruebas para el control de calidad

El control de calidad se apoya fuertemente en la documentación de especificaciones funcionales y de la interfaz del usuario. El espacio disponible en las pequeñas pantallas de los dispositivos móviles es muy valioso, y la experiencia del usuario es vital para el éxito de un proyecto de este tipo. Los planes de pruebas tienen que incluir completamente la interfaz de usuario de la aplicación, siendo lo suficientemente flexible para resolver problemas de experiencia del usuario a alto nivel, que podrían cumplir los requisitos del plan de pruebas, pero que no son experiencias positivas.

Importancia de la documentación de la interfaz del usuario

No hay nada peor que una aplicación maravillosa con una interfaz de usuario con un diseño pobre. Un diseño adecuado de la interfaz de usuario es uno de los detalles más importantes que hay que definir durante la fase de diseño de cualquier proyecto software de tecnología móvil. Debe documentar con detalle el flujo de trabajo de la aplicación (el estado de la aplicación) pantalla por pantalla, y puede incluir especificaciones detalladas de patrones claves de uso, y cómo retirarse elegantemente cuando no se incluyen determinadas características. Debería definir por anticipado con claridad los casos de uso.

Pruebas en instalaciones de terceros

Algunas empresas optan por realizar el control de calidad externamente con un tercero; la mayoría de los equipos de control de calidad necesitan documentación detallada, incluyendo diagramas del flujo de trabajo de casos de uso, para determinar el comportamiento adecuado de la aplicación. Si no proporciona una documentación adecuada, detallada y precisa a las instalaciones donde se van a realizar las pruebas, no podrá obtener resultados buenos, detallados y precisos. Cuando proporciona una documentación detallada, eleva el nivel desde "funciona" hasta "funciona correctamente". Lo que para algunos puede parecer sencillo para otros no lo es.

Proporcionar documentación solicitada por terceros

Si se le pide enviar su aplicación a un programa de certificación de software, o incluso en algunos casos a una tienda de aplicaciones móviles, en dicho envío es probable que se le pida alguna documentación sobre su aplicación. Por ejemplo, algunas tiendas necesitan que su aplicación incluya una opción de ayuda o información de contacto de soporte técnico. Los programas de certificación podrían requerir que enviara documentación detallada sobre la funcionalidad de su aplicación, del flujo de trabajo de su interfaz de usuario y diagramas de estado de su aplicación.

Proporcionar documentación para mantenimiento y portabilidad

Las aplicaciones móviles con frecuencia se exportan a dispositivos adicionales y a otras plataformas móviles. El trabajo de portabilidad con frecuencia se realiza por un tercero, haciendo que la existencia de especificaciones técnicas y funcionales detalladas sea un aspecto crucial.

Utilizar sistemas de gestión de la configuración

Puede encontrar muchos sistemas de control del código fuente para desarrolladores, y la mayoría funcionan correctamente para el desarrollo tradicional en proyectos para plataformas móviles. Por otro lado, crear versiones de su aplicación no es necesariamente tan sencillo como podría parecer en un principio.

Seleccionar un sistema de control de código fuente

Las características del desarrollo móvil imponen que no puedan existir requisitos imprevistos cuando emplea sistemas de control del código fuente. Algunas de las consideraciones que hay que tener en cuenta sobre cómo estos sistemas gestionan la configuración en un proyecto móvil son:

- Posibilidad de realizar el seguimiento del código fuente (Java) y archivos binarios (paquetes de Android, etc.).
- Posibilidad de realizar el seguimiento de los recursos de la aplicación según la configuración del dispositivo (gráficos, etc.).
- Integración con el entorno de desarrollo elegido (Eclipse).

Un aspecto que se debe considerar es la integración entre el entorno de desarrollo (como Eclipse) y el sistema de control de su código fuente. Sistemas de control como Perforce, Subversion o Mercurial funcionan correctamente con Eclipse. Compruebe si su sistema de control favorito funciona bien con el entorno de desarrollo Android elegido. Tenga en cuenta también que Eclipse es el entorno de desarrollo recomendado para Android, y que gran parte de la funcionalidad del grupo de herramientas de desarrollo Android consiste en dar soporte a los usuarios de Eclipse (visite la página `http://tools.android.com/recent` para más información).

Implementar un sistema de versiones de la aplicación

Los desarrolladores también deberían decidir al principio un esquema de versiones que tenga en cuenta las particularidades del dispositivo y del diseño del software. Con frecuencia no es suficiente versionar el software para que solo se implemente (es decir, usar la versión 1.0.1). Los desarrolladores de aplicaciones móviles con frecuencia combinan el esquema de versiones tradicional con la configuración del dispositivo que se va a utilizar o la clase de dispositivos soportada (Versión 1.0.1 Características importantes/Nombre de clases de dispositivos). Esto ayuda al control de calidad, al personal de soporte técnico y a los usuarios finales, que podrían no conocer los nombres de los modelos o las características de sus dispositivos, o que solo las conocen por los nombres de marketing, los cuales los desarrolladores no conocen habitualmente. Por ejemplo, una aplicación desarrollada con soporte para cámara podría ser versionada como 1.0.1.Cam, donde Cam indica "soporte de cámara", mientras que la misma aplicación para un dispositivo sin soporte de cámara podría tener una versión como 1.0.1.NoCam, donde NoCam indica una variación del software "sin soporte de cámara". Si dos ingenieros de mantenimiento diferentes dan soporte a diferentes bifurcaciones del código fuente, solo con el nombre de la versión sabría a quién asignarle los posibles errores que pudieran surgir.

Para complicar un poco más todo esto, también necesita tener un plan para actualizar las versiones. Si una versión genera una nueva compilación en su código, podría emplear un nombre de versión adecuado como: Version 1.0.1.NoCam.Upg1, o algo parecido. Si, esto podría volverse incontrolable, por lo que no debe abusar de estas denominaciones, pero si diseña de forma inteligente y con anticipación su sistema de versiones, puede ser útil más adelante cuando tiene diferentes compilaciones para dispositivos diferentes internamente, y también para los usuarios. Por último, tiene que realizar un seguimiento del atributo `versionCode` asociado con su aplicación.

También debe conocer qué métodos de distribución soportan múltiples paquetes de la aplicación o archivos binarios de la misma, y cuáles requieren que cada archivo binario sea gestionado de forma independiente. Por ejemplo, el tamaño del paquete de la aplicación puede hacerse grande y poco manejable si la aplicación intenta soportar múltiples resoluciones de dispositivos usando recursos alternativos.

Diseñar aplicaciones móviles

Cuando diseña una aplicación móvil, el desarrollador debe considerar las restricciones impuestas por el dispositivo y decidir qué tipo de entorno de la aplicación es mejor para un determinado proyecto.

Limitaciones de dispositivos móviles

De las aplicaciones se espera que sean rápidas, que tengan capacidad de respuesta, que sean estables, pero hay que tener en cuenta que los desarrolladores trabajan con recursos limitados.

Cuando diseñe y desarrolle aplicaciones móviles, debe conocer las restricciones de memoria y de potencia de procesamiento de todos los dispositivos en los que va a implementar.

Explorar arquitecturas típicas de aplicaciones móviles

Las aplicaciones móviles se crean bajo dos modelos básicos: aplicaciones independientes y aplicaciones gestionadas por red. Las aplicaciones independientes se empaquetan con todo lo que necesitan y se apoyan en el dispositivo para realizar todo el trabajo pesado. Todo el procesamiento se realiza localmente, en memoria, y está sujeto a las limitaciones del dispositivo. Estas aplicaciones pueden utilizar funciones de red, pero no se apoyan en éstas para las funcionalidades clave. Un ejemplo de una aplicación independiente adecuada es el juego básico del Solitario. Un usuario puede jugar cuando el dispositivo está en modo avión sin ningún problema. Las aplicaciones gestionadas por red proporcionan un cliente sin mucho peso en el dispositivo, pero se apoyan en la red (o en "la nube") para proporcionar gran parte de su contenido y funcionalidad. Estas aplicaciones con frecuencia descargan las operaciones de procesamiento intensivo en un servidor. También se benefician de la posibilidad de obtener contenido adicional o funcionalidad sobre la marcha, después de que la aplicación se haya instalado. A los desarrolladores les gustan este tipo de aplicaciones, ya que esta arquitectura les permite crear un buen servicio en una aplicación en un servidor o en la nube, con dispositivos cliente en diferentes sistemas operativos, lo que les permite dar cobertura a un gran número de usuarios. Estos son algunos buenos ejemplos de aplicaciones gestionadas por red:

- Aplicaciones que emplean servicios basados en la nube, servidores de aplicaciones o servicios Web.
- Contenido personalizable, como aplicaciones de tonos de llamada o fondos de pantalla.
- Aplicaciones sin procesamiento crítico y con operaciones intensivas en memoria que se pueden trasladar a un potente servidor, y los resultados devueltos al cliente.
- Cualquier aplicación que proporcione características adicionales en una fecha posterior, sin una actualización completa del archivo binario.

El desarrollador decide el grado de uso de la red para ayudar a la funcionalidad de su aplicación. Puede emplearla para proporcionar solo actualizaciones de contenido (nuevos tonos de llamada) o puede utilizarla para decidir el aspecto y el comportamiento de su aplicación (por ejemplo, añadir nuevas opciones del menú o características sobre la marcha).

Diseñar para ampliación y mantenimiento

Las aplicaciones se pueden escribir con una interfaz de usuario fija y un conjunto definido de características, pero no tiene porqué ser así. Las aplicaciones gestionadas por red pueden ser más complejas de diseñar pero ofrecen flexibilidad a largo plazo. A continuación tiene un ejemplo: supongamos que quiere escribir una aplicación de fondos de pantalla. Su aplicación podría ser independiente, gestionada parcialmente por red, o gestionada completamente por red. Independientemente del tipo que sea, su aplicación tiene que realizar dos funciones:

- Mostrar un conjunto de imágenes y permitir al usuario elegir una.
- Emplear la imagen seleccionada como fondo de pantalla del dispositivo.

Una aplicación independiente muy sencilla podría incluir un conjunto fijo de fondos de pantalla. Si tienen un tamaño del fondo genérico para todos los dispositivos a implementar, necesitará cambiarlo según el dispositivo de que se trate. Podría escribir esta aplicación, pero sería una pérdida de espacio y de capacidad de procesamiento. No podría actualizar los fondos de pantalla, y en general se considera como un mal diseño.

La aplicación gestionada parcialmente por red podría permitir al usuario buscar dentro de un menú determinado de categorías de fondos de pantalla, que mostrarían imágenes de un servidor genérico de imágenes. Esta aplicación descargaría una imagen determinada, y a continuación la adaptaría a dicho dispositivo. Como desarrollador, podría añadir nuevos fondos de pantalla al servidor en cualquier momento, pero necesitaría crear una nueva aplicación cada vez que quisiera añadir una nueva configuración de dispositivo o tamaño de pantalla. Si quisiera cambiar el menú para añadir fondos de pantalla sobre la marcha más adelante, necesitaría escribir una nueva versión de su aplicación. Este diseño es viable, pero no está usando los recursos de forma inteligente y tampoco se podría ampliar. Sin embargo, podría utilizar un único servidor de la aplicación y escribir aplicaciones para clientes Android, iPhone, BREW, J2ME y Blackberry, por lo que tiene más ventajas que en el caso de la aplicación independiente.

La versión de la aplicación que emplea totalmente la red usa el dispositivo lo menos posible. El cliente permite al servidor que decida el aspecto de la interfaz de usuario del cliente, qué menús que se van a mostrar y dónde se van a ubicar. El usuario explora las imágenes en la aplicación servidor igual que en la versión parcialmente gestionada por red, pero cuando éste selecciona un fondo de pantalla, la aplicación móvil tan solo envía una petición al servidor: "Quiero este fondo de pantalla y soy este tipo de dispositivo, con esta determinada resolución de pantalla". El servidor da formato y redimensiona la imagen (y realiza cualquier otra operación intensiva en procesamiento) y envía el fondo de pantalla perfectamente adaptado a dicha aplicación, que después ésta utilizará como fondo de pantalla.

Añadir soporte para más dispositivos es muy sencillo, simplemente tiene que implementar la aligerada parte del cliente con todos los cambios necesarios, y añadir soporte para dicha configuración del dispositivo en el servidor. Añadir un nuevo elemento de menú implica tan solo un cambio en el servidor, implementándose esta categoría en todos los dispositivos (o en los que decida el servidor). Solo necesitará actualizar el cliente cuando una nueva función requiera cambios en el cliente, como añadir soporte para fondos de pantalla sobre la marcha. El tiempo de respuesta de esta aplicación depende del rendimiento de la red, pero la aplicación es más dinámica y se puede ampliar más fácilmente. Sin embargo, es prácticamente inútil si el dispositivo está en modo avión.

Las aplicaciones independientes son sencillas. Esta solución es buena para aplicaciones que no dependan de la red. Las aplicaciones gestionadas por red requieren algo más de trabajo y a veces son más complicadas de desarrollar, pero a la larga pueden ahorrarle mucho tiempo y proporcionar a los usuarios nuevos contenidos y características.

Diseñar teniendo en cuenta la interoperabilidad de aplicaciones

Los diseñadores de aplicaciones móviles deberían considerar cómo van a relacionarse sus aplicaciones con otras aplicaciones del dispositivo, incluyendo las que están escritas por el mismo desarrollador. Algunos problemas que deberán afrontar son:

- ¿Su aplicación se apoya en otros proveedores de contenidos?
- ¿Esto proveedores están instalados siempre en el dispositivo?
- ¿Su aplicación va a actuar como proveedor de contenidos? ¿Qué tipo de datos va a proporcionar?
- ¿Su aplicación tendrá funcionalidad en segundo plano? ¿Actuará como un servicio?
- ¿Su aplicación empleará servicios de terceros o componentes opcionales?
- ¿Su aplicación usará mecanismos públicos documentados `Intent` para acceder a funcionalidad de terceros? ¿Su aplicación proporcionará lo mismo?
- ¿Cómo afectará a la experiencia del usuario si los componentes opcionales de su aplicación no están disponibles?
- ¿Su aplicación mostrará su funcionalidad a través de una interfaz remota o AIDL (*Android Interface Definition Language*, Lenguaje de definición de interfaz Android)?

Desarrollar aplicaciones móviles

La implementación de aplicaciones móviles sigue los mismos principios de diseño que otras plataformas. Los pasos que los desarrolladores siguen durante la implementación están bastante definidos:

- Escribir y compilar el código.
- Ejecutar la aplicación en el emulador software.
- Probar y depurar la aplicación en el emulador software o en el terminal.
- Empaquetar e implementar la aplicación en los dispositivos.
- Probar y depurar la aplicación en los dispositivos.

- Incluir los cambios que realice su equipo de trabajo y repetir este paso hasta finalizar la aplicación.

Nota

En el capítulo 17 hablaremos con más detalle sobre las estrategias de desarrollo para crear aplicaciones robustas en Android.

Probar aplicaciones móviles

Los probadores tienen que enfrentarse a muchos retos, incluyendo la fragmentación de dispositivos (muchos dispositivos cada uno con diferentes características, a veces llamado "compatibilidad"), definir los estados del dispositivo (¿cuál es el estado inicial del dispositivo?) y gestionar eventos del mundo real (existencia de llamadas en el dispositivo, pérdida de cobertura). Obtener los dispositivos para realizar las pruebas puede ser caro y difícil.

La buena noticia para los equipos de control de calidad es que Android SDK incluye una serie de útiles herramientas para probar aplicaciones tanto en el emulador con en el dispositivo. Hay muchas opciones para realizar pruebas en caja blanca.

Debe modificar los sistemas de detección de errores para gestionar pruebas entre diferentes configuraciones y operadoras de dispositivos. Para realizar pruebas a fondo, los miembros de este equipo generalmente no pueden sin más coger el dispositivo e "intentar romperlo". Hay muchas opciones entre los dos extremos que consisten en pruebas en caja negra o en caja blanca. Los probadores deberían conocer bien el emulador de Android y el resto de utilidades proporcionadas en Android SDK. Garantizar la calidad en aplicaciones móviles implica muchas pruebas límite. Es bueno recordar que un modelo en preproducción de un dispositivo puede que no sea exactamente igual al que llega finalmente a los consumidores.

Nota

En el capítulo 18 hablaremos en detalle sobre pruebas en dispositivos Android.

Implementar aplicaciones móviles

Los desarrolladores necesitan determinar los métodos que van a utilizar para distribuir aplicaciones. En Android tiene diversas opciones. Puede vender las aplicaciones usted mismo empleando sitios de terceros como Google play. Algunos mercados consolidados como Handango también incluyen canales de distribución de Android que puede usar.

Nota

En el capítulo 19 hablaremos en detalle sobre la publicación de aplicaciones Android.

Determinar los mercados

Los desarrolladores deben tener en cuenta los requisitos impuestos por los agentes terceros que ofrecen mecanismos de distribución de aplicaciones. Distribuidores específicos pueden imponer reglas sobre qué tipos de aplicaciones distribuyen. Podrían imponer requisitos de calidad como certificados de pruebas (aunque en el momento de escribir este libro no había ninguno específico para aplicaciones Android) y soporte técnico complementario, documentación y cumplimiento de estándares comunes de flujo de trabajo en interfaces de usuario (es decir, el botón **Volver** se debería comportar como tal), y medidas del rendimiento de la capacidad de respuesta de aplicaciones. Los distribuidores también podrían imponer restricciones de contenidos como contenidos censurables.

Nota

Los canales de distribución más populares de distribución de aplicaciones Android han cambiado con el tiempo. Google play sigue siendo la primera parada en la publicación de aplicaciones Android, pero Amazon Appstore ha incrementado su popularidad el año pasado. También existen otras tiendas de aplicaciones, algunas enfocadas en determinados géneros o nichos de aplicaciones, mientras que otras distribuyen para plataformas muy diversas. Puede ver un resumen de varios mercados muy populares en `http://goo.gl/1MuY2`.

Dar soporte y mantenimiento a aplicaciones móviles

Los desarrolladores no pueden tan solo desarrollar una aplicación, publicarla y a continuación olvidarse de ella. Incluso las aplicaciones más sencillas probablemente necesiten cierto mantenimiento y una actualización de vez en cuando. En general, los requisitos de soporte de aplicaciones móviles son mínimos si los compara con los del software tradicional, pero existen.

Las operadoras de telefonía generalmente realizan la función de primera línea en el soporte técnico a los usuarios finales. No se espera que los desarrolladores tengan que dar soporte 24 horas al día los 7 días de la semana, ofrecer números gratuitos o algo parecido. De hecho, el grueso del mantenimiento de la aplicación puede recaer en el lado del servidor, y estar limitado al mantenimiento de contenidos, como por ejemplo suministrar nuevo contenido multimedia como tonos de llamada, fondos de pantalla, videos u otros contenidos.

A simple vista, esto puede que no parezca algo obvio. Después de todo, el desarrollador publica su correo electrónico y un sitio Web cuando el usuario descarga una aplicación. Aunque fuera este el caso, un usuario medio todavía puede realizar llamadas en primer lugar a la empresa que factura (en otras palabras, la operadora) para obtener soporte si el dispositivo no está funcionando correctamente.

No obstante, los cambios del *firmware* se suceden rápidamente, y los equipos de desarrollo móvil necesitan estar al día en el mercado. A continuación puede ver algunos consejos sobre mantenimiento y el soporte, exclusivos para el desarrollo de aplicaciones móviles.

Seguimiento y gestión de errores aportados por los usuarios

Google play, el medio más popular para distribuir aplicaciones Android, incluye características que permiten a los usuarios enviar informes de errores y de bloqueos en relación con aplicaciones. Controlar su cuenta de desarrollador y gestionar estos problemas a tiempo es una forma de conservar su credibilidad y hacer felices a sus usuarios.

Probar actualizaciones del firmware

Los terminales Android experimentan actualizaciones del *firmware* frecuentes (algunos podrían decir muy frecuentes). Esto significa que las versiones de la plataforma Android en las que realizaron pruebas al principio y en la que dio soporte, se habrán quedado obsoletas, y los terminales en los que está instalada su aplicación pueden de repente estar ejecutando nuevas versiones del *firmware*. Aunque se supone que las actualizaciones son compatibles con versiones anteriores, esto no siempre es así. De hecho, muchos desarrolladores han caído víctimas de determinadas problemas con actualizaciones, en los que sus aplicaciones de repente dejan de funcionar como deberían. Vuelva a realizar pruebas en sus aplicaciones siempre que surja alguna actualización mayor o menor en el *firmware*.

Mantener una documentación adecuada de la aplicación

El mantenimiento no siempre se lleva a cabo por los mismos ingenieros que desarrollaron la aplicación inicialmente. Por lo tanto, es vital que mantenga una documentación adecuada sobre desarrollo y pruebas, incluyendo especificaciones y código de pruebas.

Gestionar cambios sobre la marcha en el servidor

Trate siempre los servidores o los servicios Web o de la nube con el cuidado que merecen. Esto significa que necesita programar adecuadamente sus copias de seguridad y actualizaciones. Tiene que guardar los datos de forma segura y mantener siempre la privacidad del usuario. Debe gestionar las implantaciones cuidadosamente ya que los usuarios de aplicaciones móviles podrían apoyarse en la disponibilidad de aplicaciones. No subestime el desarrollo en el lado del servidor o las necesidades de realizar pruebas. Pruebe siempre las implantaciones del servidor y las actualizaciones del servicio en un entorno seguro antes de que estén disponibles.

Identificar las posibilidades de portabilidad de bajo riesgo

Si ha implementado la base de datos de dispositivos de la hablamos al principio de este capítulo, ahora es el momento ideal para analizar las similitudes entre los dispositivos para identificar los proyectos sencillos de portabilidad. Por ejemplo, podría descubrir lo siguiente: una aplicación fue desarrollada originalmente para un determinado tipo de dispositivo, pero ahora puede encontrar en el mercado varios dispositivos con características similares. Realizar la portabilidad de una aplicación existente en estos nuevos dispositivos a veces es tan sencillo como generar una nueva compilación (con la versión adecuada) y probarla en dichos dispositivos. Si ha definido sus clases de dispositivos correctamente, podría ser afortunado y no tener que realizar ningún cambio cuando estos salgan al mercado.

Resumen

El desarrollo de software móvil ha evolucionado con el tiempo, y presenta grandes diferencias con el desarrollo tradicional de software de escritorio. En este capítulo, hemos aportado algunos consejos prácticos para adaptar este proceso tradicional al desarrollo móvil, desde identificar dispositivos en los que implementar, hasta la realización de pruebas y la implementación de su aplicación en el mundo real. Cuando hablamos de procesos software, siempre hay opciones de mejorarlo. Con un poco de suerte, estos conocimientos le pueden ayudar a evitar los errores que las nuevas compañías de tecnología móvil a veces cometen, o simplemente mejorar el proceso en los equipos con experiencia.

Referencias y más información

- Información en Wikipedia sobre el proceso software: `http://en.wikipedia.org/wiki/Software_development_process`.

- Información en Wikipedia sobre RAD: `http://en.wikipedia.org/wiki/Rapid_application_development`.
- Información en Wikipedia sobre desrrollo iterativo: `http://en.wikipedia.org/wiki/Iterative_and_incremental_development`.
- Información en Wikipedia sobre el proceso de desarrollo tipo cascada: `http://en.wikipedia.org/wiki/Waterfall_model`.
- Programación extrema: `http://www.extremeprogramming.org`.

17
Diseñar y desarrollar aplicaciones robustas en Android

En este capítulo vamos ver consejos y técnicas adquiridas en muchos años de experiencia en el diseño y desarrollo software. También advertimos a los diseñadores, desarrolladores y gestores de aplicaciones móviles, de los diversos obstáculos que podrían encontrar. Si es nuevo en el desarrollo móvil, leer este capítulo todo seguido puede ser un poco abrumador.

En lugar de eso, quizás podría ser interesante que leyera secciones específicas cuando esté trabajando en las diferentes partes del proceso global. Alguno de estos consejos puede que no sea apropiado para su proyecto en particular, y los procesos siempre se pueden mejorar.

Con un poco de suerte esta información sobre las causas por las que un proyecto de desarrollo móvil puede tener éxito (o fracasar) le aportará más conocimientos sobre cómo incrementar las opciones de triunfo en sus propios proyectos.

Buenas prácticas en el diseño de aplicaciones móviles robustas

Las "reglas" de diseño de aplicaciones móviles son sencillas y aplicables a todas las plataformas. Estas reglas se han creado para recordarnos que nuestras aplicaciones con frecuencia juegan un papel secundario en el dispositivo. Después de todo, muchos dispositivos son teléfonos "inteligentes". Estas reglas también aclaran que podemos operar con los dispositivos, hasta cierto punto, gracias a la infraestructura gestionada por las operadoras y los fabricantes de dispositivos. Estas reglas están bien reflejadas en el acuerdo de licencia de Android SDK y en los términos y condiciones de las aplicaciones de terceros en el mercado. Esta son las "reglas":

- No interfiera con servicios de telefonía ni de mensajería del dispositivo (si es aplicable).
- No rompa, manipule o utilice el hardware, *firmware* o software del dispositivo, o los componentes OEM.
- No abuse o cause problemas con la red de las operadoras.
- No abuse de la confianza del usuario.

Ahora quizá estas reglas le parezcan obvias, pero incluso los desarrolladores con las mejores intenciones podrían accidentalmente caer en alguna de estas categorías, si no tienen cuidado y no prueban a fondo sus aplicaciones antes de distribuirlas. Esto se cumple especialmente para las aplicaciones que se apoyan en el soporte de red y en las API hardware de bajo nivel del dispositivo, y las que almacenan datos privados de los usuarios, como nombres, ubicaciones e información de contactos.

Cumplir las demandas de los usuarios de tecnología móvil

Los usuarios también tiene su propio conjunto de demandas para las aplicaciones que instalan en sus dispositivos. Se espera que las aplicaciones:

- Tengan capacidad de respuesta, sean estables y seguras.
- Tengan interfaces de usuario sencillas e intuitivas, y que estén listas para ser utilizadas.
- Realicen su función con un nivel de frustración mínimo para el usuario (capacidad de respuesta y que sean amigables).
- Se puedan utilizar las 24 horas del día y los 7 días a la semana (servidores remotos o servicios siempre activados y disponibles).
- Incluyan una pantalla de Ayuda y/o Acerca de con información de contacto y de soporte.
- Utilicen adecuadamente la información privada del usuario.

Diseñar interfaces de usuario para dispositivos móviles

Diseñar interfaces de usuario eficaces para dispositivos móviles, especialmente aplicaciones que se ejecutan en diferentes dispositivos, a veces puede parecer magia negra. Todos hemos visto alguna vez malas interfaces de usuario en aplicaciones. Una experiencia de usuario frustrante puede alejar a los usuarios de sus aplicaciones, mientras que una buena experiencia puede incrementar su lealtad. Grandes experiencias de usuario dan ventaja a su aplicación sobre sus competidores, aunque su funcionalidad sea similar. Una interfaz de usuario elegante y bien diseñada puede ganar usuarios incluso cuando su funcionalidad sea inferior a la de su competencia. Dicho de otro modo, hacer una sola cosa realmente bien es más importante que saturar una aplicación con demasiadas características. A continuación puede ver algunos consejos para diseñar buenas interfaces de usuario:

- Rellene las pantallas con moderación, demasiada información puede cansar al usuario.
- Sea consistente con el flujo de trabajo de su interfaz de usuario, tipos de menú y botones. También debe considerar las normas del dispositivo relacionadas con esta consistencia.
- Diseñe su aplicación con fragmentos, aunque no desarrolle en tabletas (el paquete de soporte de Android hace posible esto para prácticamente todas las versiones).
- Diseñe las "áreas de toque" lo suficientemente grandes y espaciadas adecuadamente.
- Simplifique los casos comunes de uso con interfaces claras, consistentes y sencillas.
- Utilice iconos grandes con fuentes que se puedan leer fácilmente.
- Integre su aplicación con otras del sistema utilizando controles estándar, como el símbolo de contactos, proveedores de contenidos y adaptadores de búsqueda.
- Tenga en cuenta la configuración regional cuando diseñe interfaces de usuario con mucho texto. Algunos idiomas pueden ocupar más que otros.
- Reduzca al máximo el número de clics o botones necesario.
- No asuma que un determinado mecanismo de entrada (como botones específicos o la existencia de un teclado) siempre va a estar disponible en todos los dispositivos.
- Intente diseñar los casos de uso por defecto de cada pantalla de forma que el usuario solo utilice el dedo. Algunos casos especiales pueden requerir otros botones o métodos de entrada, pero intente utilizar el toque con los dedos como método de entrada por defecto.
- Dimensione apropiadamente recursos como gráficos en los dispositivos. No incluya recursos con tamaño extra ya que incrementan mucho el tamaño del paquete de su aplicación, la carga será más lenta y en general son menos eficaces.
- En lo relacionado con interfaces de usuario "amigables", asuma que los usuarios no leen los permisos de la aplicación cuando tienen que consentir la instalación. Si la suya realiza alguna acción que podría hacer que el usuario incurriera en gastos

significativos, o que compartiera información privada, infórmelos de nuevo (y de forma adecuada) cuando la aplicación vaya a realizar dicha acción. Básicamente, utilice una solución "sin sorpresas", aunque sus permisos y su política de privacidad definan lo mismo.

Nota

En el capítulo 15 vimos cómo diseñar aplicaciones compatibles con un gran rango de dispositivos, incluyendo cómo desarrollar para diferentes tamaños de pantalla y resoluciones.

Diseñe aplicaciones móviles estables y con capacidad de respuesta

El hardware de dispositivos móviles ha recorrido un largo camino los últimos años, pero los desarrolladores aún deben trabajar con recursos limitados. Los usuarios normalmente no se pueden permitir el lujo de actualizar la RAM u otro hardware en dispositivos Android. Sin embargo, los usuarios de Android pueden aprovechar los dispositivos de almacenamiento extraíble, como tarjetas SD, para proporcionar algún espacio "extra" para aplicaciones y archivos multimedia. Utilizar algún tiempo por anticipado para diseñar una aplicación estable y con capacidad de respuesta es importante para el éxito de su proyecto.

A continuación puede ver algunos consejos para diseñar aplicaciones móviles robustas y con buena capacidad de respuesta:

- No realice operaciones muy largas o intensivas en recursos en el hilo principal de la interfaz del usuario. Utilice siempre tareas asíncronas, hilos o servicios en segundo plano para descargarlo de aplicaciones que pueden causar bloqueos.
- Utilice estructuras de datos y algoritmos eficientes, lo que se traducirá en una buena capacidad de respuesta y usuarios contentos.
- Utilice la recursividad con precaución. El código de estas áreas funcionales debería ser revisado y realizar pruebas de rendimiento sobre el mismo.
- Conserve el estado de la aplicación en todo momento. La pila de actividades de Android hace que esto funcione correctamente, pero debería tener cuidado si va un poco más allá.
- Guarde el estado de su aplicación utilizando llamadas adecuadas a su ciclo de vida, y asuma que ésta se puede suspender o detener en cualquier momento. Si su aplicación se suspende o se cierra, no espere que un usuario vaya a verificar nada (hacer clic en un botón, etc.). Si su aplicación vuelve a estar activa adecuadamente, sus usuarios se lo agradecerán.

- Inicie y cierre la aplicación rápidamente. No puede permitirse que el usuario esté cruzado de brazos esperando que su aplicación se inicie. En lugar de eso, tiene que conseguir un balance adecuado entre la precarga y las datos demandados, ya que su aplicación podría ser suspendida (o cerrada) sin avisar.
- Informe a los usuarios en las operaciones largas utilizando barras de progreso. Considere la opción de ejecutar los procesos largos en un servidor, en lugar de realizar dichas operaciones en el dispositivo, porque podrían consumir la batería más allá de los límites que los usuarios podrían aceptar.
- Asegúrese que hay una alta probabilidad de que las operaciones largas se realicen con éxito, antes de iniciarlas. Por ejemplo, si su aplicación descarga archivos grandes, compruebe la disponibilidad de la red, el tamaño del archivo y el espacio disponible antes de intentar descargarlos.
- Minimice el uso del almacenamiento local, ya que la mayoría de los dispositivos tienen poco espacio. Utilice almacenamiento externo cuando sea conveniente. Tenga en cuenta que las tarjetas SD (la opción más común de almacenamiento externo) se pueden extraer, y su aplicación debería tener en cuenta esta situación.
- Entienda que las llamadas de datos a proveedores de contenido y a través de AIDL influyen negativamente en el rendimiento, por lo que debe utilizarlas con prudencia.
- Verifique que su modelo de consumo de recursos de la aplicación encaja con los usuarios a los que está destinado. Los juegos pueden llegar a aumentar el consumo de batería en el caso de que tengan muchos gráficos, pero las aplicaciones de productividad no deberían consumir batería innecesariamente y deberían ser ligeras para los usuarios "sobre la marcha", que no siempre tienen el dispositivo cargándose.

Truco

Escrito por el equipo Android de Google, el blog de desarrolladores de Android (`http://androiddevelopers.blogspot.com`) es un recurso fantástico. Este blog proporciona información muy detallada sobre la plataforma Android, con frecuencia cubriendo aspectos que no se ven en la documentación de la plataforma Android. Aquí puede encontrar consejos, trucos, buenas prácticas y atajos sobre aspectos importantes de Android, como la gestión de memoria (por ejemplo, la gestión de contextos), la optimización de diseños (evitando jerarquías de muchos niveles) y trucos en el diseño para mejorar la velocidad de la interfaz del usuario. Los desarrolladores de Savvy Android visitan este blog con regularidad e incorporan dichas prácticas y trucos en sus proyectos. Tenga en cuenta que los chicos de desarrollo Android de Google con frecuencia se dedican a instruir a los demás sobre las últimas características a nivel de la API. Sus técnicas y consejos puede que no siempre sean adecuados para la implementación en versiones antiguas de la plataforma.

Diseñar aplicaciones móviles seguras

Muchas aplicaciones móviles se integran con aplicaciones del núcleo como el teléfono, la cámara o los contactos. Tome todas las precauciones necesarias para asegurar y proteger datos privados de los usuarios como nombres, ubicaciones e información de contactos, utilizados por su aplicación. Esto incluye salvaguardar los datos personales del usuario en servidores de la aplicación y durante la transmisión en la red.

Truco

Si su aplicación accede, utiliza o transmite datos privados, especialmente nombres de usuario, contraseñas o información de contactos, es una buena idea incluir un EULA (*End User License Agreement*, Acuerdo de licencia del usuario final) y una política de privacidad en su aplicación. También tenga en cuenta que las leyes de privacidad varían dependiendo del país.

Manejar datos privados

Para empezar, limite todo lo que pueda los datos privados o delicados que su aplicación gestiona. No almacene esta información como texto normal, y no la transmita en la red sin salvaguardarla. No intente saltarse ningún mecanismo de seguridad impuesto por el entorno Android. Almacene los datos privados del usuario en archivos privados de la aplicación, exclusivos de la misma y no en partes compartidas del sistema operativo. No muestre datos de la aplicación en proveedores de contenidos sin definir los permisos adecuados en otras aplicaciones. Utilice las clases de encriptación disponibles en el entorno Android cuando las necesite.

Transmitir datos privados

Las mismas precauciones se deberían aplicar a cualquier almacenamiento de datos en red remoto (como servidores de la aplicación o almacenamiento en la nube) y a transmisiones en la red. Asegúrese de que los servidores y servicios que utiliza su aplicación son seguros frente a identidad, robo de datos o invasión de la privacidad. Trate los servidores que utiliza su aplicación como cualquier otra parte de la misma, y realice pruebas exhaustivas en esta área. Cualquier dato privado transmitido debería ser seguro, utilizando los mecanismos habituales de seguridad, como SSL (*Secure Socket Layer*, Capa de *socket* segura). Estas reglas también se aplican cuando permite que su aplicación realice copias de seguridad utilizando servicios, como el servicio de copias de seguridad de Android.

Diseñar aplicaciones móviles para obtener el máximo beneficio

En lo relacionado con la facturación y obtención de beneficios, las aplicaciones móviles generalmente se encontrarán en una de estas cuatro categorías:

- Aplicaciones gratuitas (incluyendo las que obtienen beneficios a partir de anuncios).
- Pago único (pago de una sola vez).
- Pago en la aplicación por contenido (pagar por contenido específico, como un tono de llamada, una "espada de ataque" o un nuevo nivel).
- Pagos bajo subscripción (pagos programados, con frecuencia en aplicaciones de productividad o servicios).

Las aplicaciones pueden utilizar múltiples medios para facturar, dependiendo de los mercados y las API de facturación utilizadas (por ejemplo, Google play limita su método de facturación a Google Checkout). No existen API específicas de facturación en el entorno Android. En Android, generalmente los terceros pueden proporcionar métodos o API de facturación, por lo que técnicamente hablando no hay límites. Dicho esto, Google incluye un complemento API de facturación para Google play (y solo para este mercado).

Cuando diseñe sus aplicaciones móviles, piense en las áreas funcionales donde la facturación podría entrar en juego y téngalo en cuenta en su diseño. Considere la integridad en las transacciones en áreas específicas del flujo de trabajo de la aplicación, en donde se podría facturar. Por ejemplo, si su aplicación tiene la opción de enviar datos al dispositivo, asegúrese de que se pueden realizar transacciones en este proceso, de forma que si decide facturar por esta característica, puede utilizar el código de facturación, y cuando el usuario paga, tiene lugar el envío o se retira la transacción.

Nota

En el capítulo 19 hablaremos con más detalle sobre los diferentes métodos existentes en la actualidad para vender su aplicación.

Utilizar estándares de calidad de terceros

No existen programas de certificación específicos diseñados para aplicaciones Android. Sin embargo, según se desarrollan más aplicaciones, los estándares de terceros se podrían diseñar para destacar las aplicaciones de calidad del resto. Por ejemplo, los mercados de aplicaciones móviles podrían imponer requisitos de calidad, y no habría duda de que los programas se han creado con alguna ratificación o sello de aprobación de algún organismo reconocido.

El mercado Amazon Appstore para Android somete las aplicaciones a determinadas pruebas antes de sacarlas a la venta. Google play incluye una categoría de aplicaciones llamada selección del editor. Los desarrolladores que estén pensando en aplicaciones con que obtengan beneficios, sería bueno que cumpliesen los requisitos.

Advertencia

En Android se espera que el mercado se gestione a sí mismo en mayor medida que otros mercados de plataformas móviles. No cometa el error de interpretar esto como "no hay reglas" cuando realmente significa "unas cuantas reglas impuestas por el sistema". Existen términos de licencia bien definidos que evitan el uso de software o código malintencionado, y que eliminan las aplicaciones que no cumplen estos términos, igual que cuando se cuelan en otros mercados de plataformas.

Diseñar aplicaciones móviles para facilidad de mantenimiento y actualizaciones

En general, cuando se desarrolla una aplicación móvil, es mejor realizar una serie de suposiciones sobre las configuraciones del dispositivo, siempre que sea posible. Más adelante tendrá la ventaja de poder realizar la portabilidad de su aplicación o proporcionar una actualización sencilla. Debería considerar con prudencia las suposiciones que realice.

Utilizar diagnósticos de aplicaciones

Además de una documentación adecuada y un código fácil de entender, puede utilizar algunos trucos para ayudar a mantener y controlar las aplicaciones móviles que están en funcionamiento.

Utilizar auditorías, registros e informes sencillos en su aplicación puede ser muy útil para generar sus propias estadísticas y análisis. Si se apoya en información de terceros, como la generada en los informes del mercado, podría perderse algunas piezas fundamentales sobre los datos útiles para su aplicación en particular. Por ejemplo, podría controlar fácilmente:

- Cuántos usuarios instalan su aplicación.
- Cuantos usuarios inician la aplicación por primera vez.
- Cuáles son los patrones de uso y tendencias más habituales.
- Cuáles son los patrones de uso y características menos utilizadas.
- Cuáles son los dispositivos más populares (definidos por versiones de la aplicación u otros indicadores significativos.

Con frecuencia podrá traducir estas cifras en estimaciones aproximadas de ventas, que más adelante puede comparar con las cifras de ventas reales en mercados de terceros. Puede simplificar, y por ejemplo, hacer que los patrones de uso más populares sean los más visibles y eficientes en términos de diseño de la experiencia del usuario. A veces puede incluso identificar errores potenciales, como características que nunca funcionan, simplemente observando que dicha característica nunca se ha utilizado en campo. Por último, puede determinar cuáles son los dispositivos más adecuados para una aplicación y una base de usuarios determinada. Puede recopilar información importante sobre su aplicación a partir de numerosas fuentes, incluyendo las siguientes:

- Estadísticas de ventas de Google play, informes de errores/bloqueos, así como los que puede encontrar en otros canales de distribución.
- Integración de la aplicación con una API de obtención de estadísticas como Google Analytics.
- En aplicaciones que utilizan servidores de red, puede obtener mucha información observando las estadísticas del lado del servidor.
- Comentarios enviados directamente al desarrollador, a través de correo electrónico u otros mecanismos disponibles para los usuarios.

Truco

Nunca recopile datos personales sin el conocimiento y consentimiento de los usuarios. Obtener diagnósticos anónimos es bastante común, pero evite conservar cualquier dato que se pueda considerar privado. Asegúrese de que los tamaños de sus muestreos son lo bastante amplios para diluir los detalles personales de los usuarios, y también de excluir datos de pruebas de calidad de sus resultados (especialmente cuando se obtienen cifras de ventas).

Diseñar para facilitar actualizaciones y renovaciones

Las aplicaciones Android se pueden actualizar fácilmente en campo, aunque este proceso plantea algunos retos para los desarrolladores. Cuando decimos actualizar, nos referimos a modificar la información de la versión en el archivo `manifest` de Android, y volver a implementar la aplicación actualizada en los dispositivos de los usuarios. Cuando decimos renovar, nos referimos a crear un paquete de la aplicación completamente nuevo, con características diferentes, implementarlo como una aplicación independiente que el usuario tiene que seleccionar para instalar, y que no sustituye a la aplicación antigua.

Desde el punto de vista de la actualización, tiene que considerar qué características necesitan una actualización en campo. Por ejemplo, ¿dónde establece el límite, en bloqueos de la aplicación o en peticiones de características? También tiene que considerar la frecuencia con la que va a realizar actualizaciones, necesita programar actualizaciones de forma que se publiquen con la frecuencia suficiente para considerarse realmente útiles, pero no con tanta que los usuarios tengan que estar constantemente actualizando su aplicación.

Truco

Debería crear actualizaciones de contenido en la funcionalidad de su aplicación como una característica (usualmente gestionada por red), y no tener que exigir una actualización inalámbrica de la aplicación. Si permite que su aplicación obtenga nuevos contenidos sobre la marcha, sus usuarios estarán más contentos y sus aplicaciones estarán al día.

Cuando esté pensando en renovaciones, decida la forma en que va a migrar los usuarios de una versión de su aplicación a la siguiente. ¿Se va a apoyar en las copias de seguridad de Android para que sus usuarios puedan pasar sin problemas de un dispositivo al siguiente, o va a proporcionar su propia solución? Piense en cómo va a informar a los usuarios de las aplicaciones existentes, que hay una nueva versión disponible.

Utilizar herramientas de Android para diseño de aplicaciones

Android SDK y la comunidad de desarrolladores proporcionan una serie de útiles herramientas y recursos para el diseño de aplicaciones. Podría utilizar las siguientes durante la fase de desarrollo de su proyecto:

- El emulador de Android es un buen lugar para empezar a realizar pruebas rápidas, antes de utilizar dispositivos específicos. Puede utilizar diferentes configuraciones de dispositivos virtuales Android (AVD) para simular diferentes configuraciones de dispositivos y versiones de la plataforma.
- La herramienta DDMS es muy útil para definir la memoria.
- Hierarchy Viewer en la vista píxel perfecto, permite el diseño detallado de interfaces de usuario. También puede utilizar la herramienta layoutopt para optimizar sus diseños.
- Con la herramienta 9-Patch puede crear gráficos extensibles para su uso en aplicaciones móviles.
- Los dispositivos reales puede que sean la herramienta más importante. Utilícelos para evaluar la viabilidad y realizar pruebas de concepto, siempre que sea posible. No diseñe utilizando únicamente el emulador.
- Las especificaciones técnicas de dispositivos específicos, que habitualmente puede conseguir a partir de los fabricantes u operadoras de dispositivos, puede ser muy útil para determinar los detalles de configuración de los dispositivos donde quiere implementar.

Evitar errores obvios en el diseño de aplicaciones Android

Por último, pero no por ello menos importante, a continuación puede ver un listado de los errores más obvios que los diseñadores de Android deberían evitar:

- Diseñar o desarrollar durante meses sin realizar pruebas de viabilidad sobre el dispositivo (básicamente utilizar la estrategia de "pruebas tipo cascada").
- Diseñar para un único dispositivo, plataforma, lenguaje o hardware.
- Diseñar como si su dispositivo tuviera de mucha capacidad de almacenamiento y una gran potencia de procesamiento, y como si siempre estuviera conectado a una fuente de energía.
- Desarrollar en una versión equivocada de Android SDK (verifique la versión de Android SDK).
- Tratar de adaptar aplicaciones a pantallas más pequeñas a posteriori, teniendo el dispositivo "escalado".
- Implementar gráficos y elementos multimedia sobredimensionados en una aplicación, en lugar de darles el tamaño adecuado.

Buenas prácticas para desarrollar aplicaciones móviles robustas

Desarrollar aplicaciones móviles no es tan diferente del desarrollo tradicional de aplicaciones de escritorio. Sin embargo, los desarrolladores puede que encuentren que las aplicaciones móviles tienen más restricciones, especialmente en lo que se refiere a recursos. A continuación puede ver un listado de buenas prácticas o "reglas" para el desarrollo de aplicaciones móviles:

- Elabore desde el principio y con frecuencia supuestos de prueba en relación con la viabilidad sobre los dispositivos móviles.
- Mantenga el tamaño de la aplicación lo más pequeño y eficiente posible.
- Seleccione estructuras de datos y algoritmos eficientes, adecuados para la movilidad.
- Gestione la memoria con prudencia.
- Asuma que los dispositivos principalmente están funcionando con energía de la batería.

Diseñar un proceso de desarrollo que funcione para desarrollo móvil

La columna vertebral de un proyecto con éxito es un buen proceso software. Garantiza la estandarización, una buena comunicación y reduce los riesgos. En el capítulo 16 hablamos del proceso completo de desarrollo móvil. A continuación puede ver unos cuantos consejos para conseguir procesos de desarrollo móvil con éxito:

- Utilice un proceso de desarrollo iterativo.
- Utilice un proceso de implementación regular y reproducible, con versiones adecuadas.
- Comunique los cambios de ámbito a todas las partes. Los cambios suelen afectar sobre todo a las pruebas.

Compruebe la viabilidad de su aplicación al principio y con frecuencia

Nunca está de más repetirlo: debe probar los supuestos del desarrollador en dispositivos reales. No hay nada peor que diseñar y desarrollar una aplicación durante unos meses, y después darse cuenta de que necesita un rediseño importante para que pueda funcionar en un dispositivo real. Solo porque su aplicación funcione en el emulador, esto no significa en absoluto que vaya a funcionar adecuadamente en el dispositivo. Algunas de las áreas funcionales en las que debe evaluar con detalle la viabilidad son:

- Funcionalidad que interactúa con periféricos y hardware del dispositivo.
- Velocidad y latencia de la red.
- Uso y tamaño de la memoria.
- Eficiencia de los algoritmos.
- Adecuación de la interfaz del usuario a diferentes tamaños y resoluciones de pantalla.
- Suposiciones en los métodos de entrada del dispositivo.
- Tamaño del archivo y uso del almacenamiento.

Puede parecer que repetimos mucho esta idea, pero realmente hemos visto este tipo de error con mucha frecuencia. Los proyectos son especialmente vulnerables en este aspecto si los dispositivos reales no están disponibles. Lo que ocurre es que los ingenieros se ven forzados a utilizar el método de la cascada en el desarrollo software, dando lugar a una desagradable sorpresa después de semanas o meses de desarrollo en un emulador tipo vanilla.

No vamos a explicar de nuevo porqué las soluciones tipo cascada son peligrosas. Todas las precauciones que tome sobre este aspecto nunca estarán de más. Piense en esto como la charla sobre seguridad antes del vuelo, pero aplicada al desarrollo de software móvil.

Utilizar estándares de codificación, revisiones y pruebas unitarias para mejorar la calidad del código

Los desarrolladores que utilizan el tiempo y el esfuerzo necesarios para desarrollar aplicaciones móviles eficientes, al final son recompensados por sus usuarios. A continuación puede ver una lista representativa de los esfuerzos que podría realizar en esta dirección:

- Centralizar características del núcleo en paquetes Java compartidos (si tiene librerías compartidas C o C++, considere el uso de Android NDK).
- Desarrollar para versiones compatibles de Android SDK (cuando conozca los dispositivos en los que va a implementar).
- Utilizar el nivel adecuado de optimización, incluyendo la codificación con RenderScript o utilizando NDK, cuando sea apropiado.
- Utilizar controles y *widgets* incluidos en Android, adecuados para la aplicación, personalizándolos solo cuando sea necesario.

Puede utilizar servicios del sistema para determinar características importantes del dispositivo (tipo de pantalla, idioma, fecha, hora, método de entrada, hardware disponible, etc.). Si realiza algún cambio en los ajustes del sistema desde su aplicación, asegúrese de volver a los ajustes anteriores cuando su aplicación termine o esté en pausa.

Definir estándares de codificación

Desarrollar un conjunto de estándares de codificación conocidos por todo el equipo de desarrollo, puede ayudar a gestionar adecuadamente algunos de los requisitos más importantes en aplicaciones móviles. Algunos estándares podrían incluir:

- Implementar gestión robusta de errores así como gestión de excepciones con elegancia.
- No utilizar operaciones largas, intensivas en procesos o que puedan causar bloqueos, en el hilo principal de la interfaz del usuario.
- Evitar la creación de objetos innecesarios en las secciones críticas del código, o en el comportamiento de la interfaz del usuario, como animaciones y respuestas a entradas del usuario.
- Liberar objetos y recursos que no utilice activamente.

- Gestionar la memoria con prudencia. Los fallos de memoria pueden hacer que su aplicación sea inservible.
- Utilice los recursos de forma que los pueda localizar en el futuro. No codifique cadenas u otros elementos similares en el código o en los archivos de diseño.
- Evite la confusión en su propio código, a no ser que lo haga por una razón específica (como utilizar una librería de verificación de licencia de Google, o LVL). Merece la pena comentar el código. Sin embargo, podría considerar el uso de esta característica más adelante en el proceso de desarrollo, para protegerlo contra la piratería, utilizando el soporte ProGuard incluido.
- Considere el uso de herramientas estándar de generación de documentación, como JavaDoc.
- Establezca y aplique convenciones de nombres, tanto en el código como en el diseño del esquema de la base de datos.

Realizar revisiones del código

Realizar estas revisiones puede mejorar la calidad del código del proyecto, ayudar a aplicar estándares de codificación e identificar problemas antes de que el equipo de control de calidad gaste tiempo y recursos probando una compilación.

También puede ser útil emparejar desarrolladores con integrantes del equipo de control de calidad, que prueban determinadas áreas funcionales para crear una relación más estrecha entre los equipos. Si el personal de pruebas entiende cómo funciona la aplicación y el sistema operativo Android, podrán evaluar dicha aplicación más detalladamente y con más probabilidad de éxito. Esto puede formar parte o no de un proceso formal de revisión del código. Por ejemplo, un integrante del equipo de pruebas, trabajando conjuntamente con el desarrollador correspondiente, puede identificar defectos relacionados con la seguridad en la introducción de texto, simplemente fijándose en el tipo de entrada esperada (aunque no validada) en un campo de un formulario o en un diseño, o revisando la gestión de la funcionalidad de los botones **Enviar** o **Guardar**. Esto ayudaría a evitar malgastar tiempo en archivar, revisar, corregir y volver a validar problemas. Revisar el código por anticipado no reduce la cantidad de pruebas, pero ayuda a reducir el número de defectos detectables fácilmente.

Desarrollar diagnósticos del código

Android SDK proporciona un serie de paquetes relacionados con el diagnóstico del código. Crear un entorno para registrar, realizar pruebas unitarias y ejecutar su aplicación para obtener información importante sobre diagnóstico, como la frecuencia de llamadas a un método determinado y el rendimiento de algoritmos, le puede ayudar a desarrollar una aplicación móvil robusta, eficiente y eficaz. Fíjese que los diagnósticos son casi siempre eliminados antes de la publicación de la aplicación, ya que implican una reducción significativa en el rendimiento y disminuyen considerablemente la capacidad de respuesta.

Utilizar registros en aplicaciones

En el capítulo 3 vimos cómo utilizar la clase de archivos de registro `android.util.Log` incluida en Android, para implementar registros de diagnósticos, que pueden ser supervisados a través de una serie de herramientas Android, como la utilidad LogCat (disponible en DDMS, ADB y en el complemento de desarrollo Android de Eclipse).

Desarrollar pruebas unitarias

Las pruebas unitarias pueden ayudar a los desarrolladores a dar un paso más en la dirección correcta, para alcanzar la difícil meta de probar el 100 por 100 del código. Android SDK incluye extensiones con el entorno JUnit para probar aplicaciones Android.

Las pruebas automatizadas se realizan creando casos de pruebas, en código Java, que verifiquen que la aplicación funciona tal y como se espera. Puede hacer estas pruebas automatizadas tanto para pruebas unitarias como para funcionales, incluyendo las pruebas de la interfaz del usuario. A través de los paquetes `junit.framework` y `junit.runner` se proporciona soporte para JUnit básico. Aquí puede encontrar el entorno adecuado para ejecutar pruebas unitarias básicas con clases de ayuda para casos de pruebas individuales. Puede combinar dichos casos en conjuntos de pruebas. Existen clases de utilidades para sus validaciones estándar y lógica de los resultados de las pruebas.

Las clases específicas de pruebas unitarias de Android forman parte del paquete `android.text`, que incluye un extenso conjunto de herramientas de prueba diseñadas específicamente para aplicaciones Android.

Este paquete está basado en el entorno JUnit, y añade muchas características interesantes, como las siguientes:

- Enganche simplificado de instrumentación de pruebas (`android.app.Instrumentation`) con `android.test.InstrumentationTestRunner`, que puede ejecutar a través de línea de comandos con la herramienta ADB.
- Pruebas de rendimiento (`android.test.PerformanceTestCase`).
- Pruebas unitarias de actividades (o contextos) (`android.test.ActivityUnitTestCase`).
- Prueba completa de la aplicación (`android.test.ApplicationTestCase`).
- Pruebas de servicios (`android.test.ServiceTestCase`).
- Utilidades para generar eventos, como por ejemplo de toque (`android.test.TouchUtils`).
- Muchas más validaciones especializadas (`android.test.MoreAsserts`).
- Validación de `View` (`android.test.ViewAsserts`).

Truco

Si está interesado en diseñar e implementar un entorno de pruebas unitarias para su aplicación Android, le sugerimos que estudie el tutorial que podrá encontrar en la página `http://androidbook.blogspot.com/2010/08/unit-testing-with-android-junit.html`.

Gestionar los defectos que ocurren en un solo dispositivo

A veces se podrá encontrar la situación en la que necesita proporcionar código para un dispositivo específico. Google y el equipo de Android le dirán que cuando esto ocurra, se tratará de un error, por lo que debería comunicárselo. Hágalo sin ninguna duda. Sin embargo, esto no le ayudará a corto plazo, ni tampoco le ayudará si lo arreglan en una versión posterior de la plataforma, pero las operadoras no publican la actualización y el parche en meses, si alguna vez lo hacen, para dispositivos específicos.

Gestionar los errores que pueden aparecer en un único dispositivo puede ser complicado. No le interesará realizar bifurcaciones innecesarias en el código, por lo que a continuación puede ver alguna de las opciones que tiene:

- Si es posible, conserve el cliente genérico, y utilice el servidor para ofrecer elementos específicos del dispositivo.
- Si se pueden determinar las condiciones en el cliente por programación, intente diseñar una solución genérica que permita a los desarrolladores continuar diseñando dentro de un único árbol de código, sin bifurcaciones.
- Si el dispositivo no es un destino de implementación prioritario, considere la posibilidad de descartarlo de sus requerimientos, si la relación coste/beneficio le indica que no merece la pena buscar una solución. No todos los mercados soportan la exclusión de dispositivos individuales, aunque Google play si lo hace.
- Si es necesario, bifurque el código para implementar el parche. Asegúrese de definir los ajustes de su archivo `manifest` de Android, de forma que la versión de la aplicación con una bifurcación se instala solo en los dispositivos adecuados.
- Si todo esto falla, documente el problema y espere que el error sea tratado. Mantenga informados a sus usuarios.

Utilizar herramientas de Android para desarrollo

Android SDK incluye una serie de útiles herramientas y recursos para desarrollo de aplicaciones. La comunidad de desarrollo también añade utilidades muy buenas. Puede utilizar las siguientes herramientas durante la fase de desarrollo de su proyecto:

- Entorno de desarrollo Eclipse con el complemento ADT.
- Emulador de Android y dispositivos reales para pruebas.
- Herramienta DDMS para depurar e interactuar con el emulador o el dispositivo.
- Herramienta ADB para realizar archivos de registro y depuración, y tener acceso a herramientas en línea de comandos.
- Herramienta en línea de comandos sqlite3 para acceso a la base de datos de la aplicación (a través de ADB).
- Hierarchy Viewer para la depuración de vistas de la interfaz del usuario.

Existen muchas otras herramientas incluidas en Android SDK. Consulte la documentación de Android para más detalles.

Evitar errores obvios en el desarrollo de aplicaciones Android

A continuación puede ver un listado de los errores obvios que los desarrolladores de Android deberían tratar de evitar:

- Olvidar registrar nuevas actividades, servicios y permisos necesarios en el archivo `AndroidManifest.xml`.
- Olvidar mostrar mensajes `Toast` utilizando el método `show()`.
- Incluir en el código de su aplicación información de red, de usuarios de pruebas u otros datos.
- Olvidar desactivar el registro de diagnósticos antes del lanzamiento de la aplicación.
- Distribuir aplicaciones *online* con el modo depuración activado.

Resumen

La capacidad de respuesta, la estabilidad, y la seguridad son los principios en los que se basa el desarrollo en Android. En este capítulo hemos ofrecido a los diseñadores de software, desarrolladores y directores de proyecto, consejos, trucos y buenas prácticas en el diseño y desarrollo de aplicaciones Android, basados en los conocimientos y experiencia en el mundo real de desarrolladores veteranos.

Escoja libremente la información que funcione para su proyecto en particular, y no olvide que el proceso software, especialmente el de las tecnologías móviles, siempre está abierto a mejoras.

Referencias y más información

- Buenas prácticas en Android sobre diseño y rendimiento: http://developer.android.com/guide/practices/design/performance.html.
- Buenas prácticas en Android sobre el diseño para obtener capacidad de respuesta: http://developer.android.com/guide/practices/design/responsiveness.html.
- Buenas prácticas en Android sobre el diseño para que las aplicaciones funcionen sin problemas: http://developer.android.com/guide/practices/design/seamlessness.html.
- Buenas prácticas en Android sobre las directrices en el diseño de la interfaz de usuario: http://developer.android.com/guide/practices/ui_guidelines/index.html.
- Empezar con Google Analytics en Android: http://www.devx.com/wireless/Article/47049.
- Publicación de aplicaciones Android: consideraciones sobre la lista de comprobaciones antes de la publicación: http://mobile.tutsplus.com/tutorials/android/android-app-publication-a-checklistof-pre-publication-considerations/ (http://goo.gl/GDhpz).
- Dónde vender su gran aplicación: http://www.developer.com/ws/where-to-sell-your-android-killer-app.html.

18 Probar aplicaciones Android

Pruebe anticipadamente, con frecuencia y sobre el dispositivo. Esa es la idea más importante en relación con el control de calidad cuando hay que probar aplicaciones Android.

Realizar pruebas en sus aplicaciones no tiene por qué ser un proceso complejo. En cambio, puede adaptar las técnicas tradicionales de control de calidad, como la automatización y las pruebas unitarias en la plataforma Android, con relativa facilidad. En este capítulo vamos a ver consejos y trucos para probar aplicaciones Android. También informamos a los directores del proyecto, desarrolladores de software y equipos de pruebas de aplicaciones Android sobre los diferentes obstáculos que deberían tratar de evitar.

Buenas prácticas en la realización de pruebas en aplicaciones móviles

Como todos los procesos de control de calidad, los proyectos de desarrollo móvil se pueden beneficiar a partir de un sistema de seguimiento de errores bien diseñado, compilaciones programadas con regularidad y pruebas sistemáticas y planificadas. También se pueden realizar pruebas en caja blanca y en caja negra así como la automatización.

Diseñar un sistema de seguimiento de errores para aplicaciones móviles

Puede personalizar la mayoría de los sistemas de seguimiento de errores en la realización de pruebas en aplicaciones móviles. Este sistema debe incluir el seguimiento de problemas en dispositivos específicos y los relacionados con cualquier servidor centralizado de aplicaciones (si es aplicable).

Registrar información importante sobre errores

Un buen sistema de seguimiento de errores para móviles incluye la siguiente información sobre un error de dispositivo típico:

- Información sobre la versión de compilación de la aplicación, el lenguaje, etc.
- Información del estado y configuración del dispositivo, incluyendo su tipo, la versión de la plataforma Android y otras especificaciones importantes.
- Orientación de la pantalla, estado de la red, información sobre los sensores.
- Pasos para reproducir el problema utilizando detalles específicos sobre los mismos métodos de entrada que se emplearon (toque en la pantalla o clics).
- Capturas de pantalla del dispositivo, que se pueden crear utilizando las herramientas DDMS o Hierarchy Viewer, incluidas en Android SDK.

Nota

Puede ser útil desarrollar un glosario sencillo con términos estándar para determinadas acciones en el dispositivo, como tipos de toque, clics o pequeños toques, clics largos o toques largos que se mantienen, borrar o volver atrás, etc. Esto ayuda a seguir los pasos para reproducir un error de forma más precisa entre todas las partes implicadas en el proceso.

Redefinir el término error en aplicaciones móviles

También es importante considerar la definición más amplia del término error. Los fallos pueden pasar en todos los dispositivos o solo en algunos de ellos. También podrían ocurrir en el resto del entorno de la aplicación, como por ejemplo en el servidor remoto de la misma. Algunos de los defectos más habituales en aplicaciones móviles son:

- Cuelgues, finalizaciones no previstas, cierres forzados, eventos ANR (*Application Not Responding*, Aplicación no responde), y otros términos utilizados para describir comportamientos inesperados que dan lugar a que la aplicación no se ejecute más o no responda.

- Características que no funcionan adecuadamente (implementación incorrecta).
- Emplear demasiado espacio de disco del dispositivo.
- Validaciones de entradas incorrectas (normalmente al tocar un botón repetidamente).
- Problemas de gestión del estado (inicio, cierre, pausa, reanudación, apagado).
- Pruebas incorrectas del cambio de estado (fallos durante cambios de estado, como una interrupción inesperada durante la reanudación).
- Problemas de usabilidad relacionados con métodos de entrada, tamaños de fuentes y espacio de pantalla saturado. Problemas de estética que pueden hacer que la pantalla se muestre incorrectamente.
- Pausar o "congelar" el hilo principal de la interfaz del usuario (error al implementar tareas asíncronas, hilos).
- Falta de indicadores de información (error al indicar progreso).
- La integración con otras aplicaciones del dispositivo da errores.
- Aplicación que "no funciona bien" en el dispositivo (gasto de la batería, desactivación del modo de ahorro de energía, uso excesivo de recursos de red, incurrir en muchos gastos para el usuario, notificaciones no adecuadas).
- Usar demasiada memoria, no liberar memoria o recursos adecuadamente y no detener hilos en ejecución cuando se han terminado las tareas.
- No cumplir acuerdos de terceros, como el acuerdo de licencia de Android SDK, términos de la API Google Maps, términos del mercado u otros términos relacionados con la aplicación.
- No gestionar los datos privados/protegidos del cliente o del servidor de forma segura. Esto incluye garantizar que se han tomado las medidas necesarias en relación con el tiempo de funcionamiento y seguridad.

Gestionar el entorno de pruebas

Las aplicaciones móviles plantean un reto único para los equipos de control de calidad, especialmente en lo que se refiere a la gestión de la configuración. Con frecuencia se subestima la dificultad de dichas pruebas.

No cometa el error de pensar que es más fácil probar aplicaciones móviles que las de escritorio, porque las primeras tienen menos características y, por lo tanto, deberían ser más sencillas de validar. La gran variedad de dispositivos Android disponibles en el mercado hoy en día complica las pruebas en diferentes entornos de desarrollo.

Advertencia

Asegúrese de que todos los cambios del proyecto son revisados por el equipo de control de calidad. Añadir nuevos dispositivos a veces influye poco en la programación del desarrollo, pero puede tener consecuencias importantes en la programación de las pruebas.

Gestionar configuraciones de dispositivos

La fragmentación de los dispositivos es uno de los retos más grandes a los que se enfrenta el equipo de pruebas de aplicaciones móviles. Los dispositivos Android varían mucho en cuanto a los tipos de pantalla, versiones de la plataforma y hardware subyacente. Incluyen diferentes métodos de entrada como botones hardware, teclados y pantallas táctiles. Tienen características opcionales como cámaras, soporte mejorado para gráficos, lectores de huellas dactilares e incluso pantallas 3D. Muchos dispositivos Android son *smartphone*, pero los dispositivos que no son teléfonos, como tabletas Android, televisiones u otros dispositivos, están ganando popularidad con cada nueva versión de Android SDK. Realizar el seguimiento de todos estos dispositivos, sus características y el resto de información, es un gran trabajo, y mucha parte de éste recae en el equipo de pruebas. El personal de control de calidad debe tener conocimientos detallados de la funcionalidad incluida en cada dispositivo objetivo, y tienen que estar familiarizados con sus características y con las particularidades de dispositivos específicos. Siempre que sea posible, este equipo debería probar cada dispositivo tal y como se va a utilizar en su campo, que puede que no sea con la configuración o idioma por defecto del dispositivo. Esto significa modificar los métodos de entrada, orientaciones de pantalla y ajustes de configuración regional. También implica realizar pruebas con la batería como fuente de energía, y no simplemente tenerlo conectado a la red eléctrica todo el tiempo.

Truco

Investigue si las modificaciones del *firmware* de terceros pueden afectar a la ejecución de su aplicación en un dispositivo. Por ejemplo, supongamos que tiene en sus manos una versión sin marca de un dispositivo y las pruebas han tenido éxito. Sin embargo, si determinadas operadoras de telefonía emplean ese dispositivo pero eliminan algunas aplicaciones por defecto e instalan otras propias, esto sería una información muy útil para el equipo de pruebas. Actualmente muchos dispositivos dejan de lado la experiencia del usuario por defecto de Android, y la cambian por interfaces de usuario más personalizadas, como la Motoblur de Motorola, Sense de HTC y TouchWiz de Samsung. Solo porque su aplicación se ejecute sin errores en dispositivos "vainilla", no significa que éste sea el modo de configuración por defecto usado en la mayoría de los dispositivos de los usuarios. Haga todo lo posible para conseguir dispositivos para pruebas que se parezcan lo máximo posible a los dispositivos que los usuarios tendrán en el campo. Los diferentes estilos por defecto puede que no tengan el aspecto esperado en su interfaz de usuario.

Es imposible cubrir a la totalidad de todos los equipos para realizar pruebas, por lo que los equipos de control de calidad deben analizar minuciosamente sus prioridades. Como vimos en el capítulo 16, desarrollar una base de datos de dispositivos puede reducir en gran medida en la confusión en la gestión de las configuraciones móviles, a ayudar a determinar las prioridades en las pruebas y a realizar el seguimiento del hardware físico disponible para realizar dichas pruebas. Utilizar configuraciones AVD del emulador también es una herramienta eficaz para extender la cobertura a dispositivos simulados y situaciones que no se tendrían en cuenta en cualquier otro caso.

Truco

Si tiene problemas en la configuración de dispositivos en situaciones de la vida real, podría ser interesante que echara un vistazo a los "laboratorios" del dispositivo, disponibles en algunas operadoras. En lugar de emplear programas de préstamo, los desarrolladores visitan el laboratorio *online* de la operadora, donde pueden comprar tiempo de dispositivos específicos. Aquí un desarrollador puede instalar una aplicación y probarla. Esta situación no es la ideal para pruebas repetidas, pero es mucho mejor que no realizar ninguna, y algunos laboratorios tienen personal especializado que le puede ayudar con problemas específicos del dispositivo.

Definir el estado inicial de un dispositivo

Actualmente no existe un buena solución para crear una "imagen" de un dispositivo, de forma que pueda volver a su estado inicial una y otra vez. El equipo de control de calidad tiene que definir qué considera como estado inicial para la realización de pruebas. Esto puede incluir un proceso de desinstalación determinado, también una parte de eliminación manual, y a veces un reinicio de fábrica.

Truco

Con las herramientas de Android SDK, como DDMS o ADB, los desarrolladores y los equipos de pruebas pueden tener acceso al sistema de archivos de Android, incluyendo las bases de datos SQLite de aplicaciones. Estas herramientas se pueden usar para realizar el seguimiento y el control de los datos en el emulador. Por ejemplo, los equipos de pruebas podrían utilizar la interfaz en línea de comandos sqlite3 para vaciar la base de datos de una aplicación o para rellenarla con datos de pruebas de escenarios específicos. Para emplearlas en dispositivos, en primer lugar quizá tendría que "rootear" el dispositivo. *Rootear* un dispositivo está fuera del ámbito de este libro, y no recomendamos hacerlo en dispositivos para pruebas.

En relación a lo que se puede considerar el estado inicial de un dispositivo, tenemos que considerar otro asunto: podría haber oído que puede "rootear" la mayoría de dispositivos Android, lo que permite el acceso a las características internas del dispositivo que no están accesibles a través de la versión pública de Android SDK. Ciertamente existen aplicaciones (y aplicaciones escritas por desarrolladores) que requieren este tipo de acceso (algunas están incluso publicadas en Google play). Sin embargo, en general consideramos que *rootear* dispositivos no es una buena solución para la mayoría de los equipos de control de calidad para desarrollar y hacer pruebas en dispositivos. La idea es desarrollar y probar en dispositivos que se asemejen a los que tendrán los usuarios, y la mayoría de ellos no *rootean* sus dispositivos.

Imitar actividades del mundo real

Es prácticamente imposible (y realmente no es rentable para la mayoría de las empresas) configurar un entorno totalmente aislado para realizar pruebas en aplicaciones móviles. Es bastante habitual que las aplicaciones en red se prueben en servidores de aplicaciones de pruebas (simuladores), y a continuación se ejecuten "en vivo" en servidores en producción con configuraciones similares. Sin embargo, en relación con las configuraciones de los dispositivos, los equipos de pruebas de software móvil deben usar dispositivos reales con servicios reales para probar adecuadamente las aplicaciones. Si el dispositivo es un teléfono, entonces tiene que ser capaz de generar y recibir llamadas, enviar y recibir mensajes de texto, determinar ubicaciones utilizando servicios LBS y básicamente hacer cualquier cosa que un teléfono normalmente haría.

Probar una aplicación móvil implica algo más que simplemente asegurarse que la aplicación funciona correctamente. En el mundo real, su aplicación no existe independientemente, sino que es una de las muchas que se encuentran instaladas en el dispositivo. Probar una aplicación móvil implica asegurarse de que el software se integra bien con otras funciones y aplicaciones del dispositivo. Por ejemplo, supongamos que está desarrollando un juego. Los equipos de pruebas deben verificar que las llamadas recibidas cuando se está ejecutando hacen que el juego entre en pausa automáticamente (mantenga su estado), y permiten que las llamadas se atiendan o sean ignoradas, sin generar ningún error. Esto también significa que los equipos de pruebas deben instalar otras aplicaciones en el dispositivo. Un buen sitio para empezar es con las aplicaciones más populares del dispositivo. Probar su aplicación no solo con estas aplicaciones instaladas, sino también usándolas, puede revelar problemas de integración o patrones de uso que no combinan bien con el resto del dispositivo.

A veces los equipos de pruebas necesitan ser creativos a la hora de reproducir determinados tipos de eventos. Por ejemplo, deben garantizar que la aplicación se ejecuta correctamente cuando los dispositivos móviles pierden la conexión con la red o no tienen cobertura.

Truco

A diferencia de otras plataformas móviles, los equipos de pruebas realmente tiene que seguir unos pasos determinados para hacer que la mayoría de dispositivos Android pierdan la cobertura en el mundo real. Para probar la pérdida de señal, podría salir y probar su aplicación en un túnel de una autopista o en un ascensor, o simplemente meter su dispositivo en el frigorífico. No lo deje mucho tiempo aquí, ya que podría consumir rápidamente la batería. Las latas metálicas también funcionan bien, especialmente las que tienen galletas. Primero cómase las galletas, y a continuación meta el dispositivo en la lata para bloquear la señal. Este consejo también se puede aplicar para aplicaciones en pruebas que se apoyan en servicios basados en la localización.

Maximizar la cobertura de pruebas

Todos los equipos de pruebas se esfuerzan en conseguir probar en el 100 por 100 de dispositivos existentes, pero la mayoría se dan cuenta de que este objetivo no es razonable o rentable (especialmente con la gran cantidad de dispositivos que existen actualmente en todo el mundo). Los equipos deben hacer todo lo posible para cubrir el mayor número de escenarios, cuya extensión puede ser de enormes proporciones, especialmente para los recién llegados a la tecnología móvil. Vamos a ver varios tipos específicos de pruebas, y qué soluciones han encontrado los equipos de control de calidad (algunas ya establecidas, otras innovadoras) para maximizar la cobertura de las pruebas.

Validar implementaciones y diseñar pruebas de humo

Aparte del proceso de implementación normal, puede ser útil definir una política de pruebas de aceptación de implementaciones (también conocida como validación de la implementación, prueba de humo o *sanity test*). Las pruebas de aceptación de implementaciones no son muchas y están dirigidas para probar las funcionalidades clave del dispositivo, y determinar en base a su resultado si el dispositivo es lo suficientemente bueno para realizar pruebas más detalladas. También constituyen una oportunidad para detectar rápidamente los errores previsibles en una implementación determinada, antes de realizar un ciclo completo de pruebas. Considere la posibilidad de desarrollar pruebas de aceptación de implementaciones para múltiples versiones de la plataforma Android simultáneamente.

Pruebas automatizadas

Las pruebas de aceptación de implementaciones móviles generalmente se realizan manualmente en el dispositivo de mayor prioridad. Sin embargo, esta también es una situación ideal para un *sanity test* automatizado. Creando un *script* automatizado de pruebas, que se puede ejecutar empleando la herramienta de pruebas de Android SDK llamada monkeyrunner, el equipo puede aumentar su nivel de confianza en una determinada implementación antes de realizar más pruebas, y el número de implementaciones fallidas enviadas al equipo de control de calidad se puede reducir. Basándose en un conjunto de API en Python, puede escribir *scripts* que instalen y ejecuten aplicaciones en emuladores y dispositivos, envíen determinados toques de botón y realicen capturas de pantalla. Cuando se combinan con el entorno de pruebas unitarias JUnit, puede desarrollar potentes entornos de prueba automatizados.

Probar en el emulador o en el dispositivo

Si tienen acceso al dispositivo real que sus usuarios usan, centre aquí sus pruebas. Sin embargo, los dispositivos y los contratos de servicios que generalmente incluyen pueden ser caros. No está previsto que su equipo tenga que definir entornos de pruebas en todas las operadoras o países donde sus usuarios utilicen su aplicación. Hay ocasiones en las que el emulador de Android puede reducir costes y mejorar la cobertura de las pruebas. Algunos de los beneficios de utilizar el emulador son:

- Posibilidad de simular dispositivos que no se encuentran disponibles o que no se van a suministrar en breve.
- Posibilidad de realizar pruebas en escenarios difíciles de reproducir en dispositivos reales.
- Posibilidad de automatización como con cualquier otro software de escritorio.

Probar antes de que los dispositivos estén disponibles empleando el emulador

Con frecuencia los desarrolladores tienen como objetivo implementar en dispositivos que todavía no han salido al mercado, o en versiones de la plataforma que todavía no están disponibles para el público. En general estos dispositivos se anticipan bastante, y los desarrolladores que tienen preparadas sus aplicaciones para ellos el día que salen al mercado, con frecuencia experimentan grandes ventas, ya que no existen muchas aplicaciones disponibles para los usuarios en ese momento, es decir, menos competencia, más ventas. La última versión de Android SDK generalmente se publica para los desarrolladores varios meses antes de que el público en general pueda recibir estas actualizaciones. Además, los desarrolladores a veces tienen acceso a dispositivos en preproducción a través de programas de desarrollo de operadoras y fabricantes. Sin embargo, los desarrolladores y el equipo de pruebas deberían tener en cuenta los riesgos de realizar pruebas en equipos en preproducción. El hardware generalmente es de calidad beta. Las especificaciones técnicas y el *firmware* pueden cambiar sin previo aviso. Las fechas de lanzamiento del dispositivo se pueden modificar, y podría ocurrir que nunca llegara a estar en producción. Cuando no se pueden adquirir dispositivos en preproducción, el equipo de pruebas puede realizar pruebas funcionales usando las configuraciones AVD del emulador, intentando acercarse a las características de la plataforma de destino, y de esta forma disminuyen el riesgo de tener un ciclo de pruebas corto cuando dichos dispositivos estén disponibles físicamente, lo que permite a los desarrolladores publicar aplicaciones más rápidamente.

Riesgos del uso del emulador

Desafortunadamente, el emulador es tan solo un dispositivo Android genérico que simula muchas partes internas del dispositivo, aparte de todas las opciones disponibles dentro de la configuración de un AVD.

Truco

Considere como parte del plan de pruebas la opción de desarrollar un documento que describa las configuraciones AVD específicas utilizadas para probar diferentes configuraciones de dispositivos.

El emulador no representa una implementación específica de la plataforma Android, única para un determinado dispositivo. No emplea el mismo hardware para determinar la información de la señal, de las redes o de la ubicación. El emulador puede simular la realización o recepción de llamadas y mensajes, o hacer fotografías o vídeos. Después de todo, no importa que la aplicación funcione o no en el emulador si no funciona en el dispositivo real.

Estrategias de pruebas: pruebas en caja negra y en caja blanca

Las herramientas Android proporcionan muchas herramientas para pruebas en caja negra y en caja blanca:

- El equipo de pruebas en caja negra podría necesitar tan solo dispositivos y documentación de pruebas. En este tipo de pruebas, es más importante que el equipo tenga un buen conocimiento del funcionamiento de dispositivos específicos, por lo que proporcionar manuales de dispositivos y especificaciones técnicas es útil para la realización de este tipo de pruebas. Además de dichos detalles, conocer las particularidades del dispositivo, así como sus estándares, puede ser de gran ayuda en las pruebas de usabilidad. Por ejemplo, si el dispositivo puede disponer de una estación de acoplamiento, sería útil saber si está en modo vertical o apaisado.
- Las pruebas en caja blanca nunca han sido sencillas en tecnología móvil. El equipo de pruebas en caja blanca puede usar muchas herramientas asequibles, incluidas en el entorno de desarrollo de Eclipse (que es gratuito), y una gran cantidad de herramientas de depuración disponibles en Android SDK, especialmente el emulador de Android, DDMS, y ADB. También pueden aprovechar las ventajas del potente entorno de pruebas unitarias y Hierarchy Viewer para la depuración de la interfaz de usuario. Para estas tareas, el equipo de pruebas necesita un ordenador con un entorno de desarrollo similar al del desarrollador, así como conocimientos de Java, Python y el conjunto de herramientas típicas disponibles para los desarrolladores.

Probar servidores y servicios de aplicaciones móviles

Aunque los desarrolladores con frecuencia se enfocan en la parte del cliente de la aplicación, a veces omiten la realización de pruebas exhaustivas en el lado del servidor. Muchas aplicaciones móviles se apoyan en la red o en la nube. Si su aplicación depende de un servidor o un servicio remoto para funcionar, es vital la realización de pruebas de la aplicación en el lado del servidor. Aunque el servicio no sea suyo, necesita realizar pruebas completas en el mismo para comprobar si la aplicación se comporta según lo esperado.

Advertencia

Los usuarios esperan que las aplicaciones estén disponibles todos los días, de día o de noche, las 24 horas del día y los 7 días de la semana. Minimice los tiempos de inactividad en el servidor o servicio, y asegúrese de que la aplicación notifica al usuario adecuadamente (y no se cuelga o se bloquea) si un servicio no está disponible. Si el servicio está fuera de su control, puede que merezca la pena comprobar los acuerdos del nivel del servicio ofrecido.

A continuación puede ver unas directrices para realizar pruebas en servidores o servicios remotos:

- Versione su servidor. Debería gestionar las instalaciones en el servidor igual que cualquier otra parte del proceso de implementación. El servidor debería versionarse e instalarse de una forma reproducible.
- Utilice servidores de prueba. Con frecuencia los equipos de control de calidad realizan pruebas en un servidor simulado dentro de un entorno controlado. Esto es muy útil si el servidor real ya se encuentra en operación con usuarios reales.
- Verifique la escalabilidad. Pruebe el servidor o el servicio con carga, incluyendo pruebas de estrés (muchos usuarios, clientes simulados).
- Pruebe la seguridad del servidor (pirateo, introducción de SQL etc.).
- Asegúrese de que la transmisión de datos desde y hacia el servidor es segura y que no se puede realizar fácilmente su seguimiento (SSL, HTTPS, certificados válidos).
- Asegúrese de que su aplicación gestiona el mantenimiento del servidor o las interrupciones del servicio remoto adecuadamente, mediante programación o de algún otro modo.
- Pruebe sus clientes antiguos en los nuevos servidores para comprobar si la aplicación se comporta según lo esperado. Considere la opción de versionar las comunicaciones y los protocolos de su servidor, además de las implementaciones en sus clientes.
- Pruebe las actualizaciones y las restauraciones en el servidor, y desarrolle un plan para informar a los usuarios si los servicios están caídos.

Estos tipos de pruebas ofrecen otra oportunidad para utilizar pruebas automatizadas.

Probar el aspecto visual y la usabilidad de sus aplicaciones

Probar una aplicación móvil no consiste solo en encontrar características que no funcionan, sino también en evaluar la usabilidad de la aplicación. También en generar informes sobre áreas de la aplicación que no son visualmente atractivas o donde la navegación es difícil. Cuando hablamos de las interfaces de usuario móviles, nos gusta emplear la analogía con andar mascando chicle. Los usuarios móviles con frecuencia no prestan toda su atención a la aplicación. En lugar de eso, andan o hacen otras cosas mientras las usan. Las aplicaciones deberían ser tan sencillas para los usuarios como mascar chicle.

Truco

Considere la posibilidad de realizar estudios de usabilidad para obtener información de personas que no están familiarizadas con la aplicación. Apoyarse únicamente en los miembros del equipo de producto que manejan la aplicación con frecuencia puede hacer que existan errores que pasen desapercibidos.

Utilizar estándares de terceros para pruebas en Android

Convierta en un hábito intentar adaptar al software móvil los fundamentos para realizar pruebas en software tradicional. Anime al personal del equipo de control de calidad a desarrollar y compartir estas prácticas en su empresa.

Como dijimos anteriormente, a día de hoy no existen programas de certificación específicamente diseñados para aplicaciones Android. Sin embargo, nada detiene a los mercados móviles a que los desarrollen. Podría echar un vistazo a los programas de certificación disponibles en otras plataformas móviles, como los numerosos *scripts* de prueba y las directrices de aceptación utilizadas por las plataformas Windows, Apple y BREW, y adaptarlos a sus aplicaciones Android. Independientemente de que su plan vaya a aplicar una certificación específica, intentar cumplir directrices de calidad reconocidas puede mejorar la calidad de su aplicación.

Gestionar escenarios especializados de pruebas

Además de las pruebas funcionales, existen más escenarios de pruebas que cualquier equipo de control de calidad debería considerar.

Probar puntos de integración de aplicaciones

Es necesario explorar cómo se comporta la aplicación en relación con otras partes del sistema operativo Android, por ejemplo:

- Garantizando que las interrupciones del sistema operativo son gestionadas adecuadamente (mensajes de entrada, llamadas y apagado).

- Validando datos de proveedores de contenidos mostrados por su aplicación, como el uso de un directorio "en vivo".
- Validando la funcionalidad iniciada en otras aplicaciones a través de un *Intent*.
- Validando cualquier funcionalidad conocida iniciada en su aplicación a través de un *Intent*.
- Validando todos los puntos de entrada secundarios en su aplicación, según se definen en `AndroidManifest.xml`, como por ejemplo los accesos directos de la aplicación.
- Validando implementaciones alternativas de su aplicación, como *widgets*.
- Validando características relacionadas con el servicio, si es aplicable.

Probar actualizaciones de la aplicación

Cuando sea posible, realice pruebas de actualizaciones tanto en el lado del cliente como en el del servidor o servicio. Si planifica el soporte de actualizaciones, haga que el equipo de desarrollo cree una actualización simulada de la aplicación Android, de forma que el equipo de control de calidad pueda validar que la migración se realiza adecuadamente, aunque la aplicación actualizada no tenga nada que ver con los datos.

Truco

Los usuarios reciben actualizaciones *online* de la plataforma Android con regularidad. La versión de la plataforma en la que está instalada su aplicación podría cambiar con el tiempo. Algunos desarrolladores han visto como actualizaciones de *firmware* han inutilizado sus aplicaciones, necesitando actualizaciones. Pruebe de nuevo sus aplicaciones cuando salga una nueva versión de SDK, de forma que pueda actualizar a sus usuarios antes de que sus aplicaciones puedan ser inservibles en el campo.

Si su aplicación se apoya en una base de datos, necesitará probar versiones en su base de datos. ¿Una actualización de la base de datos migra los datos existentes o los elimina? ¿La migración funciona para todas las versiones de su aplicación hasta la actual o solo en la última versión?

Probar actualizaciones del dispositivo

Las aplicaciones cada vez se apoyan más en el uso de la nube y en servicios de copia de seguridad de la plataforma Android. Esto significa que los usuarios que actualicen sus dispositivos pueden trasladar sin problema sus datos de un dispositivo a otro. Por lo tanto, si se les cae su *smartphone* en un jacuzzi o rompen la pantalla de su tableta, los datos de su aplicación se pueden recuperar. Si su aplicación se apoya en estos servicios, asegúrese de probar cómo funciona esta transición.

Probar la internacionalización del producto

Es una buena idea probar el soporte de internacionalización al principio del proceso de desarrollo, tanto en el lado del cliente como en el del servidor o servicios. Probablemente se encontrará algunos problemas en esta área, relacionados con el espacio en la pantalla o con cadenas, fechas, horas y formatos.

Truco

Si su aplicación va a funcionar en varios idiomas, pruebe en un idioma extranjero, especialmente en uno en el que los textos tengan muchas palabras. Puede que su aplicación no presente problemas en su idioma original, pero podría no funcionar correctamente en alemán, donde las palabras generalmente son más largas.

Realizar pruebas para cumplir normativas

Asegúrese de revisar todas las políticas, acuerdos y términos que su aplicación deba cumplir, y de que efectivamente los cumple. Por ejemplo, las aplicaciones Android por defecto deben cumplir el acuerdo de desarrolladores de Android, y cuando sea aplicable, los términos del servicio Google Maps. Una distribución diferente implica que los paquetes complementarios pueden añadir términos adicionales que su aplicación debe cumplir.

Pruebas de instalaciones

En general, la instalación de aplicaciones Android es sencilla. Sin embargo, necesita probar instalaciones en dispositivos con pocos recursos y memoria, así como probar instalaciones desde mercados específicos cuando su aplicación está "en vivo". Si la instalación local permite el uso de medios externos, asegúrese de probar en escenarios con pocos recursos o con la falta de alguno de ellos.

Pruebas de copias de seguridad

No olvide probar características que no son muy evidentes para el usuario, como los servicios de copias de seguridad y restauración, o las características de sincronización.

Pruebas de rendimiento

El rendimiento de la aplicación es importante en el mundo móvil. Android SDK permite el cálculo de niveles de rendimiento en una aplicación, y la monitorización del uso de la memoria y los recursos. El equipo de pruebas debería familiarizarse con estas utilidades y emplearlas con frecuencia, para ayudar a identificar cuellos de botella en el rendimiento, peligrosas faltas de memoria y recursos no usados.

Un problema relacionado con el rendimiento que hemos observado con frecuencia en nuevos desarrolladores de Android es intentar hacer todo en el hilo principal de la interfaz del usuario. Las tareas intensivas en tiempo o recursos, como descargas de la red, análisis XML, renderizado de gráficos o tareas similares, no deberían realizarse en el hilo principal de la interfaz del usuario, de forma que ésta tenga una buena capacidad de respuesta. Esto ayuda a evitar los cierres forzados (también llamados FC) entre otros problemas.

La clase `debug` (`android.os.Debug`) existe desde el origen de Android. Esta clase proporciona una serie de métodos para generar registros de indicadores, que posteriormente se pueden analizar utilizando una herramienta de pruebas de indicadores. En Android 2.3 se introdujo una nueva clase llamada `StrictMode` (`android.os.StrictMode`) que se puede emplear para controlar aplicaciones, detectar problemas de latencia, y evitar ANR en sus aplicaciones. También puede consultar un artículo muy bueno sobre este particular en el blog de desarrolladores de Android, en la página Web `http://goo.gl/1d5Ka`.

A continuación puede ver un buen ejemplo de un problema de rendimiento, muy habitual en desarrolladores de aplicaciones Android. Muchos no se dan cuenta de que, por defecto, las pantallas de Android (asociadas a actividades) se reinician cada vez que hay un cambio en la orientación de la pantalla. Si el desarrollador no toma las medidas oportunas, por defecto no se guarda ninguna información en la caché. En realidad, incluso las aplicaciones básicas necesitan vigilar el funcionamiento de la gestión de su ciclo de vida.

Existen herramientas para hacer esto de una forma eficiente. A pesar de esto, con frecuencia esto no se gestiona adecuadamente, generalmente porque no existe ningún control sobre los eventos del ciclo de vida.

Probar la facturación en aplicaciones

La facturación es muy importante como para dejarla en una hipótesis. Pruébela. Verá que existen un montón de aplicaciones en Google play. Recuerde especificar que su aplicación es una aplicación en pruebas.

Realizar pruebas frente a eventos inesperados

Independientemente del flujo de trabajo de su diseño, tiene que entender que los usuarios hacen cosas aleatorias e inesperadas, a propósito o accidentalmente. Algunos usuarios "machacan los botones", mientras que otros olvidan bloquear su dispositivo antes de metérselo en el bolsillo, ocasionando un conjunto aleatorio de toques en la pantalla o en los botones. Rotar la pantalla con frecuencia, abrir y cerrar un teclado físico o modificar otros ajustes, con frecuencia genera cambios inesperados en la configuración. Una llamada de teléfono o un mensaje de texto surgen inevitablemente en un escenario extremo y poco probable. Su aplicación debe ser lo suficientemente robusta para gestionar estas situaciones. La herramienta en línea de comandos Exerciser Monkey puede ayudarle a probar este tipo de eventos.

Realizar pruebas para aumentar sus opciones de conseguir una buena aplicación

Cada desarrollador móvil quiere desarrollar aplicaciones maravillosas, las que van directas a las primeras posiciones de la clasificación, y que facturan millones mensualmente. La mayoría de la gente piensa que si tienen una buena idea, enseguida tendrán una maravillosa aplicación en su poder. Los desarrolladores siempre están explorando las listas de las diez mejores aplicaciones y la categoría de selección del editor de Google play, intentando averiguar cómo desarrollar la próxima gran aplicación.

Si ha pasado algún tiempo explorando el mercado móvil, se habrá fijado en una serie de grandes empresas de desarrollo móvil que publican diferentes aplicaciones de alta calidad con un aspecto similar. Estas empresas se apoyan en la consistencia de la interfaz del usuario y en estándares de calidad por encima de la media, para conseguir lealtad a la marca y aumentar su cuota de mercado sin arriesgar, ya que quizás una de sus muchas aplicaciones tendrá esa mágica combinación de gran idea y calidad de diseño. Otras pequeñas empresas suelen tener buenas ideas pero luchan con los aspectos de calidad del desarrollo de software móvil. El resultado inevitable es que el mercado móvil está lleno de fantásticas ideas para aplicaciones, pero mal ejecutadas, con pobres interfaces de usuario y grandes defectos.

Usar herramientas de Android para realizar pruebas en aplicaciones

Android SDK y la comunidad de desarrolladores proporcionan una serie de útiles herramientas y recursos para pruebas de aplicaciones y control de calidad. Durante la fase de desarrollo de su proyecto puede utilizar las siguientes herramientas:

- Dispositivos físicos para pruebas y reproducción de errores.
- Emulador de Android para pruebas automatizadas y prueba de implementaciones cuando los dispositivos no están disponibles.
- La herramienta DDMS de Android para depurar e interactuar con el emulador o el dispositivo, así como para realizar capturas de pantalla.
- La herramienta ADB para crear registros, depuración y herramientas en línea de comandos.
- La herramienta en línea de comandos Exerciser Monkey para pruebas de estrés en los métodos de entrada (disponible a través de línea de comandos en ADB).
- La herramienta en línea de comandos `logcat`, que se puede emplear para ver datos del registro generados por la aplicación (es mejor usarla con las versiones de depuración de su aplicación).
- La aplicación `traceview`, que puede utilizar para ver e interpretar los archivos de registro de seguimiento, que puede generar desde su aplicación.

- La herramienta en línea de comandos `sqlite3` para el acceso a la base de datos de la aplicación (disponible a través de línea de comandos en ADB).
- Hierarchy Viewer para depuración, ajustes de rendimiento de la interfaz del usuario y obtener pantallas de píxel perfecto en el dispositivo.
- La herramienta `layoutopt`, que puede emplear para optimizar los recursos de diseño de una aplicación.
- La herramienta en línea de comandos `bmgr`, que puede ayudar a probar características de gestión de copias de seguridad de su aplicación, si es aplicable.

Hay que decir que aunque hayamos utilizado las herramientas de Android, como el emulador de Android y las herramientas de depuración DDMS de Eclipse, existen herramientas independientes que el personal de control de calidad puede usar, sin la necesidad de disponer de código fuente o de un entorno de desarrollo.

Truco

Las herramientas de las que se habla en el capítulo 4 y en los apéndices de este libro son útiles no solo para desarrolladores. Estas herramientas proporcionan a los equipos de pruebas más control sobre la configuración del dispositivo.

Evitar errores obvios en la realización de pruebas de aplicaciones Android

A continuación puede ver un listado de errores obvios y de obstáculos que los equipos de pruebas de Android deberían tratar de evitar:

- No realizar pruebas con los componentes del servidor o servicios empleados por una aplicación tan a fondo como se hace en el cliente.
- No realizar pruebas con la versión adecuada de Android SDK (dispositivo o versión de compilación del desarrollo).
- No realizar pruebas en el dispositivo y asumir que con el emulador es suficiente.
- No realizar pruebas de la aplicación en vivo utilizando el mismo sistema que los usuarios (facturación, instalación, etc.). Compre sus propias aplicaciones.
- Olvidar probar todos los puntos de entrada de su aplicación.
- Olvidar realizar pruebas en áreas con cobertura y velocidad de red diferentes.
- Olvidar realizar pruebas usando la batería como fuente de energía. No tenga el dispositivo siempre conectado a la red eléctrica.

Resumen

En este capítulo hemos proporcionado conocimientos del mundo real a los equipos de control de calidad, para probar aplicaciones Android. Tanto si su equipo está formado por una sola persona o por cien, probar su aplicación es una tarea fundamental para conseguir el éxito del proyecto. Afortunadamente, Android SDK proporciona una serie de herramientas para probar aplicaciones, así como un potente entorno para realizar pruebas unitarias. Siguiendo las técnicas estándar de control de calidad y apoyándose en estas herramientas, puede garantizar que la aplicación que ofrece a sus usuarios tiene la mayor calidad posible.

Referencias y más información

- Guía de desarrollo Android sobre pruebas e instrumentación: `http://developer.android.com/guide/topics/testing/testing_android.html`.
- Guía de desarrollo Android sobre pruebas: `http://developer.android.com/guide/developing/testing/index.html`.
- Herramienta de Android Exerciser Monkey para aplicaciones e interfaces de usuario: `http://developer.android.com/guide/developing/tools/monkey.html`.
- Herramienta monkeyrunner: `http://developer.android.com/guide/developing/tools/monkeyrunner_concepts.html`.
- Wikipedia sobre pruebas de software: `http://en.wikipedia.org/wiki/Software_testing`.
- Ayuda sobre pruebas de software: `http://www.softwaretestinghelp.com`.

19 Publicar aplicaciones Android

Después de desarrollar y probar su aplicación, el siguiente paso lógico es publicarla para que otras personas la utilicen. Incluso podría ganar algún dinero. Existen diferentes opciones de distribución disponibles para los desarrolladores de aplicaciones Android. Muchos desarrolladores venden sus aplicaciones en mercados de aplicaciones móviles como Google play.

Otros desarrollan sus propios mecanismos de distribución, por ejemplo, desde un sitio Web. Independientemente del método elegido, los desarrolladores deberían considerar cuáles son las opciones de distribución que planean utilizar durante los procesos del diseño y desarrollo de la aplicación, ya que algunas de las opciones podrían requerir cambios o imponer restricciones en el código.

Elegir el modelo de distribución adecuado

La elección del método de distribución depende de sus objetivos y de los usuarios para los que está destinada su aplicación. Se podría plantear las siguientes preguntas:

- ¿Su aplicación está preparada para estar en primera fila o está pensando en algún periodo de pruebas para mejorarla?
- ¿Quiere tener la mayor audiencia posible o ha desarrollado una aplicación para el mercado vertical? Defina sus usuarios, los dispositivos que usan y sus métodos preferidos para buscar y descargar aplicaciones.

- ¿Qué precio va a poner a su aplicación? ¿Es gratuita o *shareware*? ¿Los modelos de pago (pago único, modelo subscripción o modelo basado en anuncios) que necesita están disponibles en los mecanismos de distribución que quiere utilizar?
- ¿Dónde tiene planeado distribuirla? Verifique que los mercados de aplicaciones que piensa usar son capaces de distribuir en dichos países o regiones.
- ¿Está dispuesto a compartir una parte de los beneficios? Mecanismos de distribución como Google play se quedan con un porcentaje de cada venta a cambio de alojar su aplicación para su distribución y poder cobrar el beneficio de la aplicación.
- ¿Necesita tener un control total del proceso de distribución o está dispuesto a trabajar dentro de los límites y requisitos impuestos por mercados de terceros? Esto podría requerir el cumplimiento con acuerdos y términos de licencia adicionales.
- Si piensa distribuirlo usted mismo, ¿cómo lo va a hacer? Podría necesitar desarrollar más servicios para gestionar usuarios, implementar aplicaciones y recibir los pagos. En este caso, ¿cómo va a proteger los datos de los usuarios? ¿Qué leyes comerciales debe cumplir?
- ¿Ha considerado la opción de crear una versión de prueba gratuita de su aplicación? Si el sistema de distribución considerado incluye una política de devoluciones, considere las posibles consecuencias. Necesita garantizar que su aplicación incluye un sistema de seguridad para minimizar el número de usuarios que compran su aplicación, la utilizan y la devuelven para obtener un reembolso completo. Por ejemplo, un juego podría incluir un sistema como una versión de prueba gratuita y otra versión completa con más niveles, que podrían ser completados dentro del periodo de tiempo reembolsable.

Proteger sus derechos de propiedad intelectual

Para desarrollar una buena aplicación Android habrá gastado dinero, tiempo y esfuerzo. Ahora quiere distribuirla, pero quizá está preocupado por la posible realización de ingeniería inversa sobre secretos comerciales y por la piratería del software. La tecnología avanza tan rápidamente que es imposible estar protegido perfectamente frente a ambos problemas.

Si está acostumbrado a desarrollar aplicaciones Java, puede que conozca herramientas para ofuscar el código. Están diseñadas para oscurecer la información que se pueda leer fácilmente en los códigos Java compilados, haciendo que la aplicación descompilada sea más difícil de entender y por tanto complicando la ingeniería inversa. Algunas herramientas, como ProGuard (`http://proguard.sourceforge.net`), soportan aplicaciones Android, ya que éstas se pueden ejecutar después de que se haya creado el archivo `.jar` y antes de que se convierta al archivo del paquete final utilizado en Android. El soporte de ProGuard está incluido en proyectos creados con herramientas Android.

Google play también soporta un servicio de licencia llamado LVL (*License Verification Library*, Librería de verificación de licencia). Está disponible como un *plugin* Google API y solo funciona en versiones de Android 1.5 y superiores. Solo se aplica a aplicaciones de pago, distribuidas a través de Google play. Para que se pueda usar completamente, requiere soporte en la aplicación (código añadido) y debería considerar seriamente la utilización de ofuscación de su código. El objetivo principal de este servicio es verificar que una aplicación pagada instalada en un dispositivo ha sido comprada adecuadamente por el usuario. Puede encontrar más información sobre este tema en el sitio Web de desarrolladores Android: `http://goo.gl/Tbvhj`.

Por último, Google play soporta un tipo de copia de protección a través de una casilla de verificación, cuando publica su aplicación. Actualmente el método empleado no está bien documentado. Sin embargo, también puede usar sus propios métodos de copias de protección, o los disponibles en otros mercados, si esto es una preocupación importante en su empresa.

Facturar al usuario

A diferencia de otras plataformas móviles que puede haber utilizado, Android SDK actualmente no incluye API de facturación que funcionen directamente desde las aplicaciones o que facturen directamente en la cuenta de red de sus usuarios. En lugar de eso, normalmente las API de facturación son *plugins* proporcionados en los canales de distribución. Por ejemplo, Google play utiliza Google Checkout para procesar los pagos de las aplicaciones.

Si una aplicación tiene que facturar por elementos vendidos dentro de la aplicación (es decir, tonos de llamada, música, libros electrónicos, etc.), el desarrollador debe implementar un mecanismo de facturación dentro de la propia aplicación. Google play proporciona una API complementaria para implementar soporte de facturación dentro de la aplicación en los productos publicados en Google play (`http://goo.gl/emzJo`).

¿Quiere emplear su propio sistema de facturación? La mayoría de dispositivos Android pueden usar Internet, por lo que el uso de servicios de facturación *online* y API (PayPal, Google Checkout y Amazon, por nombrar unos pocos) es bastante habitual. Compruebe que su sistema de facturación preferido permite específicamente el uso móvil y que los métodos de facturación que su aplicación necesita están disponibles, son factibles y legales, para los usuarios a los que está destinada. Igualmente, asegúrese de que los canales de distribución que ha planeado utilizar admiten estos mecanismos de facturación (aparte de los suyos propios).

Emplear beneficios proporcionados por anuncios

Otro método para conseguir beneficios de los usuarios es usar un modelo de negocio móvil gestionado por anuncios. Android en sí mismo no incluye reglas específicas frente al uso de anuncios dentro de aplicaciones. Sin embargo, diferentes mercados pueden imponer sus propias reglas sobre lo que está o no permitido. Por ejemplo, el servicio

AdMob de Google permite a los desarrolladores introducir anuncios en sus aplicaciones (para más información consulte la página `http://goo.gl/q77mK`). Otras empresas proporcionan servicios similares.

Obtener estadísticas de su aplicación

Antes de publicar una aplicación, podría pensar en añadir estadísticas a su aplicación para determinar cómo la utilizan los usuarios. Podría escribir sus propios mecanismos para obtener estadísticas, o emplear *plugins* de terceros como Google Analytics para Android. Asegúrese de informar siempre a sus usuarios si va a obtener información de los mismos, e incluya sus planes en un acuerdo de licencia del usuario (EULA) y una política de privacidad bien definidas. Las estadísticas pueden ser útiles no solo para saber cuánta gente está usando su aplicación, sino también para saber cómo la están utilizando.

A continuación vamos a ver los pasos que tiene que seguir para empaquetar y publicar su aplicación.

Empaquetar la aplicación para su publicación

Los desarrolladores deben seguir varios pasos cuando preparan una aplicación Android para su publicación y distribución. Su aplicación también debe también cumplir algunos requisitos importantes impuestos por los mercados. Para publicar una aplicación hay que seguir estos pasos:

1. Preparar y ejecutar la implementación elegida de su aplicación.
2. Verificar que cumple todos los requisitos impuestos por el mercado, como configurar adecuadamente el archivo `manifest` de Android. Por ejemplo, asegúrese de que el nombre de la aplicación y la información de la versión son los correctos y que el atributo `debuggable` está configurado como `false`.
3. Empaquetar y firmar digitalmente la aplicación.
4. Probar exhaustivamente la versión empaquetada de la aplicación.
5. Publicar la aplicación.

Los pasos anteriores son necesarios, pero no suficientes para garantizar una implementación con éxito. Los desarrolladores también deberían seguir estos pasos:

1. Probar exhaustivamente la aplicación en todos los terminales objetivo.
2. Desactivar la depuración, incluyendo sentencias `log` o cualquier otro registro.
3. Verificar los permisos, garantizando que se añaden los correspondientes a los servicios que se van a emplear y se eliminan los que no se van a usar, independientemente de que sean aplicados por los terminales.
4. Pruebe la versión final firmada, con la depuración y el registro desactivados.

A continuación vamos a ver con detalle cada uno de los estos pasos, en el mismo orden en el que se deberían realizar.

Preparar su código para el empaquetado

Una aplicación que haya sido objeto de un ciclo de pruebas exhaustivo podría necesitar algunos cambios antes de que estuviera preparada para una versión en producción. Estos cambios convertirán una aplicación depurable en preproducción en una aplicación lista para su lanzamiento.

Definir el nombre y el icono de la aplicación

Una aplicación Android incluye ajustes por defecto para el icono y la etiqueta. El icono aparece en el lanzador de aplicaciones y también puede aparecer en otros sitios, incluyendo mercados. Como tal, se requiere que una aplicación tenga un icono. Debería suministrar recursos icono `drawable` alternativos para diferentes resoluciones de pantalla. La etiqueta, o nombre de la aplicación, también se muestra en ubicaciones similares y por defecto en el nombre del paquete. Debería elegir un nombre corto y fácil de usar, que es el que se mostrará bajo el icono de la aplicación en las pantallas del lanzador de aplicaciones.

Versionar la aplicación

A continuación se necesita un versionado adecuado, especialmente si en el futuro van a existir actualizaciones. El desarrollador elige el nombre de la versión. No obstante, el código de la versión es utilizado internamente por el sistema Android para determinar si una aplicación es una actualización. Debería incrementar el código de la versión para cada nueva actualización de la aplicación. El valor exacto no importa, pero debe ser mayor que el código de la versión anterior. En el capítulo 6 vimos como versionar dentro del archivo `manifest` de Android.

Verificar las plataformas objetivo

Asegúrese de que su aplicación emplea la etiqueta `<uses-sdk>` correctamente en el archivo `manifest` de Android. Esta etiqueta se usa para especificar las versiones mínima y objetivo de la plataforma en las que se puede ejecutar la aplicación. Este es quizás el ajuste más importante después del nombre de la aplicación y de la información de la versión.

Configurar el archivo manifest para el filtrado en el mercado

Si tiene planeado publicar en Google play, debería informarse sobre cómo este sistema de distribución utiliza determinadas etiquetas dentro del archivo `manifest` de Android para filtrar las aplicaciones disponibles para los usuarios. En el capítulo

6 vimos cómo emplear muchas de estas etiquetas, como `<supports-screens>`, `<uses-configuration>`, `<uses-features>`, `<uses-permission>` y `<uses-sdk>`. Defina cuidadosamente cada uno de estos elementos, ya que no sería conveniente que definiera accidentalmente demasiadas restricciones en su aplicación. Asegúrese de que prueba exhaustivamente su aplicación después de configurar dichos ajustes del archivo `manifest` de Android. Para más información sobre el funcionamiento de los filtros de Google play, consulte la página Web `http://goo.gl/kbI3o`.

Preparar el paquete de la aplicación para Google play

Google play impone unos requisitos estrictos para los paquetes de la aplicación. Cuando sube su aplicación al sitio Web de Google play, se verifica el paquete y si existe algún problema se le comunica. Con frecuencia existen problemas cuando no ha configurado correctamente el archivo `manifest` de Android.

Google play usa el atributo `android:versionName` de la etiqueta `<manifest>` dentro del archivo `manifest` para mostrar información de la versión a los usuarios. También utiliza internamente el atributo `android:versionCode` para gestionar las actualizaciones de la aplicación. También se deben incluir los atributos `android:icon` y `android:label`, ya que ambos son empleados por Google play para mostrar en nombre de la aplicación al usuario junto con un icono.

> **Advertencia**
>
> Android SDK permite que el atributo `android:versionName` haga referencia a un recurso cadena. Sin embargo, esto no está permitido en Google play. Si se usa un recurso cadena se generará un error.

Desactivar la depuración y el registro

A continuación tiene que desactivar la depuración y el registro. Desactivar la depuración implica eliminar el atributo `android:debuggable` de la etiqueta `<application>` en el archivo `AndroidManifest.xml`, o definir este ajuste como `false`. En Java puede desactivar el código de registro de varias formas, desde simplemente comentarlo, hasta utilizar un sistema implementado que haga esto automáticamente.

> **Truco**
>
> Un método habitual de compilar condicionalmente el código de depuración es emplear una interfaz de clase con valor booleano único, público y estático, que se define como `true` o `false`. Cuando se usa en una sentencia `if` y se define como `false`, debido a que no se puede cambiar, el compilador no debería incluir el código inaccesible y realmente no se ejecutará. Recomendamos que utilice algún método adicional, aparte de comentar las líneas del registro y otro código de depuración.

Truco

Si no especifica el atributo `android:debuggable`, se activarán automáticamente compilaciones de forma incremental y las de exportación y lanzamiento se desactivarán. Si define el valor como `true`, también hará que las compilaciones de exportación y lanzamiento sean realmente una compilación de depuración.

Verificar los permisos de la aplicación

Por último debería revisar los permisos utilizados por la aplicación. Incluya todos los permisos que la aplicación necesite y elimine los que no utilice. Los usuarios se lo agradecerán.

Empaquetar y firmar su aplicación

Ahora que la aplicación está lista para su publicación, tiene que preparar el paquete del archivo (el archivo `.apk`). El gestor de paquetes de un dispositivo Android no instalará un paquete que no haya sido firmado digitalmente. Durante el proceso de desarrollo, las herramientas de Android han llevado a cabo esta tarea mediante la firma con una clave de depuración. Esta clave no se puede emplear para publicar una aplicación en el mundo real. En lugar de eso, necesita usar un clave auténtica para firmar digitalmente su aplicación.

Puede utilizar la clave privada para firmar digitalmente los archivos del paquete de su aplicación Android que se vaya a publicar, así como de cualquier actualización. De esta forma se garantiza que la aplicación (como una entidad completa) proviene del desarrollador y no de cualquier otra fuente.

Advertencia

Una clave privada identifica al desarrollador y es fundamental para crear relaciones de confianza entre desarrolladores y usuarios. Es muy importante proteger la información de la clave privada.

Google play necesita que el periodo de validez de la firma digital de su aplicación expire después del 22 de octubre del 2033. Esta fecha podría parecer mucho tiempo y para el mercado móvil realmente lo es. Sin embargo, debido a que una aplicación debe emplear la misma clave para las actualizaciones y debido también a que las aplicaciones tienen que trabajar teniendo en cuenta privilegios especiales y relaciones de confianza también deben ser firmadas con la misma clave, esta clave podría usarse más adelante en muchas aplicaciones. Por lo tanto, Google establece que la clave sea válida en un futuro, de forma que los usuarios puedan realizar correctamente actualizaciones y renovaciones.

Nota

Encontrar una autoridad de certificados externa que emita una clave válida para tanto tiempo puede ser complicado, por lo que la solución más sencilla es la auto-firma. Dentro de Google play, utilizar una autoridad de certificados externa no tiene ventajas.

Aunque la auto-firma es habitual en aplicaciones Android y no requiere una autoridad de certificados, es fundamental crear adecuadamente un clave y protegerla. La firma digital de aplicaciones Android puede influir en determinadas funcionalidades. La fecha de expiración de la firma se verifica durante la instalación, pero después de ésta, una aplicación continuará funcionando aunque la firma haya expirado.

Siga estos pasos para exportar y firmar su archivo del paquete de la aplicación Android dentro de Eclipse, empleando el *plugin* de desarrollo Android (o también puede usar las herramientas en línea de comandos):

1. En Eclipse, haga clic con el botón derecho en el proyecto de la aplicación y seleccione la opción Android Tools>Export Signed Application Package (Herramientas de Android>Exportar paquete de la aplicación firmada). Como alternativa, también puede seleccionar Exportar, expandir la sección Android y seleccionar Export Android Application (Exportar aplicación Android), que por defecto es una aplicación firmada.
2. Haga clic en el botón **Siguiente**.
3. Seleccione el proyecto que quiere exportar (la opción por defecto será el proyecto sobre el que anteriormente hizo clic con el botón derecho).
4. En la ventana Keystore selection (Selección del almacén de claves), seleccione la opción Create new keystore (Crear nuevo almacén de claves) e introduzca la ubicación del archivo en el campo Location (Ubicación), que es el lugar donde quiere almacenar la clave y una contraseña para gestionar el almacén de claves, en el campo Password (Contraseña). Si ya tiene un almacén de claves, haga clic en el botón **Browse** (Explorar) para seleccionarlo y a continuación introduzca la clave correspondiente.

Advertencia

Elija contraseñas robustas para el almacén de claves. Tampoco olvide donde guarda el almacén de claves. Necesitará la misma clave para publicar y actualizar su aplicación. Si está comprobada por un sistema de control de versiones, la contraseña le ayuda a protegerlo. Sin embargo, debería considerar la opción de añadir una capa adicional de privilegios para acceder a la misma.

5. Haga clic en el botón **Siguiente**.

6. En la ventana Key Creation (Creación de la clave), introduzca los detalles de la clave, como puede ver en la figura 19.1.

Figura 19.1. Crear una nueva clave para exportar una aplicación Android firmada en Eclipse.

7. Haga clic en el botón **Siguiente**.
8. En la ventana Destination and key/certificate checks (Destino y comprobación clave/certificado) introduzca un destino para el archivo del paquete de la aplicación.
9. Haga clic en el botón **Finalizar**.

Ya ha creado un archivo del paquete de la aplicación totalmente firmado y certificado que ya está preparado para ser publicado. Para más información sobre la firma, consulte el sitio Web de desarrolladores Android `http://goo.gl/iROjP`.

Nota

Si no está utilizando Eclipse y el *plugin* de desarrollo Android, puede emplear las herramientas en línea de comandos `keytool` y `jarsigned` disponibles en JDK, además de la utilidad `zipalign` disponible en Android SDK, para crear una clave adecuada y firmar un archivo del paquete de la aplicación (`.apk`). Aunque `zipalign` no está relacionada directamente con la firma, optimiza el paquete de la aplicación para un uso más eficiente en Android. El *plugin* ADT para Eclipse ejecuta `zipalign` automáticamente después de la firma.

Probar la versión de lanzamiento del paquete de su aplicación

Ahora que ya ha configurado su aplicación para producción, debería realizar un ciclo de pruebas final completo, prestando atención especial a cambios sutiles en el proceso de instalación. Una parte importante de este proceso es verificar que ha desactivado todas las características de depuración y que el registro no influye negativamente en la funcionalidad y rendimiento de la aplicación.

Distribuir su aplicación

Ahora que ya tiene su aplicación preparada para la publicación, es el momento de mostrarla a los usuarios, por diversión y para obtener beneficios. Antes de publicarla, debería considerar la opción de configurar un sitio Web de su aplicación, una dirección de correo electrónico para soporte técnico, un foro de ayuda y de comentarios, una cuenta en redes sociales como Twitter/Facebook/Google+ o cualquier otra infraestructura que quiera o que necesite para dar soporte a su aplicación publicada.

Publicar en Google play

Actualmente Google play es el mecanismo más popular para distribuir aplicaciones Android. Aquí es donde los usuarios normalmente compran y descargan aplicaciones. En el momento de escribir este libro, estaba disponible en casi todos los dispositivos Android. Como tal, le mostramos cómo comprobar el paquete de su aplicación para la preparación, registro de una cuenta de desarrollador y envío de su aplicación para su venta en Google play.

> **Nota**
>
> Google play se actualiza con frecuencia. Hemos hecho todo lo posible para indicar los pasos más recientes cuando tiene que subir y gestionar aplicaciones. Sin embargo, estos pasos y las interfaces de usuario descritas en esta sección pueden cambiar con el tiempo. Por favor revise el sitio Web de Google play (`https://play.google.com/apps/publish/`) para tener la información más actualizada.

Crear una cuenta de desarrollador en Google play

Para publicar aplicaciones a través de Google play debe registrarse como desarrollador. Esto conlleva dos pasos. Verificar que es usted en Google y activar una cuenta en Google Checkout, que se usa para la facturación de aplicaciones Android.

> **Nota**
>
> En el momento de escribir este libro, solo los desarrolladores ("comerciantes") que residieran en determinados países podían vender aplicaciones Android debido a las leyes internacionales, como se describe en la página Web `http://goo.gl/JfUw0`. Los desarrolladores de muchos otros países pueden abrir cuentas de publicación, pero a día de hoy solo podrán publicar aplicaciones gratuitas. Para ver una lista completa de los países desde los que se puede publicar consulte la página Web `http://goo.gl/sGHHZ`.

Para abrir una cuenta de desarrollador en Google play, siga estos pasos:

1. Diríjase al sitio Web de registro en Google play en `https://play.google.com/apps/publish/signup`, que puede ver en la figura 19.2.

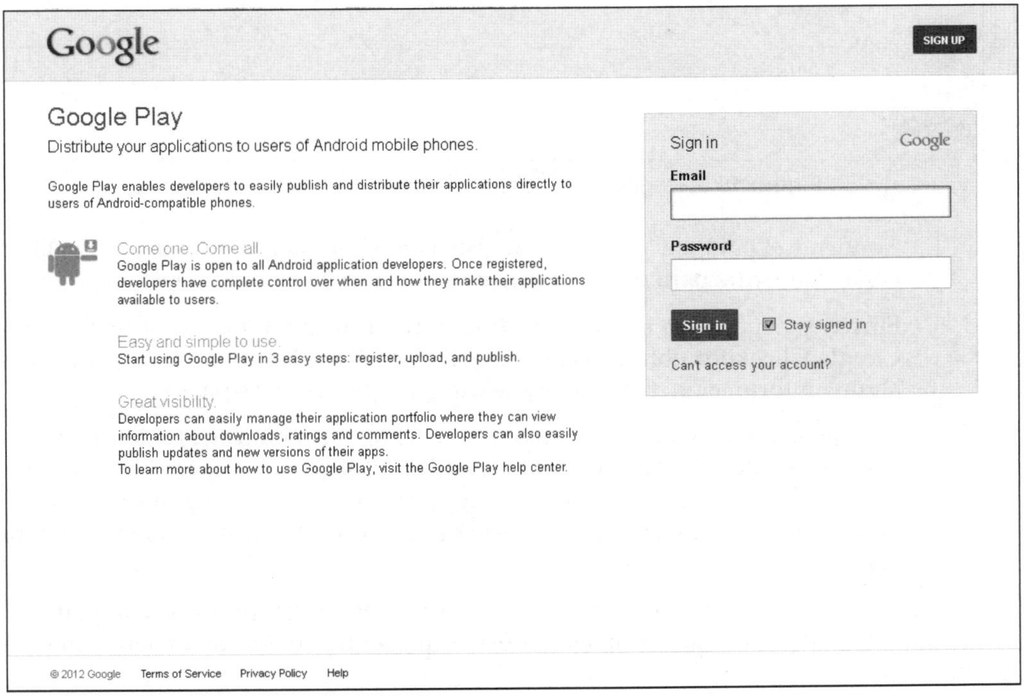

Figura 19.2. Página de registro para publicar en Google play.

2. Regístrese con la cuenta de Google que quiere utilizar (actualmente no puede cambiar la cuenta de Google asociada, pero puede cambiar la dirección de correo electrónico de contacto según la aplicación de que se trate).
3. Introduzca su información como desarrollador, incluyendo su nombre, dirección de correo electrónico y sitio Web, como se muestra en la figura 19.3.

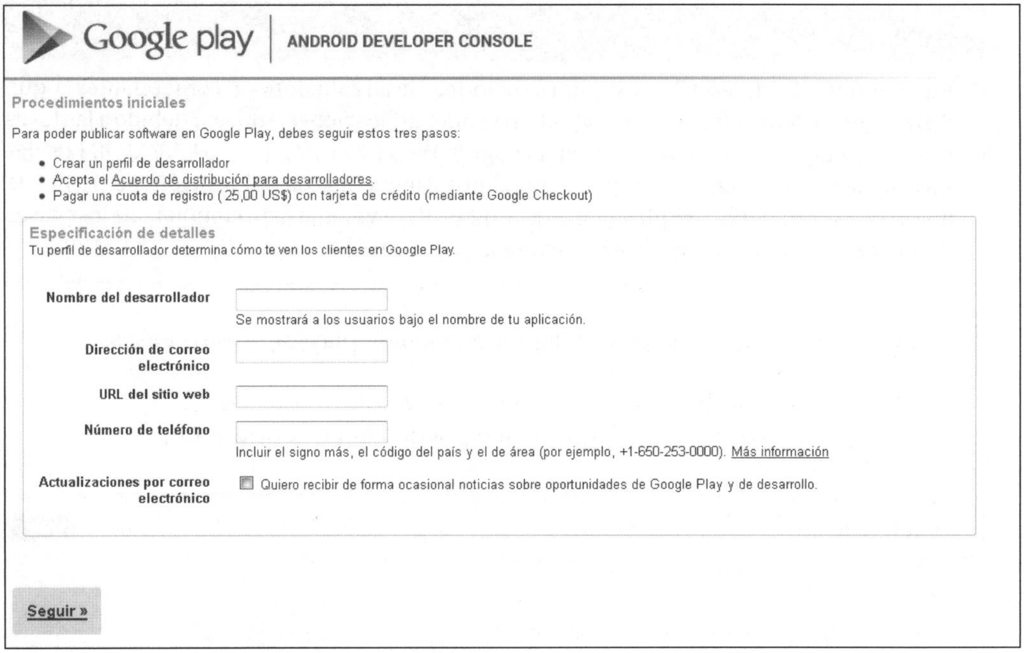

Google play | ANDROID DEVELOPER CONSOLE

Procedimientos iniciales

Para poder publicar software en Google Play, debes seguir estos tres pasos:

- Crear un perfil de desarrollador
- Acepta el Acuerdo de distribución para desarrolladores.
- Pagar una cuota de registro (25,00 US$) con tarjeta de crédito (mediante Google Checkout)

Especificación de detalles

Tu perfil de desarrollador determina cómo te ven los clientes en Google Play.

Nombre del desarrollador
Se mostrará a los usuarios bajo el nombre de tu aplicación.

Dirección de correo electrónico

URL del sitio web

Número de teléfono
Incluir el signo más, el código del país y el de área (por ejemplo, +1-650-253-0000). Más información

Actualizaciones por correo electrónico
Quiero recibir de forma ocasional noticias sobre oportunidades de Google Play y de desarrollo.

Seguir »

Figura 19.3. Página de detalles del desarrollador de Google play.

4. Confirme el pago de la cuota de registro (en el momento de escribir este libro 25 US$). Fíjese que para procesar este pago se emplea Google Checkout.
5. Firmar y pagar para ser un desarrollador Android también crea una cuenta en Google Checkout obligatoriamente, en la cual también tiene que proporcionar alguna información. Esta cuenta se usa para procesar los pagos.
6. Acepte vincular su tarjeta de crédito y registrar su cuenta en el acuerdo de distribución para desarrolladores de Google play. El acuerdo básico lo puede encontrar en `https://play.google.com/apps/publish/signup`. Imprima siempre el acuerdo real que firma como parte del proceso de registro, por si cambiara en el futuro.

Cuando haya completado con éxito los pasos anteriores, podrá ver la pantalla de inicio de Google play, que también confirma que se ha creado una cuenta en Google Checkout.

Subir su aplicación a Google play

Ahora que ya tiene una cuenta registrada para publicar aplicaciones a través de Google play y un paquete de una aplicación firmada, está preparado para publicarla.

En la página principal del sitio Web de Google play, regístrese y haga clic en el botón **Subir aplicación**, que puede ver en la figura 19.4.

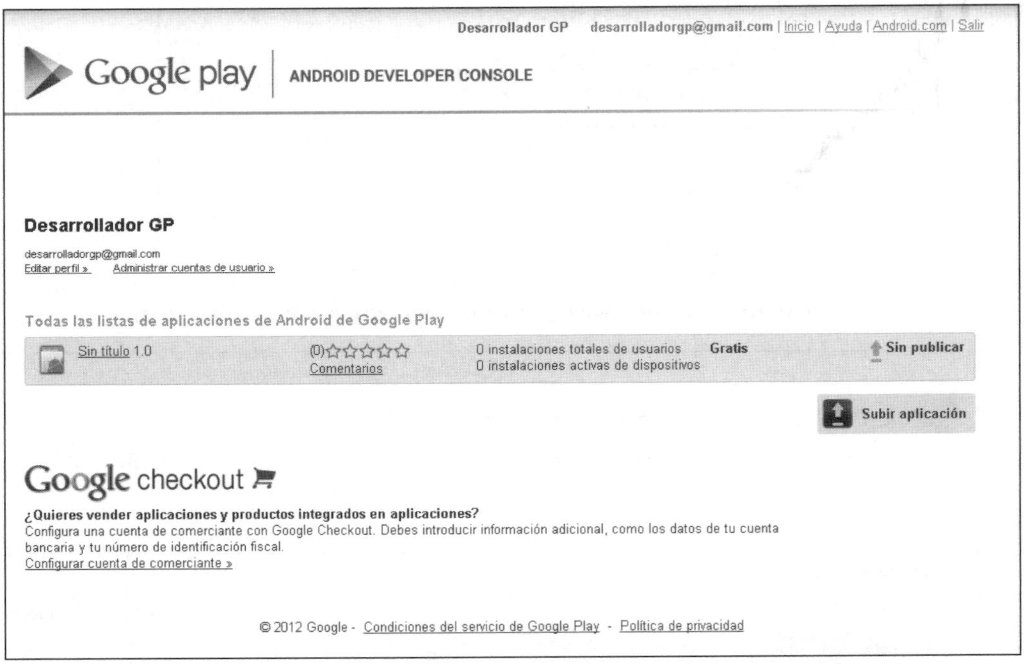

Figura 19.4. Listado de aplicaciones del desarrollador en Google play.

En esta página puede configurar los ajustes de su cuenta del desarrollador, ver su historial de transacciones y gestionar sus aplicaciones publicadas. Para publicar una nueva aplicación, haga clic en el botón **Subir aplicación** de esta página. Podrá ver un formulario para subir el archivo (o los archivos) del paquete de la aplicación, o APK, asociado con su producto, como puede ver en la figura 19.5.

En la pestaña Información de producto puede completar los campos importantes asociados con su aplicación.

Subir recursos de marketing de la aplicación

La pestaña Información de producto asociada con su aplicación empieza con la sección Subir recursos, como puede ver en la figura 19.6. En esta sección puede realizar las siguientes tareas:

- Proporcionar una versión de alta resolución del icono de su aplicación.
- Subir capturas de pantalla y gráficos promocionales para el listado del mercado.
- Vincular un vídeo promocional opcional de la aplicación en YouTube.
- Definir los ajustes de marketing, incluyendo la posibilidad de optar por no utilizar las opciones de marketing de Google play.

Subir nuevo APK

Obligatorio: selecciona el archivo APK de tu aplicación

Seleccionar archivo No se ha... archivo Publicar

Opcional: añadir un archivo de expansion

Si el archivo APK de tu aplicación supera el límite de 50 MB, puedes añadir archivos de expansión. Más información

Añadir archivo

Cerrar

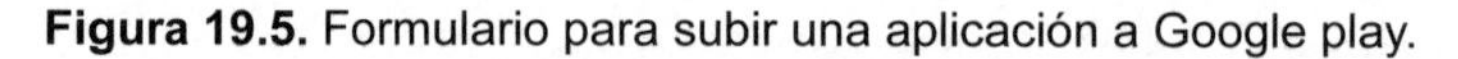

Figura 19.5. Formulario para subir una aplicación a Google play.

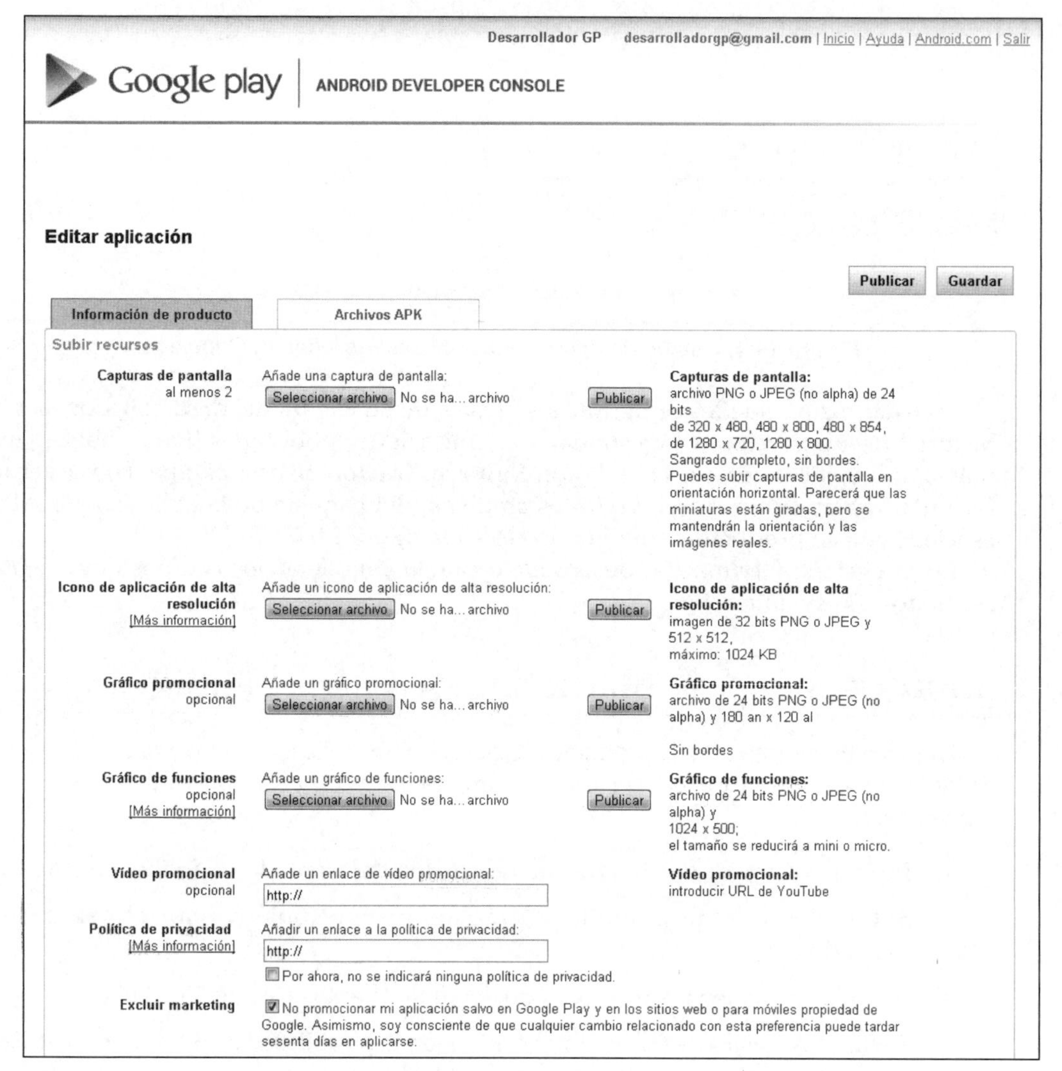

Figura 19.6. Formulario de subida de aplicaciones de Google play (Información de producto).

Configurar los detalles del listado de aplicaciones

La pestaña Información de producto asociada con su aplicación continua con la sección Especificación de detalles, como puede ver en la figura 19.7. En esta sección puede realizar las siguientes tareas:

- Especificar los idiomas que quiere emplear en el listado.
- Especificar el título de la aplicación, descripción, cambios recientes y texto promocional en los idiomas especificados.
- Especificar el tipo y la categoría de la aplicación.

Especificación de detalles

Idioma | *español (es) |
añadir idioma
El signo de estrella (*) indica el idioma predeterminado.

Título (Español)
0 caracteres (máximo 30)

Descripción (Español)
0 caracteres (máximo 4000)

Cambios recientes (Español)
[Más información]
0 caracteres (máximo 500)

Texto promocional (Español)
0 caracteres (máximo 80)

Tipo de aplicación Seleccionar

Categoría Seleccionar

Figura 19.7. Formulario de subida de aplicaciones de Google play (Especificación de detalles).

Truco

Utilice algún tiempo para configurar adecuadamente los campos Tipo de aplicación y Categoría para que su aplicación llegue al público al que está destinada. Las aplicaciones categorizadas incorrectamente no se venden bien. Para ver un listado completo de los tipos y categorías consulte el listado de ayuda de Google play en `http://goo.gl/SngkX`.

Configurar las opciones de publicación de su aplicación

La pestaña Especificación de detalles continua con la sección Opciones de publicación, como puede ver en la figura 19.8. En esta sección puede realizar las siguientes tareas:

- Especificar los ajustes de copias de protección de su aplicación.
- Especificar la clasificación del contenido (nivel de madurez) de su aplicación.
- Configurar el tipo de facturación (gratis o de pago) de la aplicación (estos son ajustes permanentes, que no se pueden cambiar después).
- Configurar el precio por defecto de su aplicación en dólares americanos, si es aplicable.
- Configurar el precio por defecto de su aplicación en otras monedas, si es aplicable, usando un conversor de divisas (puede ajustar estos valores como quiera).

Nota

Actualmente se cobra una cuota del 30 por 100 para alojar aplicaciones en Google play. Los precios pueden estar entre 0.99 a 200 dólares americanos y puede encontrar rangos similares en otras monedas. Para más información consulte la página Web `http://goo.gl/ZoDMK`.

- Incluir o excluir dispositivos específicos, según se necesite (aparte de los filtros del mercado).

Configurar información de consentimiento y de contacto de la aplicación

La última parte de la pestaña Información de producto son las secciones Información de contacto y Consentimiento, que puede ver en la figura 19.9. En estas secciones puede realizar las siguientes tareas:

- Especificar su sitio Web de desarrollador, correo electrónico y número de teléfono.

Nota

Puede modificar los ajustes de contacto de aplicación en aplicación, lo cual le permite tener una gran flexibilidad en el soporte si su empresa está publicando múltiples aplicaciones.

Opciones de publicación

Protección contra copias
- Desactivado (la aplicación se puede copiar desde el dispositivo)
- Activado (evita la copia de esta aplicación desde el dispositivo. Aumenta la cantidad de memoria del teléfono necesaria para instalar la aplicación).

La función de protección contra copias quedará obsoleta en poco tiempo; usa el servicio de licencias en su lugar.

Clasificación de contenido [Más información]
- Nivel de madurez alto
- Nivel de madurez medio
- Nivel de madurez bajo
- Para todos

Precios Gratis ¿Quieres vender aplicaciones? Configura una cuenta de comerciante en Google Checkout.

Todos los países

Alemania, Argentina, Australia, Austria, Bélgica, Brasil, Bulgaria, Camerún, Canadá, Chipre, Corea del Sur, Costa de Marfil, Dinamarca, Eslovaquia, Eslovenia, España, Estados Unidos, Estonia, Filipinas, Finlandia, Francia, Ghana, Grecia, Hong Kong, Hungría, India, Irlanda, Islandia, Israel, Italia, Japón, Kenia, Letonia, Lituania, Luxemburgo, Malta, México, Nicaragua, Noruega, Nueva Zelanda, Países Bajos, Polonia, Portugal, Reino Unido, República Checa, Rumanía, Rusia, Senegal, Singapur, Sudáfrica, Suecia, Suiza, Tailandia, Taiwán, Turquía, Ucrania

Resto del mundo, excepto:

Albania, Angola, Antigua y Barbuda, Antillas Neerlandesas, Arabia Saudí, Argelia, Armenia, Aruba, Azerbaiyán, Bahamas, Bahréin, Bangladesh, Belice, Benín, Bielorrusia, Bolivia, Bosnia-Herzegovina, Botsuana, Burkina Faso, Cabo Verde, Camboya, Chile, China, Colombia, Costa Rica, Croacia, Ecuador, Egipto, El Salvador, Emiratos Árabes Unidos, Fiyi, Gabón, Guatemala, Guinea-Bissau, Haití, Honduras, Indonesia, Jamaica, Jordania, Kazajistán, Kirguistán, Kuwait, Laos, Líbano, Macedonia, Malasia, Mali, Marruecos, Mauricio, Moldavia, Mozambique, Namibia, Nepal, Nigeria, Níger, Omán, Pakistán, Panamá, Papúa Nueva Guinea, Paraguay, Perú, Qatar, República Dominicana, Ruanda, Serbia, Sri Lanka, Tanzania, Tayikistán, Togo, Trinidad y Tobago, Turkmenistán, Túnez, Uganda, Uruguay, Uzbekistán, Venezuela, Vietnam, Yemen, Zambia, Zimbabue

Dispositivos admitidos [Más información]
Según lo especificado en el manifiesto de aplicación, esta aplicación solo está disponible para dispositivos con estas características.

Esta aplicación está disponible en más de 0 dispositivos.

Figura 19.8. Formulario de subida de aplicaciones de Google play (Opciones de publicación).

- Certificar legalmente que su aplicación cumple las directrices de contenidos en Android, tal y como se definen en `http://goo.gl/416A0` (obligatorio).
- Reconocer legalmente que su aplicación está sujeta a las leyes de exportación de EE. UU. y que acepta cumplir dichas leyes y las reglas de exportación que Google play utiliza para publicar su aplicación internacionalmente (obligatorio).

Información de contacto

Sitio web

Dirección de correo electrónico

Teléfono

Consentimiento

☐ Esta aplicación cumple las directrices para contenido de Android.

☐ Acepto que mi aplicación pueda estar sujeta a las leyes de exportación de Estados Unidos, independientemente de mi ubicación o de mi nacionalidad. Asimismo, confirmo que he cumplido dichas leyes, incluidos los requisitos para software con funciones de encriptación. Certifico que mi aplicación se puede exportar desde Estados Unidos de acuerdo con las leyes de este país. Más información

Figura 19.9. Formulario de subida de aplicaciones de Google play (Información de contacto y Autorización).

Publicar su aplicación en Google play

Ya está preparado para hacer clic en el botón **Publicar**. Su aplicación aparecerá en Google play casi inmediatamente. Después de la publicación, puede ver estadísticas que incluyen evaluaciones, revisiones, descargas e instalaciones activas en la sección Todas las listas de aplicaciones de Android de Google Play de la página principal de su cuenta de desarrollador. También tendrá acceso a informes de errores y otra información cuando su aplicación sea descargada por usuarios.

Truco

¿Ha recibido un informe de errores en un dispositivo específico? Compruebe los filtros de mercado de su aplicación en el archivo `manifest` de Android. ¿Está incluyendo y excluyendo los dispositivos adecuados? También puede excluir dispositivos específicos en los ajustes Dispositivos soportados en el listado de aplicaciones.

Gestionar su aplicación en Google play

Cuando haya publicado su aplicación en Google play tendrá que gestionarla. Entre otros se encuentran los aspectos relacionados con entender cómo funciona la política de reembolso en Google play, gestionar actualizaciones de la aplicación y si fuera necesario, eliminar su aplicación de la publicación.

Política de reembolso de aplicaciones en Google play

Actualmente Google play incluye una política de reembolso de 15 minutos en aplicaciones. Es decir, un usuario puede emplear una aplicación durante 15 minutos y a continuación devolverla y obtener un reembolso completo. Sin embargo, esto solo se aplica para la primera descarga y la primera devolución. Si un determinado usuario ya ha devuelto su aplicación y quiere "intentarlo otra vez", deberá realizar una compra y no podrá devolverla por segunda vez. Aunque esto limita el abuso, debería ser consciente de que si su aplicación tiene pocos atractivos para que se vuelva a usar, puede que se encuentre con una tasa de devoluciones muy elevada y tendría que buscar otros métodos para conseguir beneficios.

Truco

Como desarrollador, también puede enviar reembolsos a usuarios específicos utilizando Google Checkout. Para más información consulte la página Web `http://goo.gl/J1oei`.

Actualizar su aplicación en Google play

Puede actualizar una aplicación existente en Google play desde la página de su cuenta de desarrollador. Simplemente suba una nueva versión empleando la etiqueta `android:versionCode` del archivo `manifest` de Android. Cuando la publique, los usuarios recibirán una notificación donde se les informa que existe una actualización disponible, solicitándoles su descarga.

Advertencia

Las actualizaciones de una aplicación deben ser firmadas con la misma clave privada que la aplicación original. Por razones de seguridad, el gestor de paquetes de Android no instala la actualización sobre la aplicación existente si la clave es diferente. Esto significa que tiene que conservar la clave asociada a la aplicación en un lugar seguro y fácil de encontrar, para poder usarla en el futuro.

Eliminar su aplicación de Google play

También puede utilizar la acción de despublicar para eliminar su aplicación de Google play desde su cuenta de desarrollador. Esta acción se realiza de forma inmediata, pero la entrada de la aplicación en Google play podría ser guardada en la caché de los terminales que han visto su aplicación. Tenga en cuenta que despublicar la aplicación hace que no esté disponible para nuevos usuarios, pero no la elimina de los dispositivos de los usuarios existentes.

Publicar empleando otras alternativas

Google play no es el único lugar disponible para distribuir aplicaciones Android. Existen muchos mecanismos alternativos de distribución para los desarrolladores. Los requisitos de las aplicaciones, las cuotas por derechos de autor y los acuerdos de licencia varían según el mercado de que se trate.

Las tiendas de aplicaciones de terceros son libres de aplicar las reglas que quieran sobre el criterio para aceptar aplicaciones, por lo que debe leer la letra pequeña atentamente. Podrían aplicar directrices en los contenidos, requerir soporte técnico adicional y hacer cumplir requisitos de firmado digital. Solo usted y su equipo pueden determinar cuáles son adecuados para sus necesidades específicas.

Truco

Android es una plataforma abierta, lo que implica que no existe nada que pueda evitar que un fabricante de terminales o una operadora (o incluso el propio desarrollador) desarrolle su propia tienda de aplicaciones Android.

A continuación puede ver una lista de mercados alternativos, en los que también podría distribuir sus aplicaciones Android:

- **Amazon Appstore:** Ejemplo de sitio Web de distribución específico para Android, para aplicaciones gratuitas y de pago (`http://amazon.com/appstore`).
- **Soc.io Mall:** Anteriormente conocido como AndAppStore, es un canal de distribución específico para aplicaciones gratuitas de Android, libros electrónicos y música, que usa una tienda en el propio dispositivo (`http://mall.soc.io`).
- **Handango:** Distribuye aplicaciones móviles para un gran rango de dispositivos, con diferentes sistemas de facturación (`http://www.handango.com`).
- **SHOP4APPS:** Ejemplo de escaparate de aplicaciones, gestionado por el fabricante de dispositivos Motorola para sus clientes (`http://goo.gl/qUfSJ`)
- **V CAST Apps:** Ejemplo de un tienda gestionada por la operadora Verizon para sus subscriptores móviles (`http://products.verizonwireless.com/`).

Truco

Todo el tiempo surgen nuevas opciones de mercados. Eche un vistazo a nuestro artículo sobre los diez mejores sitios para vender aplicaciones Android en la página Web `http://goo.gl/YNaHr`. Wikipedia mantiene una lista muy útil de las plataformas de distribución para dispositivos móviles, que incluye tiendas de aplicaciones para Android y para otras plataformas móviles (`http://goo.gl/gMpyG`).

Publicar aplicaciones usted mismo

Puede distribuir aplicaciones Android directamente desde un sitio Web o un servidor. Este método es el más adecuado para aplicaciones en el mercado vertical, empresas de contenidos que desarrollen mercados móviles y sitios Web de grandes marcas, que quieran dirigir los usuarios a sus propias aplicaciones Android. También puede ser una buena solución para obtener comentarios de usuarios finales.

Aunque este sistema quizás sea el método más sencillo de distribuir aplicaciones, también podría ser el más complicado para comercializar, proteger y ganar dinero. El único requisito que debe cumplir es que exista un lugar para alojar el archivo del paquete de la aplicación.

La desventaja de este sistema es que los usuarios finales tienen que configurar sus dispositivos para que admitan paquetes de orígenes desconocidos. Este ajuste se encuentra en la sección Aplicaciones de los ajustes del dispositivo, como puede ver en la figura 19.10. Esta opción no está disponible en todos los dispositivos existentes en el mercado.

Figura 19.10. Ajustes de aplicaciones, donde puede ver la casilla de verificación activada para poder descargar aplicaciones desde orígenes desconocidos.

Después de todo, el último paso que tiene que realizar el usuario es introducir la URL del paquete de la aplicación en el navegador Web del terminal y descargar el archivo (o hacer clic en un vínculo). Cuando el archivo se haya descargado, tiene lugar el proceso de instalación estándar de Android, solicitando al usuario que confirme los permisos y, opcionalmente, una actualización o sustitución de una aplicación existente, si ya existe una versión instalada previamente.

Resumen

Ya hemos visto cómo diseñar, desarrollar, probar e implementar aplicaciones Android a nivel profesional. En este último capítulo hemos aprendido a preparar el paquete de su aplicación para su publicación, utilizando diferentes modelos de ingresos. Tanto si su aplicación se publica a través de Google play, mercados alternativos, su propio sitio Web o alguna combinación de los anteriores, ahora puede crear una robusta aplicación desde cero y distribuirla para obtener beneficios (¡o fama!).

Por lo tanto, ahora es momento de salir afuera, arrancar Eclipse y crear estupendas aplicaciones. Le animamos a que lo vea desde una perspectiva más amplia. La plataforma Android permite al desarrollador disfrutar de una mayor libertad que con el resto de plataformas móviles. Aproveche esta característica. Utilice lo que ya funciona para reinventar lo que no funciona. Podría crear una gran aplicación.

Por último, si no le parece mal, nos encantaría que nos informara sobre todas las atractivas aplicaciones que está creando. Podrá encontrar nuestra información de contacto en la introducción al principio de este libro. ¡Buena suerte!

Referencias y más información

- Sitio Web de Google play: `https://play.google.com/store`.
- Guía de desarrollo Android sobre filtros del mercado: `http://developer.android.com/guide/appendix/market-filters.html`.

Parte VI.
Apéndices

Apéndice A Guía de inicio rápido del emulador de Android

La herramienta más útil incluida en el kit de desarrollo software de Android (SDK) es el emulador. Los desarrolladores lo utilizan para crear rápidamente aplicaciones Android sobre diferentes tipos de hardware. Esta guía de inicio rápido no es un estudio exhaustivo de los comandos del emulador, sino que está diseñada para que en poco tiempo pueda empezar a realizar tareas comunes. Por favor consulte la documentación del emulador incluida en Android SDK para ver una lista completa de sus características y comandos. El emulador de Android está incluido en Eclipse cuando emplea el *plugin* de herramientas de desarrollo Android para el entorno de desarrollo integrado (IDE) de Eclipse. También puede usar el emulador desde el directorio `/tools` de Android SDK, iniciándolo como un proceso independiente. La mejor forma de iniciar el emulador es utilizar el gestor de dispositivos virtuales de Android (AVD).

Simular la realidad: objetivo del emulador

El emulador de Android, que puede ver en la figura A.1, simula un entorno real del dispositivo en el que se ejecutan sus aplicaciones. Como desarrollador, puede configurarlo para que sea muy similar a los dispositivos en los que tiene pensado implementar sus aplicaciones. A continuación puede ver algunos consejos para emplear el emulador correctamente desde el principio:

- Puede usar comandos del teclado para interactuar fácilmente con el emulador.
- Puede utilizar clics del ratón, así como las acciones desplazar y arrastrar. Igualmente puede usar las flechas de dirección del teclado. No olvide los botones laterales, como el control del volumen, que también funcionan.

Figura A.1. Emulador típico de Android.

- Si su ordenador tiene una conexión a Internet, el emulador también. El explorador funciona. Puede activar la red con la tecla de función **F8.**
- Diferentes versiones de la plataforma Android muestran al usuario entornos ligeramente diferentes (uno de los fundamentos del sistema operativo Android) en el emulador. Por ejemplo, versiones antiguas de la plataforma tienen una pantalla de inicio básica y emplean una sección donde se muestran las aplicaciones instaladas, mientras que las versiones recientes de la plataforma enfocadas para *smartphones*, como el Android 4.0+, utilizan controles más elegantes y una pantalla de inicio mejorada, y la plataforma Honeycomb (Android 3.0+) incluye un nuevo tema holográfico y acciones en la barra de navegación. El emulador usa la interfaz básica del usuario, que con frecuencia es sustituida o modificada, por los fabricantes y operadoras. Dicho de otro modo, las características del sistema operativo que se muestran en el emulador, puede que no coincidan con lo que ven los usuarios en los dispositivos físicos.
- La aplicación Ajustes del sistema puede ser útil para gestionar los ajustes del sistema. Puede utilizar esta aplicación para configurar las opciones disponibles en el emulador, incluyendo opciones de red, de pantalla y de configuración local.

- La aplicación Opciones de desarrollo puede ser útil para configurar las opciones de desarrollo, entre las que se incluyen herramientas muy útiles, desde un emulador del terminal hasta un listado con los paquetes instalados. Además se incluyen herramientas para realizar pruebas con las cuentas y la sincronización. Desde aquí puede iniciar directamente pruebas JUnit.
- Para alternar entre los modos vertical y apaisado en el emulador, utilice las teclas **7** y **9** del teclado numérico (o las combinaciones de teclas **Control-F11** y **Control-F12**).
- Puede emplear la tecla **F6** para emular la rueda de desplazamiento del ratón. De esta forma el emulador tiene el control exclusivo del ratón, por lo que debe pulsar de nuevo **F6** para que pueda volver a tener el control del ratón.
- El botón **Menú** es un menú contextual para la pantalla que se encuentre abierta. Tenga en cuenta que los dispositivos más recientes no siempre tienen teclas físicas como **Inicio**, **Menú**, **Volver** y **Buscar**.
- En relación con el ciclo de vida de la aplicación, para detener fácilmente una, simplemente haga clic en **Inicio** (en el emulador) y generará los eventos del ciclo de vida de las actividades `onPause()`, `onStop()`. Para reanudar la aplicación, iníciela de nuevo. Para pausarla, haga clic en el botón **Encendido** del emulador. Solo se invocará el método `onPause()`. Necesitará volver a hacer clic en este botón de nuevo y a continuación desbloquear el emulador con la llamada al método `onResume()`.
- Avisos como mensajes de texto entrantes aparecerán en la barra de notificaciones, junto con los indicadores de tiempo de vida simulado de la batería, potencia y velocidad de la señal, etc.

Advertencia

Uno de los aspectos más importantes que tiene que recordar cuando trabaje con el emulador es que se trata de una potente herramienta, pero no es un sustituto del dispositivo real. El emulador con frecuencia ofrece una experiencia del usuario mucho más consistente que la de un dispositivo físico del mundo real, moviéndose por túneles y zonas sin cobertura, con muchas otras aplicaciones funcionando y consumiendo batería y recursos. Reserve siempre tiempo y recursos para probar a fondo sus aplicaciones en los dispositivos físicos y en situaciones comunes, formando parte de su proceso de pruebas.

Trabajar con dispositivos virtuales de Android (AVD)

El emulador de Android no es un dispositivo real, sino un simulador genérico del sistema para pruebas. Los desarrolladores pueden simular diferentes tipos de dispositivos Android, creando distintas configuraciones de dispositivos virtuales (AVD).

Truco

Puede ser útil pensar en que un AVD proporciona personalidad al emulador. Sin un AVD, un emulador es una cáscara vacía, no muy diferente a una CPU sin periféricos conectados.

Con las configuraciones AVD, el emulador de Android puede simular diferentes:

- Versiones de la plataforma objetivo.
- Tamaños de pantalla y resoluciones.
- Métodos de entrada.
- Tipo, velocidad y potencia de señales de red.
- Configuraciones de hardware.
- Configuraciones de almacenamiento externo.

Cada configuración del emulador es única, según se describe en su perfil AVD y almacena estos datos permanentemente, incluyendo aplicaciones instaladas, ajustes modificados y el contenido de la tarjeta SD emulada. En la figura A.2 puede ver diferentes configuraciones AVD del emulador.

Utilizar Android Virtual Device manager

Para ejecutar una aplicación en el emulador de Android, debe configurar un dispositivo virtual (AVD). Para crear y gestionar un AVD, puede emplear Android Virtual Device Manager desde Eclipse (que forma parte del *plugin* ADT), o usar la herramienta en línea de comandos proporcionada en Android SDK en el directorio `/tools`. Cada configuración AVD incluye información importante que describe un tipo específico de dispositivo Android, incluyendo la siguiente:

- Nombre descriptivo y sencillo de la configuración.
- Versión destino de la plataforma Android.
- Tamaño de pantalla, relación de aspecto y resolución.
- Detalles y características de la configuración hardware, incluyendo la memoria RAM disponible, métodos de entrada existentes y detalles del hardware opcional, como cámaras o sensores de localización.
- Almacenamiento externo simulado (tarjetas SD virtuales).

En la figura A.3 puede ver cómo se utiliza Android Virtual Device Manager para crear y gestionar configuraciones AVD.

Figura A.2. Diferentes configuraciones de AVD del emulador.

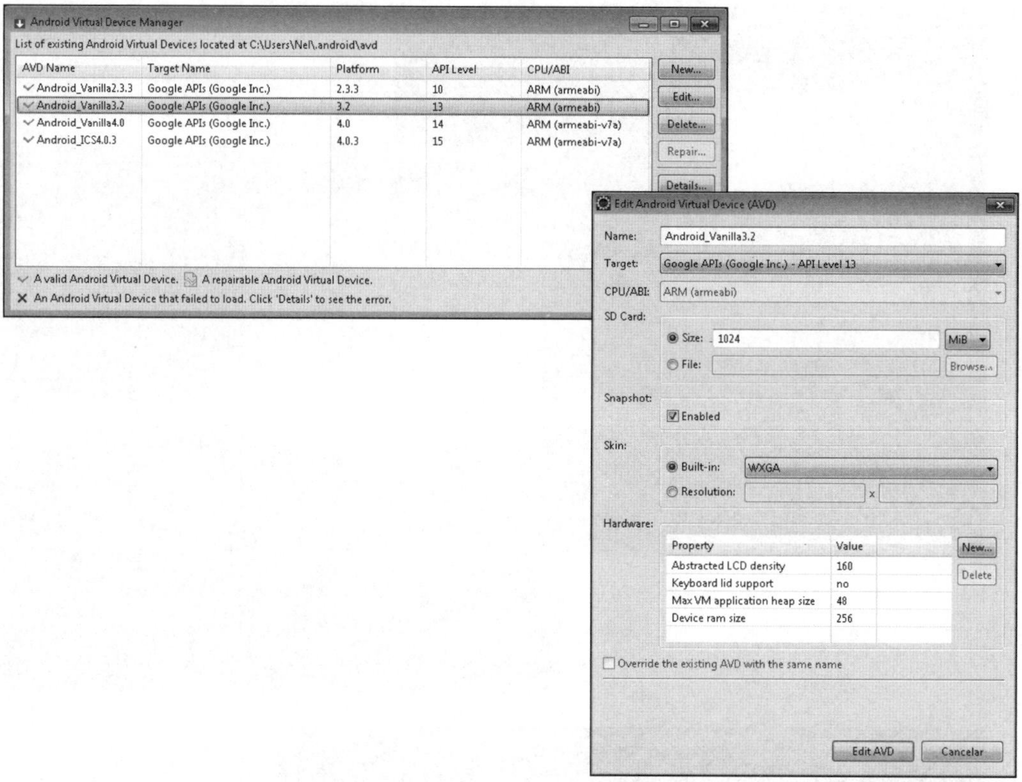

Android Virtual Device Manager

List of existing Android Virtual Devices located at C:\Users\Nel\.android\avd

AVD Name	Target Name	Platform	API Level	CPU/ABI
Android_Vanilla2.3.3	Google APIs (Google Inc.)	2.3.3	10	ARM (armeabi)
Android_Vanilla3.2	Google APIs (Google Inc.)	3.2	13	ARM (armeabi)
Android_Vanilla4.0	Google APIs (Google Inc.)	4.0	14	ARM (armeabi-v7a)
Android_ICS4.0.3	Google APIs (Google Inc.)	4.0.3	15	ARM (armeabi-v7a)

New... Edit... Delete... Repair... Details...

A valid Android Virtual Device. A repairable Android Virtual Device.
An Android Virtual Device that failed to load. Click 'Details' to see the error.

Edit Android Virtual Device (AVD)

Name: Android_Vanilla3.2
Target: Google APIs (Google Inc.) - API Level 13
CPU/ABI: ARM (armeabi)
SD Card:
Size: 1024 MiB
File: Browse...
Snapshot:
Enabled
Skin:
Built-in: WXGA
Resolution: x
Hardware:

Property	Value
Abstracted LCD density	160
Keyboard lid support	no
Max VM application heap size	48
Device ram size	256

New... Delete

Override the existing AVD with the same name

Edit AVD Cancelar

Figura A.3. Android Virtual Device Manager (izquierda) se puede emplear para crear configuraciones AVD (derecha).

Crear un AVD

Para crear una configuración AVD en Eclipse siga estos pasos:

1. Inicie Android Virtual Device Manager desde Eclipse haciendo clic en el pequeño icono que represente un robot verde ( ), que se encuentra en la barra de herramientas. También puede iniciarlo seleccionando Ventana>AVD Manager en la barra de menús de Eclipse. Podrá ver un listado con diferentes configuraciones de AVD, como puede ver en la figura A.3 (izquierda).

2. Haga clic en el botón New (Nuevo) para crear un nuevo AVD, como puede ver en la figura A.3 (derecha).

3. Escriba un nombre para el AVD en el campo Name (nombre). Si quiere simular un dispositivo específico, podría ponerle el nombre de dicho dispositivo. Por ejemplo, un nombre como "Tipo_NexusOne2.2" podría hacer referencia a un AVD que simula el terminal Nexus One ejecutando la plataforma 2.2 con la API de Google.

4. Seleccione la plataforma objetivo en el campo Target (objetivo). Aquí se representa la versión de la plataforma Android que se ejecuta en el emulador, por su nivel de la API. Por ejemplo, para dar soporte a Android 2.2, seleccione el nivel 8 de la API. Sin embargo, aquí también está seleccionando si se incluye o no la API opcional de Google. Si su aplicación utiliza la aplicación Maps u otros servicios de Google, debería seleccionar la plataforma que incluyera dicha API. En la página Web `http://d.android.com/guide/appendix/api-levels.html` puede ver un listado completo de los niveles de API y las plataformas de Android correspondientes.
5. Seleccione la capacidad de la tarjeta SD en el campo Size (Tamaño), que se puede definir en kibibytes o mibibytes. Cada imagen de la tarjeta SD usa espacio de su disco duro y tarda algún tiempo en generarse. No utilice tamaños muy grandes, ya que podría saturar su espacio en disco. Defina un tamaño razonable, como 1024MiB o menos. El mínimo es 9MiB. Asegúrese que tiene suficiente espacio en disco en su ordenador y seleccione el tamaño más adecuado a sus necesidades cuando vaya a realizar pruebas. Si está trabajando con imágenes o vídeos, tendrá que emplear mucho más espacio.
6. Seleccione la resolución en el campo Skin (cáscara). Aquí define las características de la pantalla que quiere emular. Para más sencillez, en cada plataforma existen una serie de resoluciones predefinidas (WXGA, HVGA, etc.) que representan características comunes de dispositivos Android. Existen diferentes resoluciones disponibles para cada plataforma objetivo de Android. También puede definir sus propios ajustes de pantalla si ninguno de los predefinidos encaja con sus necesidades.
7. Configure o modifique las diferentes características hardware de las opciones por defecto. A veces las resoluciones predefinidas automáticamente definen algunas de estas características, como la densidad de la pantalla. También podría cambiar los métodos de entrada disponibles para un determinado AVD.
8. Haga clic en el botón **Create AVD** (crear AVD) y espere a que la operación finalice. Debido a que Android Virtual Device Manager formatea la memoria asignada para las imágenes de las tarjetas SD, este proceso a veces puede tardar algún tiempo.
9. Cierre la ventana Android Virtual Device Manager.

Opciones de visualización de AVD

Diferentes dispositivos Android tienen distintas características de la pantalla. Es fundamental probar su aplicación en un emulador configurado para simular adecuadamente el tamaño de la pantalla y su resolución.

La primera opción de la pantalla es la resolución definida en píxeles. Diferentes versiones de la plataforma soportan diferentes resoluciones. Por ejemplo Android 1.6 (API nivel 4) soporta las siguientes resoluciones: QVGA, HVGA (por defecto), WVGA800 y

WVGA854. Android 3.0 soporta la resolución WXGA por defecto de una tableta. Para los que no estén familiarizados con este tipo de definiciones de pantalla, hay que comentar que se tratan de resoluciones gráficas estándar. En la página Web `http://goo.gl/Vd7mq` puede encontrar las dimensiones en píxeles. Por ejemplo, WXGA tiene 1280x768 píxeles. A veces una resolución de pantalla variará ligeramente para "pantallas anchas" o similares. Por ejemplo, WVGA técnicamente tiene 480x800 píxeles (cuando está en modo vertical, que es el caso normal en un teléfono), pero debido a que existe una versión de pantalla ancha de esta resolución, se puede utilizar una definición más específica con los términos WVGA (480x800) y FWVGA854 (480x854).

La siguiente opción de visualización que debería considerar es la densidad de pantalla. Mientras que la resolución utiliza el número de píxeles para crear la pantalla, la densidad representa el número de píxeles por pulgada (dpi) que se muestra en la pantalla del dispositivo.

En el caso del emulador y la plataforma Android, las pantallas se clasifican según categorías de densidades. La densidad de referencia para emuladores es un valor intermedio de 160 dpi. Una pantalla de alta densidad tendrá 240 dpi y una de densidad muy alta 320 dpi. Por defecto, su emulador simulará un dispositivo de densidad media, pero puede modificar esta opción cambiando la propiedad del hardware **Abstracted LCD density** (Densidad abstraída de LCD), de la que hablaremos a continuación con más detalle. Puede emplear esta propiedad para emular densidades de pantalla baja, media, alta y muy alta.

Truco

También puede ajustar la densidad de un AVD existente en una ventana del emulador, usando opciones en su línea de inicio, como `-scale` y `-dpi-device`. Para más información, consulte la documentación de opciones de inicio del emulador en la página Web de desarrolladores Android: `http://d.android.com/guide/developing/devices/emulator.html#startup-options`. Puede incluir estas opciones de inicio como parte de la configuración de la depuración de su proyecto, o utilizarlas en línea de comandos.

¿Quiere que su emulador se parezca aún más a un dispositivo específico? Eche un vistazo al sitio Web de desarrollo del fabricante, que puede incluir resoluciones personalizadas que puede instalar y usar en el emulador. Algunos incluso emplean sus propios ajustes de pantalla para personalizar el entorno de desarrollo.

Crear AVD con ajustes personalizados del hardware

Como comentamos anteriormente, puede especificar ajustes específicos de la configuración hardware dentro de sus configuraciones AVD. Necesita conocer cuáles son los ajustes por defecto por si necesitara modificarlos. En la tabla A.1 puede ver algunas de las opciones disponibles del hardware.

Tabla A.1. Opciones del hardware más importantes

Opción hardware	Descripción	Valor por defecto
Tamaño de la RAM del dispositivo (`hw.ramSize`)	RAM física en el dispositivo, en megabytes	Depende del dispositivo objetivo y de las opciones, desde 96 hasta 1024.
Pantalla táctil (`hw.touchScreen`)	Existe pantalla táctil en el dispositivo	Si.
Rueda de desplazamiento (`hw.trackBall`)	Existe rueda de desplazamiento en el dispositivo	Si.
Teclado (`hw.keyboard`)	Existe un teclado QWERTY en el dispositivo	Si.
Emulación GPU	Emula GPU OpenGL ES	Si.
Mando direccional (`hw.dPad`)	Existe un mando direccional en el dispositivo	Si.
Modem GSM (`hw.gsmModem`)	Existe un módem GSM en el dispositivo	Si.
Cámara (`hw.camera`)	Existe una cámara en el dispositivo	No.
Píxeles de la cámara (Horizontal) (`hw.camera.maxHorizontalPixels`)	Número máximo de píxeles de la cámara en dirección horizontal	640.
Píxeles de la cámara (Vertical) (`hw.camera.maxVerticalPixels`)	Número máximo de píxeles de la cámara en dirección vertical	480.
Número de cámaras Web emuladas (`hw.webcam.count`)	Número de cámaras Web	6.
GPS (`hw.gps`)	Existe GPS en el dispositivo	Si.
Batería (`hw.battery`)	El dispositivo puede funcionar con batería	Si.
Acelerómetro (`hw.accelerometer`)	Existe un acelerómetro en el dispositivo	Si.
Grabación de audio (`hw.audioInput`)	El dispositivo puede grabar audio	Si.
Reproducción de audio (`hw.audioOutput`)	El dispositivo puede reproducir audio	Si.

Opción hardware	Descripción	Valor por defecto
Tarjeta SD (`hw.sdCard`)	El dispositivo soporta tarjetas SD extraíbles	Si.
Partición de la caché (`disk.cachePartition`)	El dispositivo soporta partición de la caché	Si.
Tamaño de la partición de la caché (`disk.cachePartition.size`)	Tamaño en megabytes del tamaño de la partición de la caché en el dispositivo	66.
Densidad abstraída de LCD (`hw.lcd.density`)	Densidad general de la pantalla	Depende del dispositivo objetivo y la resolución seleccionada de la pantalla: 120, 160, 240, 320.
Tamaño máximo de la pila de aplicaciones VM (`vm.heapSize`)	Tamaño máximo de la pila que una aplicación puede asignar antes de que sea eliminada por el sistema operativo	Depende del dispositivo objetivo y de las opciones: 16, 24, 48.

Nota

Puede ahorrar tiempo, dinero y evitar problemas utilizando algún tiempo configurando anticipadamente máquinas virtuales que se parezcan lo máximo posible el hardware en el que su aplicación se va a ejecutar. Comparta estos ajustes con sus compañeros de los equipos de desarrollo y de pruebas. Con frecuencia creamos AVD específicos y les ponemos nombres después de disponer del dispositivo físico.

Iniciar el emulador con un AVD específico

Después de configurar el AVD que quiere usar, estará preparado para iniciar el emulador. Aunque hay varias formas de hacerlo, existen cuatro que probablemente empleará con regularidad:

- Desde Eclipse puede determinar la configuración de depuración o de ejecución para utilizar un AVD específico.
- Desde Eclipse puede definir la configuración de depuración o de ejecución para permitir que el desarrollador seleccione el AVD que se ejecutará al inicio.
- Desde Eclipse puede iniciar un emulador directamente desde Android Virtual Device Manager.

- El emulador está disponible en el directorio `/tools` del Android SDK y puede ser iniciado como un proceso independiente desde la línea de comandos (generalmente solo será necesario si no está usando Eclipse).

Mantener el rendimiento del emulador

Como la mayoría de los emuladores, el de Android es bastante lento. Dicho esto, existen varias formas para conseguir que el emulador se ejecute lo más rápido posible. A continuación puede ver unos consejos sobre este aspecto:

- Active la opción snapshot (instantánea) en su AVD. A continuación, antes de empezar a emplearlo, inícielo, deje que arranque y ciérrelo para definir una instantánea inicial. Esto es especialmente importante en las nuevas versiones de la plataforma, como Honeycomb. Las siguientes veces se iniciará más rápido y de forma más estable. También puede desactivar la opción de guardar una nueva instantánea, para que el AVD se cierre más rápidamente y continúe utilizando la instantánea anterior.
- Inicie las instancias del emulador antes de que las necesite, cuando inicie Eclipse, de forma que cuando esté listo para depurar, ya se esté ejecutando.
- Deje que el emulador se ejecute en segundo plano entre sesiones de depuración para instalar, reinstalar y depurar sus aplicaciones rápidamente. Esto le ahorrará tiempo esperando que el emulador arranque. En vez de eso, simplemente inicie la configuración de depuración desde Eclipse y el depurador se volverá a conectar.
- Tenga en cuenta que el rendimiento de la aplicación será inferior cuando el depurador esté conectado. Esto se aplica tanto a la ejecución en el emulador como en el dispositivo físico.
- Si ha estado usando el emulador para probar muchas aplicaciones, o simplemente necesita un entorno muy limpio, considere la opción de crear de nuevo el AVD desde cero. Esto le proporcionará un entorno limpio de cambios o modificaciones anteriores. Esto también acelerará el emulador si tiene muchas aplicaciones instaladas.

Configurar las opciones de inicio del emulador

El emulador de Android incluye una serie de opciones de configuración más allá de las que se definen en el perfil AVD. Estas opciones se definen en las configuraciones de depuración y de ejecución en Eclipse para aplicaciones específicas, o cuando el emulador se inicia desde la línea de comandos. Algunos de estos ajustes incluyen velocidad y latencia de la red, ajustes multimedia, opción de desactivar animaciones en el inicio y muchos otros ajustes del sistema. También existen ajustes de depuración, como soporte para servidores proxy, direcciones DNS y otros detalles. En la documentación del emulador de Android en la página `http://d.android.com/guide/developing/tools/emulator.html#startup-options` puede ver una lista completa de opciones de inicio del emulador.

Iniciar el emulador para ejecutar una aplicación

Lo forma más habitual de iniciar el emulador consiste en ejecutar una instancia específica del mismo con una configuración AVD determinada, a través de Android Virtual Device Manager, o seleccionando una configuración de ejecución o depuración para su proyecto en Eclipse, e instalando o reinstalando la última implementación de su aplicación.

> **Truco**
>
> Recuerde que puede crear configuraciones de depuración y de ejecución por separado, con diferentes variantes, empleando opciones de inicio distintas e incluso diferentes AVD.

Para crear una configuración de depuración de un proyecto determinado de Eclipse, siga estos pasos:

1. Seleccione Ejecutar>Configuraciones de depuración (o haga clic con el botón derecho sobre el proyecto y seleccione Depurar como>Configuraciones de depuración).
2. Haga doble clic sobre Android Application (Aplicación Android).
3. Escriba un nombre para su configuración de depuración (generalmente se utiliza el nombre del proyecto).
4. Haga clic en el botón **Browse** (Explorar) y seleccione el proyecto.
5. Haga clic en la pestaña Target (Objetivo) y seleccione el Deployment Target Selection Mode (Modo de selección del destino de implementación) adecuado. Seleccione un AVD específico que se va a usar con el emulador (solo se muestran los válidos para el SDK seleccionado), o bien la opción Manual, que hará que se abra un menú contextual sobre la marcha para seleccionar un AVD.

> **Truco**
>
> Si tiene dispositivos Android conectados por USB cuando intenta ejecutar o depurar su aplicación desde Eclipse, se le permitirá seleccionar su destino de implementación en tiempo de ejecución, aunque haya seleccionado una AVD específico. Esto le permite

redireccionar la instalación o reinstalación de una operación a un dispositivo diferente del emulador. Siempre puede forzar esta opción seleccionando la opción Manual en Deployment Target Selection Mode (Modo de selección del destino de implementación). El modo Manual es útil si cambia con frecuencia entre la depuración en emuladores y en dispositivos, mientras que definir un destino específico es más útil cuando está depurando solo con una instancia AVD específica del emulador.

6. Configure las opciones de inicio del emulador en la pestaña Target (Objetivo). Puede incluir opciones que no se muestran en esta pestaña, como opciones en línea de comandos en el campo Additional Emulator Command Line Options (Opciones adicionales del emulador en línea de comandos).

La configuración de depuración resultante podría tener el aspecto de la figura A.4.

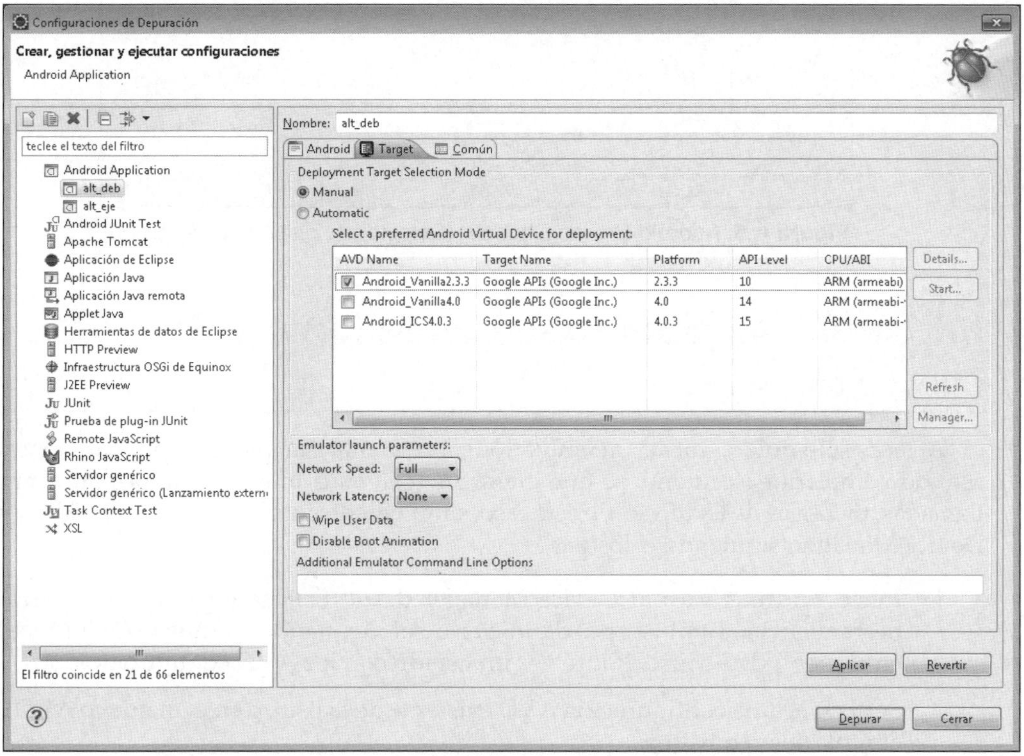

Figura A.4. Crear una configuración de depuración en Eclipse.

Puede crear configuraciones de ejecución de una forma similar. Si define un AVD específico en los ajustes Deployment Target Selection Mode (Modo de selección del destino de implementación), dicho AVD se empleará con el emulador siempre que depure su aplicación en Eclipse. Sin embargo, si selecciona la opción Manual, se le pedirá que seleccione un AVD en el Android Device Chooser (Selector de dispositivo Android) cuando intente depurar su aplicación por primera vez, como puede ver en la figura A.5. Después de iniciar el emulador, Eclipse lo asocia con su proyecto mientras dure la sesión de depuración.

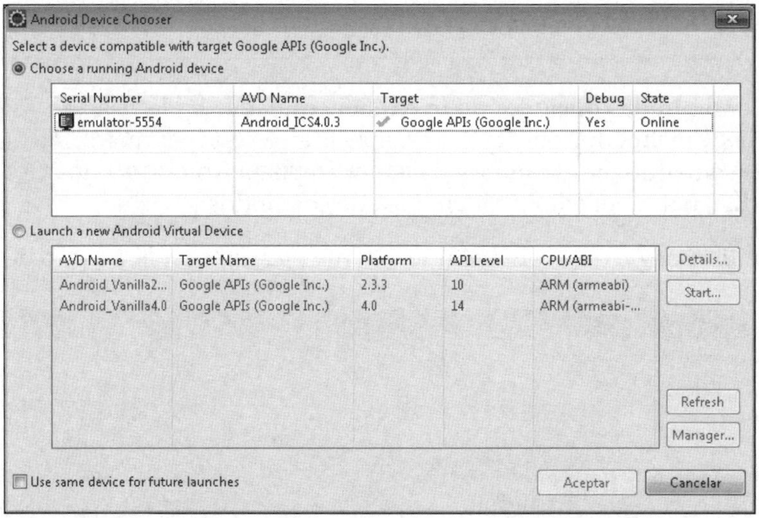

Figura A.5. Android Device Chooser (Selector de dispositivo Android).

Iniciar un emulador desde Android Virtual Device Manager

A veces solo quiere iniciar un emulador sobre la marcha, por ejemplo para tener un segundo emulador ejecutándose que interactúe con su primer emulador para simular llamadas, mensajes de texto, etc. En este caso, simplemente inícielo desde Android Virtual Device Manager, siguiendo estos pasos:

1. Inicie Android Virtual Device Manager desde Eclipse () desde la barra de herramientas. También puede iniciarlo seleccionando Ventana>AVD Manager en el menú de Eclipse. Podrá ver un listado con los AVD configurados.
2. Seleccione una configuración AVD existente de la lista, o cree un nuevo AVD que cumpla sus requisitos.
3. Haga clic en el botón **Start** (Iniciar).
4. Configure las opciones de inicio adecuadas en la ventana Launch Options (Opciones de inicio).
5. Haga clic en el botón **Launch** (Iniciar). El emulador se iniciará con el AVD seleccionado.

Advertencia

No puede ejecutar simultáneamente múltiples instancias de la misma configuración AVD. Si lo piensa un poco, esto tiene sentido, ya que la configuración AVD mantiene su estado y datos de forma permanente.

Configurar la ubicación GPS en el emulador

Para desarrollar y probar aplicaciones que utilizan Google Maps con servicios basados en la ubicación, necesita empezar creando un AVD con un destino de implementación que incluya las API de Google. Después de crear el AVD adecuado e iniciar el emulador, tiene que configurar su ubicación. El emulador no incluye sensores de ubicación, por lo que lo primero que tiene que hacer es proporcionar al emulador coordenadas GPS.

Para proporcionar estas coordenadas simuladas, inicie el emulador (si no se está ejecutando) con un AVD que soporte el complemento Google Maps y siga estos pasos:

En el emulador:

1. Haga clic en el botón **Inicio** para dirigirse a la pantalla de inicio del emulador.
2. Busque e inicie la aplicación Maps.
3. Confirme los diferentes diálogos de inicio que aparecerán, si ésta es la primera vez que inicia la aplicación Maps.
4. Seleccione el elemento de menú Mi ubicación ( ).

En Eclipse:

5. Haga clic en la perspectiva DDMS en la parte superior izquierda de Eclipse.
6. Podrá ver el panel Emulator Control (Control del emulador) en la parte izquierda de la pantalla. Desplácese hacia abajo hasta localizar la sección Location Controls (Control de ubicación).
7. Introduzca manualmente los valores de longitud y latitud de su ubicación. Fíjese que están en el orden inverso. Por ejemplo, las coordenadas de Madrid son Longitud -3.703465 y latitud 40.416804.
8. Haga clic en **Send** (Enviar).

Cuando vuelva al emulador, podrá ver que ahora el mapa muestra la ubicación correspondiente a las coordenadas proporcionadas. Su pantalla debería mostrar su posición en Madrid, como puede ver en la figura A.6. Esta ubicación se conservará en sucesivos inicios del emulador.

Si lo prefiere, también puede utilizar archivos de coordenadas GPX 1.1 para enviar una serie de ubicaciones GPS al emulador a través de DDMS.

Figura A.6. Configurar la ubicación en el emulador en Madrid.

> **Truco**
>
> ¿Se pregunta cómo hemos obtenido las coordenadas de Madrid? Para encontrar unas en concreto, puede emplear la página `http://maps.google.com`. Navegue a la ubicación en la quiere obtenerlas, a continuación haga clic sobre dicha ubicación y seleccione la opción ¿Qué hay aquí? y las coordenadas de dicho punto aparecerán en el campo de búsqueda.

Llamadas entre dos instancias del emulador

Puede hacer que dos instancias del emulador se llamen una a la otra usando la aplicación Teléfono incluida en el emulador. El "número de teléfono" del emulador es el número de su puerto, que puede encontrar en la barra de título de la ventana del emulador. Para simular una llamada de teléfono entre dos emuladores siga estos pasos:

1. Inicie dos AVD diferentes que se ejecuten simultáneamente (es más fácil utilizar el gestor de AVD del SDK).
2. Anote el número de puerto del emulador que quiere que reciba la llamada.
3. Inicie la aplicación Teléfono en el emulador que realiza la llamada.
4. Escriba el número de puerto que anotó como el número al que quiere llamar. Haga clic en **Intro** o **Enviar**.

5. Podrá ver (y oír) una llamada entrante en la instancia del emulador receptor. En la figura A.7 puede ver un emulador con el puerto 5556 (izquierda), empleando la aplicación Teléfono para llamar al emulador con el puerto 5554 (derecha).

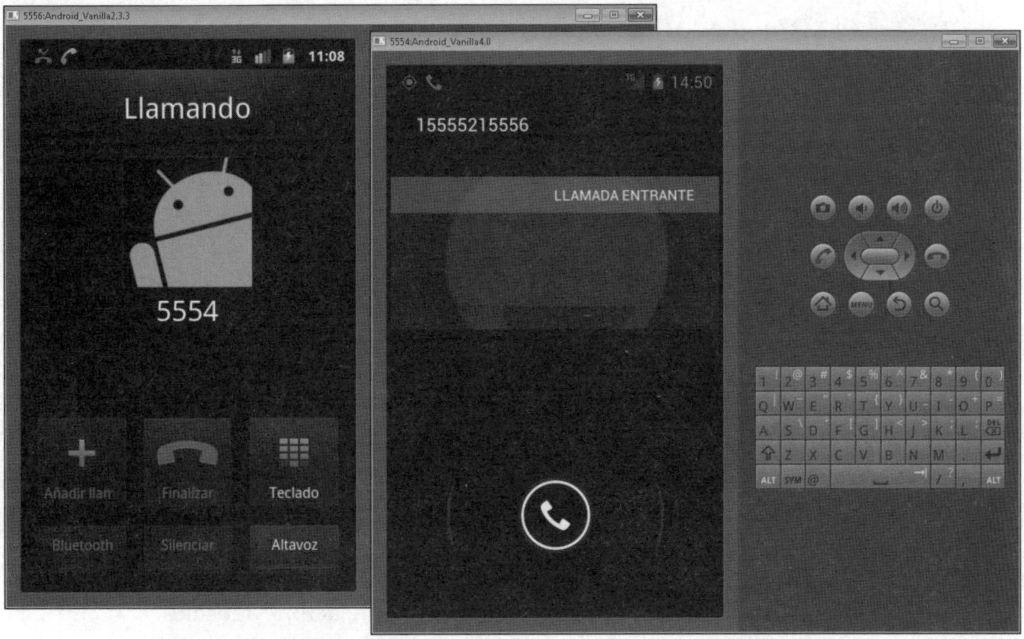

Figura A.7. Simular una llamada de teléfono entre dos emuladores.

6. Responda a la llamada haciendo clic en **Enviar** o deslizándose sobre la aplicación Teléfono.
7. Simule una llamada durante unos instantes. En la figura A.8 se muestra una llamada en curso entre dos emuladores.
8. Puede finalizar la llamada en el emulador cuando quiera haciendo clic en el botón **Finalizar**.

Mensajes entre dos instancias del emulador

Puede enviar mensajes SMS entre dos emuladores, de forma similar a la descrita anteriormente para simular llamadas, usando el número de puerto del emulador como dirección SMS. Para simular un mensaje de texto entre dos emuladores siga estos pasos:

1. Inicie dos instancias del emulador.
2. Anote el número del puerto del emulador que quiere que reciba el mensaje de texto.

Figura A.8. Dos emuladores con una llamada de teléfono en curso.

3. En el emulador que envía el texto, inicie la aplicación Mensajes.
4. Escriba el número de puerto que anotó en el campo Para de un mensaje de texto nuevo. Escriba el mensaje de texto, como puede ver en la figura A.9 (izquierda). Haga clic en el botón **Enviar**.
5. Podrá ver (y oír) una mensaje de texto entrante en la instancia del emulador receptor. En la figura A.9 (centro) se muestra un emulador con el puerto5554 que ha recibido un mensaje de texto del emulador con número de puerto 5556.
6. Puede ver el mensaje arrastrando hacia abajo la barra de notificaciones o iniciando la aplicación Mensajes.
7. Simule una conversación durante unos instantes. En la figura A.9 (derecha) se muestra una conversación con mensajes de texto en curso.

Interactuar con el emulador a través de la consola

Además de poder utilizar la herramienta DDMS para interactuar con el emulador, también puede conectar directamente con la consola del emulador empleando una conexión Telnet y a continuación enviando el comando. Por ejemplo, para conectar con la consola del emulador usando el puerto 5554, tendría que escribir en la consola:

```
telnet localhost 5554
```

Puede utilizar la consola del emulador para interactuar con el mismo a través de comandos. Para finalizar la sesión, simplemente escriba `quit` o `exit`. Puede cerrar esta instancia del emulador empleando el comando `kill`.

Figura A.9. Emulador con número de puerto 5556 creando un mensaje de texto para enviar a otro emulador con número de puerto 5554.

Usar la consola para simular llamadas entrantes

Puede simular llamadas entrantes al emulador desde números específicos. El comando de la consola para enviar una llamada entrante es:

```
gsm call <número>
```

Por ejemplo, para simular una llamada entrante desde el número 5551212, tendría que enviar el siguiente comando:

```
gsm call 5551212
```

En la figura A.10 puede ver el resultado de este comando en el emulador. Se mostrará el nombre "Sonia González" porque existe una entrada en la base de datos de contactos que asocia este número de teléfono con un contacto llamado Sonia González.

Utilizar la consola para simular mensajes SMS

También puede simular el envío de mensajes SMS al emulador desde números específicos, igual que desde DDMS. El comando para generar un SMS entrante es:

```
sms send <número> <mensaje>
```

Figura A.10. Llamada entrante del número 5551212 (asociado a un contacto llamado Sonia González) enviada a través de la consola del emulador.

Por ejemplo, para simular un SMS entrante desde el número 5551212, tendría que enviar el siguiente comando:

```
sms send 5551212 Nos vemos donde siempre
```

En el emulador podrá ver una notificación en la barra de estado que le informa que se ha recibido un nuevo mensaje. Incluso muestra el contenido durante unos instantes en la propia barra y a continuación desaparece, mostrando el icono de un mensaje. Puede desplegar hacia abajo la barra de notificaciones para ver el nuevo mensaje, o iniciar la aplicación Mensajes. En la figura A.11 puede ver el resultado del comando anterior en el emulador.

Emplear la consola para enviar coordenadas GPS

Puede usar la consola para enviar comandos al emulador. El comando para enviar una posición GPS es:

```
geo fix <longitud> <latitud> [<altitud>]
```

Por ejemplo, para enviar al emulador la posición del monte Everest, inicie la aplicación Maps seleccionando Menú>Mi ubicación. A continuación, desde la consola del emulador, envíe el siguiente comando para configurar adecuadamente las coordenadas en el dispositivo:

```
geo fix 86.929837 27.99003 8850
```

Figura A.11. SMS entrante desde el teléfono 5551212 (asociado a un contacto llamado Sonia González), enviado a través de la consola del emulador.

Utilizar la consola para controlar el estado de la red

Puede controlar el estado de la red del emulador y cambiar su velocidad y latencia sobre la marcha. El comando para mostrar el estado de la red es:

```
network status
```

Un resultado típico de este comando tendría el siguiente aspecto:

```
network status
Current network status:
   download speed: 0 bits/s (0.0 KB/s)
   upload speed: 0 bits/s (0.0 KB/s)
   minimum latency: 0 ms
   maximum latency: 0 ms
OK
```

Usar la consola para gestionar los ajustes de energía

Puede configurar ajustes de energía "falsos" en el emulador empleando los comandos de energía. Puede definir una carga del 99 por 100 de la batería del siguiente modo:

```
power capacity 99
```

Puede desactivar el estado de carga AC (o activarlo) como sigue:

```
power ac off
```

Puede definir el estado de la batería como `unknow` (desconocido), `charging` (cargando), `discharging` (descargando), `not charging` (sin cargar) o `full` (carga completa) del siguiente modo:

```
power status full
```

Puede definir si la batería está presente con el valor `true` (verdadero), o no presente con el valor `false` (falso) como sigue:

```
power present true
```

Puede definir el estado de salud de la batería como `unknow` (desconocido), `good` (bueno), `overheat` (sobrecalentamiento), `dead` (no funciona), `overvoltage` (sobretensión) o `failure` (error) del siguiente modo:

```
power health good
```

Puede mostrar los ajustes actuales de energía enviando el siguiente comando:

```
power display
```

Un resultado típico de este comando sería algo parecido a lo siguiente:

```
power display
AC: offline
status: Full
health: Good
present: true
capacity: 99
OK
```

Utilizar otros comandos en la consola

Existen más comandos para simular eventos de hardware, redirección de puertos, comprobaciones e inicio y parada de la máquina virtual. Por ejemplo, el personal de control de calidad podría comprobar los subcomandos de eventos, que se pueden usar para simular eventos clave para la automatización. Es probable que sea la misma interfaz empleada por ADB Exerciser Monkey, que genera clics sobre botones aleatoriamente e intenta hacer que su aplicación falle.

Divertirse con el emulador

A continuación puede ver unos cuantos consejos para utilizar el emulador, solo para divertirse:

- En la pantalla de inicio, haga clic y mantenga la presión para cambiar el fondo de pantalla y añadir aplicaciones, accesos directos y *widgets*.

- Si hace un clic mantenido sobre un icono (generalmente un icono de una aplicación) en la bandeja de aplicaciones, puede añadir un acceso directo a su pantalla de inicio para ejecutar la aplicación más fácilmente. Las últimas versiones de la plataforma también permiten realizar otras acciones, como desinstalar una aplicación u obtener más información, que son bastante útiles.
- Si hace un clic mantenido sobre un icono de la pantalla de inicio podrá moverlo, o arrastrarlo, a la papelera para eliminarlo de esta pantalla.
- Haga clic sobre la pantalla de inicio del dispositivo y desplace el cursor a izquierda y derecha para tener más espacio. Dependiendo de la versión de Android que esté ejecutando, podrá ver otras páginas con *widgets* como Búsqueda en Google y mucho más espacio donde podrá ubicar otros elementos.
- Otra forma de cambiar el fondo de pantalla y añadir aplicaciones a su pantalla de inicio consiste en hacer clic en el botón **Menú** estando en esta pantalla y a continuación seleccionar **Añadir**. Aquí también puede añadir accesos directos y *widgets*, como por ejemplo un marco para su foto de familia y más opciones.

Figura A.12. Personalizar la pantalla de inicio del emulador con *widgets*.

Dicho de otro modo, el emulador se puede personalizar igual que un dispositivo normal. Este tipo de modificaciones pueden ser útiles para realizar pruebas más completas.

Limitaciones del emulador

El emulador es una herramienta potente, pero tiene varias limitaciones importantes:

- No es un dispositivo, por lo que no refleja un comportamiento real, solo simulado. El comportamiento simulado generalmente es más consistente (menos aleatorio) que la experiencia de los usuarios en dispositivos reales.
- Simula llamadas de teléfono y mensajes, pero no puede generar o recibir llamadas o mensajes SMS reales. No soporta MMS.
- Tiene una capacidad limitada para determinar el estado del dispositivo (estado de la red, carga de la batería).
- Tiene una capacidad limitada para simular periféricos (capturas de cámara/video, auriculares, datos de sensores).
- Tiene un soporte limitado de la API (por ejemplo, no admite SIP (*Session Initiation Protocol*, Protocolo de inicio de sesión), aceleración hardware, OpenGL ES 2.0, o API de hardware de terceros). Cuando se desarrollan determinados tipos de aplicaciones, como aplicaciones de realidad aumentada, juegos 3D o las que usan datos de sensores, es mejor que utilice el hardware real.
- Tiene un rendimiento limitado (los dispositivos actuales con frecuencia tienen mejor rendimiento que el emulador en muchas tareas, como vídeo o animación).
- Tiene soporte limitado para características del dispositivo específicas de fabricantes u operadoras, temas o diferentes experiencias del usuario. Algunos fabricantes, como Motorola, suministran complementos del emulador para imitar más fielmente el comportamiento de sus dispositivos específicos.
- En Android 4.0 y versiones posteriores, el emulador puede emplear cámaras Web conectadas para emular las cámaras hardware del dispositivo. En versiones anteriores de la plataforma la cámara respondía, pero solo podía hacer fotos falsas.
- No hay soporte para USB o Bluetooth.

Referencias y más información

- Guía de desarrollo Android sobre la gestión de dispositivos virtuales: `http://d.android.com/guide/developing/devices/`.
- Guía de desarrollo Android sobre la gestión de AVD con el programa AVD Manager: `http://d.android.com/guide/developing/devices/managing-avds.html`.
- Guía de desarrollo Android sobre la gestión de AVD desde la línea de comandos: `http://d.android.com/guide/developing/devices/managing-avds-cmdline.html`.
- Herramientas de Android, el emulador: `http://d.android.com/guide/developing/tools/emulator.html`.

- Guía de desarrollo Android sobre el uso del emulador: `http://d.android.com/guide/developing/devices/emulator.html`.
- Herramientas de Android, Android: `http://d.android.com/guide/developing/tools/android.html`.

Apéndice B Guía de inicio rápido de DDMS en Android

DDMS es una herramienta de depuración incluida en el kit de desarrollo software de Android (SDK). Los desarrolladores la utilizan para proporcionar una ventana en el emulador o en el dispositivo real para depurar, así como para la gestión de archivos y procesos. Es una mezcla de varias herramientas: un gestor de tareas, un analizador, un explorador de archivos, una consola del emulador y una consola de registro. Esta guía de inicio rápido no es una documentación completa de todas las funciones de DDMS, sino que está diseñada para que pueda empezar a realizar tareas comunes en poco tiempo. En la documentación proporcionada en Android SDK puede ver una lista completa de sus características.

Usar DDMS con Eclipse y como una aplicación independiente

Si está empleando Eclipse con el *plugin* de herramientas de desarrollo Android, DDMS está perfectamente integrado en su entorno de desarrollo como una perspectiva. En esta perspectiva (que puede ver en la figura B.1, cuando se usa el explorador de archivos en la instancia del emulador), puede explorar cualquier instancia del emulador que se esté ejecutando en el ordenador de desarrollo y cualquier dispositivo Android conectado a través de USB. Si no está utilizando Eclipse, también puede emplear la herramienta DDMS desde el directorio `/tools` de Android SDK y puede iniciarla como una aplicación independiente, en cuyo caso ejecuta su propio proceso.

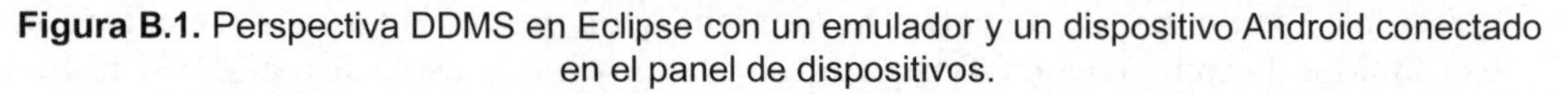

Figura B.1. Perspectiva DDMS en Eclipse con un emulador y un dispositivo Android conectado en el panel de dispositivos.

Truco

Solo debería existir una instancia de la herramienta DDMS ejecutándose en un determinado momento, incluyendo la perspectiva de Eclipse. Se ignorará el inicio de otras instancias DDMS. Si está empleando Eclipse e intenta iniciar DDMS desde la línea de comandos, podría ver interrogaciones en lugar de nombres de procesos y verá en el resultado de la depuración que la instancia de DDMS se está ignorando.

Advertencia

No todas las características de DDMS están disponibles tanto para el emulador como para dispositivos. Determinadas características solo están disponibles para emuladores, por ejemplo, el panel Emulator Control (Control del emulador). La mayoría de los dispositivos son más seguros que el emulador. Como tal, File Explorer (Explorador de archivos) puede estar limitado solo a las áreas públicas del dispositivo, lo que no ocurre en el emulador.

Empezar a usar rápidamente las opciones más importantes de DDMS

Tanto si utiliza DDMS desde Eclipse o como herramienta independiente, tiene que conocer las siguientes características fundamentales:

- El panel Devices (Dispositivos) de la parte superior izquierda muestra los emuladores en ejecución y los dispositivos conectados.
- Las pestañas Threads (Hilos), Allocation Tracker (Seguimiento de memoria) y File Explorer (Explorador de archivos) de la parte derecha presentan datos cuando se selecciona un proceso específico en el emulador o en el dispositivo en el panel Devices (Dispositivos).
- El panel Emulator Control (Control del emulador) proporciona características como la posibilidad de enviar información GPS y simular llamadas entrantes y mensajes SMS en emuladores.
- La ventana LogCat le permite observar la salida de la consola de registro de Android para un determinado dispositivo o emulador. Aquí es donde se muestran llamadas a `Log.i()`, `Log.e()` u otros mensajes del registro.

A continuación vamos ver en detalle cómo se emplean estas características.

Truco

Recientemente se ha añadido otra perspectiva a Eclipse, formando parte del *plugin* ADT, para proporcionar acceso directo a la herramienta Hierarchy Viewer, que puede emplear para depurar y ajustar el rendimiento de la interfaz de usuario de su aplicación. Para más información sobre esta herramienta consulte el capítulo 4.

Trabajar con procesos, hilos y la pila

Una de las características más útiles de DDMS es la posibilidad de interactuar con procesos. Cada aplicación Android se ejecuta en su propia máquina virtual, con su propio identificador de usuario en el sistema operativo. En el panel Devices (Dispositivos) de DDMS, puede explorar todas las instancias de las máquinas virtuales que se están ejecutando en un dispositivo, cada una identificada por el nombre de su paquete. Por ejemplo, puede realizar las siguientes tareas:

- Vincular y depurar aplicaciones en Eclipse.
- Controlar hilos.
- Controlar la pila.

- Detener procesos.
- Usar GC (*Garbage Collector*, Recolector de basura).

Vincular un depurador a una aplicación Android

Aunque en la mayoría de los casos utilice las configuraciones de depuración de Eclipse para iniciar y depurar sus aplicaciones, también puede emplear DDMS para seleccionar qué aplicaciones depurar y vincular directamente. Para vincular un depurador a un proceso, tiene que tener abierto el código fuente del paquete en el espacio de trabajo de Eclipse. Después tiene que seguir estos pasos para depurar:

1. En el emulador o dispositivo, verifique que la aplicación que quiere depurar se está ejecutando.
2. En DDMS, localice en nombre del paquete de la aplicación en el panel Devices (Dispositivos) y selecciónelo.
3. Haga clic en el pequeño botón verte con forma de insecto ( ) para depurar la aplicación.
4. Si es necesario cambie a la perspectiva Debug (Depuración) de Eclipse. Depure como haría normalmente.

Detener un proceso

Puede utilizar DDMS para detener una aplicación Android siguiendo estos pasos:

1. En el emulador o dispositivo, verifique que la aplicación que quiere detener se está ejecutando.
2. En DDMS, localice el nombre del paquete de la aplicación en el panel Devices (Dispositivos) y selecciónelo.
3. Haga clic en el botón con el signo de stop ( ) para detener dicho proceso.

Controlar la actividad de los hilos en una aplicación Android

Puede emplear DDMS para controlar la actividad de los hilos en una aplicación Android siguiendo estos pasos:

1. En el emulador o dispositivo, verifique que la aplicación que quiere controlar se está ejecutando.
2. En DDMS, localice el nombre del paquete de la aplicación en el panel Devices (Dispositivos) y selecciónelo.

3. Haga clic en el botón con tres flechas negras () para mostrar los hilos de dicha aplicación. Aparecerán en la parte derecha del panel Threads (Hilos). Por defecto estos datos se actualizan cada 4 segundos.
4. En el panel Threads (Hilos) puede seleccionar un hilo específico y hacer clic en el botón **Refresh** (Actualizar) para desglosar la información de dicho hilo. Las clases que se están empleando se mostrarán debajo.

Por ejemplo, en la figura B.2, puede ver el contenido del panel Threads (Hilos) correspondiente al paquete llamado `com.androidbook.myfirstandroidapp` ejecutándose en el emulador.

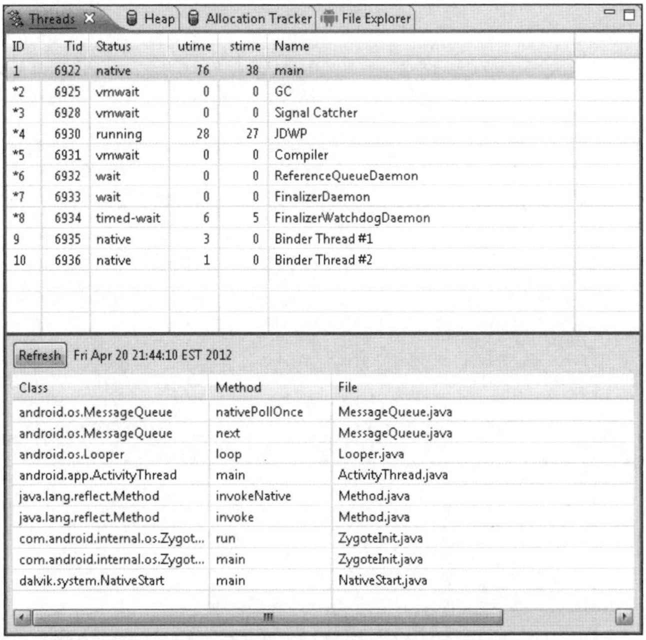

Threads | Heap | Allocation Tracker | File Explorer

ID	Tid	Status	utime	stime	Name
1	6922	native	76	38	main
*2	6925	vmwait	0	0	GC
*3	6928	vmwait	0	0	Signal Catcher
*4	6930	running	28	27	JDWP
*5	6931	vmwait	0	0	Compiler
*6	6932	wait	0	0	ReferenceQueueDaemon
*7	6933	wait	0	0	FinalizerDaemon
*8	6934	timed-wait	6	5	FinalizerWatchdogDaemon
9	6935	native	3	0	Binder Thread #1
10	6936	native	1	0	Binder Thread #2

Refresh Fri Apr 20 21:44:10 EST 2012

Class	Method	File
android.os.MessageQueue	nativePollOnce	MessageQueue.java
android.os.MessageQueue	next	MessageQueue.java
android.os.Looper	loop	Looper.java
android.app.ActivityThread	main	ActivityThread.java
java.lang.reflect.Method	invokeNative	Method.java
java.lang.reflect.Method	invoke	Method.java
com.android.internal.os.Zygot...	run	ZygoteInit.java
com.android.internal.os.Zygot...	main	ZygoteInit.java
dalvik.system.NativeStart	main	NativeStart.java

Figura B.2. Usar el panel Threads (Hilos) de DDMS.

> **Nota**
>
> También puede analizar hilos utilizando el botón con tres flechas negras junto a un punto rojo ().

Controlar la actividad de la pila

Puede emplear DDMS para ver estadísticas en la pila correspondientes a una aplicación Android. Estas estadísticas se actualizan después de cada GC siguiendo estos pasos:

1. En el emulador o dispositivo, verifique que la aplicación que quiere controlar se está ejecutando.
2. En DDMS, localice el nombre del paquete de la aplicación en el panel Devices (Dispositivos) y selecciónelo.
3. Haga clic en el botón con un dibujo de un cilindro verde () para mostrar la información de la pila de dicha aplicación. Las estadísticas aparecerán en el panel Heap (Pila). Estos datos se actualizan cada GC. También puede generar operaciones GC desde este panel empleando el botón **Cause GC** (Generar GC).
4. En el panel Heap (Pila), puede seleccionar un tipo específico de objeto. El gráfico resultante en uso se muestra al final de dicho panel, como puede ver en la figura B.3.

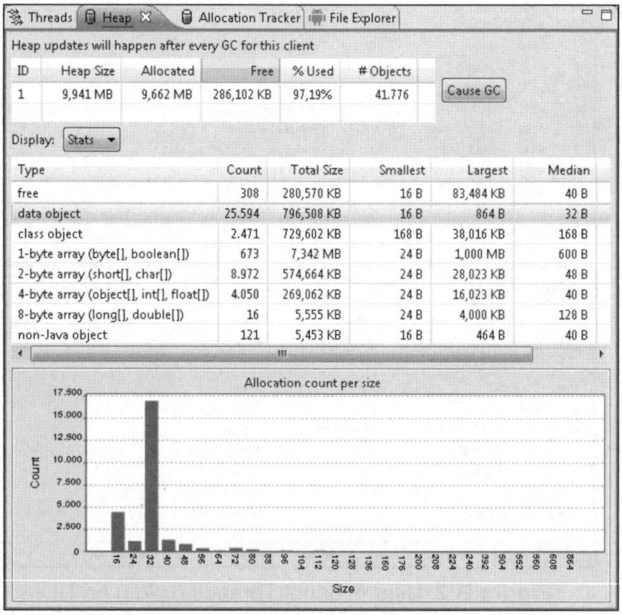
Threads
Heap
Allocation Tracker
File Explorer
Heap updates will happen after every GC for this client
ID | Heap Size | Allocated | Free | % Used | # Objects
1 | 9,941 MB | 9,662 MB | 286,102 KB | 97,19% | 41.776
Cause GC
Display: Stats
Type | Count | Total Size | Smallest | Largest | Median
free | 308 | 280,570 KB | 16 B | 83,484 KB | 40 B
data object | 25.594 | 796,508 KB | 16 B | 864 B | 32 B
class object | 2.471 | 729,602 KB | 168 B | 38,016 KB | 168 B
1-byte array (byte[], boolean[]) | 673 | 7,342 MB | 24 B | 1,000 MB | 600 B
2-byte array (short[], char[]) | 8.972 | 574,664 KB | 24 B | 28,023 KB | 48 B
4-byte array (object[], int[], float[]) | 4.050 | 269,062 KB | 24 B | 16,023 KB | 40 B
8-byte array (long[], double[]) | 16 | 5,555 KB | 24 B | 4,000 KB | 128 B
non-Java object | 121 | 5,453 KB | 16 B | 464 B | 40 B
Allocation count per size
Count
17.500
15.000
12.500
10.000
7.500
5.000
2.500
0
16 24 32 40 48 56 64 72 80 88 96 104 112 120 128 136 160 176 200 208 224 240 392 504 552 560 608 864
Size

Figura B.3. Usar el panel Heap (Pila) de DDMS.

Truco

Cuando emplea el seguimiento de memoria y el control de la pila, tenga en cuenta que no toda la memoria que utiliza su aplicación se tendrá en cuenta en esta vista. Esta herramienta muestra la memoria asignada dentro de la máquina virtual Dalvik. Algunas llamadas reservan memoria en la pila nativa. Por ejemplo, muchas llamadas de manipulación de imágenes en SDK darán como resultado memoria asignada nativamente y que no se mostrarán en esta vista.

Generar recolección de basura

Puede emplear DDMS para forzar la ejecución de recolección de basura (GC):

1. En el emulador o dispositivo, verifique que la aplicación en la quiere realizar GC se está ejecutando.
2. En DDMS, localice el nombre del paquete de la aplicación en el panel Devices (Dispositivos) y selecciónelo.
3. Haga clic en el botón con un dibujo de un cubo de basura ( ) para iniciar la ejecución de recolección de basura en la aplicación. En el panel Heap (Pila) podrá ver el resultado.

Crear y usar un archivo HPROF

Puede emplear archivos HPROF para inspeccionar la pila y para realizar análisis y evaluación del rendimiento. Puede utilizar DDMS para crear un archivo HPROF para su aplicación siguiendo estos pasos:

1. En el emulador o dispositivo, verifique que la aplicación que va a emplear para generar el archivo HPROF se está ejecutando.
2. En DDMS, localice el nombre del paquete de la aplicación en el panel Devices (Dispositivos) y selecciónelo.
3. Haga clic en el botón **HPROF** ( ) para crear un volcado HPROF de la aplicación. Los archivos generados se ubicarán en el directorio `/data/misc/`.

Por ejemplo, en la figura B.4 puede ver un volcado HPROF en Eclipse. Eclipse cambiará a la perspectiva Debug (Depurar) y podrá ver un seguimiento gráfico del mismo. Cuando Android haya generado los datos HPROF, puede convertirlos a un archivo con un formato estándar HPROF usando la herramienta `hprof-conv` incluida en Android SDK. Puede utilizar la herramienta de análisis que prefiera para examinar esta información.

Nota

Puede generar archivos HPROF en Android empleando otros métodos. Por ejemplo, mediante programación empleando la clase `Debug`. La herramienta `monkey` también incluye opciones para generar archivos HPROF cuando se ejecuta.

Usar seguimiento de la memoria

Puede emplear DDMS para controlar la memoria asignada por una aplicación determinada de Android. Las estadísticas de asignación de memoria se actualizan bajo demanda del desarrollador. Siga estos pasos para controlar la asignación de memoria:

1. En el emulador o dispositivo, verifique que la aplicación que quiere controlar se está ejecutando.

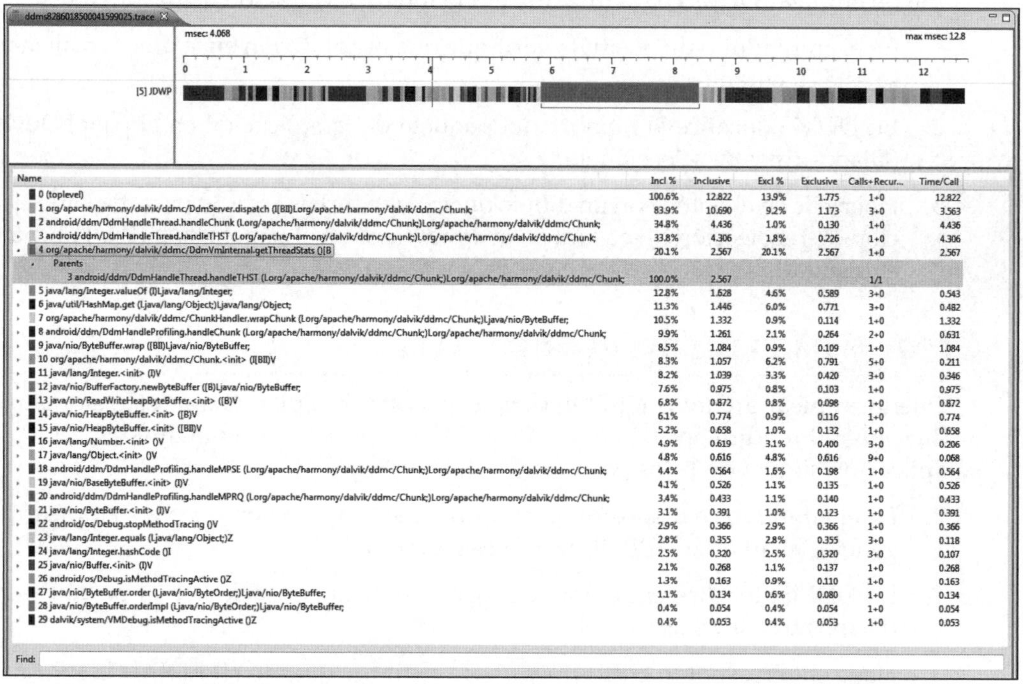

msec: 4.068

max msec: 12.8

[5] JDWP

Name	Incl %	Inclusive	Excl %	Exclusive	Calls+Recur...	Time/Call
0 (toplevel)	100.6%	12.822	13.9%	1.775	1+0	12.822
1 org/apache/harmony/dalvik/ddmc/DdmServer.dispatch (I[BII)Lorg/apache/harmony/dalvik/ddmc/Chunk;	83.9%	10.690	9.2%	1.173	3+0	3.563
2 android/ddm/DdmHandleThread.handleChunk (Lorg/apache/harmony/dalvik/ddmc/Chunk;)Lorg/apache/harmony/dalvik/ddmc/Chunk;	34.8%	4.436	1.0%	0.130	1+0	4.436
3 android/ddm/DdmHandleThread.handleTHST (Lorg/apache/harmony/dalvik/ddmc/Chunk;)Lorg/apache/harmony/dalvik/ddmc/Chunk;	33.8%	4.306	1.8%	0.226	1+0	4.306
4 org/apache/harmony/dalvik/ddmc/DdmVmInternal.getThreadStats ()[B	20.1%	2.567	20.1%	2.567	1+0	2.567
Parents						
3 android/ddm/DdmHandleThread.handleTHST (Lorg/apache/harmony/dalvik/ddmc/Chunk;)Lorg/apache/harmony/dalvik/ddmc/Chunk;	100.0%	2.567			1/1	
5 java/lang/Integer.valueOf (I)Ljava/lang/Integer;	12.8%	1.628	4.6%	0.589	3+0	0.543
6 java/util/HashMap.get (Ljava/lang/Object;)Ljava/lang/Object;	11.3%	1.446	6.0%	0.771	3+0	0.482
7 org/apache/harmony/dalvik/ddmc/ChunkHandler.wrapChunk (Lorg/apache/harmony/dalvik/ddmc/Chunk;)Ljava/nio/ByteBuffer;	10.5%	1.332	0.9%	0.114	1+0	1.332
8 android/ddm/DdmHandleProfiling.handleChunk (Lorg/apache/harmony/dalvik/ddmc/Chunk;)Lorg/apache/harmony/dalvik/ddmc/Chunk;	9.9%	1.261	2.1%	0.264	2+0	0.631
9 java/nio/ByteBuffer.wrap ([BII)Ljava/nio/ByteBuffer;	8.5%	1.084	0.9%	0.109	1+0	1.084
10 org/apache/harmony/dalvik/ddmc/Chunk.<init> (I[BII)V	8.3%	1.057	6.2%	0.791	5+0	0.211
11 java/lang/Integer.<init> (I)V	8.2%	1.039	3.3%	0.420	3+0	0.346
12 java/nio/BufferFactory.newByteBuffer ([B)Ljava/nio/ByteBuffer;	7.6%	0.975	0.8%	0.103	1+0	0.975
13 java/nio/ReadWriteHeapByteBuffer.<init> ([B)V	6.8%	0.872	0.8%	0.098	1+0	0.872
14 java/nio/HeapByteBuffer.<init> ([B)V	6.1%	0.774	0.9%	0.116	1+0	0.774
15 java/nio/HeapByteBuffer.<init> ([BII)V	5.2%	0.658	1.0%	0.132	1+0	0.658
16 java/lang/Number.<init> ()V	4.9%	0.619	3.1%	0.400	3+0	0.206
17 java/lang/Object.<init> ()V	4.8%	0.616	4.8%	0.616	9+0	0.068
18 android/ddm/DdmHandleProfiling.handleMPSE (Lorg/apache/harmony/dalvik/ddmc/Chunk;)Lorg/apache/harmony/dalvik/ddmc/Chunk;	4.4%	0.564	1.6%	0.198	1+0	0.564
19 java/nio/BaseByteBuffer.<init> (I)V	4.1%	0.526	1.1%	0.135	1+0	0.526
20 android/ddm/DdmHandleProfiling.handleMPRQ (Lorg/apache/harmony/dalvik/ddmc/Chunk;)Lorg/apache/harmony/dalvik/ddmc/Chunk;	3.4%	0.433	1.1%	0.140	1+0	0.433
21 java/nio/ByteBuffer.<init> (I)V	3.1%	0.391	1.0%	0.123	1+0	0.391
22 android/os/Debug.stopMethodTracing ()V	2.9%	0.366	2.9%	0.366	1+0	0.366
23 java/lang/Integer.equals (Ljava/lang/Object;)Z	2.8%	0.355	2.8%	0.355	3+0	0.118
24 java/lang/Integer.hashCode ()I	2.5%	0.320	2.5%	0.320	3+0	0.107
25 java/nio/Buffer.<init> (I)V	2.1%	0.268	1.1%	0.137	1+0	0.268
26 android/os/Debug.isMethodTracingActive ()Z	1.3%	0.163	0.9%	0.110	1+0	0.163
27 java/nio/ByteBuffer.order (Ljava/nio/ByteOrder;)Ljava/nio/ByteBuffer;	1.1%	0.134	0.6%	0.080	1+0	0.134
28 java/nio/ByteBuffer.orderImpl (Ljava/nio/ByteOrder;)Ljava/nio/ByteBuffer;	0.4%	0.054	0.4%	0.054	1+0	0.054
29 dalvik/system/VMDebug.isMethodTracingActive ()Z	0.4%	0.053	0.4%	0.053	1+0	0.053

Find:

Figura B.4. Emplear Eclipse para obtener información de análisis HPROF.

2. En DDMS, localice el nombre del paquete de la aplicación en el panel Devices (Dispositivos) y selecciónelo.
3. En la parte derecha de esta perspectiva, cambie al panel Allocation Tracker (Seguimiento de la memoria).
4. Haga clic en el botón **Start Tracking** (Iniciar seguimiento) para iniciar el control de la memoria asignada y el botón **Get Allocations** (Obtener asignación) para ver la memoria asignada en un momento determinado.
5. Para detener el seguimiento de la memoria asignada, haga clic en el botón **Stop Tracking** (Detener seguimiento).

Por ejemplo, en la figura B.5 puede ver el contenido del panel Allocation Tracker (Seguimiento de la memoria) para una aplicación que se está ejecutando en el emulador.

El sitio Web de desarrolladores de Android incluye un informe sobre cómo realizar el seguimiento de la asignación de la memoria en la página Web `http://goo.gl/wR8Oa` y también puede encontrar más información sobre el análisis de la memoria en `http://goo.gl/turJZ`.

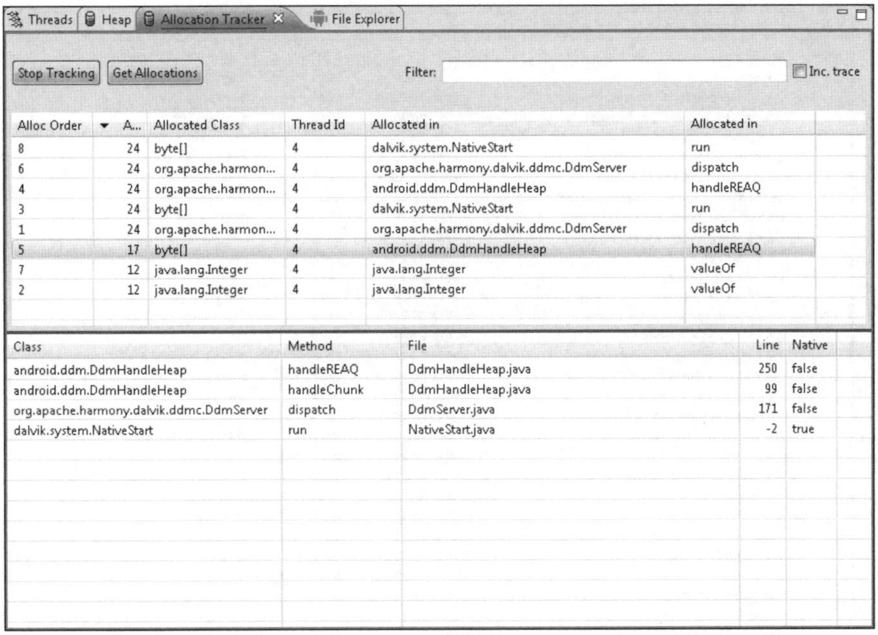

Threads | Heap | Allocation Tracker | File Explorer

Stop Tracking | Get Allocations | Filter: | Inc. trace

Alloc Order	A...	Allocated Class	Thread Id	Allocated in	Allocated in
8	24	byte[]	4	dalvik.system.NativeStart	run
6	24	org.apache.harmon...	4	org.apache.harmony.dalvik.ddmc.DdmServer	dispatch
4	24	org.apache.harmon...	4	android.ddm.DdmHandleHeap	handleREAQ
3	24	byte[]	4	dalvik.system.NativeStart	run
1	24	org.apache.harmon...	4	org.apache.harmony.dalvik.ddmc.DdmServer	dispatch
5	17	byte[]	4	android.ddm.DdmHandleHeap	handleREAQ
7	12	java.lang.Integer	4	java.lang.Integer	valueOf
2	12	java.lang.Integer	4	java.lang.Integer	valueOf

Class	Method	File	Line	Native
android.ddm.DdmHandleHeap	handleREAQ	DdmHandleHeap.java	250	false
android.ddm.DdmHandleHeap	handleChunk	DdmHandleHeap.java	99	false
org.apache.harmony.dalvik.ddmc.DdmServer	dispatch	DdmServer.java	171	false
dalvik.system.NativeStart	run	NativeStart.java	-2	true

Figura B.5. Utilizar el panel Allocation Tracker (Seguimiento de la memoria) en DDMS.

Trabajar con el explorador de archivos

Puede emplear DDMS para explorar e interactuar con el sistema de archivos de Android en un emulador o dispositivo (aunque está limitado de alguna forma para dispositivos con acceso *root* (raíz). Puede acceder a archivos, directorios y bases de datos de la aplicación, así como enviar y obtener archivos del sistema Android, si tiene los permisos adecuados. Por ejemplo, en la figura B.6 puede ver el contenido del panel File Explorer (Explorador de archivos) en el emulador.

Explorar el sistema de archivos de un emulador o dispositivo

Para explorar el sistema de archivos de Android siga estos pasos:

1. En DDMS seleccione el emulador o dispositivo que quiere explorar en el panel Devices (Dispositivos).
2. Cambie al panel File Explorer (Explorador de archivos). Podrá ver una jerarquía de directorios.
3. Diríjase a la ubicación del directorio o archivo.

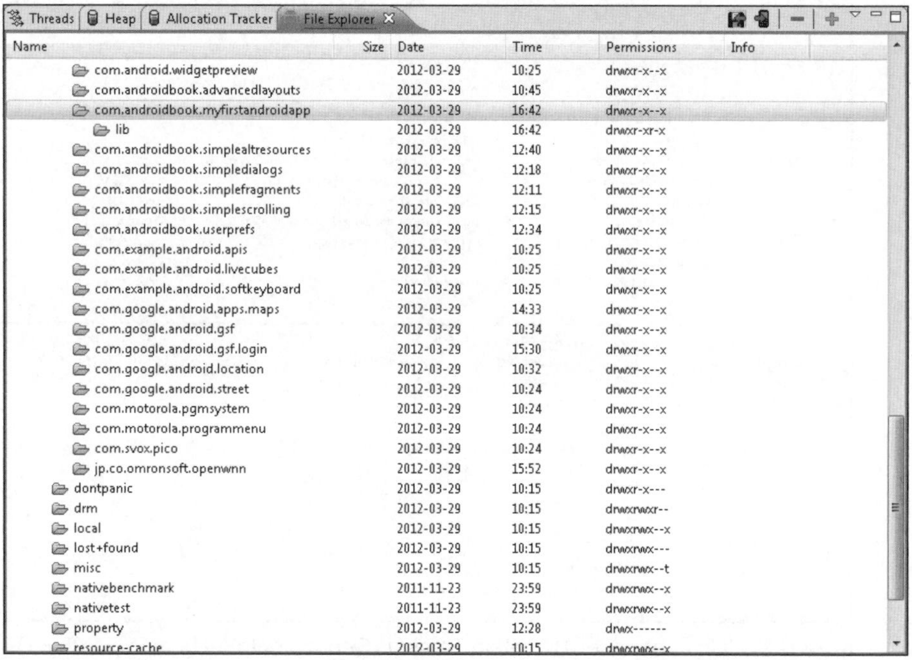

Figura B.6. Usar el panel File Explorer (Explorador de archivos) de DDMS.

Tenga en cuenta que el listado de directorios de File Explorer (Explorador de archivos) podría tardar algunos instantes en actualizarse cuando cambie el contenido.

Nota

Algunos directorios del dispositivo, como `/data`, pueden no ser accesibles desde el File Explorer (Explorador de archivos) de DDMS.

En la tabla B.1 se muestran algunas áreas importantes del sistema de archivos de Android. Aunque los directorios pueden variar de dispositivo en dispositivo, estos son los más comunes.

Tabla B.1. Directorios importantes en el sistema de archivos de Android.

Directorio	Objetivo
`/data/app/`	Ubicación donde se almacenan los archivos de Android APK.
`/data/data/<nombre del paquete>/`	Directorio de alto nivel de la aplicación, por ejemplo: `/data/data/com.androidbook.pettracker/`.

Directorio	Objetivo
/data/data/<nombre del paquete> /shared_prefs/	Directorio de preferencias compartidas de la aplicación, que se almacenan como archivos XML.
/data/data/<nombre del paquete> /files/	Directorio de archivos de la aplicación.
/data/data/<nombre del paquete>/ cache/	Directorio de la caché de la aplicación.
/data/data/<nombre del paquete>/ databases/	Directorio de bases de datos de la aplicación, por ejemplo: /data/data/<com.androidbook. pettracker/databases/test.db>.
/mnt/sdcard/	Almacenamiento externo (tarjeta SD).
/mnt/sdcard/download/	Ubicación donde se guardan las imágenes del explorador.

Copiar archivos del emulador o dispositivo

Puede emplear File Explorer (Explorador de archivos) para copiar archivos o directorios desde el sistema de archivos de un emulador o dispositivo a su ordenador siguiendo estos pasos:

1. En File Explorer (Explorador de archivos), diríjase al archivo o directorio que quiere copiar y selecciónelo.
2. En la parte superior derecha de este panel, haga clic en el botón con un dibujo de un disco con una flecha () para copiar el archivo del dispositivo. De forma alternativa, puede desplegar el menú junto a los botones y seleccionar Pull File (Extraer archivo).
3. Escriba la ruta donde quiere guardar el archivo o directorio en su ordenador y a continuación haga clic en **Aceptar**.

Copiar archivos al emulador o dispositivo

Puede utilizar File Explorer (Explorador de archivos) para copiar archivos a un emulador o dispositivo desde su ordenador siguiendo estos pasos:

1. Empleando File Explorer (Explorador de archivos), diríjase al archivo o directorio que quiere copiar y selecciónelo.
2. En la parte superior derecha de este panel, haga clic en el botón con un dibujo de un teléfono con una flecha () para copiar un archivo al dispositivo. De forma alternativa, puede desplegar el menú junto a los botones y seleccionar Push File (Introducir archivo).

3. Seleccione el archivo o directorio en su ordenador y haga clic en **Abrir**.

Truco

También puede realizar las operaciones arrastrar y soltar en File Explorer (Explorador de archivos). Esta es la única forma de copiar directorios al sistema de archivos de Android. Sin embargo, esta práctica no se recomienda ya que no existe la opción directa para eliminarlos. Tendría que hacerlo mediante programación, si es que tiene los permisos adecuados. De forma alternativa, puede emplear el comando `rmdir` en la interfaz `adb`, pero también necesita permisos para realizar esta operación. Dicho esto, puede arrastrar un archivo o directorio desde su ordenador a File Explorer y soltarlo en la ubicación que desee.

Eliminar archivos del emulador o dispositivo

Puede usar File Explorer (Explorador de archivos) para eliminar archivos (uno a uno y no puede eliminar directorios) en el sistema de archivos del emulador o dispositivo. Para realizar esta operación, siga estos pasos:

1. En File Explorer (Explorador de archivos), diríjase al archivo que quiere eliminar y selecciónelo.
2. En la parte derecha de este panel, haga clic en el botón que representa un signo menos (▭) para eliminar dicho archivo.

Advertencia

Sea cuidadoso, ya que no hay confirmación de esta operación. El archivo se elimina inmediatamente y no se puede recuperar.

Trabajar con el control de emulador

Puede utilizar DDMS para interactuar con instancias del emulador, empleando el panel Emulator Control (Control del emulador). Debe seleccionar el emulador con el que quiere interactuar para que este panel funcione. Puede emplearlo para realizar las siguientes tareas:

- Cambiar el estado de la telefonía.
- Simular llamadas de voz entrantes.
- Simular mensajes SMS entrantes.
- Enviar una ubicación geográfica (coordenadas GPS).

Simular llamadas de voz entrantes

Para simular una llamada de voz entrante en este panel, siga estos pasos:

1. En DDMS, seleccione el emulador al que quiere llamar en el panel Devices (Dispositivos).
2. Cambie al panel Emulator (Emulador), para trabajar con Telephony Actions (Acciones de telefonía).
3. Introduzca el número de teléfono. Solo se pueden incluir números y los símbolos + y #.
4. Seleccione la opción Voice (Voz).
5. Haga clic en el botón **Call** (Llamar).
6. En el emulador, su teléfono estará sonando. Conteste la llamada.
7. El emulador puede finalizar la llamada normalmente, o puede hacerlo desde DDMS usando el botón **Hang Up** (Colgar).

Simular mensajes SMS entrantes

DDMS proporciona el método más estable para enviar mensajes SMS al emulador. El proceso es muy similar al de generar una llamada de voz. Para simular un mensaje SMS entrante empleando el panel Emulator Control siga estos pasos:

1. En DDMS, seleccione el emulador al que quiere enviar un mensaje en el panel Devices.
2. Cambie al panel Emulator (Emulador) para trabajar con Telephony Actions.
3. Introduzca el número de teléfono. Solo se pueden incluir números y los símbolos + y #.
4. Seleccione la opción SMS.
5. Escriba el mensaje SMS.
6. Haga clic en el botón **Send** (Enviar).
7. En el emulador recibirá una notificación de que se ha recibido un mensaje SMS.

Enviar una posición geográfica

Los pasos para enviar coordenadas GPS al emulador se vieron en el apéndice A. Simplemente introduzca la información GPS en el panel Emulator Control (Control del emulador), haga clic en **Send** (Enviar) y utilice la aplicación Maps del emulador para visualizar la posición actual.

Realizar capturas de pantalla en el emulador y el dispositivo

Desde DDMS puede realizar capturas de pantalla en el emulador y en el dispositivo. Las capturas de pantalla son útiles para la depuración y esto hace que DDMS sea una herramienta muy adecuada para el personal de control de calidad y los desarrolladores. Para hacer una captura siga estos pasos:

1. En DDMS, seleccione el emulador o dispositivo en el que quiere realizar una captura, en el panel Devices (Dispositivos).
2. En el dispositivo o emulador, asegúrese de que aparece la pantalla que quiere capturar.
3. Haga clic en el botón con un dibujo de una cámara () para realizar una captura de pantalla. Podrá ver una ventana con la captura, como se muestra en la figura B.7.

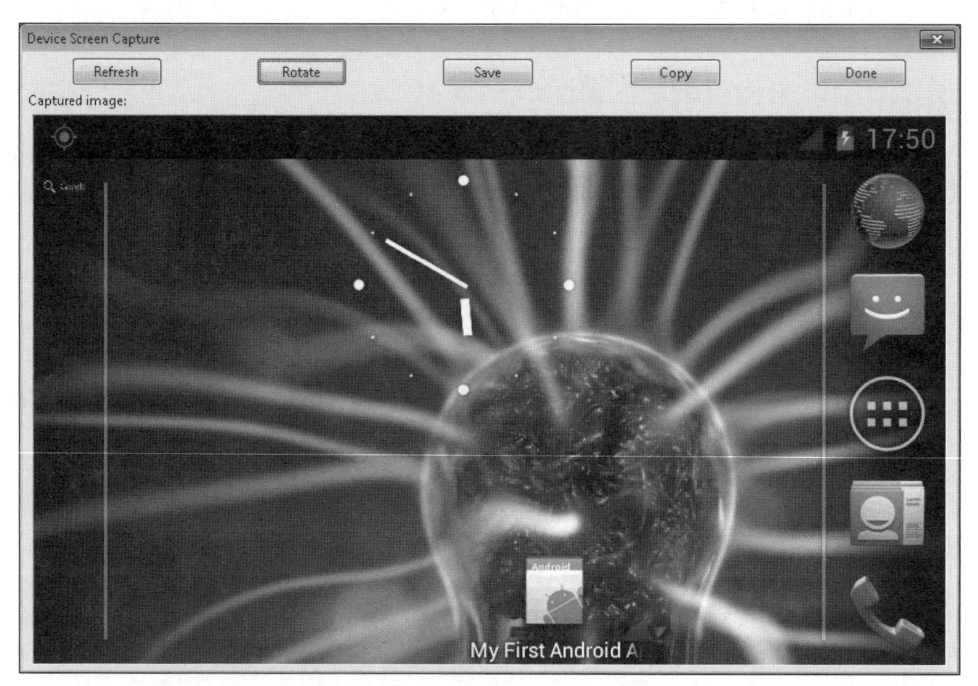

Figura B.7. Utilizar DDMS para realizar una captura de pantalla.

4. Dentro de la ventana de captura, haga clic en el botón **Save** (Guardar) para almacenar dicha captura. Del mismo modo, el botón **Copy** (Copiar) la guarda en su portapapeles y el botón **Refresh** (Actualizar) la actualiza si la pantalla del dispositivo o emulador ha cambiado desde que inició la captura.

Trabajar con el registro de la aplicación

La herramienta LogCat está integrada en DDMS. Se incluye como un panel en la parte inferior de la interfaz del usuario de DDMS. Puede controlar la información que se visualiza haciendo clic en los iconos representados por pequeños círculos con letras en su interior. Con la opción **V** se muestra todo, que es la opción por defecto. Las otras opciones son depuración (**D**), información (**I**), avisos (**W**) y errores (**E**). Cuando las selecciona, solo se visualizan las entradas del registro con dicho nivel de severidad o más restrictivo. Puede filtrar LogCat para que solo se muestren los resultados de búsqueda del campo de búsqueda, que soporta expresiones normales. Los términos de búsqueda se pueden limitar con prefijos, como por ejemplo "text:", para que solo se muestren los mensajes de texto del registro. También puede emplear filtros guardados para mostrar en LogCat solo la información asociada con determinados atributos. Puede emplear el botón que representa un signo más () para añadir un filtro guardado y mostrar solo las entradas del registro que coincidan con una determinada etiqueta, mensaje, identificador de proceso, nombre o nivel de registro. Las cadenas de cada atributo de filtrado también pueden ser expresiones regulares tipo Java. Por ejemplo, suponga que su aplicación incluye este código:

```
public static final String DEBUG_TAG = "MyFirstAppLogging";
Log.i(DEBUG_TAG, "In the onCreate() method of the MyFirstAndroidAppActivity Class.");
```

Puede crear un filtro en LogCat usando el botón con el signo más (). Dé un nombre al filtro y defina la etiqueta del registro para que coincida con la cadena de su etiqueta de depuración:

```
MyFirstAppLogging
```

En la figura B.8 puede ver el panel LogCat con el filtro aplicado.

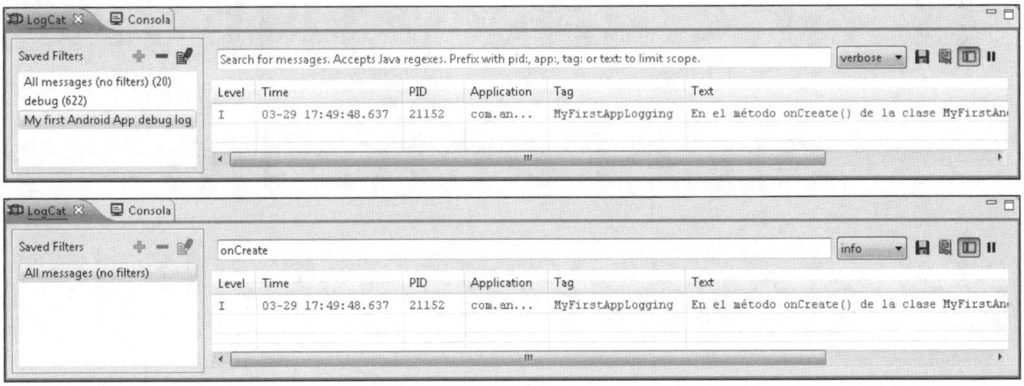

Figura B.8. Panel de registro LogCat en DDMS con filtro personalizado (arriba) y con búsqueda por expresiones regulares (abajo).

Para buscar el mensaje si no necesita crear una ficha completa, podría escribir "**MyFirst**" y obtener los resultados de etiquetas y campos de texto que contengan dicha cadena.

Apéndice C Consejos y trucos en el entorno de desarrollo Eclipse

El entorno de desarrollo Eclipse es el más popular para desarrolladores de Android. En este apéndice vamos a ver una serie de consejos y trucos muy útiles para desarrollar aplicaciones Android rápida y eficazmente en Eclipse.

> **Nota**
>
> ¿Utiliza sus propios trucos en Eclipse para desarrollo Android? Si es así, puede enviárnoslos por correo electrónico (dándonos permiso para publicarlos) a `androidwirelessdev@gmail.com` y podemos incluirlos en nuestro blog `http://androidbook.blogspot.com` o en la próxima edición de alguno de nuestros libros. ¡Podría hacerse famoso!

Organizar el espacio de trabajo en Eclipse

En esta sección vamos a dar una serie de consejos para ayudarle a organizar su espacio de trabajo de Eclipse, con el objetivo de optimizar el desarrollo en Android.

Integración con servicios de control de código fuente

Eclipse ofrece la posibilidad de integrarse con muchos paquetes de control de código fuente, usando complementos o *plugins*. Esto permite que Eclipse gestione archivos (haciéndolos escribibles) cuando vaya a editarlos, comprobarlos, actualizarlos, mostrar su estado u otra serie de tareas, dependiendo del complemento utilizado.

Truco

Existen complementos de control de código fuente disponibles para CVS, Subversion, Perforce, git, Mercurial y muchos otros.

En general, no todos los archivos son apropiados para el control de código fuente. En archivos de Android, no se debería realizar este control con los archivos que se encuentran dentro de los directorios `/bin` o `/gen`. Para excluirlos, diríjase a Preferencias>Equipo>Recursos ignorados. Puede añadir sufijos de archivos como `*.apk`, `*.ap_` o `*.dex`, de uno en uno, haciendo clic en el botón **Añadir patrón**. Esto es aplicable a todos los sistemas de control de código fuente integrados.

Cambiar la posición de las pestañas en las perspectivas

Los diseños de las perspectivas de Eclipse son bastante buenos. Sin embargo, no todas las perspectivas funcionan igual. Creemos que algunas de tienen por defecto unas configuraciones algo pobres para el desarrollo en Android y se podrían realizar algunas mejoras.

Truco

Experimente con diferentes configuraciones de pestañas para ver cuál que la que mejor se adapta a su caso. Cada perspectiva tiene su propio diseño y también se pueden enfocar a determinadas tareas.

Por ejemplo, la pestaña Propiedades generalmente se encuentra en la parte inferior de la perspectiva. Esto está bien para el código, ya que esta etiqueta solo ocupará unas cuantas líneas, pero para editar recursos en Android no es muy adecuado. Afortunadamente esto es fácil de arreglar en Eclipse: simplemente arrastre la pestaña haciendo clic con el botón izquierdo sobre su título y manteniéndolo pulsado arrástrela a una nueva ubicación, como por ejemplo a la sección vertical de la parte derecha de la ventana de Eclipse. De esta forma se proporciona el espacio vertical necesario para poder visualizar el gran número de propiedades que generalmente encontrará aquí.

Truco

Si desordena una perspectiva o simplemente quiere empezar desde cero, puede reiniciarla seleccionando Ventana>Restablecer perspectiva.

Maximizar ventanas

A veces la ventana del editor le parecerá demasiado pequeña, especialmente con todas las ventanas de metadatos extra y pestañas que la rodean. Intente esto: haga doble clic en la pestaña del archivo fuente que quiere editar y de esta forma tendrá prácticamente ocupado todo el espacio de la ventana de Eclipse. Vuelva a hacer doble clic para volver al estado inicial (o **Control-M** en Windows y **Comando-M** en Mac).

Minimizar ventanas

También puede minimizar secciones enteras. Por ejemplo, si no necesita la sección que habitualmente puede encontrar en la parte inferior donde se incluye la consola, o la que está a la izquierda que generalmente muestra la vista Explorador de paquetes, puede usar el botón para minimizar que se encuentra en la parte superior derecha de cada sección. Utilice el botón que representa dos pequeñas ventanas para restaurarla.

Visualizar ventanas, una al lado de la otra

¿Le gustaría poder ver dos archivos de código fuente a la vez? En Eclipse es muy sencillo. Simplemente arrastre la pestaña de uno de los archivos hasta el borde del área de edición o hasta la parte inferior. Podrá ver un contorno oscuro, que indica donde se ubicará el archivo, al lado, o por encima o debajo de otro archivo. De esta forma se crea un área de edición paralela a la que también puede arrastrar otras pestañas de archivos. Puede repetir esto varias veces para mostrar tres, cuatro o más archivos.

Visualizar dos secciones del mismo archivo

¿Le gustaría ver dos secciones del mismo archivo de código fuente simultáneamente? Para conseguir esto haga clic con el botón derecho sobre la pestaña del archivo en cuestión y seleccione Editor nuevo. Se abrirá una nueva pestaña para editar el mismo archivo. De esta forma podrá tener dos vistas diferentes del mismo archivo.

Cerrar pestañas que no le interesan

¿A veces cree que tiene demasiadas pestañas abiertas de archivos que ya no está empleando? Existen varias soluciones para este problema. En primer lugar, puede hacer clic con el botón derecho sobre la pestaña de un archivo y seleccionar Cerrar otros para cerrar el resto de archivos abiertos. También puede cerrar rápidamente pestañas específicas haciendo clic con el botón central del ratón en cada una de ellas (esto también funciona en Mac con un ratón con botón central, como el que tiene una rueda de desplazamiento).

Tener las ventanas bajo control

Por último, puede utilizar el ajuste de Eclipse que limita el número de archivos abiertos en edición:

1. Abra el cuadro de diálogo Preferencias de Eclipse.
2. Seleccione General>Edición y active la opción Cerrar editores automáticamente.
3. Modifique el valor en Número de editores abiertos antes de cerrar.

Esto hará que las ventadas de edición antiguas se cierren cuando abra las nuevas. Ocho puede ser un número adecuado para este parámetro, para que no haya mucho desorden, pero a la vez tenga suficientes editores abiertos para poder trabajar y tener abierto el código de referencia. Fíjese que si activa la opción Abrir nuevo editor cuando todos los editores ya están fijos, se abrirán más archivos aunque esté editando un número de editores mayor del máximo permitido. De esta forma, este ajuste no afectará a la productividad cuando está editando muchos archivos a la vez, pero puede mantenerlos ordenados durante la mayoría de las operaciones habituales.

Crear filtros de registro personalizados

Todas las declaraciones del registro en Android incluyen etiquetas. Puede usarlas con filtros definidos en LogCat. Para añadir un nuevo filtro, haga clic en el botón con un signo más del panel LogCat. Dé un nombre al filtro (quizás el del nombre de la etiqueta) y rellene la etiqueta que quiere emplear. Ahora podrá ver otra pestaña en LogCat que muestra los mensajes que contienen dicha etiqueta. Además, puede crear filtros que muestran los elementos según su nivel de severidad.

Las convenciones de Android se han definido en gran parte a partir de la creación de etiquetas basadas en el nombre de la clase. Esto lo podrá ver con frecuencia en el código incluido en este libro. Fíjese que podemos crear una constante en cada clase con el mismo nombre de la variable, para simplificar cada llamada al registro. A continuación puede ver un ejemplo:

```
public static final String DEBUG_TAG = "MyClassName";
```

De todas formas no es obligatorio cumplir esta convención. Podría definir etiquetas para tareas específicas que abarcan muchas actividades, o podría utilizar cualquier otra lógica en la organización, que funcione para sus necesidades. Otra forma sencilla de hacer esto sería:

```
private final String DEBUG_TAG = getClass().getSimpleName();
```

Aunque no es tan eficaz en tiempo de ejecución, este código le puede ayudar a evitar errores al copiar y pegar. Si alguna vez cuando revisaba un archivo de registro una cadena de depuración mal nombrada le despistó, este truco le puede resultar muy útil.

Buscar en su proyecto

Existen varias formas de realizar búsquedas fácilmente en sus archivos del proyecto desde Eclipse. Puede encontrar las opciones de búsqueda dentro del menú Buscar en la barra de herramientas de Eclipse. La mayoría de las veces se usa la opción Archivo, que le permite buscar texto dentro de los archivos del espacio de trabajo, así como archivos por su nombre. La opción Java también le puede ayudar a encontrar elementos específicos de Java en su proyecto, como métodos o campos.

Organizar las tareas de Eclipse

Por defecto, cualquier comentario que empiece con `//TODO` se mostrará en la pestaña Task List (Lista de tareas) de la perspectiva Java. Esto puede ser útil para etiquetar áreas de código que requieran más implementación. Puede hacer clic en una tarea específica y se dirigirá directamente al comentario en el archivo y de esta forma podrá implementar el elemento más adelante.

También puede crear etiquetas personalizadas de comentarios aparte de los elementos `//TODO`. Puede dejar comentarios con las iniciales de una persona para que encuentre más fácilmente las áreas funcionales específicas de la aplicación a revisar, como en el siguiente ejemplo:

```
// LED: ¿Esto te parece bien?
// CDC: Está relacionado con el error 1234. ¿Puedes arreglarlo?
// SAC: Esto habrá que incrementarlo en la próxima implementación.
```

También podría emplear un comentario especial como `//HACK` cuando tenga que implementar algo que esté lejos de la solución ideal, para indicar que dicho código tiene que ser revisado posteriormente. Para añadir etiquetas personalizadas a su lista de tareas, modifique las preferencias de Eclipse (Ventana>Preferencias) y diríjase a Java>Compilador>Etiquetas de tareas. Añada las etiquetas que desee, que pueden clasificarse según niveles de prioridad. Por ejemplo, algún comentario con sus iniciales puede ser algo más prioritario, pero una etiqueta `HACK` puede tener una prioridad inferior, ya que en el código en teoría funciona, aunque no de la mejor forma posible.

Escribir código en Java

En esta sección vamos a ver algunos consejos y trucos para ayudarle a implementar el código para sus aplicaciones Android.

Utilizar autocompletar

Esta característica es muy útil para introducir código más rápidamente. Si no la puede ver o ha desaparecido, puede activarla con la combinación de teclas **Control-Barra espaciadora**. Autocompletar no solo le ahorra tiempo a la hora de escribir, sino que también la puede usar para hacerle recordar los métodos, o ayudarle a encontrar uno nuevo. Puede desplazarse por los métodos de una clase e incluso ver los documentos Java asociados con los mismos.

Puede encontrar fácilmente métodos estáticos empleando el nombre de la clase o de la variable instancia. Tiene que añadir un punto a continuación del nombre de la clase o variable (y quizás utilizar **Control-Barra espaciadora**) y a continuación desplazarse por los diferentes nombres. Después puede empezar a escribir la primera parte de un nombre para filtrar los resultados.

Crear nuevas clases y métodos

Puede crear rápidamente una nueva clase y el correspondiente archivo de código fuente, haciendo clic con el botón derecho en el paquete y a continuación seleccionando Nueva>Clase. Después tiene que introducir un nombre para la clase, escoger una superclase y las interfaces y seleccionar el tipo de comentarios y apéndices de método, constructores de superclase o abstractos.

De la misma forma que crea nuevas clases, puede crear rápidamente métodos auxiliares haciendo clic con el botón derecho en una clase, o dentro de una clase en el editor y seleccionando Código fuente>Alterar temporalmente/Implementar métodos y a continuación los métodos para los que está creando rutinas, dónde los va a crear y si se van a generar o no comentarios de método por defecto.

Organizar importaciones

Cuando hace referencia a una clase en su código por primera vez, puede pasar con el cursor por encima de su nombre y seleccionar Importar "nombre de la clase" (nombre del paquete), para que Eclipse añada rápidamente la sentencia de importación adecuada.

Además, el comando Organizar importaciones (**Control-Mayús-O** en Windows y **Comando-Mayús-O** en Mac) hace que Eclipse organice automáticamente sus importaciones. Eclipse eliminará las importaciones no usadas y añadirá las nuevas para los paquetes empleados pero que todavía no se han importado.

Si existe algún tipo de ambigüedad en el nombre de la clase durante la importación automática, como con la clase `Log` de Android, Eclipse le sugiere el paquete que hay que importar. Por último, puede configurar Eclipse para que organice automáticamente las importaciones cada vez que guarde un archivo, que se puede configurar para todo el espacio de trabajo o solo para un proyecto determinado.

Cuando lo configura para un único proyecto tendrá más flexibilidad cuando trabaje con múltiples proyectos y no quiera realizar cambios al código, aunque sea una mejora. Para organizar las importaciones para un proyecto siga estos pasos:

1. Haga clic con el botón derecho en el proyecto y seleccione Propiedades.
2. Despliegue el menú Editor Java y seleccione Acciones de guardado.
3. Active Habilitar valores específicos del proyecto, a continuación Realizar las acciones seleccionadas al guardar y por último Organizar importaciones.

Dar formato al código

Eclipse incluye un mecanismo para dar formato al código Java. Dar formato al código con una herramienta es útil para hacerlo consistente, cuando quiere aplicar un nuevo estilo a un código antiguo o para emparejar estilos de diferentes clientes o implementaciones (como un libro o un artículo).

Para dar formato rápidamente a un pequeño bloque de código, selecciónelo y utilice la combinación de teclas **Control-Mayús-F** en Windows (o **Comando-Mayús-F** en Mac). El código se formateará con los ajustes actuales. Si no se selecciona ningún código, se dará formato a todo el archivo. En ocasiones tendrá que seleccionar más código (como en el método completo) para definir los niveles de sangría y los ajustes de llaves correctos.

Puede encontrar los ajustes de formato en Eclipse en el panel Propiedades>Estilo de código Java>Formateador. Puede definir estos ajustes para un determinado proyecto o para todo el espacio de trabajo y puede aplicar muchas reglas que se adapten a su estilo propio.

Renombrar prácticamente todo

La herramienta para renombrar en Eclipse es muy potente. Puede utilizarla para renombrar variables, métodos, nombres de clases, etc. La mayoría de las veces, simplemente puede hacer clic sobre el elemento que quiere renombrar y seleccionar Refactorizar>Redenominar.

Alternativamente, después de seleccionar el elemento, puede pulsar la combinación de teclas **Control-Alt-R** en Windows (o **Comando-Alt-R** en Mac), para iniciar el proceso para renombrar. Si está renombrando una clase de alto nivel en un archivo, también tiene que cambiar el nombre del archivo. Eclipse generalmente gestiona los cambios en el control del código requeridos si el archivo está siendo controlado por control del código fuente.

Si Eclipse puede determinar que el elemento hace referencia a un elemento con el mismo nombre que está siendo renombrado, también se renombran todas las instancias de dicho nombre. Esto significa que incluso los comentarios son actualizados con el mismo nombre, lo cual es muy útil.

Código de refactorización

¿A veces tiene que escribir muchas secciones repetidas de código, que tienen por ejemplo el siguiente aspecto?

```
TextView nameCol = new TextView(this);
nameCol.setTextColor(getResources().getColor(R.color.title_color));
nameCol.setTextSize(getResources().
getDimension(R.dimen.help_text_size));
nameCol.setText(scoreUserName);
table.addView(nameCol);
```

Este código define el color del texto, su tamaño y el propio texto. Si está escribiendo dos o más bloques que tienen este aspecto, su código podría beneficiarse de la refactorización.

Eclipse proporciona dos herramientas muy útiles, Extraer variable local y Extraer método, para acelerar esta tarea y hacerla prácticamente trivial.

Herramienta Extraer variable local

Siga estos pasos para usar esta herramienta:

1. Seleccione la expresión `getResources().getColor(R.color.title_color)`.
2. Haga clic con el botón derecho y seleccione Refactorizar>Extraer variable local (o utilice la combinación de teclas **Control-Alt-L**).
3. En el cuadro de diálogo que se abre, introduzca un nombre para la variable y active la casilla de verificación Sustituir todas las apariciones de la expresión seleccionada por referencias a la variable local. A continuación haga clic en **Aceptar** y observe lo que pasa.
4. Repita los pasos 1 a 3 para el tamaño del texto.

El resultado tendría que ser un código como el siguiente:

```
int textColor = getResources().getColor(R.color.title_color);
float textSize = getResources().getDimension(R.dimen.help_text_size);
TextView nameCol = new TextView(this);
nameCol.setTextColor(textColor);
nameCol.setTextSize(textSize);
nameCol.setText(scoreUserName);
table.addView(nameCol);
```

Se ha realizado el cambio en todas las secciones repetidas de las últimas cinco líneas, lo cual es bastante conveniente.

Emplear la herramienta Extraer método

Para utilizar esta herramienta siga estos pasos:

1. Seleccione las cinco primeras líneas del primer bloque de código.
2. Haga clic con el botón derecho y seleccione Refactorizar>Extraer método (o utilice la combinación de teclas **Control-Alt-M**).
3. En el cuadro de diálogo que se abre, escriba un nombre para el método y modifique los nombres de las variables como quiera (también los puede desplazar arriba o abajo si quiere). A continuación haga clic en **Aceptar** y observe lo que pasa.

Por defecto, el nuevo método se encuentra bajo el método actual. Si el resto de bloques del código son idénticos (lo que significa que las sentencias de estos bloques deben estar en el mismo orden), los tipos son iguales y así sucesivamente, también serán reemplazados con llamadas a este nuevo método. Puede ver esto en la cuenta del número de sucesos adicionales que se muestran en el cuadro de diálogo de la herramienta Extraer método. Si no coincide con el valor esperado, compruebe que el código sigue exactamente el mismo patrón. Ahora tendrá un código que se parecerá al siguiente:

```
addTextToRowWithValues(newRow, scoreUserName, textColor, textSize);
```

Es más fácil trabajar con este código que con el original y se ha creado prácticamente sin escribir ni una línea. Si tuviera diez instancias antes de refactorizar, habrá ahorrado mucho tiempo usando esta útil opción de Eclipse.

Reorganizar el código

A veces, dar formato al código no es suficiente para que sea claro y se pueda leer fácilmente. Durante el desarrollo de una actividad compleja, podría terminar con una serie de clases embebidas y métodos diseminados por el archivo. Puede emplear un buen truco de Eclipse: con el archivo en cuestión abierto, compruebe que la vista Esquema también es visible.

Simplemente haga clic sobre los métodos y arrástrelos a la vista Esquema situándolos en un orden lógico. ¿Tiene un método que solo es invocado por una clase determinada pero que está disponible para todas? Arrástrelo a dicha clase. Esto funciona para prácticamente todos los elementos del Esquema, incluyendo clases, métodos y variables.

Utilizar Arreglos rápidos

La opción Arreglos rápidos, accesible en Editar>Arreglos rápidos (o **Control-1** en Windows y **Comando-1** en Mac), no solo se usa para corregir posibles problemas, sino que también abre un menú que presenta varias tareas que se pueden aplicar sobre el código destacado y muestra el aspecto que tendría el resultado de aplicar dicho cambio. Un comando muy útil que se incluye es Extract string (Extraer cadena). Si emplea Arreglos rápidos en un literal de cadena, puede convertirlo rápidamente en un archivo de recurso cadena de Android y el código se actualizará automáticamente para utilizarlo. Para ver un ejemplo de cómo funciona esta característica, considere las siguientes dos líneas de código:

```
Log.v(DEBUG_TAG, "Something happened");
String otherString = "This is a string literal.";
```

El código Java actualizado sería el siguiente:

```
Log.v(DEBUG_TAG, getString(R.string.something_happened));
String otherString = getString(R.string.string_literal);
```

Y se añadirían las siguientes entradas al archivo de recurso cadena:

```
<string name="something_happened">Something happened</string>
<string name="string_literal">This is a string literal.</string>
```

Este proceso también presenta un diálogo para personalizar el nombre de la cadena y seleccionar el archivo de recurso alternativo en el que debería aparecer, si existe alguno.

La opción Arreglos rápidos se puede usar en archivos de diseño con muchas opciones específicas de Android, para realizar tareas como extraer estilos, seleccionar fragmentos para un archivo include o para un nuevo contenedor, e incluso cambiar el tipo de *widget*.

Proporcionar documentación tipo Javadoc

Los comentarios normales del código son útiles (cuando están bien hechos). Los comentarios tipo Javadoc aparecen en diálogos de finalización de código y otros lugares, haciendo que sean incluso más útiles.

Para añadir rápidamente un comentario Javadoc a un método o clase, simplemente utilice la combinación de teclas **Control-Mayús-J** en Windows (o **Comando-Mayús-J** en Mac). Alternativamente, en la barra de menús puede seleccionar Código fuente>Generar comentario de elemento para rellenar anticipadamente determinados campos del Javadoc, como nombres de parámetros o autor, acelerando por tanto la creación de este tipo de comentarios. Por último, si simplemente inicia el bloque comentario con /** y a continuación hace clic en **Intro**, se generará y rellenará el bloque de código apropiado como antes.

Resolver errores de compilación misteriosos

A veces encontrará en Eclipse errores de compilación que no existían unos instantes antes. En este caso, puede aplicar un par de rápidos trucos en Eclipse.

En primer lugar, intente actualizar el proyecto: haga clic con el botón derecho en el nombre del proyecto y seleccione Renovar o haga clic en **F5**. Si esto no funciona, intente eliminar el archivo `R.java`, que podrá encontrar en el directorio `gen`, bajo el nombre del paquete que se está compilando (no se preocupe, este archivo se crea durante cada compilación). Si está activada la opción Construir automáticamente, se creará el archivo de nuevo. Si no está activada , tiene que compilar el proyecto otra vez.

Un segundo método para resolver determinados errores de compilación implica el uso de control del código fuente. Si el proyecto de Eclipse es gestionado a través de Trabajo en equipo>Compartir proyecto, Eclipse puede gestionar archivos de solo lectura o los generados automáticamente. Alternativamente, si no puede o no quiere emplear el control del código fuente, asegúrese de que todos los archivos del proyecto son escribibles (es decir, que no son de solo lectura).

Por último, puede intentar limpiar el proyecto. Para hacer esto, seleccione Proyecto>Limpiar y seleccione el proyecto que quiere limpiar. Eclipse eliminará todos los archivos temporales y a continuación compilará el proyecto (o proyectos) de nuevo. Si el proyecto era NDK, no olvide volver a compilar el código nativo.

Índice alfabético

A

B

C

D

E

F

G

H

I

J

K

L

M

N

O

P

Q

R

S

V

W

X

Y

Z